ISBN 978-0-331-20324-0
PIBN 11027032

For support please visit www.forgottenbooks.com

ZEITSCHRIFT

FÜR

CHULGESUNDHEITSPFLEGE.

REDIGIERT

VON

DR. MED. ET PHIL. L. KOTELMANN
IN HAMBURG.

ERSTER BAND.
1888.

HAMBURG UND LEIPZIG.
VERLAG VON LEOPOLD VOSS.
1888.

Inhalt.

Originalabhandlungen.

Aus Versammlungen und Vereinen.

Kleinere Mitteilungen.

Tagesgeschichtliches.

Amtliche Verfügungen.

Personalien.

Litteratur.

1. Besprechungen.

X

2. Bibliographie.

ei der Redaktion eingegangene Schriften.

Verzeichnis der Herren Mitarbeiter,

welche im Jahre 1888 Beiträge geliefert haben:

Primar-Augenarzt Dr. H. ADLER in Wien. — Augenarzt Dr. ALEXANDER in Aachen. — Baudirektor FR. BERGER in Wien. — Regierungs- und Schulrat BRANDI in Osnabrück. — Bezirksarzt Dr. RITTER VON BRECHLER in Leitmeritz. — Oberrealschul-Professor Dr. L. BURGERSTEIN in Wien. — Spezialarzt für Kinderkrankheiten Dr. A. CARISI in Palermo. — Rektor der evang. höheren Bürgerschule I. Dr. FR. CARSTÄDT in Breslau. — Professor der Augenheilkunde Dr. H. COHN in Breslau. — Mitglied der Kgl. belgischen Akademie der Medizin Dr. V. DESGUIN in Antwerpen. — Professor der Hygiene Dr. FR. ERISMANN in Moskau. — Prakt. Arzt Dr. EDM. FRIEDRICH in Dresden. — Baurat E. HÄSECKE in Berlin. — Turninspektor Gymnasiallehrer A. HERMANN in Braunschweig. — Kommunaler Kreisarzt A. HERTEL in Kopenhagen. — Diplomierter Architekt C. HINTRÄGER in Wien. — Gymnasial-Professor Dr. H. RITTER VON HÖPFLINGEN UND BERGENDORF in Prag. — Lehrer an der 52. Gemeindeschule C. HUTH in Berlin. — Augenarzt Dr. J. IMRE in Höd mezö-Vásárhely. — Ohrenarzt Dr. C. KELLER in Köln. — Augenarzt Dr. L. KOTELMANN in Hamburg. — Professor der Hygiene Dr. J. KNATTER in Innsbruck. -- Provinzial-Schulrat und Geheimer Regierungsrat Dr. LAHMEYER in Kassel. — Architekt F. LEVY in Kopenhagen. — Oberrealschul-Professor H. LUKAS in Salzburg. — Professor der Hygiene Dr. W. LOWENTHAL in Paris. — Oberlehrer am Realgymnasium Dr. MEHMEL in Altona. — Architekt C. NUSSBAUM in München. — Professor der Augenheilkunde Dr. PFLÜGER in Bern. — Stadtschulrat Dr. PFUNDTNER in Breslau. — Subrektor am Gymnasium H. RAYDT in Ratzeburg. — Kreisphysikus Dr. M. REIMANN in Neumünster. — Professor der Augenheilkunde Dr. A. VON REUSS in Wien. — Architekt Professor C. ROMSTORFER in Czernowitz. — Abgeordneter Rat VON SCHENCKENDORFF in Görlitz. — Professor der Pädagogik Geheimer Oberschulrat Dr. H. SCHILLER in Giessen. — Augenarzt Dr. SCHUBERT in Nürnberg. — Direktor der neuen Mädchenschule M. SCHUPPLI in Bern. — Professor der Hygiene Dr. H. SCHUSCHNY in Budapest. — Direktor des Dorotheenstädtischen Realgymnasiums Dr. B. SCHWALBE in Berlin. — Bürgerschullehrer FR. SELBER in Wien. — Lehrer W. SIEGERT in Berlin. — Hauptmann a. D. O. SIGL in München. — Professor der Hygiene Dr. E. TAUFFER in Temesvár. — Rektor der II. Mittelschule G. TÖNSFELDT in Altona. — Seminar-Professor Dr. J. WALTER in Gran. — Lehrer B. WERNER in München. — Arzt des Wedenskischen klassischen Gymnasiums Staatsrat Dr. A. WIRENIUS in St. Petersburg.

Zeitschrift für Schulgesundheitspflege.

I. Jahrgang.   **1888.**   **No. 1 u. 2.**

An die Leser.

Es ist eine statistisch nachgewiesene Thatsache, dafs unter
der periodischen Fachlitteratur Deutschlands, wie der Kulturländer überhaupt die *pädagogischen* Journale einen verhältnismäfsig sehr bedeutenden Raum einnehmen.

Während aber zahlreiche Blätter sich die *geistige* Förderung
der Schuljugend zur Aufgabe stellen, hat es bisher an einer
Zeitschrift gefehlt, welche die *körperliche Ausbildung*
derselben ins Auge fafst. Und doch bedarf es nicht erst des
Beweises, dafs auch *der Leib* sein gutes Recht hat und dafs
ein jedes Erziehungsprogramm, welches *diesen* vernachlässigt,
als unzureichend, ja selbst gefährlich bezeichnet werden mufs.

Indem wir daher mit dem Beginne dieses Jahres eine
Zeitschrift für Schulgesundheitspflege der Öffentlichkeit übergeben, werden wir die uns gestellte Aufgabe in möglichst um-
fassender Weise zu lösen bemüht sein.

Daher soll zunächst die ganze *äussere und innere
Einrichtung des Schulgebäudes* Berücksichtigung finden:
die Lage und Gröfse des Bauplatzes, die Art und Weise
des Baus, die Beleuchtung, Heizung und Lüftung der Schulzimmer, die Konstruktion der Subsellien und die Beschaffenheit
der Lehrmittel. Auch die mit der Schule verbundenen Neben-
gebäude, der zu ihr gehörige Brunnen, sowie der Spiel- und
Turnplatz der Schuljugend dürfen nicht aufser Acht gelassen werden.

Während wir hierbei vor allem auf den Beistand der
Techniker rechnen, würden die *Mediziner* den Einfluß des
Unterrichts auf die Gesundheit festzustellen haben. In dieser
Beziehung werden wir genaue Mitteilungen über die *Schul-
krankheiten* zu bringen bemüht sein, zu denen wir die

allgemeinen Ernährungsstörungen, die Verkrümmungen der
Wirbelsäule, das bei Schülern so häufige Kopfweh und Nasenbluten, vor allen Dingen aber die in sämtlichen Schulen mehr
oder minder verbreitete Kurzsichtigkeit zählen. Da die letztere
die am sichersten konstatierte Schulkrankheit ist, so beabsichtigen
wir, dem *Gesichts-*, daneben aber auch dem *Gehörorgan* der
Schuljugend unsre besondere Aufmerksamkeit zu widmen.

Hand in Hand mit den *Medizinern* werden endlich die
Pädagogen über die **Hygiene des Unterrichts** in unsrem
Blatte beraten. Hierher gehört die Frage nach dem frühsten
Alter der Schulpflichtigkeit, dem Beginn der Schulzeit am
Morgen, den Pausen zwischen den einzelnen Unterrichts-
stunden, dem geteilten oder ungeteilten Tagesunterricht, der
Häufigkeit und Dauer der Schulferien, dem Umfang der
häuslichen Arbeiten für die verschiedenen Altersstufen, den von
den Lehrern über die Schüler zu verhängenden Strafen.
Aber auch die Unterrichtspläne, namentlich der Turn- und
der neuerdings vielgenannte Handfertigkeitsunterricht, ferner der
Gesang-, der Schreib- und Zeichenunterricht, insoweit dabei
die Gesundheit in Frage kommt, ganz besonders aber die
hygienische Überwachung *der Schulen durch Schulärzte*
werden hier zu besprechen sein.

Verbinden sich so die Techniker, Mediziner und Schulmänner zu gemeinsamer Arbeit und wird hierbei von allen
Seiten *der Standpunkt exakter Wissenschaftlichkeit
und massvoller Besonnenheit* gewahrt, so dürfen wir
hoffen, auch unserseits zu der Erreichung des Ideals aller wahren
Jugenderziehung beizutragen. Dieses Ideal aber sehen wir darin,
die *dreifache Entwickelung des Körpers, des Geistes
und Gemütes zu pflegen* und nach den Grundsätzen
nicht allein der Pädagogik, sondern auch der *Physiologie
und Hygiene* zu harmonischer Gestaltung zu bringen.

Die Redaktion.   Die Verlagsbuchhandlung.

Original-Abhandlungen.

ie Gesundheitslehre als Unterrichtsgegenstand.

n Vortrage, gehalten bei der Naturforscherversammlung in 1887 in der Sektion für naturwissenschaftlichen Unterricht. [1]

Von

Professor Dr. B. Schwalbe,

or des Dorotheenstädtischen Realgymnasiums in Berlin.

nseru jetzigen Schulverhältnissen sind viele gewohnt, ichtsform und die Einrichtungen der höheren Schulen blossen und die bestehenden Unterrichtsfächer als die ilten zu betrachten, so dafs ihnen jedes Rütteln daran unberechtigte Neuerung erscheint. Vorschläge zur g neuer Unterrichtsgegenstände oder für die zeit- asdehnung schon vorhandener, meinen sie, seien un- oar, da dadurch Überbürdung, Beförderung oberfläch- dung, Beeinträchtigung alt überkommener, historisch Gegenstände herbeigeführt würden. Man kann sich len Gedanken finden, dafs der eine oder andre Unter- istand beseitigt oder wesentlich eingeschränkt werden fs der eine oder andre (wie die griechische Sprache der Mathematik in früherer Zeit) wieder der Uni- igewiesen oder dem Privatstudium überlassen werden

Vortrag wird ausführlich erscheinen im Centralorgan für die les Realschulwesens 1888.

könne (wie das Italienische und Englische). — Man verkennt dabei die historische Entwickelung der Unterrichtsfächer: weit entfernt, daſs die Stundenpläne früher einfacher und auf weniger Gegenstände beschränkt gewesen wären, wurden dieselben vor hundert Jahren so mannigfaltig gestaltet, daſs fast alle Gebiete des damaligen Wissens in den Kreis der Schule gezogen waren. Etymologie, Heraldik, Numismatik, Anatomie, Hydraulik u. s. w. wurden gelehrt, und auch die einfacher gestalteten Pläne zeigen bedeutend mehr Gegenstände als wir heutzutage haben. Die Freiheit der Auswahl wurde nach und nach beschränkt, die Zahl der Gegenstände herabgemindert, und jetzt ist eine Abweichung von dem vorgeschriebenen Plane, wenn nicht durch provinzielle Verhältnisse bedingt, überhaupt nicht mehr gestattet. Die fakultativen Gegenstände schwanden bis auf Englisch und Hebräisch an den Gymnasien.

Gegen dieses abgeschlossene System macht sich nun in neuerer Zeit eine Bewegung geltend, die, gestützt auf die Forderung, daſs die Schule auf das Leben vorbereiten soll, anstrebt, solche Fächer dem Unterricht einzufügen, welche zum Verständnis der heutigen Kulturentwickelung notwendig sind: Ist doch in früheren Zeiten das Latein Hauptgegenstand der Unterrichtspläne geworden, nicht wegen der geistesbildenden Kraft, sondern der praktischen Wichtigkeit! Man kann daher nicht mit Unrecht verlangen, daſs Gegenstände, denen heute nicht mehr dieselbe Rolle in unsrer Kultur zukommt, wie früher, eingeschränkt werden müssen.

Die Bestrebungen für Einführung neuer Unterrichtsgegenstände gehen nach drei Richtungen: einmal wird gefordert, einige der schon vorhandenen Fächer zu vertiefen und Zweige derselben im Unterricht zu berücksichtigen, die bisher keine oder wenig Beachtung fanden, so wird Einführung in Astronomie, Meteorologie, Biologie, Anthropologie, Technologie, Kulturgeschichte verlangt; dann werden neue Wissenschaften zur Berücksichtigung empfohlen, wie Gesetzeskunde, Volkswirtschaft, Geologie, Gesundheitslehre und drittens wird gröſsere Ausdehnung der Fächer von mehr technischer Natur, wie

ht in Stenographie, Handfertigkeit, Statistik verlangt;
in neuester Zeit sogar Unterweisung im Feuerlöschen
an worden!

Vorschläge, wie diese und andre Gegenstände be-
tigt werden sollen, gehen nach zwei Seiten: einmal
sonderter Unterricht in irgend einer Form gefordert,
schluß an schon vorhandene Fächer oder gelegentlicher
auf die eine oder andre jenen Wissenschaften ange-
Thatsache.

Behörde ist diesen Bestrebungen gegenüber zurück-
gewesen. Der Einführung neuer Gegenstände stehen
Schwierigkeiten entgegen (Überbürdung, Zersplitterung),
rd aber auch geltend gemacht, daß viele dieser Fächer
irtschaft) noch nicht hinlänglich feste Grundlagen hätten
alb ungeeignet seien; manche seien auch zu schwierig
bst dem reiferen jugendlichen Geiste nicht anpaßbar.
e). Diese Einwendungen sind auch zum Teil gegen Ein-
eines hygienischen Unterrichts gemacht worden.

Hygiene ist nun von solcher Wichtigkeit, greift so
Verhältnisse ein, bedingt so das Wohl des Einzelnen
Gesamtheit, daß es in der That befremdlich erscheinen
 als dieselbe im Unterricht keine Berücksichtigung findet
esentlich würde dieselbe gefördert werden, wenn ihre
hren allgemein bekannt und so zum Eigentum eines
ürden, daß der Einzelne für seine Person, seine Familie,
ne Gemeinde gesundheitschädliche Einflüsse zu beur-
id zu beseitigen versteht. Es ist ein Irrtum zu glauben,
spätere Leben diese Kenntnisse mit sich bringe, die
olen keine Schwierigkeit biete. Aber selbst in Kreisen,
Zeit hätten, geschieht dies wenig und bei denen, die
ze Kraft auf den täglichen Erwerb wenden müssen,
u eine Möglichkeit dazu vorhanden. Auch der Ein-
aß die Hygiene noch nicht hinlänglich wissenschaftlich
et sei, ist nicht stichhaltig. Die Hygiene baut sich
Naturwissenschaften auf, die eine so feste und sichere
ge besitzen wie irgend eine andre Wissenschaft nur

beanspruchen kann. Alle Teile der Hygiene, die hierauf
gegründet sind, lassen sich für den Unterricht vollständig
verwenden. Zweifel herrschen namentlich darüber, wie
weit die nachteiligen Einflüsse wirken und ob einzelne
Krankheiten gerade auf bestimmte hygienische Übelstände zurückzuführen sind. — Darüber, daß Luftheizungen mit grofsen
Temperaturdifferenzen (8 bis 30°), starkem Zuge, unreiner Luft
nachteilig sind, herrscht wohl kein Zweifel, ob aber im einzelnen Falle ein Nachteil daraus erwachsen ist, läfst sich oft
nicht nachweisen. Bei vielen Sachen kann auch nur behauptet
werden, daß sie möglicherweise gesundheitsgefährlich wirken
könnten, und solche Verhältnisse finden sich in unsrem Ver-
kehrsleben bei der Ernährung, Wohnung, etc.; daraus erklären
sich anderseits die vielfach übertriebenen und unerfüllbaren
Forderungen mancher Hygieniker. Es fragt sich nun, ob nicht
schon jetzt die Hygiene hinlänglich im Unterricht berücksichtigt wird. Allerdings findet eine gewisse Beschäftigung
mit ihr in doppelter Beziehung statt: die Einrichtungen der
Schule selbst, die Schulordnung, welche hygienische Vorschriften
enthält, gibt Gelegenheit, auf diesen oder jenen Punkt hinzuweisen. Die Gründe für das Verlassen der Klassen in der
Pause, für die richtige Haltung beim Schreiben, für passende
Beleuchtung der Klassen, lassen sich leicht vorbringen; die
Einrichtung bestimmter Gesundheitslisten, die besondere Berücksichtigung der Kurzsichtigen und Schwerhörigen, die Mafsregeln betreffend die ansteckenden Krankheiten geben Veranlassung zu kurzen Belehrungen.

Freilich wäre es wünschenswert, wenn in manchen dieser
Punkte die Ärzte die Schule mehr unterstützten als bisher.
Wenn im Hause darauf hingewiesen wird, wie nachteilig für
die Gesundheit frühzeitig gebrauchte Reiz- und Genufsmittel
(Tabak, Bier) sind, und wenn die Neigung hierfür im jugendlichen Alter mehr bekämpft würde, so würde mit dieser Einschränkung auch manche Klage über Überbürdung schwinden;
auch müfste noch mehr auf die Notwendigkeit der freien Bewegung hingewiesen werden und denen, die durchaus nicht

am Turnen teilnehmen können, durch Spaziergänge oder dergleichen ein Äquivalent geschaffen werden; auch können die
Maßregeln betreffend die ansteckenden Krankheiten wirksam
nur durchgeführt werden, wenn Lehrer und Schulleiter von
den betreffenden Fällen Nachricht erhalten. Bei den Fehl-
Entschuldigungen brauchen die Eltern den Grund der Ver-
säumnis nicht anzugeben, und hat die Schule kein Mittel, die
Art der Krankheit zu erfahren, während dies sehr erleichtert
würde, wenn die Ärzte eine Benachrichtigung ähnlich der
polizeilichen an den Schulvorstand gelangen ließen. —

Wenn so die hygienischen Einrichtungen selbst zur Unterweisung Anlaß bieten, so ist dies auch bei gewissen Unterrichtsfächern der Fall. In der Geschichte, die mehr und mehr
die Kulturgeschichte berücksichtigen sollte, bieten die großen
Volkskrankheiten (Pest in Athen, Justinianische Pest, schwarzer
Tod, Pest in Mailand, Pest in London) und die Einrichtungen
der alten und mittelalterlichen Städte etc. mannigfache Veranlassung, darzulegen, wie durch Unreinlichkeit, Beschränkung
an Raum und Licht, Anhäufung der Auswurfsstoffe für solche
Kalamitäten der günstigste Boden geschaffen wurde; auch in
der Geographie lassen sich bei den klimatischen Verhältnissen
Anknüpfungspunkte finden, und der chemische und physikalische
Unterricht wird nicht verabsäumen, diese anregenden, den
Gesichtskreis der Schüler erweiternden Beziehungen zu benutzen.

Bei Betrachtung der Luft, des Wassers, der Verbrennung,
des Chlors u. s. w. werden hygienische Fragen zur Besprechung
kommen, und die unmittelbaren Beziehungen zu den Einrichtungen der nächsten Umgebung (Wasserleitung, Heizung,
Desinfektion) werden dieselbe noch fruchtbarer und eindringlicher machen können.

Aber alles dies kann nicht die nötigen sicheren Kenntnisse in der Gesundheitslehre geben; es wird anregend wirken,
manches Vorurteil beseitigen, für einzelne auch ein Ansporn
sein, sich mit der Frage weiter zu beschäftigen, bei vielen
aber auch in kurzer Zeit sich verwischen. Nur ein, wenn

auch in engen Grenzen, planmäfsig durchgeführter Unterricht
vermag die nötige Grundlage zu bilden.

Einen solchen einem schon eingeführten Fache anzu-
schliefsen, wird sich nicht empfehlen; denn die Fächer, welche
dabei in Betracht kommen, Naturwissenschaft und Geographie,
sind in der Zeit schon so eingeschränkt und sollen dabei doch
so viel leisten, dafs jede weitere Einschränkung aufs äufserste
nachteilig sein, ja ihren Wert für den Unterricht ganz illusorisch machen würde. Da die Naturwissenschaften für das
Verständnis unsrer Kulturentwickelung durchaus erforderlich
sind, müssen sie bei der ihnen zugemessenen, sehr beschränkten
Zeit systematisch betrieben und nicht als Anknüpfungspunkte für
Allerlei benutzt werden, dann werden sie auch zugleich die Basis für wissenschaftlich gehaltenen hygienischen Unterricht geben.

Bei unsrem jetzigen Unterrichtssystem läfst sich sehr
wohl der Versuch machen, die Hygiene in den Unterricht
einzuführen, wenn in den oberen Klassen dafür eine encyklopä-
dische Form gewählt würde, ein Weg, der früher vielfach benutzt
wurde (für Etymologie etc.) und wohl wieder versucht werden
könnte. In einer besonderen Stunde, die in dem einen Semester dem einen Gegenstande, in dem andren einem andren
entnommen oder besonders für mehrere Klassen eingerichtet
würde, wäre das Wichtigste aus dem betreffenden Wissen-
schaftszweige den Schülern vorzutragen. Die Gefahr der Ober-
flächlichkeit und der sogenannten Vielwisserei läfst sich dabei
leicht vermeiden, wenn der Unterricht selbst wissenschaftlich
und nicht anekdotenhaft erteilt wird; der andre noch leichter zu
versuchende Weg wäre, fakultativen Unterricht zu gestatten.
Bei der Mannigfaltigkeit der Bedürfnisse für das Leben, der
Verschiedenartigkeit der geistigen Begabung und des Interesses
ist die Frage überhaupt nicht unwichtig, ob nicht dem fakultativen Unterrichte ein gröfserer Raum zu gewähren sei; manche
Übelstände würden sich dann, ohne neue zu schaffen, beseitigen
lassen. Der fakultative Unterricht belastet die Schulen sehr
wenig, und die Erfahrung zeigt, dafs, wo der Versuch gemacht
ist, die Beteiligung daran eine lebhafte war.

lem Unterrichte selbst werden selbstverständlich nur
henden wissenschaftlichen Thatsachen und die hygie-
inrichtungen, die aus ihnen hervorgegangen sind, zu
tigen sein: die Punkte, welche dabei in Betracht
tönnen, lassen sich leicht herausfinden.
ich müfste dabei zunächst Erfahrung geschaffen
b es zweckmäfsiger ist, von den anatomisch-physiolo-
erhältnissen des menschlichen Körpers auszugehen
physikalisch-chemischen Bedingungen, unter dem der
is gedeiht, zu Grunde zu legen. Jedenfalls ist die
einer Schullitteratur auf diesem Gebiete wünschens-
a übrigen ist die litterarische Produktion auf dem
en Gebiete aufserordentlich fruchtbar, Lehrbücher
niedene Zwecke und Kreise, namentlich auch für
ene sind reichlich vorhanden, aber Bücher, welche
edürfnis der Schüler geschrieben sind und Anhalts-
ir den Unterrichtsgang geben können, sind wenig

rage, welche Lehrer den Unterricht erteilen sollen,
leicht beantworten, je nachdem sich der Unterricht
rsten oder zweiten Basis aufbauen soll. Verbindet
dem hygienischen Unterricht einen populären Krank-
richt, gegründet auf Anatomie und Physiologie, so
irzte denselben erteilen. Freilich wird derselbe dann
ren und inneren Gründen sehr schwierig durchzu-
n; sind doch weite ärztliche Kreise, wie sich dies
maniterwereinen gezeigt hat, gegen jede Popularisierung
in. Wird aber der Unterricht beschränkt auf Dar-
er gesundheitlichen Bedingungen (Belehrung über
Beleuchtung, Luft, Wasserbeschaffenheit, Reinigung
ind die Lehrer sehr wohl geeignet, die Sache selbst
und zu nehmen, und es kann von ihnen verlangt
lafs sie sich die allgemeine naturwissenschaftliche

äglich habe ich das Buch: Leitfaden der Gesundheitslehre
von F. Scholz Leipzig. 1886, kennen gelernt

Bildung, wie sie zum Verständnis der Hygiene erforderlich
ist, aneignen. Aber auch abgesehen von dem bestimmten
Unterrichtszwecke, ist für die Lehrer eine bessere Ausbildung
in der Gesundheitslehre wünschenswert; bei jedem Lehrer-
aspiranten sollte Interesse und Verständnis dafür so weit
geweckt sein, daß, wenn er in das praktische Schulleben eintritt, er für das gesundheitliche Wohl der Schüler in der
Schule mit Sorge tragen kann und die gesundheitlichen Einrichtungen der Schule zu benutzen weiß. Daß dafür an
Universitäten, Seminarien etc. besondere Einrichtungen (Vorlesungen) zu treffen sind, liegt auf der Hand. Daß die
Fragen der Schulhygiene (die überhaupt nicht speziell den
Unterrichtsgegenstand bilden würde), welche die inneren Einrichtungen der Schule berühren (Lehrpläne, häusliche Arbeiten),
auszuschließen sind, ist selbstverständlich; auch glaube ich,
würde über diese Fragen leichter eine Verständigung erzielt
werden können, wenn die Ärzte sich mit pädagogischen Fragen
ebenso beschäftigten, wie die Lehrer den hygienischen Fragen
nahe getreten sind, wenn die Schule nicht als gesundheits-
gefährliche Einrichtung, sondern als eine die körperliche und
geistige Erziehung der Jugend fördernde Institution angesehen wird.

Unter den jetzigen Verhältnissen könnten die Ärzte dadurch zur Förderung des hygienischen Unterrichts beitragen,
daß von ihnen freiwillige Vorträge gehalten würden, an denen
Schüler und Lehrer teilnehmen; solche Vorträge würden
Anknüpfungspunkte bieten und Gelegenheit geben, Erfahrungen
zu sammeln, wie dies bei einer neuen Sache notwendig ist.

Daß diese Einrichtungen nicht nur für die höheren
Schulen, sondern für alle zu treffen wären, bedarf kaum einer
besonderen Hervorhebung. Die Berücksichtigung der Hygiene
ist gerade für die Volksschulen von großer Wichtigkeit, da
dadurch richtige Vorstellungen über gesundheitliche Pflege
in die breitesten Schichten des Volkes eindringen können. —
Vielleicht bietet sich bei den obligatorischen und freien Fortbildungsschulen Gelegenheit, zuerst einmal einen Versuch

Unterricht zu machen. Weshalb sollte es nicht
sein, bei einer Handwerkerschule, Industrieschule,
chule eine hygienische Vorlesung, welche die gesund-
. Verhältnisse der praktisch arbeitenden Stände be-
erücksichtigt, einzurichten? Ein Nachteil könnte hier
Weise erwachsen, und würden die beteiligten Kreise
ernehmen gewiß mit Interesse entgegenkommen, so
solche Einrichtung sich bald weiter einbürgern und
ι würde.

diesen kurzen Darlegungen ergeben sich folgende
Unterweisung und Unterricht in der Hygiene, sei es
opädischer oder fakultativer Form ist wünschenswert
bahnen. Hierzu dienen:
erstellung eines kleinen Lehrbuchs für Schüler,
essere Ausbildung der Lehrer in der Gesundheitslehre,
ygienische Vorträge von Ärzten und Lehrern an Unter-
chtsanstalten jeglicher Kategorie.

---

iges über Schulhygiene in Konstantinopel.

Von

Dr. phil. et med. HERMANN COHN,
Professor der Augenheilkunde in Breslau.

n man sich, zumal bei den kurzen Tagen im Oktober,
Tage in Konstantinopel aufhalten kann, so ist natürlich
te wertvoll, damit man wenigstens die hauptsächlichsten
rdigkeiten dieser wunderbaren Stadt und ihrer unver-
en Umgebung kennen lernt. Daß in dieser kurzen
wissenschaftlichen Studien nicht die Rede sein kann,
der Hand. Wenn ich also hier einige Notizen über
iene oder richtiger über Hygiene des Auges in den
. Konstantinopels mitteilen will, so bitte ich die-

selben nur als kleine Anregungen zu betrachten, die vielleicht darum eine Berechtigung haben, weil über dieses Kapitel meines Wissens bisher noch gar nichts in Deutschland erschienen ist.

Die Ursache, warum wir in Europa so wenig über die hygienischen Verhältnisse jener Anstalten wissen, ist einfach die, daß der Eintritt zu den türkischen Schulen dem Fremden bisher schwer oder gar nicht möglich war. Dem überaus gütigen Entgegenkommen Sr. Excellenz des Herrn Professor Dr. MAVROGÉNY PASCHA, des ersten Leibarztes des Sultans, sowie Sr. Excellenz des Herrn General VON DER GOLTZ PASCHA verdanke ich es, daß ich vieles Interessante in Konstantinopel sah, das nur wenigen Fremden sonst zugänglich ist.

Herr VON DER GOLTZ PASCHA ließ mich u. a. durch seinen fließend französisch sprechenden, sehr liebenswürdigen Adjutanten, Herrn Major HUSNI BEY in die Medressêhs und in die Dûretáh begleiten; er selbst aber hatte die Güte, mit mir nach der Mektebeharbié zu fahren und mir diese große Kriegsschule in allen Details zu zeigen. Für die außerordentliche Freundlichkeit, mit der die genannten verehrten Herren mir entgegenkamen, spreche ich denselben hier nochmals meinen höflichsten Dank aus.

1. Der Unterricht in der Solimaniéh und in den Medressêhs.

Eines Morgens holte mich Herr HUSNI BEY schon um 7 Uhr statt um 8 Uhr ab; er hatte sich erkundigt und erfahren, daß eine der interessantesten Vorlesungen schon morgens von 7—9 Uhr in der Solimaniéh stattfinde. Es war an jenem Morgen der Nebel so groß, daß wir, von Pera herabsteigend, auf der Galatabrücke von dem dicht vor uns liegenden Stambul, dem echt türkischen Teile Konstantinopels, auch nicht die Spur sahen; erst am Ende der Brücke tauchten einzelne Minaréhs aus dem Nebel auf. Nachdem wir auf dem entsetzlichen Pflaster den dritten der sieben Hügel, auf denen Konstantinopel gebaut, erklommen, lichtete sich der Nebel ein wenig und vor uns lag die wunderbare Solimaniéh, jene berühmte Moschée,

ltan Soliman der Prächtige im Jahre 1550—1560
Baumeister Sinan hat erbauen lassen.

n Morgenstunden ist der Eintritt in die Moschée nur
n und Schülern gestattet. In der Begleitung des
n, Herrn Husni Bey, wurde ich jedoch eingelassen,
erst, nachdem wir beide die Stiefeln abgelegt

Moschée nennen die Türken „Freude und Glanz
; sie ist der Agia Sofia, der berühmten von Justinian
Basilika, genau nachgeahmt; ihre grofsartige Kuppel,
r dem Fufsboden und 32 m breit, ist sogar noch
r als die Kuppel der Sofia, worauf die Türken be-
lz sind. Nur aus den Fenstern dieser hohen Kuppel
s Licht in das Mittelschiff dieser Moschée. An der
d über dem Mirab (der Gebetnische) befinden sich
noch acht grofse Fenster, die mit den schönsten,
nd Ornamente darstellenden Glasmalereien von
ERCHOSCH (dem Betrunkenen), einem seiner Zeit hoch-
Glasmaler, geziert sind, die aber nur ein sehr ge-
Licht durchlassen.
Eintritt in dieses wunderbare Gotteshaus fesselten
bei einem früheren Besuche, wiederum zunächst die
en Eckpfeiler, welche die hohe Kuppel tragen, die
llesen Pfeilern befindlichen vier gröfsten Säulen Kon-
s, antike Säulen aus rosenrotem Granit, die früher
tuen getragen hatten, die Kapitäle und Wand-
aus Marmor, die herrlichen persischen Fayence-
r Seite des Mirab, die reichen maurischen Ver-
des Mimber (Kanzel) und der Maksuren (Balkons).
Zahl von tief herabhängenden Kronleuchtern aus
d Eisen, die in sonderbaren Kränzen sehr viele kleine
hen, wie wir sie bei Illuminationen benützen, unter-
on Straufseneiern oder Elfenbeinzähnen tragen, —
bald wurde mein Interesse von allen diesen Herrlich-
e in dem neblichen Morgendämmerlichte noch mär-
erschienen, abgelenkt durch ein Bild, welches

überaus malerisch und eigenartig sich vor meinen F
breitete und mir unvergefslich bleiben wird.

Auf dem Fufsboden des herrlichen Mittelsc
Moschée safsen nämlich oder richtiger kauerten m
geschlagenen Beinen einundzwanzig Professoren, jeder
hohen, oberbettartigen Sack, vor welchem ein schmale
nur ¹/₂ m hohes, mit Perlmutter ausgelegtes Tisch
einem Manuskripte lag. Diese einundzwanzig Lehr
einer vom andren etwa 8—10 m entfernt, und jeder
war umgeben von einem Kreise von ca. 15—20 Sch
in den merkwürdigsten Stellungen in ihren bunten
auf der Erde hockten, knieten, kauerten, sa
lagen.

Aber am sonderbarsten erschien es mir, dafs di
undzwanzig Professoren alle zu gleicher Zeit
selben Raume mit sehr lauter Stimme dozierte
als ob jeder in einem Hörsaal allein mit seinen
süfse. Diese einundzwanzig Stimmen schallten in d
Moschée ganz merkwürdig durcheinander. Wie
HUSNI BEY erklärte, trug der eine Dozent Logik,
Arabisch, der dritte Persisch, der vierte Koran, d
Jurisprudenz, der sechste Theologie u. s. w. vor. Ke
kümmerte sich um den andren.

Die jeden Lehrer umgebenden Schüler lasen tei
chern, teils schrieben sie nach. Sie schrieben meist
Zettel, die sie in der linken Hand hielten, od
auf das rechte Knie legten, nach. Manche lagen
dem Bauche und hatten ihr gedrucktes Buch, in da
tizen machten, auf der Erde liegen. Kein Einziger
Tischchen vor sich; einzelne tauchten ihre Federn
tümliche kleine Tintenfässer ein, welche an metalle
büchsen gelötet sind, die wie ein Dolch im Gürtel s

Die Zuhörer befanden sich meist im Alter v
20 Jahren; die Mehrzahl waren Weifse, doch bem
auch einige Neger; alle waren mit Turban oder Fez
sie schienen ihrer Kleidung nach nicht den reichere

izugehören. Auch für die Zuhörer jedes Kreises schien nur
r spezieller Lehrer vorhanden zu sein. Alle waren im ersten
loment erstaunt über uns Eindringlinge, horchten aber bald
m so aufmerksamer auf die sehr lebendig und fast kreischend
rgetragenen Lehren gerade ihres Professors.

Es fiel mir auf, dafs trotz der bedeutenden Dunkel-
eit auf dem Fufsboden der Moschée — ich taxierte die Be-
uchtung auf höchstens 2—3 Meterkerzen — und trotz des
langels eines jeden Subselliums keiner der Lehrer und keiner
er Schüler ein Augenglas trug. Freilich stenographierte
ein Student; sie machten nur ab und zu eine Notiz, meist
ı das gedruckte Buch, das sie in der Hand und in einer
Intfernung von etwa 30 cm vom Auge hielten. — —

Der Unterricht in der Solimaniéh wurde um 9 Uhr ge-
hlossen und die Schüler gingen nun in die Medresséh.
o bezeichnet man die Schüler-Internate, welche mit fast allen
loschéen verbunden sind und aus Wohlthätigkeitsfonds erhalten
erden. Herr HUSNI BEY führte mich auf meine Bitte in ein
er ältesten Medresséhs der Solimaniéh, welche schon zur Zeit
olimans ganz in der Nähe der Moschée erbaut worden und
och heute von zahlreichen Studierenden bewohnt ist; sie heifst
)ökmedschilér Medresséh. Im Inneren des Gebäudes ist
n sehr geräumiger Hof mit einem grofsen Brunnen, an dem
ch jeder Schüler vor jeder Mahlzeit und vor jedem Gebet
aschen muf. Es wäre wohl zu wünschen, dafs bei uns die
chüler sich eben so häufig Gesicht, Hände und Füfse waschen
ülsten, wie die Türken, denen dies der Prophet in seiner
aten Hygiene streng vorgeschrieben hat.

Von dem Direktor der Medresséh wurden wir sehr freund-
ch im Hofe empfangen und nicht eher in die Zimmer geführt,
vor wir nicht am Brunnen bereits mit Kaffee und Cigaretten
ewirtet worden waren. Als der Adjutant dem Direktor mit-
geilt dafs ich ein Arzt aus Deutschland sei, wurde seine
noch gröfser.

Die Zimmer selbst entsprechen nun freilich in keiner
den hygienischen Forderungen der Neuzeit; es sind

kleine, niedrige, dumpfe, nicht sehr saubere Kämmerchen, die
nur ein ganz kleines Fenster haben. In der Regel enthalten sie
nur drei Divans, die zugleich die Betten sind für die Schüler,
die sie bewohnen. Auf diesen Divans studieren und schreiben
die jungen Leute liegend oder hockend. Schreibebücher existieren, wie es scheint, nicht; sie schreiben nur auf lose Zettel.
Nirgends sieht man einen Schreibtisch oder einen Stuhl. Die
Bücher sind in kleinen Schränkchen über den Betten aufbewahrt.

Ich wurde, da ich meine Verwunderung über die ärmliche
und wenig hygienische Einrichtung dieser Anstalt aussprach,
in eine andre Medresséh geführt, die Dschiffte-Issulis hiefs,
wo ich ebenfalls zuerst gastfreundlich bewirtet wurde und dann
auch kleine, etwas besser eingerichtete und sauberere Zimmer
für 2—3 Studenten sah, die aber bezüglich der Studienplätze
und der Beleuchtung den früher gesehenen ganz konform waren.

Es gibt in Konstantinopel etwa dreihundert solcher Medresséhs, in denen die Jünglinge Jahre lang bleiben und sich
zu den Prüfungen, speziell den theologischen, vorbereiten.

2. Die Primärschule, Daretáh.

Ein ganz andres Bild bot eine türkische Elementarschule,
Daretáh, welcher der Direktor HADSCHI IBRAHIM EFFENDI vor-
steht. Sie liegt in einer etwas breiteren Strafse Stambuls.
Nach der üblichen Bewirtung mit Kaffee und Zigaretten
wurde ich in die Klassenzimmer geführt.

Die Schule hat 250 Schüler, und zwar sind in jeder
Klasse etwa 22, die im Alter und in der Gröfse aufserordentlich differieren; man sieht an demselben Tische ganz
kleine Knäbchen und Leute mit gut entwickelten Schnurr-
bärten. Von einer Überfüllung der sehr geräumigen Zimmer
war gar keine Rede. Alle Schulzimmer liegen im ersten und
zweiten Stock und zwar nicht nach der Strafse zu, sondern
ganz frei, ohne jedes vis-à-vis, da die Strafse auf einem Berge
liegt. Fast von jeder Klasse hat man die entzückende Aussicht nach dem dunkelblauen Marmarameer, den Prinzeninseln,
den fernen Bergen Asiens.

Die Beleuchtung ist geradezu köstlich, da in jedem Zimmer viele und sehr hohe Fenster vorhanden. Die meisten Zimmer liegen nach Norden, und an den Fenstern, welche der Sonne ausgesetzt waren, existierten helle Rouleaux, die ganz in Ordnung waren, was man leider in europäischen Schulen oft nicht findet. Die Wände waren nicht gemalt, sondern ziemlich hell tapeziert. Sehr verständig war es von der Direktion, kein Klassenzimmer nach der Strafse hin zu verlegen, so dafs das Licht immer gut bleiben mufs.

Alle Schüler behielten Fez oder Turban in den Stunden auf, erhoben sich aber als wir eintraten, mit dem sinnigen türkischen Grufse, der darin besteht, dafs die rechte Hand von unten nach dem Munde und dann nach der Stirn des Grüfsenden geführt wird. Es soll dies symbolisch bedeuten: Ich fasse den Saum deines Gewandes, führe es zum Kufs an meine Lippen und denke an Dich. Je höher gestellt der zu Grüfsende ist, desto tiefer senkt man seine Hand, ehe man sie zu den Lippen führt; daher war der Grufs der Kinder besonders devot, als der Direktor HADSCHI eintrat.

In den Zimmern gibt es Tische und Stühle, aber keine zusammenhängenden Subsellien. Die Stühle, ähnlich den kleinen Strohstühlen in den türkischen Cafés, haben keine Lehne, aber verschieden hohe Querstangen für die Füfse. Grofs und klein, oft $^3/_4$ m an Körpergröfse differierend, sitzen an denselben Stühlen und an denselben Tischen. Die Tische stehen in Hufeisenform um den Sitz des Lehrers herum, so dafs einzelne Schüler das Licht von rechts, andre von links, andre von vorn bekommen. Der Tisch dient nur gelegentlich zum Auflegen des Lesebuches, niemals zum Schreiben. Auch die Elementarschüler schreiben auf der linken Hand oder auf dem rechten Knie. Geschrieben wird aber im Ganzen so selten, dafs Direktor HADSCHI erst Blätter zum Schreiben in den einzelnen Klassen herbeiholen mufste, wenn ich die Haltung beim Schreiben beobachten wollte. Schreibebücher existieren nicht. Die Schüler schrieben übrigens ziemlich rasch auf der Hand oder auf den Knieen, sowohl türkisch als arabisch.

Null- oder Minusdistanz von 5 cm. Eben so unrichtig war die Differenz, die senkrechte Entfernung von Tisch und Bank: 45 bis 50 cm! Viele Tischplatten befanden sich in der Höhe der Schulter des Sitzenden, während sie doch in der Höhe des Ellenbogens sein sollten.

Infolge der großen positiven Distanz ist das Ein- und Austreten für die Schüler sehr bequem; aber es schien mir von vornherein unmöglich, daß an solchen Tischen überhaupt geschrieben werden könne, zumal die meisten Tischplatten sehr schräg waren. In der That traten auch, als auf meine Bitte an diesen Subsellien geschrieben werden sollte, die unglaublichsten Verbiegungen und Verkrümmungen ein.

Die Lehrer teilten mir aber mit, daß auch hier nicht auf dem Tische, sondern auf dem Knie oder auf der linken Hand geschrieben werde, und ich überzeugte mich, daß die zierlichen türkischen Schriftzeichen auf der linken Hand bei einer ganz guten Körperhaltung, auf dem Knie bei einer leidlichen Haltung ausgeführt wurden.

Aber auch in der Mektebeharbié scheint der Hauptunterricht erfreulicherweise im Lesen und im mündlichen Repetieren, nicht in der enormen Schreibarbeit, wie in Europa, zu liegen. Auch hier sah ich kein Schreibheft, sondern nur lose Zettel. Daß die Herren aber schreiben gelernt haben, folgte aus den Diktaten, die vor meinen Augen an die große Wandtafel in deutscher Sprache schön geschrieben wurden.

Die Säle erschienen mir so außerordentlich groß, daß ich glaubte, man werde von der letzten Bank nicht mehr die Schrift an der Wandtafel lesen können. Leseproben hatte ich nicht mit; ich schrieb daher einige französische Worte in annähernd entsprechender Größe mit Kreide an die Tafel, die von der letzten Bank aus doch noch von den Untersuchten richtig gelesen wurden; diese hatten offenbar übernormale Sehschärfe. Da von den zwanzig sehr langen Bänken des Saales kaum die Hälfte besetzt war, so war die Länge des Saales irrelevant. In der ganzen Kriegsschule sah ich weder eine Brille noch ein Lorgnon.

Während des Druckes dieses Aufsatzes hatte Herr General
v. d. Goltz Pascha die Liebenswürdigkeit, meiner Bitte
folgend, einige Sehproben in der Mektebeharbié selbst vorzunehmen.

Es wurde dazu meine kleine „Tafel zur Prüfung der
Sehschärfe der Schulkinder" (Breslau, 1886 bei Priebatsch erschienen) benutzt. Sie beruht auf Snellens Prinzip, hat sechs-
unddreißig E-artige Zeichen, kann an jeder der vier Seiten
aufgehängt werden, wodurch man vor dem Auswendiglernen
der Zeichen bei Massenuntersuchungen geschützt wird, muß
auf 6 Meter[1] richtig erkannt werden und ist international
brauchbar.

Herr v. d. Goltz Pascha untersuchte von den 452 Eleven
der Kriegsschule 379 und fand, daß auf 6 m die Tafel nicht
lasen, also Ametropen (Am.) waren:

In Klasse III, 2:	von	65	Schülern	14 Am.	= 21 % Am.
„ III, 1:	„	51	„	10 „	„ 19 „
„ II, 2:	„	38	„	7 „	„ 18 „
„ II, 1:	„	48	„	8 „	„ 17 „
„ I, 2:	„	64	„	7 „	„ 11 „
„ I, 1:	„	46	„	10 „	„ 21 „

in Summa: von 312 Schülern 56 Am. = 17 % Am.

Außerdem untersuchte Se. Excellenz noch 67 Tripolitaner
und Jemenlis (d. h. Schüler aus Südarabien), welche als
kurzsichtig gelten; unter ihnen waren 27 Am. = 40 % Am.

Unter allen 379 Schülern fanden sich also 83 = 22 %
Ametropen.

Es dürfte interessant sein, damit die Zahlen zu vergleichen, welche ich vor drei und zwanzig Jahren bei meinen
Untersuchungen von 10060 Schulkindern in Breslau gefunden

---

[1] Im Centralblatt f. öffentl. Gesundheitspflege 1887, 8. Heft pag.
287 findet sich in einem sehr lesenswerten Aufsatze von Dr. Hkusk in
Elberfeld die Bemerkung, daß Normalsehende diese Tafel nur bis 4 m lesen;
nach jahrelangen Beobachtungen, die ich mit der Tafel gemacht, stimme
ich Snellen bei, daß jedes gesunde Auge sie bequem bis 6 m erkennt.

habe (cf. pag. 23 meiner Schrift). Damals sah ich in den Dorfschulen 5 %, in den Elementarschulen 14 %, in den Mittelschulen 19 %, Töchterschulen 22 % und Gymnasien 28 % Am.,
im Durchschnitt unter allen Kindern 17 % Am., genau
wie in der Kriegschule zu Konstantinopel.

Letztere wäre also unsern Mittelschulen in dieser Hinsicht
korrespondierend und hat jedenfalls weniger Abnormsehende
als unsre Gymnasien.

Wie viel davon Myopen sind, wissen wir natürlich nicht;
aber selbst wenn alle 17 % Am. wirklich Myopen wären, was
durchaus unwahrscheinlich ist, so wären es noch immer viel
weniger als in unsern Gymnasien, die durchschnittlich 26 %
Myopen haben.

Von einer regelmäfsig steigenden Reihe von Klasse zu
Klasse kann natürlich bei blofser Ametropen-Zählung keine
Rede sein, da hier die verschiedensten Augenkrankheiten und
die Hyperopieen eine etwa klassenweise zunehmende Myopen-
reihe unerkennbar machen können. Es ist eben nun erst eine
spezielle sorgsame augenärztliche Prüfung der 83 Schüler,
welche die Tafel nicht auf 6 m gelesen haben, nötig.

Die erste Abteilung der ersten Klasse wurde von Herrn
v. D. GOLTZ PASCHA absichtlich in einem dunklen Saale
geprüft, der nur vom Hofe und vom Korridor aus Licht erhält; darauf bezieht Se. Excellenz die gröfsere Zahl der Am.
= 21 %. Ich rate stets die Proben nur in hellen Zimmern
zu machen, in denen der normale Untersuchende die Tafel
bequem bis 6 m liest. Nur 2 bis 3 Eleven in jeder Klasse
erklärten von vornherein, die Haken nicht erkennen zu können. —

Das Verhältnis der Fenster zur Bodenfläche fand
Herr v. D. GOLTZ PASCHA nur in einem Saale 1 : 10,6 (also
sehr ungenügend), einmal 1 : 5,8, zweimal 1 : 5,2, zweimal 1 : 5
(was als niedrigste Grenze in Preufsen gilt); dagegen in neun
Sälen 1 : 4,1.—4,8, in zwei Sälen sogar 1 : 3,3.—3, also ganz
übermäfsig. —

— In den grofsen Sälen brennen aber abends nur 3 bis 4
Gasflammen. —

Die geschilderten Verhältnisse geben dem Augenhygieniker mancherlei zu denken.

Wie kommt es, daß trotz der kärglichen, dämmerigen Beleuchtung in den Moschéen und Medresséhs, trotz der völlig falschgebauten Subsellien in den türkischen Schulen anscheinend keine Kurzsichtigen existieren?

Der positive Beweis des Fehlens der Myopie ist allerdings durchaus nicht geliefert. Ich hatte weder Zeit noch Untersuchungsapparate, um einige hundert Schüler bezüglich ihrer Refraktion und Sehschärfe zu prüfen. Es gibt bekanntlich viele Personen, die schwach kurzsichtig sind (Myopie geringer als 1—2 Dioptrieen) und es gar nicht wissen, da die Beschwerden zu unerheblich sind. Aber stärkere Grade würden doch das Bedürfnis nach Brillen erweckt haben, damit die Schrift auf der Wandtafel erkannt werde. Auch würden wohl die Lehrer, welche myopisch geworden, sich zu Überwachung der Schüler der Augengläser bedienen. Ferner hörte ich bei Nachfragen in einzelnen Klassen nicht, daß Jemand kurzsichtig sei. Auch sah ich in allen besuchten drei Schulen nicht einen einzigen Brillenträger!

Vielleicht ist die Myopie oder die Disposition zur Myopie noch nicht ererbt, da die Großeltern und auch wohl die Eltern der jetzigen türkischen Schüler gewiß noch nicht durch anstrengendes Lesen und Schreiben eine Myopie acquiriert haben mögen.

Vielleicht sind die morgenländischen Rassen überhaupt weniger zur Myopie disponiert. Nach FURNARI (Annales d'oculistique, tome 1, pag. 145), der allerdings vor 50 Jahren seine Mitteilungen machte, als noch keine sorgsamen Methoden zur Bestimmung der Kurzsichtigkeit existierten, nach FURNARI soll es auch unter den Kabylen keine Myopie geben.

Aber warum sollte anhaltende Näharbeit die Orientalen nicht eben so kurzsichtig machen, als die Occidentalen? Fand ich doch unter elf Nubiern, die ich im Jahre 1879 im zoologischen Garten zu Breslau untersuchte, einen, den Priester, der neun Jahre lang arabisch studiert und später viel gelesen hatte, myopisch, allerdings nur schwach myopisch (Myopie = 1,5 Dioptrie), während die übrigen Mitglieder der Karawane Emmetropie mit übernormaler Sehschärfe zeigten. (Vgl. Centralblatt für Augenheilkunde. 1879. Juli.)

Wenn nun aber wirklich die türkischen Schüler der Myopie entgehen, trotzdem die Beleuchtung gerade in den Medressêhs und Moschéen sehr mangelhaft und trotzdem die Subsellien nach unsern Begriffen völlig fehlerhaft sind, so dürfte wohl ein Grund in der sehr geringen Schreibarbeit und in der Art, wie sie schreiben, zu suchen sein.

Sie schreiben, wie wir sahen, niemals in Büchern lange hintereinander, sondern machen nur Notizen auf Blätter, schreiben nie an einem Subsellium, sondern auf der linken Hand oder auf dem Knie.

Beim Schreiben auf der linken Hand braucht der Kopf keineswegs auf die Schrift herabzufallen, wie bei schlechten Subsellien; der Kopf bleibt, wie ich sah, ganz aufrecht, nur die linke Hand wird demselben bis auf 30—40 cm genähert. Die bei dem schlechten Sitzen unsrer Kinder so gefürchtete Überfüllung des Kopfes mit Blut bleibt also aus.

Auch das Schreiben auf den Knieen bei der kauernden Stellung in den Moschéen geschieht ohne Vorbeugung des Kopfes; ja man kann sich selbst leicht überzeugen, dafs man beim Kauern mit untergeschlagenen Beinen sehr schnell ermüden würde, wenn man den Kopf herunterbeugen wollte, während man bei gerader Kopfhaltung viel länger in dieser Stellung verharren kann.

Auch das Lesen ist bei den Türken eine viel weniger die Augen gefährdende Arbeit, als bei uns in den Schulen. Bei uns mufs das Kind meist das Lesebuch auf den Tisch legen; ist dieser nun, wie bei den alten Subsellien, zu hoch oder zu weit von der Bank entfernt, so tritt sehr bald das Herabsinken des Kopfes mit seinen üblen Folgen ein. In den Moschéen und Medressêhs, wo es überhaupt keine Tische gibt, mufs jeder Schüler das Buch in seiner Hand halten, wobei er nicht nach vorn überzufallen braucht.

In den türkischen Schulen jedoch, in denen die oben beschriebenen Subsellien mit der enormen Distanz und Differenz angebracht sind, sah ich niemals ein Lesebuch auf dem Tische, stets hielten die Schüler das Buch in den Händen.

Möglich, daß auch die kurzen Zeilen der türkischen Bücher vorteilhafter sind. Ich habe vor zwei Jahren (Jahresb. der Schles. Gesellschaft. 1885. pag. 45) schon darauf aufmerksam gemacht, daß die von mir in Freiburg untersuchten Uhrmacher so ungemein wenig Myopen aufwiesen, obgleich sie nicht mit der Lupe arbeiteten und die allerfeinsten Gegenstände in 12—15 cm Entfernung täglich fast 12 Stunden lang betrachteten. Ich glaubte schon damals annehmen zu müssen, daß der beständige Nahblick auf feststehende Gegenstände weniger Myopie erzeuge, als der Nahblick auf lange Zeilen, bei denen die Augen viel hin und her gehen müssen. Vielleicht sind also auch die kurzen türkischen Zeilen weniger nachteilig als die langen deutschen.

In wie weit die senkrechte Richtung aller türkischen Buchstaben (es gibt keine schräge türkische Schrift), in wie weit das Schreiben von rechts nach links einen günstigen Einfluß übt, muß speziell untersucht werden. Man sieht, eine Anzahl von ätiologischen Fragen drängt sich dem Forscher auf, der diese Verhältnisse im Orient ernstlich zu studieren Zeit und Lust hätte.

Zunächst müßte methodisch eine größere Reihe von orientalischen Lehranstalten in Bezug auf Refraktion und Sehschärfe der Schüler mit den neuesten Hilfsmitteln der Ophthalmologie untersucht werden, wobei besonders auf die verschiedenen Rassen, die man in den Schulen Konstantinopels im bunten Durcheinander antrifft, Rücksicht zu nehmen wäre.

Sollte sich bei einer solchen Enquête herausstellen, daß, wie es den Anschein hat, die Myopie in den türkischen Schulen viel, viel seltener ist, als in Europa, so müßten alle Faktoren, durch die sich der dortige Unterricht von dem unsrigen unter-

ganz besonders der türkische und arabische
nterricht sorgsam studiert werden.[1]

sich aber bei einer gründlichen Statistik heraus-
ls auch in der Türkei, wie in Europa, eine gröfsere
Schülern in den höheren Klassen der Myopie verfällt,
auch dort, wie im Occident, alle Vorsichtsmafsregeln
werden, um der weiteren Invasion der Myopie
gen. Schon des Kriegsdienstes wegen hat jede
e Pflicht, dafür zu sorgen, dafs die Menge der Kurz-
nicht zunehme.

sicht gelingt es der türkischen Regierung, welche
ern die Reformen des Abendlandes einführt, auch
folgenden Generationen, denen jedenfalls eine ver-
hularbeit beschieden sein wird, die Myopie, welche
immer mehr um sich greift, durch rechtzeitige Pro-
rnsuhalten.

leutsche Bewegung für erziehliche Knaben-
handarbeit.

Von

Rat von Schenckendorff,
Landtagsabgeordneter in Görlitz.

an letzten Jahrzehnten sind auf dem wissenschaft-
chnischen, Wirtschafts- und politischen Gebiete
e Fortschritte, Veränderungen und Umwälzungen
gegangen. So stellt auch das heutige Leben weit
nforderungen an die Vorbildung und Ausrüstung des
. Insbesondere bilden neben einem reichhaltigen und
m Wissen auch praktische Intelligenz und all-
Arbeitstüchtigkeit unentbehrliche Mitgaben für
n.

—

marschall Graf Moltke erzählt in seinen hochinteressanten
der Türkei vom Jahre 1866 (pag. 31), dafs auch er auf dem
schreiben lernen.

Den weiteren Kreisen des Volkes drängt sich indessen
mehr und mehr die Überzeugung auf, daß die heutige Erziehung, welche den Menschen für das eigenartige Leben, in
welchem er wirken soll, vorzubereiten hat, nicht in dem
vollen Umfange diesen veränderten Bedingungen entspricht.
Gewiß haben die Schulbehörden und Lehrerkreise das ernste
und andauernde Bestreben, Schule und Leben in volleren Einklang zu bringen, und Manches ist auch schon nach dieser
Richtung erreicht worden. Aber eine Aufgabe, welche ein so
hohes und schwieriges Ziel anstrebt und die in ihrer Bedeutung
weit über eine einfache Schulfrage hinausreicht, kann in dem
heutigen hoch entwickelten Kulturleben von den Schulbehörden
und Lehrerkreisen nicht mehr allein gelöst werden: sie erfordert zugleich den Beirat und die eifrige Mitarbeit vieler
mitten im praktischen Leben stehender Kreise, deren Interessen
hierbei berührt werden. So nehmen heute auch viele außerhalb
des eigentlichen Lehrerberufs stehende Kreise Erziehungs-
fragen auf und suchen dieselben selbständig zu fördern.

Auf diesem Boden ist auch die Bewegung für erziehliche
Knaben-Handarbeit erwachsen. Sie stellt sich die Aufgabe,
die praktischen Fähigkeiten unsrer männlichen Jugend
zur Entwickelung zu bringen und erblickt in der methodischen
Übung und Schulung der Hand nach der Seite werkthätigen Schaffens das geeignete Mittel, diesem bisher noch
zurückgetretenen wichtigen Bildungsbedürfnisse zu genügen.

Nach fünfjähriger erfolgreicher Vorarbeit innerhalb eines
deutschen Zentral-Komitees bildete sich am 20. September 1886
auf dem VI. Deutschen Kongreß zu Stuttgart der Deutsche
Verein für Knaben-Handarbeit. Derselbe zählt schon
jetzt eine größere Anzahl von Verwaltungs- und städtischen
Behörden, sowie von Vereinen, Korporationen, geschlossenen
Erziehungs-Anstalten und zahlreichen einzelnen Personen zu
seinen unmittelbaren Mitgliedern. Mit diesem Ergebnis
innerhalb so kurzer Zeit und mit der sichtbar zunehmenden
Beachtung, welche der Verein in weiten Kreisen des Volkes,
bei Staats- und Schulbehörden, sowie fast in der gesamten

det, dürfte zweifellos schon äufserlich der Beweis er-
in, dafs seine Bestrebungen einem wirklichen Zeit-
isse entsprechen.

Verein hat am 25. September d. J. zu Magdeburg
te Hauptversammlung abgehalten und mit derselben
den VII. deutschen Kongrefs für erziehliche
-Handarbeit verbunden. Die aufserordentliche rege
ng an diesem Kongrefs und der glänzende Verlauf des-
ten Zeugnis davon ab, welches lebhafte Interesse in den
Kreisen für diese Bestrebungen vorhanden ist, und wie
lben in die erziehlichen, wirtschaftlichen und sozialen
isse einzugreifen vermögen. Die auf dem Kongrefs
n Vorträge betrafen 1. den Bericht über die
eit des Vereins im verflossenen Jahre, von
eins-Vorsitzenden A. LAMMERS, Bremen. 2. Die Be-
r der Knaben-Handarbeit für höhere Unter-
nstalten, von dem Ober-Realschuldirektor NÖGGERATH,
3. Erziehliche Knaben-Handarbeit und Hand-
on dem Direktor des Kunstgewerbe-Museums GRUNOW,
4. Die Knaben-Handarbeit vom ärztlichen
nkt, von dem Geheimen Sanitätsrat, Professor Dr.
LKR, Berlin, und 5. im Schlufswort: Die Knaben-
beit, was sie will, und was sie nicht will, von
reiber dieser Zeilen.

e Vorträge und die sich daran anknüpfende eingehende
führten die Teilnehmer am Kongrefs vollkommen in
en der Sache ein. Auch nicht eine einzige Stimme
ch gegen die Bestrebungen, vielmehr erkannte man
r die Notwendigkeit an, den heranwachsenden Menschen
h der Richtung, die der Verein im Auge hat, vorzu-
In den nächsten Wochen wird der stenographische
bericht in Druck erscheinen.[1] Ich will daher an dieser

---

selbe ist inzwischen erschienen und kann von dem Herrn
dieses Artikels gegen Einsendung von 1 M. in Briefmarken
bgen werden.   Die Redaktion.

Stelle nur diejenigen Punkte in Kürze berühren, welche dem
der Sache bis jetzt noch ferner Stehenden ein allgemeines Bild
von dem Wesen und den Zielen der Bestrebungen zu geben
vermögen, und deshalb die Fragen erörtern: Was will die
Knaben-Handarbeit? Wie hat sie sich als Lehrgegenstand bis jetzt gestaltet? und wie steht die Bewegung insbesondere zu den Schulbehörden und
Lehrerkreisen?

Die Handarbeit will in systematischer Weise die
praktischen Anlagen und Kräfte im Knaben entwickeln, die die
heutige Erziehung noch unentwickelt läfst. Sie will deshalb
die Bildung des Menschen vervollständigen und steht, mit
diesem leitenden Gesichtspunkt im Auge, auf dem erziehlichen Boden. Was sie über die individuelle Ausbildung
hinaus in volkswirtschaftlicher oder sozialer Hinsicht
anstrebt, erscheint ihr nur als Frucht aus dieser Saat.
Daraus ergibt sich von selbst, dafs dieser erziehliche Handarbeitsunterricht auch in System und Methode den Anforderungen entsprechen mufs, welche die Pädagogik an einen
Unterrichtsgegenstand als solchen stellt.

Einige kurze Erläuterungen dieser Grundanschauung
werden den Wert und die Bedeutung der Knabenhandarbeit
näher erkennen lassen.

Die systematische Handarbeit lenkt den Blick des Kindes
nach aufsen und bildet hiermit die äufsere Anschauung, sowie
das Denken und Urteilen an dieser Anschauung. Dadurch erhält
der Geist, welcher heute mehr oder minder nur theoretisch
geschult wird, weil unser Schulunterricht einseitig oder doch
vorwiegend nur das Denken und Urteilen an der inneren
Anschauung bildet, ein praktisches Gepräge; es bildet sich die
praktische Intelligenz, der Geist bekommt sozusagen
Hand und Fufs, und zugleich wird er durch Erfahrungs-
wissen bereichert. Aber nicht allein der Geist, auch der
Wille wird durch diese Handarbeit gebildet. Jedes Kind hat
den lebendigen Trieb zu schaffen und zu gestalten. Es will
nicht nur geistig etwas in sich aufnehmen, sondern auch

nd aus sich heraustreten und seine Kraft am körper-
übeen. Dieser Trieb wird durch die erziehliche
eit in geordnete Bahnen gebracht. Dabei erweist sie sich
als ein äufserst wirksames Erziehungsmittel, in-
den Sinn für Ordnung und für ein genaues und gutes
fördert. Jede Abweichung davon kann dem Kinde
n Augenschein sofort nachgewiesen werden. Die Hand-
ldet in erziehlicher Hinsicht aber auch eine Erholungs-
denn sie setzt andre als die Kopforgane in Thätig-
afft dadurch einen wohlthuenden Wechsel in der Beschäfti-
enkt den Blick von Innen ab, gibt dem Geiste einen
nkt und erfrischt ihn zu neuer Lernarbeit.
allgemeiner Einführung der Knabenhandarbeit würden
swirtschaftlicher und sozialer Hinsicht wesentliche
erwachsen.
Hand bildet bei jeder wirtschaftlichen Arbeit das
nde Organ. Wird dasselbe von früh ab systematisch
, und nicht erst wie heute vom 14. Jahre ab, so wird
zan zweifellos für die Ausübung eines handarbeitlichen
nch geschickter werden. Zugleich gewöhnt sich das
n früh ab an körperliche Arbeit, während es heute
heu vor dieser Arbeit aus der Schule mit ins
bringt. So wird mit der erziehlichen Handarbeit eine
Vorbildung für alle handarbeitlichen Berufsarten
n und das Interesse für dieselben geweckt. Neue An-
räfte und Talente werden dem Volksleben zugeführt,
mit auf eine höhere Stufe der wirtschaftlichen
gsfähigkeit gelangen mufs. Bei dem immer
zer werdenden Wettstreite der Völker auf wirtschaft-
Gebiete mufs Deutschland darauf bedacht sein, die im
vorhandenen technischen Kräfte auf das thunlichst
Mafs der Ausbildung zu bringen. Fast 90 Prozent
olkes leben aber von der Arbeit der Hand und sind bei
schaftlichen Arbeit beteiligt. So fällt der heutigen
g, wenn sie den Zeitbedürfnissen Rechnung tragen,
n Leben dienen soll, aus allgemein volkswirtschaft-

lichen Gründen also die nicht mehr zurückzuweisende Aufgabe zu, für die Bildung der Hand Sorge zu tragen und die Lust zur Handarbeit zu wecken.

Die Handarbeit will weiter aber auch bessernd auf unsre sozialen Zustände einwirken. ·Heute sieht der in einem geistigen Beruf Stehende vielfach mit Geringschätzung auf den Arbeiter mit der Hand herab. Hat aber Jeder schon in seinen Jugendjahren selbst fleißig mit der Hand arbeiten gelernt, so weiß er diese Arbeit auch besser zu beurteilen und zu schätzen. Damit würde die Arbeit der Hand im Volke allgemein mehr zu Ehren kommen. Zugleich läge in dieser praktischen Beschäftigung eine Erziehung des Volkes zur Arbeit. Auch das Haus gewönne wieder eine neue Anziehungskraft. Aber der Mann hat in seiner Jugend nichts gelernt, womit er sich in seiner Erholungszeit beschäftigen kann, ohne sich von neuem anzustrengen; so sucht er die Erholung heute vielfach außer dem Hause.

Das also will im ganzen genommen die erziehliche Knabenhandarbeit. Sie will die Erziehung vervollständigen und damit zugleich dringenden Bedürfnissen unsrer Zeit in volkswirtschaftlicher und sozialer Hinsicht Rechnung tragen. Es sind somit praktisch-ideale Ziele, welche die erziehliche Knabenhandarbeit im Auge hat.

Kaum ist es noch nötig zu sagen, was die Handarbeit nicht will. Sie will weder für einen bestimmten Beruf vorbilden, noch dem Handwerk Konkurrenz machen, noch etwas Fremdartiges in unsre Schule hineintragen. Sie will die Schule auch nicht wie im Sturm erobern, sondern zunächst neben der Schule sich Geltung verschaffen, denn all' Ding will gären und Zeit zu seiner Gärung haben. Ja, dieser Gang der freien Entwickelung darf nicht gestört werden, wenn die Entwickelung selbst nicht aufgehalten werden soll.

Die der Bewegung zu Grunde liegende Kulturidee wird auf diesem Wege aber nur dann zur vollen Geltung kommen können, wenn sich unsre Freunde mehr und mehr dem deut-

/ereine anschliefsen,[1] der die Aufgabe übernommen hat,
praktisch-ideale Element auf dem naturgemäfsen Ent-
ıngsgange in unser deutsches Erziehungswesen hinein-
n.

as ferner die bisherige Gestaltung des Lehrgegen-
ıs betrifft, so ergab sich bei der Inangriffnahme der Be-
ıgen die Notwendigkeit, mit der Schaffung des Lehrganges
tweis vorzugehen und diesen in erster Linie denjenigen
tnissen anzupassen, welche am dringendsten der Berück-
ıng bedurften. Diese Erwägungen führten dahin, zunächst
Lehrgang für zwölf- und mehrjährige Knaben in
schen Verhältnissen zu schaffen. Auf dieses Gebiet
h die Bewegung für Verbreitung von Knabenhandarbeit
ıentlichen bis jetzt auch beschränkt.

ı der Wahl der Unterrichtsmittel kamen Holz, Papier,
n, Pappe und Metall in Betracht. Um in weiteren Kreisen
nsbesondere auch bei den heranzubildenden Knaben
ien Glauben zu erwecken, als handle es sich hier um
Vorbildung für ein bestimmtes Handwerk, mufsten
ınungen gewählt werden, die von vornherein einen solchen
thunlichst ausschlossen. So werden die Kinder also nicht
Tischlerei, Bildhauerei, Schlosserei und Buchbinderei
chtet, sondern in der Arbeit an der Hobelbank, in
chnitt und Ausgründung (Holzschnitzerei), in Papier-,
unage- und Papparbeit, sowie in der Behandlung
[etalldraht und Blech (leichte Metallarbeit). Dem
r steht die Wahl des Unterrichtsfaches frei. Später
ler Knabe wechseln.

ar Lehrgang in jedem einzelnen Fache beginnt mit
snkbar leichtesten Arbeiten und geht, allmählich auf-

Die Anmeldung ist ebenfalls bei dem Herrn Verfasser, der die
ıtsführung des deutschen Vereins übernommen hat, zu bewirken.
rliche Mindestbetrag beläuft sich auf 2 M. Korporationen und
gestellte Personen bezahlen meist einen höheren Betrag. Das
les Vereins, das ein- bis zweimonatlich erscheint, wird den Mit-
unentgeltlich durch die Post zugeschickt. Die Redaktion.

steigend, in schwierigere über. Der Unterricht wird vom Lehrer
erteilt, welchem tüchtige Handwerksmeister als technische
Beiräte zur Seite stehen. Mit der technischen Arbeit Hand
in Hand gehen kurze theoretische Anweisungen über
Herstellungsgang, Werkzeugsbenutzung und Materialienbe-
schaffenheit. Besonders sieht der Lehrer bei der Unterweisung
darauf, daß der Knabe eine richtige und volle Anschauung
von dem nachzubildenden Gegenstande besitzt. Mehrfach kann
er hierbei auch auf andre Unterrichtsgegenstände Bezug
nehmen. Bei der Ausführung muß der Knabe mit Über-
legung vorgehen, Ordnung um sich halten, genau und so
gut als thunlich arbeiten. Es ist überraschend, ein wie
ausgebreitetes Unterrichts- und Erziehungsgebiet sich hier einem
kundigen und gewandten Lehrer erschließt! Zugleich tritt er
dem Knaben bei dieser Anleitung menschlich näher, als beim
Unterrichte vom Katheder herab. So übt der Lehrer bei diesem
Unterricht auch einen wesentlich höheren erziehlichen Einfluß aus, als bei andern Unterrichtsfächern. Dieser wird dadurch vermehrt, daß dem Knaben diese Arbeit Freude
bereitet, so daß der Lehrer ihn für jede Mahnung auch williger
gestimmt findet. Wollten nur alle diejenigen, welche der Sache
bis jetzt ferner stehen oder ihr noch nicht viel Bedeutung
beilegen, einem solchen Unterricht einmal beiwohnen. Sie
würden dann die Hingabe und Begeisterung erklärlich finden,
von welcher die Lehrer bei Erteilung dieses Unterrichts
erfüllt sind.

Bei dem weiteren Vorschreiten der Bewegung sollen zunächst die ländlichen Verhältnisse für zwölf- und mehrjährige Knaben berücksichtigt werden, worauf dann geeignete
Lehrgänge für zehn bis elf-, acht bis neun- und sechs- bis
siebenjährige Knaben für Stadt und Land geschaffen werden
sollen. Vom sechsten bis neunten Jahre wird man erweiterte
Fröbelarbeiten einführen können. Die verschiedenen Lehrgänge
müssen überall auf die Kräfte und den jeweiligen geistigen
Bildungsstand der Knaben Rücksicht nehmen. So ist also
noch ein großes Arbeitsgebiet bei dem erziehlichen Knaben-

unterricht zu beackern, das nur allmählich in die
mmen werden kann.

teht nun endlich die Bewegung zu den Schulbehörden
rkreisen?

e allgemeinen Gründe, welche es wünschenswert er-
ssen, daſs den Bestrebungen der Charakter der freien
lung gewahrt bleibe, habe ich schon vorher hinge-
r näheren Erläuterung füge ich hier das Folgende hin-
ehördliche Anordnung auf obligatorische Einführung
rbeitsunterrichts für Knaben würde auf erhebliche
eil unüberwindliche Schwierigkeiten stoſsen; es fehlt
n Schulrahmen die hierfür erforderliche, etwa vier
öchentlich betragende Zeit; dann bedarf der Lehr-
noch der Anpassung an die ländlichen Verhält-
vie an die jüngeren Altersklassen vom sechsten
lften Lebensjahre; die Unterrichtsmethode muſs
Erfahrungswege noch weiter durchgebildet werden:
ds sind die notwendigen Räumlichkeiten für die
rkstätten vorhanden, und allerorts würde es auch an
wendigen Lehrpersonal fehlen. Weiter wären
en, welche dem Schulunterrichtspflichtigen auf-
rden, sehr erhebliche. Bei einer freien und all-
n Entwickelung vermindern sich diese Schwierig-
r werden zum Teil nicht empfunden.

erein ist sich aber bewuſst, daſs er seine Ziele nur
einem gewissen gröſseren Umfange erreichen kann,
uſser der Unterstützung weiter Volkskreise auch die
ung der Behörden findet. In der That ist diese
ds versagt worden, wo Schülerwerkstätten ins Leben
urden. Die Unterrichtsministerien in Preuſsen und
aben den Bestrebungen schon vielfach materielle
gewährt; andre deutsche Landesunterrichtsver-
. wie Elsaſs-Lothringen, Württemberg, Baden,
Veimar, Gotha, Rudolstadt u. a. stehen der Angelegen-
rollend gegenüber. Zu seinen behördlichen Mitgliedern
Verein den Groſsherzoglich Badenschen Ober-Schul-

rat, die Schuldeputation in Köln a. Rh., die Schuldirektion
in Kolmar i. Els., den Kreisausschuſs zu Beuthen in O.-Schl.,
die Magistrate in Thorn, München, Halle a. S., Brandenburg
a. H., Osnabrück, Beuthen i. O.-S., Koburg, Rudolstadt,
Kolmar i. Els., Zwickau i. S. etc., eine Anzahl von ersten
und zweiten Bürgermeistern, Stadt- und Schulräten und andre
mit dem Unterrichtswesen mehr oder minder in Verbindung
stehende Behörden und Personen. Es läſst sich somit hoffen,
daſs ein gedeihliches Zusammenwirken des Vereins mit den
Schulbehörden sich weiterhin noch auf einer breiteren Grundlage entwickeln werde.

Eine gleiche Unterstützung bedarf der Verein auch von
seiten der Lehrerkreise. Mit groſsem Dank muſs anerkannt
werden, daſs sich diese jetzt mehr und mehr den Bestrebungen desselben zuwenden; besonders nachdem die Forderung
nach einer allgemein obligatorischen Einführung von dem Vereine selbst bekämpft wird. Zahlreiche Beweise wären hierfür
anzuführen. Es sei nur erwähnt, daſs der groſse Berliner
Lehrer-Verein eine Sektion für Knabenhandarbeit gebildet hat, um die Sache in der Reichshauptstadt zu fördern.
Im Ganzen genommen können wir die Lehrer aber nicht entbehren, weil aus ihnen die Lehrkräfte für den Unterricht
genommen werden müssen, und weil sie uns helfen müssen,
um den Unterrichtsgegenstand pädagogisch weiter auszubauen
und durchzubilden.

Gelingt es der Bewegung aber, mehr und mehr auch
die Behörden und die Lehrerkreise zu gewinnen, so wird
man getrost der weiteren Entwickelung entgegensehen können.
Jeder von dieser Seite ausgehende, die Sache fördernde Rat
wird dem Verein willkommen sein.

Liegt somit für die Gesamterziehung das dringende
Bedürfnis vor, die erziehliche Knabenhandarbeit nach und
nach allgemein einzuführen, so sollten die geschlossenen
Erziehungs-Anstalten in erster Linie den Anfang mit dieser Einführung machen. Auſser den erziehlichen Gründen spricht
bei diesen Anstalten noch die Rücksicht mit, den Knaben in den

ausen eine nützliche Beschäftigung zu schaffen.
rf es aber der richtigen Anleitung. Thatsächlich
r eine schwer empfundene Lücke auszufüllen, die
ers auch im Hinblick auf die Disziplin fühlbar
Zwangserziehungs-Anstalten gilt die Arbeit
tte und Feld schon lange als das wirksamste
e Knaben wieder auf den rechten Weg zu führen.
n- und Taubstummen-Anstalten und in man-
enhäusern bestehen Anfänge nach dieser Richtung.
aber sämtlich folgen und sich zunächst zu ihrer
und Anleitung dem Deutschen Verein für Knaben-
anschliefsen. In den Militär-Erziehungs-An-
nd Alumnaten ist meines Wissens aber noch
ewifs aber nur sehr vereinzelt die praktische Be-
ng mit dem Werkzeug eingeführt.
dringend sind die erziehlichen Knaben-Werkstätten
iereichen Orten, wo die Eltern des Tages über
brik arbeiten. Hier gilt es, die Kinder von der
zuziehen, an Beschäftigung zu gewöhnen und ihnen
tzliche Fertigkeiten mit ins Leben zu geben.
iel der Bewegung ist, wie man schon aus diesen
deutungen erkennen wird, auf das Gemeinwohl
Der praktische Idealismus, der ihr zu Grunde liegt,
einem dringenden Zeitbedürfnis, und er wird
der heute noch vorhandenen grofsen Schwierigkeiten
finden, von Jahr zu Jahr neue Anhänger um
sammeln und zum Wohle des Vaterlandes endlich
iege führen.

— —

Aus Versammlungen und Vereinen.

Die Schulgesundheitspflege auf dem Wiener Kongresse für Hygiene und Demographie.

Von

Professor Dr. LEO BURGERSTEIN in Wien,

Sekretär der II. Sektion des Kongresses.

Der VI. internationale Kongreß für Hygiene und Demographie, welcher vom 26. September bis 2. Oktober 1887 in Wien tagte, brachte zwei schulhygienische Themen: XII. Ärztliche Überwachung der Schulen, besonders mit Bezug auf die Verhütung der Verbreitung von Infektionskrankheiten und Myopie; Berichterstatter: Dr. H. WASSERFUHR, Ministerialrat, Generalarzt etc., Berlin, Professor Dr. HERMANN COHN, Breslau, Dr. H. NAPIAS, Generalinspektor der Wohlthätigkeits- und Irrenanstalten etc., Paris. — XIII. Der hygienische Unterricht an Volksschulen, Mittelschulen, Gewerbeschulen, Mädchenschulen, Lehrerbildungsanstalten, Priesterseminaren etc., Zweckmäßigkeit und Begrenzung desselben; Berichterstatter: Dr. J. v. FODOR, Prof. der Hygiene, Universität Budapest, Dr. H. KUBORN, Prof. der Hygiene etc. Seraing-Lüttich, Dr. A. LAYET, Chefarzt der Marine etc., Bordeaux, Dr. M. GAUSTER, Regierungsrat etc., Wien.

I. Referate.

Betreffs der ärztlichen Überwachung weist WASSERFUHR in seinem Referat zunächst darauf hin, daß die Schulen für die Schüler durch Jahrhunderte Quellen gesundheitsschädlicher Einflüsse waren und daß erst durch Ärzte eine Abhilfe angebahnt wurde. Das sind Thatsachen, die heute allseits anerkannt sind. Weitere Abhilfe ist aber erst möglich, wenn sachverständigen Ärzten ein maßgebender Einfluß innerhalb der Schulverwaltung eingeräumt wird. Mit Rücksicht auf den in allen Kulturstaaten eingeführten obligatorischen Unterricht ist dies eine Forderung im öffentlichen Interesse. Der Berichterstatter widerlegt in trefflicher Weise einige seitens der Schulmänner gemachte Einwürfe. Ich übergehe diese Widerlegung deshalb, weil sich, zum Lobe der Lehrerschaft muß es offen ausgesprochen werden, die Zahl jener Lehrer, welche die Einmischung von Ärzten auf theoretische Er-örterungen beschränken wollen, ohne ihnen eine Teilnahme an der Verwaltung einzuräumen, entschieden vermindert. Fraglos ist, daß die Aufklärung darüber, was die Hygiene will und kann (u. a. durch hygienischen Unterricht des Nach-wuchses), die Lehrerschaft im großen mitreißen muß. Handelt es sich doch nicht um ein „Für oder Wider den Lehrer", sondern um das Wohl der Gesellschaft, für welches die Lehrer in so hohem Maße zu wirken mit berufen sind! WASSERFUHR verlangt das Mindeste, was gefordert werden muß. Der be-rechtigte Anspruch der Hygiene „darf nicht weitergehen, als Gesundheitsschädlichkeiten abzuhalten, soweit der Zweck der betreffenden Einrichtung dies gestattet. . . . Der Zweck der Schule im besondern ist der Unterricht der Jugend. Diesem Zwecke hat die Schulhygiene sich unterzuordnen . . ."

Nach WASSERFUHR soll der Schularzt ein geprüfter ständiger Medizinalbeamte sein — ein Punkt, auf den ich noch zurückkomme; die Thätigkeit dieses Beamten wird in folgender Weise begrenzt: Unter voller Wahrung der Zu-ständigkeit der Pädagogen als Leiter des Schulunterrichtes hat er 1. die gesetzlichen Vorschriften, soweit sie mit Schul-hygiene in Konnex stehen, vor ihrem Erlaß zu prüfen und zu begutachten; hierbei hat er Recht und Pflicht der Initiative. 2. prüft und begutachtet er neue Schulpläne. 3. hat er perio-disch alle Schulen unter Zuziehung der Schulvorsteher hygie-nisch zu inspizieren und hinsichtlich der hygienischen Seite Bericht zu erstatten.

WASSERFUHR gelangt zu 4 Thesen; davon später.

H. COHN behandelt in seinem Referate vorwaltend die

Augenfrage, natürlich in jener meisterhaften Weise, wie sie
von dem in allen Teilen der Erde citierten Gelehrten, der
sich durch seine bahnbrechenden Arbeiten ein bleibendes
Verdienst erworben hat, zu erwarten war. Er stellt und
beantwortet folgende Fragen: 1. Ist die Myopie unter der
Schuljugend so verbreitet, dafs eine ärztliche Überwachung notwendig wird? (Ich meine, bei dem Umstande,
dafs Jedermann, der nur etwas Interesse für Schulhygiene hat,
die traurigen Prozentserien kurzsichtiger Schüler kennt, hierbei
nicht verweilen zu müssen). 2. Ist die Kurzsichtigkeit etwas
Gleichgiltiges, oder ist sie eine Krankheit? Mit Rücksicht auf gewisse sonderbare Äufserungen, denen man — wenn auch
nur ganz sporadisch — in der Litteratur begegnet, sagt COHN,
dafs die Myopie allerdings eine „Anpassungserscheinung" sei,
aber eine höchst unzweckmäfsige, wie z. B. das Emphysem
des Trompeters. Die Myopie ist immer ein Gebrechen, selbst
in den niederen Graden, auch hier schon sehr oft mit herab-
gesetzter Sehschärfe verknüpft: dazu kommt, dafs kein Mensch
voraus sagen kann, ob in der Jugend erworbene schwache
Myopie stationär bleiben werde. Der gegenteilige Ausgang
ist unzählige Male erwiesen. Schon bei mittleren Graden
kommen sehr bedenkliche Krankheiten häufig vor, was
näher ausgeführt wird. Es handelt sich also hier um ein
ernstes Leiden, das ernste Prophylaxe erheischt. 3. Ist die
Myopie angeboren oder wird sie erworben? Gewifs ist Vererbung auch ein wichtiger Faktor: allein häufige direkte Vererbung ist nicht nachweisbar, und wäre sie es, so wäre aller
Grund vorhanden, diesem bösen Einflufs durch thunlichste
Steigerung des Prozents Gesunder unter den Vererbenden zu
steuern. Alle Augenärzte stimmen darin überein, dafs anhaltende Naharbeit besonders bei schlechter Beleuchtung
geeignet sei, Kurzsichtigkeit zu erzeugen, respektive zu vermehren. 4. Wird die Myopie in der Schule oder im Hause
erworben? In Beiden. Der Anteil ist schwer zu scheiden.
Die höheren Schulen fordern noch zu viel Hausarbeit, in den
Volksschulen, wo die Schularbeit weitaus prävaliert, liegt

tgewicht auf der Naharbeit in der Schule. Man
auch nie übersehen, daſs hinsichtlich der Hausarbeit
echte Gewohnheiten beim Sitzen aus der Schule
gebracht werden. (VIRCHOW). Dort, wo die Haupt-
ler Schule gethan wird, hat man bezüglich der gutten neuen „Schulpaläste“ schon eine beträchtliche
der Myopie (von 12 und 14 % auf 4 und 7 %)
ıen. Pflicht der Schule ist es, Alles zu vermeiden,
ıeits zur Entwickelung der Krankheit beitragen
Worauf hat der Schularzt betreffs der Verhü-
Myopie zu achten? Hier sind Beleuchtung, Sub-
pographie der Lehrbehelfe, Schrift, Wand- und Schreib-
llen, Augen-Überbürdung, sowie periodische Prüfung[1]
inder-Augen Faktoren, die in trefflicher Weise eine ge-
sprechung erfahren, welche hier im Auszuge wieder-
ır engbemessene Raum leider nicht gestattet.
Schluſskapitel des COHNschen Referates ist über-
„Die freiwilligen Schulärzte in Breslau“. Da die
;e ein Moment ist, welches gegen ärztliche Schul-
rirksam ausgespielt zu werden pflegt, erklärten sich
: Anfrage 57 Ärzte in Breslau (50,000 Schulkinder,
ichend), bereit, gratis das Ehrenamt von Schulärzten
ın. Die schlesische Gesellschaft für vaterländische
tzte den Breslauer Magistrat davon in Kenntnis
lie Überzeugung von der Zweckmäſsigkeit . . . der
jenen Maſsregel nicht gewinnen“ konnte und sich
idagogische Bedenken berief, daſs derart leicht „Miſs-
d Vorurteil gegen die Schule . . . . geweckt und
ırden könnte“. Eine höchst befremdliche Motivierung!
lie 3 Thesen COHNS komme ich später zu sprechen.
ıs behandelt den gegenwärtigen Zustand der Schul-
ı Frankreich. Der hervorragende Hygieniker hat

ı der Lehrer kann sich leicht von der Sehschärfe der Kinder
praktischen einfach zu handhabenden COHNschen Probetafel
Breslau 1887, 2. Aufl. 40 Pf.; enthält auch die Gebrauchs-

uns sehr dankenswerte authentische Aufschlüsse sowie Litteratur-nachweise mitgeteilt. Er gibt die ausführliche Instruktion für den Bau der Schulhäuser in Frankreich; sie läßt einen großen Einfluß der Schulhygiene deutlich erkennen. Diese Vorschrift hat sich allmählich zu ihrer jetzigen Höhe entwickelt und ist in weiterer Vervollkommnung begriffen. Vorschläge, wie sie von JAVAL und von der Pariser hygienischen Gesellschaft formuliert wurden, werden angegeben.

Hinsichtlich des Mobiliars schreibt die Instruktion ein- bis zweisitzige Bänke vor, wobei die einsitzigen besonders bevorzugt werden; die Maßverhältnisse werden für die dort üblichen 5 Größen im Detail angeführt. Alle diese Vorschriften sind konform den Vorschlägen der Kommission für Schulhygiene im französischen Unterrichts-Ministerium.

Zur Hygiene des Auges seien nur ein Paar Punkte an-geführt. Es wird eine Tabelle JAVALs beigegeben, welche die belehrenden Ziffern für die Myopen mit guter und schlechter Haltung anführt. TRÉLAT betont den Wert guter Beleuchtung für Entwickelung des Sinnes für Plastik (le sens plastique) bei den Schülern. — Die hygienische Schulkommission hat auch zweiseitige Beleuchtung gestattet. — Hinsichtlich der Schrift sind die französischen Autoritäten darüber einig, was GEORGE SAND, echt französisch, folgendermaßen ausspricht:

Écriture droite. Papier droit. Corps droit.

Das Vorhandensein der Überbürdung wird anerkannt, die Abhilfe besonders von richtigerer Unterrichtsmethode, Ruhe-pausen und ausreichenden körperlichen Übungen erwartet. „Unter den bestehenden Vorschriften widersteht das Gehirn der Kinder nur dank der merkwürdigen Fähigkeit der Un-aufmerksamkeit, mit welcher man rechnen muß; in der That, die Mehrzahl der Schüler verliert einen guten Teil der auf der Bank verbrachten Zeit" (JAVAL).

Ein kurzer Bericht über Ferienkolonien gibt u. a. die bedeutenden und bedeutsamen Ziffern für Zunahme an Gewicht, Höhe und Brustumfang der Pariser Kinder bei einmonatlichem Landaufenthalt. (Chaumont, Haute-Marne).

ichtlich der ansteckenden Krankheiten wird der
l-Erlaſs betreffend Isolierung, Bad etc. citiert und
kizze von Bestimmungen über Wiedereröffnung einer
erseuchung geschlossenen Schule angeführt. Was die
ation anbetrifft, so wünscht NAPIAS daſs dieselbe,
in den Mittelschulen obligatorisch, für alle Schulen
der Zeit vor Schluſs der Schulpflicht, d. i. vor
eichten 13. Jahre eingeführt werde. LEMAISTRE
neue sehr kontagiöse Hautkrankheit an den Mund-
der Schüler entdeckt. Das Epithel wird weiſslich,
riert und löst sich leicht ab. Das Übel weicht rasch
dlung mit Borsäure, Kupfervitriol oder Alaun. Hin-
der Leiden der behaarten Haut hat sich ergeben, daſs
eilige Ausschluſs vom Schulbesuch nicht entsprechend
z. B. die mit Kopfgrind (teigne) behafteten Kinder
att im Spital zu sein, sich mit den gesunden Kameraden
Straſse u. s. w. vergesellschaften und sie anstecken.
er Freigebigkeit der Pariser Gemeindevertretung
ür solche Kinder im Spital St. Louis eine Schule
Plätzen errichtet werden, wovon 90 besetzt sind.
ärztliche Schulinspektion besteht in gewissen Departe-
hon über 30 Jahre; das sind aber doch nur Aus-
le. Am 13. Juni 1879 wurde dieselbe im Seine-
ient eingerichtet; Hâvre, St. Etienne, Lyon, Reims,
etc. sind allmählich Paris nachgefolgt. Ein Zirkular
rrichtsministers von 1879 an die Statthalter hat die
tion der ärztlichen Inspektion auszubreiten gesucht.
etz vom 30. Oktober 1886 und Dekret vom 7. Januar
en sie bestimmt umschrieben. Sie ist daher natürlich
ht überall durchgeführt. In 10 Departements findet
tändig organisiert, regelmäſsig statt, in einigen andern
e besonders Städte gut eingerichtet u. s. f. NAPIAS
dieser Hinsicht eine ausführlichere Übersicht. Be-
des Mundes und der Zähne werden die trefflichen
ge von MAGITOT und GALIPPE, bezüglich des Gehörs
chule die von GELLÉ citiert.

Der Berichterstatter sagt schliefslich, dafs die gegenwärtige
ärztliche Schulinspektion noch weit von der Vollkommenheit
entfernt sei. Es verdient aber das bisher von schönen Erfolgen gekrönte Bestreben Frankreichs, diese wichtige Institution
mehr und mehr zu entwickeln gewifs uneingeschränkte Anerkennung.

(Fortsetzung folgt.)

Die 9. Jahresversammlung des Nordalbingischen Turnlehrervereins.

Von

G. TÖNSFELDT,
Rektor der II. Mittelschule in Altona.

Der Nordalbingische Turnlehrerverein hielt am 28. September
1887 seine 9. Jahresversammlung in Neumünster ab. Einen Hauptteil des Programms bildete wie üblich die öffentliche Vorführung von Turnübungen seitens verschiedener Schulen der
Stadt. Dieselbe sollte einesteils den Mitgliedern des Vereins
ein Bild geben von dem Stande des Schulturnens in dem Ver-
sammlungsort, anderseits in weiteren Kreisen das Interesse
für die Leibesübungen der Jugend wecken und fördern, Vorurteile gegen den Turnunterricht beseitigen, eine richtige Würdigung desselben herbeiführen helfen. Es ward deswegen bei
der Auswahl der vorzuführenden Übungen Wert darauf
gelegt, dafs die Mannigfaltigkeit des Unterrichtsstoffes, die
Planmäfsigkeit des Unterrichtsbetriebes und die Sicherung
gegen die von den Eltern vielfach noch überschätzten Gefahren
des Turnens den Zuschauern wirksam zur Anschauung gebracht
wurden. In Neumünster turnten Schüler der Bürgerschule
und des Progymnasiums, sowie Schülerinnen einer privaten
höheren Töchterschule und führten in ansprechender, durchweg
auch von den anwesenden Fachmännern lobend anerkannter

Frei- und Ordnungsübungen, zum Teil in reigenartiger
nach Gesang aus, ferner einen vollständigen Reigen
ler Melodie „Frisch wie die Libell" und endlich Stab-,
-, Barren-, Reck- und Rundlaufübungen.

n die Vorführungen schloß sich programmgemäß eine
chung derselben in geschlossener Mitgliederversammlung.
ɔe führte bald von der eigentlichen Beurteilung zur Er-
ɪg verschiedener Fragen, welche für die Unterrichts-
von unmittelbarer Bedeutung sind, unter andern auch
gen, ob es richtig und wünschenswert sei, daß den
n neben dem vom Lehrer unmittelbar geleiteten, streng
len Grundsätzen der Methodik erteilten Turnunterricht
ɪelegenheit gegeben werde, sich in freierer selbstständiger
an den Turngeräten zu üben, namentlich ob auch das
ɪ in den Pausen auf den Schulhofe gestattet sein solle.
ɪhrzahl der Anwesenden neigte zu der Ansicht, daß die
ɪ Entwickelung von Kraft, Mut, Umsicht und Besonnen-
ɪelche solche Übungen mit sich bringen, die mit den-
unleugbar verbundene größere Gefahr so sehr vermin-
daß kein größerer Prozentsatz an Unglücksfällen zu
ɪn sei als beim Spiel. Natürlich müsse eine verständige
ht Mutwillen und Tollkühnheit verhindern. An mehreren
ɪ Lehranstalten im Vereinsbezirk ist ein besonderer
ɪittag oder Abend angesetzt, an dem ein sogenanntes frei-
ɪ Turnen stattfindet. Die dort gemachten Erfahrungen
ɩen obige Ansicht.
ɪ der um 4 Uhr eröffneten öffentlichen Versammlung
ɪ zunächst der Vorsitzende, Herr TÖNSFELDT, Altona,
ɪ dem Vereine darum zu thun sein müsse, die Unter-
ɪg weiterer Kreise zu gewinnen, da er nicht nur den
ɪterricht, sondern die gesamte Leibeserziehung der
ɪ, soweit sie Sache des Gemeinwesens sei, in den Bereich
Bestrebungen ziehe. Seitdem die Schule auch das
ɪngsspiel grundsätzlich in Pflege genommen, dürfe er
ɪ, diese Unterstützung bei den Eltern zu finden. Sodann
te er namens des Vereins den Herrn Professor Dr

EULER, Unterrichtsdirigenten der Turnlehrerbildungsanstalt in Berlin, der im Auftrage des Ministers v. GOSSLER der Versammlung als Gast anwohnte. Herr KUMMER, Altona, hielt darauf einen Vortrag über das „Turnen zur Zeit JAHNS und das Schulturnen der Gegenwart" und Herr TÖNSFELDT, Altona, einen solchen über „die Form des Befehls für die Frei- und Ordnungsübungen nach dem neuen Leitfaden für den Turnunterricht in den preufsischen Volksschulen". Der erste Vortragende schilderte die Wandlungen, welche das Turnen erlitten hat dadurch, dafs es Unterrichtsgegenstand geworden ist, der zweite behauptete, dafs die vor 19 Jahren festgestellte und angeratene Befehlsform nicht mehr festgehalten werden dürfe, weil sie die volle und wirksame Ausnutzung des Unterrichtsstoffes hindere. Die Versammlung war darüber einig, dafs die Lebendigkeit und Fruchtbarkeit des Unterrichts dem Lehrer höher stehen müssen, als die knechtische Befolgung des Leitfadens.

Kleinere Mitteilungen.

Der heilsame Einflufs der Küstenluft auf den Verlauf der namentlich bei ärmeren Schulkindern so häufigen Skrofulose ist zuerst in Italien gewürdigt und in der Schaffung von Seehospizen ausgenutzt worden. Wie das „Centralblatt für allgemeine Gesundheitspflege" berichtet, hat Italien seit der Gründung des Hospizes in Viareggio im Jahre 1856 zusammen 20 Seehospize errichtet, 13 an der mittelländischen, 7 an der adriatischen Meeresküste. Mehr als 100 besondere Komitees schicken alljährlich Tausende von leidenden Kindern an die See. Nach den vom General-Sekretär der italienischen Gesellschaft für Gesundheitspflege veröffentlichten statistischen Angaben sind bisher am mittelländischen Meere im ganzen 25000 skrofulöse Kinder behandelt worden. Von diesen wurden 29 Prozent geheilt, 62 Prozent gebessert und 7 Prozent ungeheilt entlassen. In den Hospizen am adriatischen Meere betrug die Zahl der kleinen Patienten 20000 mit 27,5 Prozent Heilungen, 61,3 Prozent Besserungen und 5,4 Prozent ohne Erfolg Behandelten. Übrigens bestehen Seehospize für skrofulöse Kinder jetzt in den meisten Kulturländern.

Übertragung von Scharlach durch Bücher. In dem „Brit. med Journ." veröffentlicht Dr. SIMSON folgenden von ihm beobachteten Fall.

Scharlachkranken bemerkte er ein Buch, das er kürzlich bei
ren Scharlachkranken gesehen hatte. Als er sich näher er-
rfuhr er, daß der Patient, der mit keinem andren an Schar-
nden Verkehr gehabt hatte, zwei Tage nach Empfang des
rankt war. Dr. SIMSON ist der Meinung, daß hier die An-
nrch das Buch erfolgt ist. Diese Beobachtung sollte die Vor-
Schüler-Bibliotheken jedenfalls zur Vorsicht beim Ausleihen
rn an kranke Schüler mahnen. Nach F. PEARSE besteht die
; der Übertragung des Krankheitskeimes durch nicht desinfi-
er, Bücher u. dgl. ziemlich lange Zeit, während die Ansteckungs-
lurch Vermittelung des Atems oder durch unmittelbare Be-
:i Masern vom zweiten Krankheitstage an genau drei Wochen
Pocken vom ersten Tage an nicht ganz einen Monat, bei
vom vierten Tage an sechs bis sieben Wochen, bei Mumps
)iphtheritis etwas weniger als drei Wochen. Vorsicht aber er-
diesen Fällen um so mehr geboten, als die Sterblichkeit an
d Scharlach bei Kindern eine ziemlich bedeutende ist. Wie
eilt, starben nämlich in Basel bei einer Masernepidemie im
; von 10 unter 1 Jahr alten Kindern 4 oder 40 Prozent, von
Jahr alten 5 oder 21,7 Prozent, von 55 im Alter von 2 bis
l oder 1,8 Prozent, von 34 5 bis 10jährigen 1 oder 3 Prozent,
Alter von 10 bis 15 Jahren 1 oder 7 Prozent, und von 15
abre alten Personen niemand. Für die Sterblichkeit schar-
r Kinder aber gibt HARTEVELT folgende Zahlen an. In den
)0—1886 wurden in das Krankenhaus zu Amsterdam 75 Knaben
dchen bis zum Alter von 11 Jahren mit Scharlach aufgenommen.
ersteren starben 23 oder 30,6 Prozent, von den letzteren 16
rozent.

dem letzten augenärztlichen Kongreß in Paris teilte
IKOFF mit, daß er 2000 Kinder der Armenier und Kaukasus-
hinsichtlich der Refraktion und Sehschärfe ihrer Augen ge-
:. Bevor diese Kinder den Unterricht besuchten, fanden sich
en nur 3 Prozent Kurzsichtige, nach Absolvierung des Schul-
i dagegen 77 Prozent.

r die Temperatur in geheizten Schulzimmern wurden in
letzten Sitzungen der Berliner meteorologischen Gesellschaft
en Vorsitzenden, Prof. v. BEZOLD, einige interessante Mitteilungen
Derselbe hatte vor einer Reihe von Jahren zu München in
inander gelegenen, durch Zentralheizung erwärmten Klassen
lgebäudes an zahlreichen Stellen Thermometer aufgestellt und
iedenen Stunden des Tages ablesen lassen. Im Erdgeschosse
i, namentlich am Morgen, eine außerordentlich große Zunahme

der Temperatur von unten nach oben; die letztere betrug in der Nähe des Fufsbodens an der dem Eintritt der Heizröhren gegenüberliegenden Wand nur 8 Grad, während sie bis auf 40 Grad C. an der Decke anstieg. Im Laufe des Vormittags kamen die Differenzen in vertikaler und horizontaler Richtung zwar einigermafsen zum Ausgleich, aber auch am Nachmittage war unten in der Nähe der Wand, durch welche die heifse Luft eintrat, noch eine Temperatur von 15 Grad C., während die gegenüberliegende Wand in gleicher Höhe nur 10—11 Grad C. hatte. Viel geringer waren die Temperaturverschiedenheiten in den Zimmern der mittleren Stockwerke. Im obersten Zimmer ging am Morgen von der erwärmten Wand eine Schicht warmer Luft nach der andren Seite fort, die mit der Entfernung an Breite mehr und mehr abnahm, so dafs die gegenüberliegende kalte Wand in ihrer Mitte die höchste Temperatur besafs und von dort aus sowohl nach unten, als auch nach oben hin an Temperatur abnahm. Redner hob hervor, dafs ein grofser Teil der Klagen über die Mängel von Zentralheizungsanlagen jedenfalls auf den von ihm festgestellten grofsen Verschiedenheiten der Temperatur in vertikaler Richtung beruhen, welche notwendig ähnliche Unterschiede im Feuchtigkeitsgehalt der Luft zur Folge haben müfsten.

Deutsches Reichs-Patent No. 41429: Federnd ausziehbarer Turnstab von SAM. WILD in Basel. Der Turnstab besteht aus einer festen Stange, auf welcher Stellring, Federn und Hülsen derart angeordnet sind, dafs das Ganze einen elastischen, ausziehbaren Stab bildet, welcher je nach Bedarf durch Anziehen einer Mutter in einen festen Turnstab verwandelt werden kann, so dafs man damit heilgymnastische Übungen verschiedener Art in allen Körperhaltungen ausführen kann.

Tagesgeschichtliches.

Der Deutsche Verein für öffentliche Gesundheitspflege wird seine diesjährige Versammlung vom 13. bis 16. Septb. in Frankfurt am Main abhalten. —

Verlegung der französischen Internate auf das Land. Die Académie de Médecine in Paris hat vor einiger Zeit auf den Vorschlag der DDr. THÉLAT und HARDY den Wunsch ausgesprochen, dafs die Collèges und Lyceen für Internatsschüler auf das Land verlegt werden möchten. Auf diese Weise würden nicht nur weite Räume für die Erholung der Zöglinge zur Verfügung gestellt, sondern auch die Klassenzimmer in Bezug auf Beleuchtung und Lüftung verbessert werden können.

r Akademie auch eine Vereinfachung der Lehrpläne herbei-
ate, so dringt sie doch vor allem auf folgende Punkte. Die
s gewidmeten Stunden sollen vermehrt werden, damit das
besser erholen kann. Die Schul- und Arbeitszeit ist zu
und ein Teil derselben der Erholung und den körperlichen
widmen. Zu den letzteren sollen sämtliche Schüler
werden und ihrem Alter entsprechend Laufen, Springen oder
Gerätturnen, Fechten, Kraftspiele u. dgl. betreiben. Auch
bungen würde der Aufenthalt in frischer Landluft demjenigen
in Stadtluft vorzuziehen sein.

ürdung in den Mittelschulen Österreichs. Das medizi-
nenkollegium in Wien, welches eine Sektion für öffentliche
fläge besitzt, hat durch diese am 4. November 1885 ein
r Prüfung der Fragen wählen lassen: 1. Existiert eine Über-
r Schüler in den Mittelschulen und aus welchen Gründen?
sind die Mittel zur Abhilfe der bestehenden Übelstände?
se hat nun, wie die „Wien. mediz. Wochenschr." mitteilt,
Primarius Dr. Haim Bericht abgestattet. Danach ist eine
g der Mittelschüler vorhanden und als Grund derselben neben
genden hygienischen Einrichtungen in den Schullokalitäten
Lehrplan, sondern die Lehrmethode anzusehen. Die Sektion
die aus Pädagogen und Ärzten bestehende Kommission ein-
e nicht nur über die Befähigung der Schüler zur Aufnahme
fles urteilen, sondern auch Vorschläge für ihr körperliches
ng soll. Eine Petition in diesem Sinne wird dem Unterrichts-
breitet werden. Wir begrüfsen hierbei vor allem die in
gemeinsame Thätigkeit der Schulmänner und Ärzte.
a fehlen die medizinischen, den letzteren die pädagogischen
allein eine solche Frage entscheiden zu können.

sche Ausbildung der Schüler in militärischen Exer-
ohl in Berlin als in Hamburg und andern gröfseren Städten
feldwebel während dieses Winters militärische Übungen
-welche zweimal wöchentlich in einer Abendstunde statt-
sich eines regen Zuspruchs und lebhaften Beifalls erfreuen.
Seiten wird die sachkundige, den Körper schulende
Art und Weise dieser Übungen gerühmt. Dieselben haben
Vorteil, den später in das Heer Eintretenden eine wesent-
erung und Förderung für den Dienst mit der Waffe zu

akademischer Turnvereine. Zu Pfingsten d. J.
n die dem Kartellverbande akademischer Turnvereine auf

deutschen Hochschulen angehörenden Studenten in der früheren Universitätsstadt Helmstedt ihr Kartellfest zu feiern, zu welchem etwa 400 Studierende dort erwartet werden.

Schulärzte und Lehrer der Hygiene in Ungarn. Bekanntlich hat der ungarische Unterrichtsminister Trefort hygienische Kurse für diejenigen Ärzte eingerichtet, welche als Schulärzte und Professoren der Gesundheitspflege an Mittelschulen angestellt zu werden wünschen. An diesen Kursen haben bis jetzt 68 Herren teilgenommen, von denen 48 bereits diplomiert worden sind. Aus der Zahl der letzteren nennen wir die DDr. Béla Axmann, Jos. Ötvös, S. Lichtenstein, Béla Hankély, St. Mayer, Adolf Schlimann, Alex. Szikszay, Heinr. Schuschny, Edm. Tóth, Lad. Warga, Moriz Dévay, Edm. Frank, Gust. Olár, Karl Ziffer, Jul. Baumerth, Fried. Uhrik, Gabriel Mátray, Isidor Glass, Anton Lechner, Walter Holl, Joh. Péchy, Martin Wladár, Leop. Nádas, David Fuchs, sämtlich in Budapest, Dan. v. Zelizy in Debreczin, Géza Csabay in Kecskemét, Eugen Tauffer in Temesvár, Karl Akoncz in Arad, Melchior Gross in Grosswardein, Anton Aroday in Stuhlweissenburg und Emerich Tóth in Schemnitz. Die Anstellung erfolgt schon im nächsten Schuljahre, vorläufig jedoch ohne Gehalt. Hoffentlich werden die Betreffenden bald mit einer angemessenen Remuneration bedacht werden.

Wettschwimmen von Schülern. Der Hamburger Schwimmverein von 1879 veranstaltet alljährlich ein Examenschwimmen für diejenigen Knaben der Volksschule, welche in dem betreffenden Jahre auf Kosten des Vereins im Schwimmen unterrichtet wurden. Bei der letzten Prüfung im Herbste v. J. durchschwammen die vorgeschriebene Strecke von 160 Metern und erhielten die entsprechenden Preise: Der erste Knabe in 4 Minuten 25 Sekunden, der zweite in 4 Minuten 30 Sekunden, der dritte bis fünfte in 4 Minuten 35 Sekunden, der sechste in 4 Minuten 40 Sekunden, der siebente in 5 Minuten 3 Sekunden und der achte in 5 Minuten 6 Sekunden. Das zahlreich erschienene Publikum verfolgte die Leistungen der kleinen Schwimmer mit dem gröfsten Interesse und zollte denselben lebhaften Beifall. Gleichzeitig kam die Rettungskonkurrenz für Schwimmlehrer zum Austrag. Der Sieger trug einen Nichtschwimmer 7 Minuten 45 Sekunden lang im Wasser und erhielt den ausgesetzten Preis, ein silbernes Ehrenzeichen.

Amtliche Verfügungen.

Schonung der Augen in den Fortbildungsschulen. Der preufsische Minister für Handel und Gewerbe hat unter dem 2. Juli v. J. den ihm unterstellten Fortbildungsschulen ein Reskript mit-

welchem thunlichst darauf Bedacht genommen werden soll,
erricht im Freihandzeichnen abends, der Unterricht im Zirkel-
chen Zeichen dagegen Sonntags während der Tagesstunden
e, um die Augen der Schüler möglichst zu schonen.

apfung des Staubes und Einführung zugfreier Ventila-
n Schulen. Eine empfehlens- und nachahmenswerte Anord-
or einiger Zeit die Königliche Regierung in Düssel-
ffen. Danach sollen fortan die Fufsböden der Schulzimmer
simal mit heifsem Leinöl gestrichen werden. Man hofft da-
bessere Reinigung und gründlichere Entfernung des Schul-
len zu können. Zugleich ist verfügt worden, soweit es noch
ehen, an den Oberlichtern der Fenster solche Ventilations-
anzubringen, welche zwar der frischen Luft freien Eintritt
ber zugleich die Kinder vor Zugluft bewahren.

rauch des Züchtigungsrechtes der Lehrer. Die König-
sische Regierung in Schleswig hat folgende Bekannt-
lassen:

Schleswig, den 10. Oktober 1887.

Fälle der letzten Zeit, in welchen der Mifsbrauch des
rechtes der Lehrer zur Schädigung der Gesundheit der ge-
schulkinder geführt hat, veranlassen uns hierdurch zu verfügen:

Lehrern und Lehrerinnen an den öffentlichen Volksschulen
ist das Schlagen an den Kopf und das Reifsen oder Zausen
nd Haaren, sowie überhaupt jede Berührung des Kopfes der
zum Zwecke der Züchtigung verboten."

rigen wollen wir zwar von bestimmten eingehenderen Vor-
er die Art und Weise der Ausübung des Züchtigungsrechtes
absehen, machen aber im allgemeinen darauf aufmerksam,
hulzucht von töchtigen Lehrern ohne häufigeren Gebrauch
der körperlichen Züchtigung aufrecht erhalten werden kann
überhaupt nur in Ausnahmefällen, und zwar in der Regel
wenn andre Strafmittel erfolglos geblieben sind, anzuwenden,
lafs und Vorsicht auszuüben und insbesondere bei Mädchen
n vermeiden ist.

chulbehörden der Provinz haben dafür zu sorgen, dafs diese
allen Lehrern und allen Lehrerinnen der Schulen ihres Auf-
zur Kenntnis gebracht wird, und auf geeignete Weise zu
dafs auch die künftig an diesen Schulen anzustellenden
Lehrerinnen mit derselben bekannt gemacht werden. König-
rung, Abteilung für Kirchen- und Schulwesen. v. RUMOHR. —
s der Landesregierung ist hier vorbeugend bei einem Punkte
, welcher, wenn auch nur selten, so doch immer noch die

Veranlassung zu Verstimmungen und peinlichen Rechtshändeln abgibt. Allerdings wird man dem russischen Schulgesetze nicht beipflichten können, welches eine jede körperliche Bestrafung der Schüler untersagt. Anderseits aber kann man es keinem Vater verdenken, wenn er erwartet, daß der Teil der Gewalt, den er an den Lehrer hat abgeben müssen, nun auch in der rechten Weise gehandhabt werde.

Perſonalien.

Der französische Minister des öffentlichen Unterrichts hat kürzlich eine Kommission berufen, um eine Reform der Unterrichtsprogramme der Primärschulen zu beraten. Es handelt sich dabei um eine Vereinfachung dieser Programme und eine Entlastung der Schüler. Auch unser verehrter Mitarbeiter Dr. H. NAPIAS, Generalinspektor der Wohlthätigkeits- und Irrenanstalten in Paris, ist Mitglied der Kommission.

Herr Professor Dr. H. COHN in Breslau ist wegen seiner Verdienste um die Schulhygiene von der Société Impériale de Médecine de Constantinople einstimmig zum Ehrenmitgliede ernannt worden. Zugleich hat ihm der Sultan den Medschidjeh-Orden III. Klasse verliehen.

In Wien tagen augenblicklich von der Kommune berufene Sachverständige, um die beste Schulbank auszuwählen, welche in alle Wiener Kommunalschulen eingeführt werden soll. Der an unsrer Zeitschrift mitwirkende Herr Professor v. REUSS gehört zu den Mitgliedern dieser Kommission.

Unser Mitarbeiter Herr Dr. LUIGI PAGLIANI, Professor der Hygiene an der Universität Turin, ist in das königlich italienische Ministerium des Inneren als Generaldirektor der öffentlichen Gesundheitspflege (Reggente la Direzione Generale di Sanità Publica) nach Rom berufen worden.

Herr diplomierter Architekt CARL HINTRÄGER in Wien hat mit Unterstützung der dortigen k. k. technischen Hochschule am 1. Dezember v. J. eine einjährige Studienreise durch Europa angetreten. Er wird zuerst Italien, dann Deutschland, die Schweiz und Frankreich besuchen, um den Bau und die Einrichtung von Gebäuden für Unterrichtszwecke eingehend kennen zu lernen. Wir hoffen Berichte über die von ihm gesammelten Erfahrungen aus seiner Feder bringen zu können.

Litteratur.

—

Besprechungen.

E. ANGERSTEIN, Stabsarzt a. D., Städtischer Oberturnwart, und
KLER, Oberlehrer der Königl. Turnlehrer-Bildungsanstalt: Haus-
astik für Gesunde und Kranke. Eine Anweisung für jedes
und Geschlecht, durch einfache Leibesübungen die Gesundheit
alten und zu kräftigen, sowie krankhafte Zustände zu beseitigen.
l. Holzschnitt. u. 1 Figurtafel. Berlin, 1887. TH. CHR. FR. ENSLIN
l. gr. 8).

an Turnarzt und Turnlehrer sich zur Abfassung einer Haus-
k für Gesunde und Kranke die Hand reichen, so begegnen sich
beiden Faktoren, durch deren Zusammenwirken die Lösung
abe in allseitig befriedigender Weise erfolgen kann. Beweis
das vorliegende Buch, welches in klarer, übersichtlicher und
n, für dessen selbständigen Gebrauch es bestimmt ist, durchaus
cher Weise der Aufgabe gerecht wird, die sich die Verfasser
rte stellen; daß die Übungen ihrer Haus-Gymnastik dazu dienen
esteils die Gesundheit zu erhalten und zu kräftigen, andernteils
te krankhafte Zustände, wie Schwäche der Atmungsorgane,
stockungen, Fettleibigkeit u. s. w. zu bessern und zu beseitigen.
ich somit die Verfasser dieselben Ziele, wie SCHREBER in seiner
erreicht dastehenden „Ärztlichen Zimmergymnastik“, so folgen
lben im allgemeinen zwar in Bezug auf die Einteilung und
g des Stoffes sowie die Angabe der Übungswirkungen, bieten
l das ist für praktische Zwecke äußerst wichtig, viel mehr
rmen. Sind auch von letzteren mit Recht fast nur durch Be-
g und Abbildung leicht verständlich zu machende Freiübungen
so sind doch Hantel- und namentlich Stabübungen in ungleich
Maße berücksichtigt als von SCHREBER. Das ist aber wichtig
ein wegen der trefflichen Verwendbarkeit dieser Übungen,
h der Stabübungen für die von der „Haus-Gymnastik“ ins Auge
gesundheitlichen, vorbauenden und Heil-Zwecke, sondern nicht
m der Berührung des Übungsstoffes selbst willen. Wer es weiß,
öhe Grad von Energie und Ausdauer für Gesunde oder Kranke
rt, in kleinstem Kreise oder sogar ganz allein die betreffenden
so gewissenhaft und für so lange Zeit zu treiben, daß auch
rinigem, wo nicht von dauerndem Erfolge die Rede sein kann,
für jede Aufstellung weiterer geeigneter Übungsformen, die
wechselung der ermüdenden Einförmigkeit vorbeugen können,
ein. Mit vollstem Rechte aber haben die Verfasser die Wider-
nd passiven Bewegungen der Heilgymnastik, ebenso wie die

Massage, ausgeschlossen. Wenn einerseits, namentlich früher, die Wider-
standsbewegungen überschätzt wurden, so kommt es andererseits ihre Bedeutung und ebenso die der passiven Bewegungen unterschätzen, wenn
man meint, man könne sie von jedem beliebigen, weder anatomisch-
physiologisch, noch gymnastisch vorgeschulten Gehilfen ausführen lassen.
Bei Gesunden, namentlich aber bei Kranken kann dadurch schweres
Unheil angerichtet werden und liegen dafür Beispiele vor. Es ist ein
besonderes Verdienst der Verfasser des vorliegenden Schriftchens, daß
sie sich mit Entschiedenheit gegen den Versuch wenden, jene Bewegungs-
formen der Hausgymnastik dienstbar zu machen.

Wenn Ref. einzelne Wünsche ausspricht, die vielleicht in späteren
Auflagen Berücksichtigung finden könnten, so richten sie sich im wesentlichen darauf, daß einzelnes in dem Schriftchen Angeführte umzustellen
oder schärfer zu betonen sei. So könnte Seite 11 und 66 die Wichtigkeit
des Tiefatmens auch außer den Übungszeiten, als eines kräftigen
Unterstützungsmittels der Hausgymnastik, mehr hervorgehoben werden.
Bei den Übungen, insbesondere den Rumpfübungen könnte den letzteren
wohl das Rumpfwenden, namentlich aber das Rumpfaufrichten aus
wagerechter Lage als eine der wirksamsten Übungen, namentlich bei
Stuhlverstopfung infolge von Schwäche der Bauch- und Darmmuskulatur,
zugefügt werden. Bei den Armübungen, die zugleich als Hantelübungen
gedacht sind (S. 19), dürfte sich im allgemeinen — bei den einzelnen
Übungen sind ja die Heilanzeigen durchaus richtig angegeben — schon
hier, wie es Seite 83 für ernstere Fälle überhaupt geschieht, die Bemerkung empfehlen, daß bei Brustkrankheiten (Asthma, Lungenerweiterung
Brustfellverwachsung, beginnender Tuberkulose) insbesondere die Armübungen nur äußerst vorsichtig, bei irgend ernsteren Erscheinungen
nur nach Einholung ärztlichen Rates, zu machen sind. Von den Bein-
übungen (Seite 32) sind Beinheben und Beinspringen im allgemeinen
bei dem weiblichen Geschlechte zu vermeiden, wie denn diese Übungen
auf Seite 75 bei den Übungen für das Jungfrauenalter als „mäßig" aus-
zuführende bezeichnet sind, während sie allerdings Seite 84 als angezeigt
bei Blutarmut und Bleichsucht des weiblichen Geschlechts, vorausgesetzt
daß nicht übermäßiger, sondern stockender Monatsfluß dabei vorhanden
ist, mit Recht empfohlen werden.

Ganz vortrefflich und beherzigenswert ist, was Seite 59 ff. unter
„Verwendung der Übungen für Gesunde" über die körperliche Behandlung des Säuglings- und weiter des Spiel- und schulpflichtigen Alters
gesagt ist; der sich daran schließenden Übungsbeispiele für Gesunde
sind mehr als sie von SCHREBER gegeben werden. Bei der Verwendung
der Übungen für Kranke haben die Verfasser die von SCHREBER angegebenen Übungsvorschriften zur Radikalheilung von Brüchen, besonders
der Leistenbrüche nicht aufgenommen, offenbar um nicht in ärztlichen

[s zu erregen, denen dabei die unmittelbare Wirkung der
eifelhaft erscheinen möchte. Daſs aber Brüche, besonders
durch entsprechende Übungen und Kräftigung der Bauoh-
sie die von Schreber angegebene Vorschrift bezweckt,
die Bruchöffnungen geschlossen werden können, ist von
bl denkbar und hat sich davon Ref. selbst überzeugt.

ch muſs Ref. zur Empfehlung des Schriftchens noch an-
hm treffliche, die Übungen illustrierende Holzschnitte in
afel und ebenso ein vollständiges Verzeichnis der Übungen
nd und daſs überhaupt die Ausstattung desselben seitens
chhandlung eine ganz vorzügliche ist. Einem Jeden aber
nd nimmt und auch nur oberflächlich auf seinen Inhalt
sich sofort selbst empfehlen.

Dr. med. Edm. Friedrich in Dresden.

Rastein in Wien: **Die Gesundheitspflege in der Mittel-**
lygiene des Körpers nebst beiläufigen Bemerkungen. Wien,
Ölder. (140 S. gr. 8.)

inleitung betont der Herr Verfasser, daſs die körperliche
cht minder als die Entwickelung des Geistes im Interesse
nzelnen wie des Gemeinwesens liegt und weist in dieser
die alten Hellenen als Vorbilder hin. „Die helleni-
ung war hocherhaben über die schulmeisterliche
eit und Dürftigkeit dessen, was unsere Zeit Er-
nennen beliebt". Sie gab auch dem Körper sein Recht
istisch für sie ist das altgriechische Sprichwort, daſs von
deten sagte: „Er kann weder lesen noch schwimmen".
schauungen wird noch heute in England gehuldigt.
n die Jugend im ganzen weniger geistig arbeiten, sorgt
cterentwickelung und hinreichende Körperthätigkeit. Selbst
le hat ihren Rasenplatz für Spiele, unter denen Fuſsball
ie verbreitetsten sind; in den altberühmten Kolleges aber
chten, Schwimmen und Rudersport betrieben.

ler Autor dann auf sein eigentliches Thema übergeht,
zunächst die Möglichkeiten der Schädigung des
ch die Schule. Eine solche Möglichkeit sieht er in dem
uernden Ruhigsitzen der Schüler, wodurch nicht allein die
trächtigt, sondern auch häufig Kopfweh und Nasenbluten
Noch nachteiliger aber wirkt das lange Stillsitzen, wenn
i schlechtes Sitzen ist, da dann leicht Myopie und Skoliose
afs das anhaltende Sitzen die Atembewegungen weniger
ht, ist um so bedenklicher, als die Qualität der Schulluft
chen übrig läfst. Bekanntlich besitzt dieselbe einen auſser-

54

ordentlich beträchtlichen Kohlensäuregehalt, wofür sich der Verfasser
auf die Untersuchungen von PETTENKOFER, BREITING, BARING u. a.
beruft. Auch der Staub der Schulzimmer verschlechtert die Luft, zumal er einen günstigen Nährboden für Mikroorganismen abgibt. Zur
Verderbnis derselben können endlich kariöse Zähne der Schüler beitragen,
welche nach GALIPPE und MAGITOT namentlich in den letzten Schuljahren
vorkommen.

Mit grofser Wärme plädiert nun der Herr Autor dafür, der mangelnden Bewegung der Schuljugend durch verschiedene
Übungen des Körpers abzuhelfen. Er will, dafs sich die Schüler
freier in den Respirien tummeln, Bewegungsspiele auf dem Schulhofe
vornehmen, ganz besonders aber durch Turnen sich Kraft und Gewandtheit, Mut und Ausdauer erwerben. Dabei flicht er einen interessanten
Überblick über die Geschichte der Turnkunst in Österreich, Deutschland,
Frankreich, Italien, der Schweiz, Belgien, Dänemark, Schweden, Rufsland,
und den Vereinigten Staaten ein. Er hat auch nichts dagegen, wenn in
den Turnstunden wie in Belgien selbst das ganze „maintien" bis zur
„manière de se produire en société" gelehrt würde. Aufserdem will er
Tanzen, Fechten, Baden und Schlittschuhlaufen in den Schulen betrieben
wissen. „Es ist zweifellos besser", sagt er, „wenn die Schule die
körperlichen Anlagen in ihren Schutz nimmt und bildet, statt
sie wild wuchern oder verkümmern zu lassen" — ein gewifs
sehr wahres Wort. Die Verwendung des Schulhofes zum Schlittschuhlaufen will uns übrigens nicht recht praktisch erscheinen; denn wird der
ganze Hof mit Eis überzogen, so fehlt den Schülern während der Respirien
zum Umhergehen der Platz, wird aber nur ein Teil zu dem angegebenen
Zwecke verwendet, so ist der Raum für das Schlittschuhlaufen zu klein.

Sind Übungen des Körpers in der Schule wegen der möglichen
Schädigung desselben durch den Schulbesuch eine unabweisliche Pflicht,
so haben die Behörden noch eine Reihe hygienischer Mafsnahmen im einzelnen zu treffen. Hierher gehört zunächst die Beschaffung rationeller Subsellien. Der Herr Verfasser tritt für zweisitzige
Schulbänke ein, aus welchen die Schüler beim Aufstehen heraustreten
können. Doch läfst er auch Bänke mit Einzelsitzen zum Aufklappen
zu, zumal dabei der Fufsboden besser gereinigt werden kann. Dagegen
verwirft er das Fufsbrett, weil es keinen Wechsel in der Stellung der
Füfse gestattet, wie ihn jeder Sitzende sucht. Was die Beleuchtung
anbetrifft, so können die Fensterflächen, besonders in den unteren Stock-
werken nicht grofs genug sein. Als künstliches Licht werden die
SIEMENSschen Brenner empfohlen, die mit grofser Lichtstärke, einen
kräftigen Ventilationseffekt verbinden. Der Herr Autor bespricht bei
dieser Gelegenheit auch die Vorzüge der matt geschwärzten Schultafeln,
des Antiquadruckes, sowie der Steilschrift. Für die Lufterneuerung

ulzimmern genügt die natürliche Ventilation durch die Wände
die Fenster sollen daher soviel als möglich geöffnet werden.
durch künstliche Temperaturdifferenz erzeugte Luftwechsel
Schulen nicht hin, weshalb sich der Verfasser für direkte
der verbrauchten und Propulsion frischer Luft vermittelst
Druckpumpen ausspricht. Um die Luftverschlechterung
en zu verhindern, empfiehlt es sich, die Garderobe aufserhalb
ablegen zu lassen; auch sollen sich nicht nur die Fufsböden
e der Schulzimmer, sondern auch die Kleider und Stiefel der
l Schüler durch gröfste Reinlichkeit hervorthun. Gegen die
n kranker Zähne wirkt am besten die Einführung einer
en Zahnpflege, um die sich die Schule sehr verdient
nn.

leitet auf den Arzt und seine Beziehungen zur Schule
mehr man sich mit dem Gegenstande befafst", so
Urteil des Autors, „um so mehr gewinnt die Über-
an Bestimmtheit, dafs der schulhygienisch gebildete
einzige kompetente Beurteiler und Mitarbeiter für
Verhältnisse der Schule sei, ebensogut wie der
r die andern". Daher soll der Arzt nicht nur Sitz und
Lehrerkollegium haben, sondern, falls er Widerstand findet,
ine höhere Behörde mit ärztlicher Vertretung zu appellieren
. Sanitäre Schulinspektionen durch Ärzte sind auch bereits
rt a. M., Lyon, Lille, Bordeaux, Hâvre und dem Seinedeparte-
e in Brüssel, Louvain, Antwerpen und in England, aufserdem
n, wie wir hinzufügen, in Ungarn eingeführt worden. Die
des Schularztes würden schon mit dem Bau und der
g des Schulhauses beginnen, indem hierbei sein Beirat einge-
n müfste. Ferner hätte er beim Beginn des Schuljahres die
tenden körperlich zu untersuchen und im Laufe desselben
uftbeschaffenheit und Temperatur in den Klassenzimmern,
die Haltung und den Gesundheitszustand der Schüler zu
ach der Ansicht des Herrn Verfassers wären besondere Berufs-
mit Gehalt anzustellen und noch nützlicher erscheint es ihm,
Ohren und Zähne Spezialisten zu verwenden. Dabei ist freilich
n, dafs die letzteren nur in gröfseren Städten sich finden.

Schlufs wird noch der schwierigste Punkt, die finanzielle
vorgeschlagenen schulhygienischen Einrichtungen
Der Herr Verfasser beziffert die Unkosten für 1000 Schüler
20,000 fl., die schon dann gedeckt würden, wenn die Schul-
den Eltern 15 fl., per Semester entrichteten — eine allerdings
e Summe. Eine Ersparnis durch Wegfall der „Programmauf-
uns nicht ratsam erscheinen; denn wenn auch der strebsame

Lehrer für seine Abhandlungen leicht Zeitschriften, welche sie aufnehmen, findet, so soll der weniger strebsame eben durch Programmarbeiten zu wissenschaftlichen Studien angehalten werden. Sehr wichtig ist auch die Frage, woher die Zeit zu den körperlichen Übungen der Schüler zu nehmen ist. Der Herr Verfasser rechnet im Durchschnitt täglich 9 Stunden für Schlaf, 3 für Essen nebst voraufgehenden und nachfolgenden Ruhepausen, 2 für Schulwege, 1 für Wochentagsbesuche. Dann bleiben noch 9 Stunden übrig, von denen 6 für geistige, 3 für körperliche Beschäftigung und zwar 2 von den letzteren in der Schule verwendet werden sollen. Bei dieser Einteilung aber ist der Schüler täglich ungefähr 9 Stunden in der Schule, respektive auf dem Wege zu derselben und wenn wir von der Zeit des Schlafes und der Besuche absehen, nur 5 Stunden zu Hause. Damit wird der Schwerpunkt der Erziehung aus dem Elternhause in die Schule verlegt, was gewiß zu manchen Bedenken Anlaß gibt. Aus dem gleichen Grunde können wir uns auch nicht für die von dem Herrn Verfasser empfohlenen Internate begeistern, die wir sehr genau kennen. Selbst im besten Falle ersetzen sie nicht das Familienleben und sie sollten deshalb immer nur ein Notbehelf sein, wo die Erziehung in der Familie zur Unmöglichkeit wird.

Man sieht, es ist fast kein wichtigerer Punkt der Schulhygiene, der in dem anregenden Buche nicht mehr oder weniger eingehend berührt wird. Anziehend ist auch, einmal den wohlerfahrenen, für das geistige und leibliche Wohl seiner Zöglinge gleich begeisterten Pädagogen sprechen zu hören, da bisher fast nur Ärzte das obige Thema behandelt haben. Das soll freilich nicht heißen, als ob die medizinische Seite des Gegenstandes bei dem Herrn Verfasser zu kurz gekommen sei. Im Gegenteil wir müssen ihm unsre volle Anerkennung zollen, mit wie viel Fleiß und Geschick er in die umfangreiche, fast ausschließlich ärztliche Litteratur sich eingelebt hat. Nur in ganz vereinzelten und sehr verzeihlichen Fällen verrät sich der Laie einmal; so, wenn S. 28 von „Hautrespiration" statt von Hautperspiration die Rede ist, wenn nach S. 23 die Ossifikation der Wirbel erst im mittleren Schulalter erfolgen soll, oder wenn auf S. 22 gesagt wird, das anhaltende Lesen sei dem Auge nachteilig, weil dadurch immerfort dieselbe Partie der Netzhaut eine Reizung erfahre. Letzteres ist bekanntlich jederzeit, mögen wir in die Nähe oder in die Ferne sehen, der Fall, da wir immer nur mit dem gelben Flecke etwas deutlich erkennen.

Der Herr Autor nimmt zwar vorherrschend auf österreichische Verhältnisse Rücksicht, aber er haftet nicht an der Scholle, sondern läßt seinen Blick auch fleißig in die Weite schweifen. Er ist mit den ophthalmologischen Arbeiten von JAVAL ebensogut wie mit denjenigen von COHN vertraut, mit den Schul-

ngen über das kindliche Gehörorgan durch BEZOLD nicht
mit denjenigen durch GELLÉ. In gleicher Weise citiert er
„The Lancet“ oder „The report of the Lancet sanitary com-
s die „Annales d'hygiène publique“ und die „Deutsche Viertel-
. für öffentliche Gesundheitspflege“, die „Relazioni statistiche
ione publica e privata in Italia“ von GABELLI nicht seltener
itudes sur l'instruction publique en Russie“ von KHANIKOF.
itteratur des Turnwesens möchten wir übrigens noch auf die
)arstellung von BINTZ: Die Gymnastik der Hellenen,
1878, hinweisen.

freien Blicke entspricht auch der Stil. Der Herr Ver-
ireiht kein „Tintendeutsch“, um mit Fischart zu reden,
überall voll und warm aus dem Leben heraus. Ein-
reichische Worte mögen dem deutschen Ohre zwar ungewohnt
)er sie sind jedenfalls korrekt und werden verstanden. Nur
lrücke wie „weiters“ statt weiter (S. 54. 61. 72. 115), „zeitlich“
; (S. 106) und die Konstruktion von „gedenken“ mit dem
statt mit dem Genitiv (S. 48), sowie von „aufser“ mit dem
statt mit dem Dativ (S. 108) müssen wir Einspruch erheben,
ist dafs hier nicht teilweise Druckfehler vorliegen. Sagen wir
noch — was auch ein Lob ist — dafs das Buch nur 140
nfafst und dafs Druck und Papier, wie es von der be-
erlagsbuchhandlung von ALFRED HÖLDER nicht anders zu
tand, das Prädikat „vorzüglich“ verdienen, so glauben
arme Empfehlung hinreichend begründet zu haben.

KOTELMANN.

LM POSSEK, Universitätslaboratorium, Wien: Bestimmung des
säuregehaltes der Luft in Schulzimmern. Sitzung 6 der
Akad. d. Wissensch., Wien. XCV. Bd. II. Abt. 1887. pag.
1081 u. 1 Taf.

Hilfe des vom Autor konstruierten speziell für Entnahme der
aterrichtsstunden vorhandenen Luft ganz vorzüglich einge-
Apparates, der in einem verschlossenen Kästchen von 40 cm
mm Tiefe und 28 cm Breite verwahrt ist, wird es ermöglicht,
zimmer Luft dreier Zeitabschnitte in verläfslicher Weise ohne
ing des Unterrichtes zu entnehmen. Der Lehrer hat blofs
n zu öffnen und zu schliefsen, hinsichtlich einer Marke nach-
id den Thermometerstand zu notieren. Alle weiteren Opera-
chehen aufserhalb des Schulzimmers. — Das Verfahren ist
shlerquellen möglichst ausschliefsende Kombination der Aspi-
t der Flaschenmethode.

Prof. Dr. BURGERSTEIN in Wien.

H. Keferstein; **Volkserziehung und Staatspädagogik.** Heft 5—6 der deutschen Zeit- u. Streitfragen v. F. v. Holtzendorff. Hamburg, 1887. J. F. Richter.

In dem Aufsatz wird zwar ohne statistisches oder sonstiges wissenschaftliches Material, aber in klarer und eindringlicher Darstellung der ungeheure Wert, ja die Unabweislichkeit der öffentlichen, d. h. staatlichen und kommunalen Gesundheitspflege dargethan. Ein wesentlicher Teil der hierin ausgesprochenen Aufgabe liegt auf dem Gebiete der Schule, der höheren wie der Volksschule; und gar vielseitig ist deren Anteil an der Lösung.

Herr K. geht von dem unbestreitbaren Grundsatze aus, daß die Leistungsfähigkeit der Gesamtheit von der Tüchtigkeit der Einzelwesen abhängt, also auch die erstere durch die Hebung der letzteren gefördert wird; ferner ist mit der steigenden Aufgabe der Gesamtheit die Anforderung an den Einzelnen gesteigert worden. Demnach fordert die zunehmende Kultur eine zunehmende Sorgfalt der körperlichen und geistigen Erziehung. Die erstere ist notwendige Vorbedingung der zweiten, und bei der teilweise ungenügenden Erkenntnis ihrer Aufgabe oder auch den unzureichenden Mitteln, diese zu lösen bedürfen die Eltern hierin der Nachhilfe und Ergänzung. Nicht überall ist es aber Sache des Staates und der Gesetzgebung, in der Erziehung auszuhelfen; denn oft ist ja nur eine Anregung oder ein Anfang nötig, auf den von selbst eine dauernde Wirksamkeit des Einzelnen folgt. Und wie die letztere, also die fortschreitende Sorgfalt und Tüchtigkeit der Erziehung soweit nur irgend möglich Sache der Einzelwesen, d. h. der Familien selbst bleiben muß, so muß auch die .erste Anregung, sei es durch Belehrung, sei es durch Vormachen, sei es durch vorläufige Hilfe Angelegenheit der privaten Wirksamkeit sein.

Naturgemäß legt Herr K. zunächst großes Gewicht auf die Wohnungsfrage als dem Ausgangspunkte der Gesundheitspflege, wo Staat, Polizei und das Wohlwollen gutgestellter und gutgesinnter Mitmenschen kräftig Hand anzulegen haben. Dann folgt die Sorge für Reinlichkeit am Körper, in der Kleidung und in der Häuslichkeit. Ganz und gar stimmen wir dem Herrn Verf. darin bei, daß „Schulbäder", namentlich wenn solche auch im Winter benutzbar sind, eine hohe Bedeutung haben. Sie dürfen nur nicht wie in einzelnen Städten lediglich in Sehwimmbecken bestehen, in denen die Knaben aufsichtslos Unfug treiben können.

Nicht völlig einverstanden sind wir mit des Herrn Verf. Ansichten über die Verbesserung der Volksernährung, wenigstens müßte das hierüber Gesagte auf gewisse Verhältnisse noch mehr eingeschränkt werden. Die Volksküche nämlich ist ein im Grunde gefährliches Auskunftsmittel, das nach unsrer Überzeugung nur als ein Notbehelf

Ausnahmevorkehrung zur Beseitigung eines Notstandes gelten
dieser Umstand muſs dort anerkannt werden, wo es der Hausfrau
lich ist, die Küche für ihre Familie selbst zu versehen. Die
ng ist ja oft genug gemacht worden, daſs gerade träge Frauen
ksküche vorzugsweise benutzen, den Haushalt gänzlich vernach-
und den Familiengliedern eines der notwendigsten und wirk-
Bindemittel entziehen. Es ist nicht so schlimm mit der Geld-
wie Herr Dr. K. zu glauben scheint; auch die Einnahme des
n Fabrikarbeiters reicht zur Beschaffung guter Nahrung hin,
le letztere verständig gewählt wird.

as sodann über die Schulgesundheitspflege von Herrn Dr. K.
wird, ist zu unterschreiben: es wird ja auch wohl schon allgemein
nt, daſs unsre unterrichtlichen Einrichtungen im Innern mehr
und drauſsen mehr freie Bewegung bieten müssen, als sie noch
gewähren. Aber die vielen Leiden unsrer Kinder, Blutarmut,
rtigkeit u. s. w., u. s. w. fallen weder hauptsächlich der Schule
t, noch können sie von dieser geheilt werden. Hier liegt die
gröſstenteils auf seiten unkundiger oder unkluger Eltern. Muſs
des Mädchen neben seiner Schularbeit Kaffeegesellschaften und
älle mitmachen; muſs jeder Sohn wohlhabender Eltern, selbst
r später das väterliche Gut antreten soll, Referendar werden?
sem Gebiet werden seitens der Eltern so viele und oft unglaub-
orheiten begangen, daſs ich hier abbrechen muſs, um nicht durch
u derselben weit über den mir zugewiesenen Raum hinauszu-
Nur das Eine möchte ich erwähnen, weil man so wenig darauf
nämlich die unzweckmäſsige Behandlung und Einteilung der
Werden die Kinder daran gewöhnt, unabänderlich an jedem
age zu einer bestimmten Stunde an ihre häuslichen Arbeiten
en, dann haben sie schlieſslich unendlich viel Zeit, normale
leit, Begabung und Schule vorausgesetzt. Für diesen Satz spricht
die Erfahrung. Unsre obigen Ausführungen führen uns in
stimmung mit dem Herrn Verfasser indessen noch auf einige
te Forderungen. Die wichtigste ist vielleicht die einer an-
enen Belehrung der Jugend. Die Kenntnis des Verdauungs- und
systems, der hauptsächlichsten Sinnesorgane, das wichtigste aus
rungsmittellehre, von Giftstoffen u. dergl. ist übrigens schon
und des Volksschulunterrichts, und wird mit zunehmender
hiervon auf seiten der Lehrer auch mit wachsender Voll-
eit und Verständlichkeit gelehrt werden. Anderseits wäre es
ſser Miſsgriff, wollte man auch etwas Pathologie und Therapie
Schule betreiben lassen. Die Krankheits- und Heilmittellehre
Einbildungen und zur Quacksalberei. Aber, daſs die heran-
den Mädchen mehr von Diätetik und Gesundheitspflege, von dem

Werte der wichtigsten Nahrungsmittel, der Hygiene, der Wohnung
einschliefslich der Feuerung und Beleuchtung u. s. w. lernen müssen,
erscheint uns zweifellos. Was endlich noch die körperliche Erziehung
der Schulkinder selbst betrifft, so möchten wir die Forderungen des
Herrn Verf. durch die weitere ergänzen, dafs bei jeder Schule eine
Spielhalle d. h. eine gegen Regen und zu scharfen Sonnenschein
schützende, sonst möglichst offene Halle eingerichtet werden möge. Die
nebenbei erwähnten Handarbeiten für Knaben als Mittel der Gesundheitspflege übergeben wir hier, um deren Besprechung einem geeigneteren
Zeitpunkte vorzubehalten.   Schulrat BRANDI in Osnabrück.

J. KRAMERIUS, Prof. a. d. k. k. Gewerbeschule in Czernowitz. **Die leibliche Erziehung der Jugend vom Standpunkte der Hygiene.**
Czernowitz, 1887. H. Pardini. (33 S. gr. 8.)

Der Verf. skizziert anfangs mit einigen Strichen die Erziehungs-
methode der altklassischen Zeit und des Mittelalters und sucht nachzuweisen, dafs mit dem Fortschritte der Wissenschaften eine geistige
Überladung unsrer Jugend auf Kosten ihrer leiblichen Entwickelung
stattgefunden hat. An der Hand verschiedener Citate und Beispiele
gelangt er zu dem Schlusse, dafs heutzutage Schule und Haus ein Erziehungssystem gefördert haben, welches eine rasche und gründliche
Reform erheischt. Letztere soll nach Ansicht des Verfassers in geistiger
Hinsicht auf der Vereinfachung des Lehrstoffes und Teilung der Studien
nach Fächern schon von der Elementarschule an basiert werden. Der
leiblichen Erziehung will der Verfasser eine gröfsere Beachtung zugewendet sehen als bisher; er verlangt „körperliche Übungen" als
„obligaten Gegenstand" in den Schulen, eine Beteiligung sachverständiger
Ärzte an der Schulverwaltung und allgemeinen Unterricht in der
Hygiene.

Die Schrift behandelt die wichtigsten Fragen der Schulhygiene,
sie berührt sie aber nur; sie regt zum Nachdenken an, aber sie be-
friedigt insofern nicht ganz, als sie keine einzige der Fragen erschöpft.
Doch dies kann eigentlich kein Vorwurf sein, denn der Verfasser will
nur anregend wirken.

Referent gibt zu, dafs im Unterricht der modernen Weltbildung
ohne Vergröfserung des Gesamtlehrstoffes Rechnung getragen werden
mufs, kann sich jedoch für eine rein fachliche Ausbildung von der
Elementarschule an nicht begeistern. Der geistige Horizont würde sich
immer mehr verengen und ein Kastengeist entstehen, welcher jeden
Fortschritt wahrer Kultur hemmen müfste. Wenngleich Referent auch
mancher andren Ansicht des Verfassers nicht beipflichten kann, so
wünscht er doch, dafs die kleine Schrift beitragen möge zur eingehend-
sten Berücksichtigung der Hygiene bei der Erziehung der Jugend.

Prof. Dr. v. HOEPFLINGEN-BERGENDORFF in Troppau.

 PRAUSEK, k. k. Landesschulinspektor a. D. **Über Schulbänke** **Schultische und Sessel.** 2. umgearbeitete Auflage. Wien, E. HÖLZEL. (26 S. gr. 8.)

r Verfasser dieser Schrift hat in seiner Eigenschaft als Schulrat pektor der Volksschulen in Österr. Schlesien sich 25 Jahre lang Schulbankfrage befaßt und seine Erfahrungen, die sich auf eine Beobachtung gründen, in kurzen Zügen, denen wir im ganzen ustimmung entgegenbringen, niedergeschrieben. Die Schrift be- unächst die gesundheitlichen Nachteile, welche unzweckmäßige nke im Gefolge haben und kommt dann auf die dem Körper der ader richtig angepaßten Verhältnisse guter Sitzeinrichtungen, wie z, Differenz, Lehne, Fußbrett, Tischplattenbreite, eite u. s. w. zu sprechen. So werden auch die Schulmänner, nd Schulfreunde angeführt, welche in hervorragender Weise über Jegenstand litterarisch thätig gewesen sind. Der Verfasser redet uz-Schulterlehne das Wort, während wir auch heute noch wie m Jahre 1867 die Kreuzlehne verteidigen und zwar aus einer on Gründen, die am vollkommensten von Dr. H. MEYER in Zürich r „Mechanik des Sitzens" angeführt sind. Bei Besprechung der ", d. i. bekanntlich die wagerechte Entfernung der inneren Tisch- nkkante, kommt der Verfasser zu dem Entschlusse, „eine kleine ur möglichst geringe Distanz zuzugestehen", eine Entfernung also ehlen, die bei der verschiedenen Größe der Bänke größer oder sein kann. Seiner Ansicht nach ist die Null-Distanz allerdings tige, aber die Mittel, um diese zu erzielen, genügen ihm bis jetzt Wir sind wie vor zwanzig Jahren, als wir der „Minus-Distanz", richtigsten, Anerkennung zu verschaffen suchten, bei unsrem tze stehen geblieben und müssen des Verfassers Ansicht, die jeder Raum läßt, widersprechen. Mit der Minus-Distanz, durch zur aufklappbare Tischplatten ermöglicht, haben wir nicht allein jiebige Breite der Sitzbank, sondern auch überhaupt einfache und chultisch-Einrichtungen ermöglicht, die sich lange bewährt haben. e Minus-Distanz läßt das Rückgrat beim Sitzen die ausreichende n einer Lehne finden, und dieses ist unsrer Ansicht nach der uste Gesichtspunkt bei der ganzen Schultischfrage. Der Verfasser der aden Schrift kommt zum Schlusse zu der Ansicht, daß, um eine anz herbei zuführen, Stühle oder Sessel die geeignetsten Sitze der Schule bieten, und wir könnten einzelne der hierfür ange- Gründe gern gelten lassen wie vor allen denjenigen, daß man chüler einen Sitz von solchen Dimensionen bieten könnte, wie er viduell benötigt. Wenn aber die Stühle befürwortet werden, um hulzimmerturnen" Eingang zu verschaffen, so möchten wir gerade uns dagegen erklären, denn eine solche Art von Schulturnen ist ein „Kuckucksei in unserem Neste." Atemübungen und Turnübungen in der Schulluft sind zu weit entfernt von dem Ideale, das uns als Turnkunst der Jugend vorschwebt, denn wir rufen hierbei immer: Hinaus ins Freie! Was nun die Form der Prausekschen Sessel selbst betrifft, so können wir einer „runden Vertiefung in dem Sitzplatze" unsre Zustimmung nicht geben, weil durch eine jede Verschiebung des Sitzenden nach rechts oder links hin die Sitzfläche eine schiefe wird und dann die Wirbelsäule sich seitlich ausbiegt. Der Sitz hat weit zweckmäßiger in diesem Falle unsrer Ansicht nach die Gestalt eines Schemels, dessen Brett hinten etwa 2 cm tiefer tiefer liegt als vorn.

Der Verfasser gibt auf S. 22 für die von ihm vorgeschlagenen Sessel 7 verschiedene Modellmaße an und ebenso auch für die Tischgrößen.

Die kleine Schrift, welche mit Liebe und Begeisterung für eine wichtige Sache geschrieben ist, kann allen, die sich über die Schulbankfrage unterrichten wollen von uns nur empfohlen werden.

Turninspektor A. HERMANN in Braunschweig.

L. SISMANN: **Resultat der Augenuntersuchung bei den Schülern einer Schule in Irkutsk** u. s. w. Westnik ophtalmologuii, nov.-dec. 1886 (russisch).

Bei den 58 Schülern einer Schule in Irkutsk wurde die Refraktion sowohl mit dem Augenspiegel, wie mit Gläsern bestimmt. Bei der ersteren Untersuchungsmethode ergaben sich 55 Übersichtige, 2 Normalsichtige und 1 Kurzsichtiger; bei der letzteren 7 Übersichtige, 13 Normalsichtige und 38 Kurzsichtige — eine allerdings ziemlich große Differenz! Die Sehschärfe betrug bei 3 %, bei den übrigen 55 % bis %, war also zum Teil doppelt so groß, als normal. Die Tagesbeleuchtung in den Klassen erwies sich als gut, die künstliche Beleuchtung dagegen ließ zu wünschen übrig.

Wir entnehmen diese Angaben einem französischen Berichte von Prof. CHODIN in der Rev. gén. d'opht. VI. 1.

KOTELMANN.

Bibliographie:

ADAMÜK, E. [Kurzsichtigkeit in Schulen] *Vestnik. oftalmol.*, Kieff, 1886, III. 269; 429.

BELL, A. N. Merritt H. Cash prize-essay: *The physiological conditions and sanitary requirements of school-houses and school-life.* Syracuse, 1887. 8°.

VAN DE BERGH, *Du développement de la myopie, considéré au point de vue du surmenage scolaire.* Clinique, Brux.. 1887, I, 163—166.

CARPENTER, A., *The principles and practice of school hygiene. etc.* illustr., 2. ed.. London, 1887, Hughes. 8°.

rules for the prevention of infections and contagious diseases
ls. Being a series of resolutions passed by the medical
f Schools Association. Jan'y 7th., 1885. 2. ed. London, 1886,
Churchill. 8°.

Über die Notwendigkeit der Einführung von Schulärzten.
f. Hyg., Leipzig, 1887, I, 243.

. M., Sanitary condition of school life. Tr. N. Hampshire
Manchester, 1886, 49—62.

f. et P. Yoon. Manuel d'hygiène scolaire à l'usage des
cantonaux des médecins inspecteurs et des instituteurs. Paris,
selin & Houzeau. 12°.

ment. *Health at school considered in its mental, moral, and*
aspects. New and enlarged edition, London, 1887, Cassel & Co.

E. *Schulgesundheitspflege. Zum Gebrauch für Schulvorstände,*
nd Eltern. Stuttgart, 1888, C. Krabbe. 8°.

Le surmenage scolaire et les réformes à introduire dans les
Paris, 1887, Masson. 8°.

Reden über vernachlässigte leibliche Ausbildung unserer
Düsseldorf, 1887.

M. Principles of hygiene for the school and the home, to-
ith so much of anatomy and physiology as is necessary to the
eaching of the subject. New York & Chicago, 1886, Ivison,
n, Taylor & Co. 12°.

Gesundheitspflege in Haus und Schule. Berlin 1887, J. J. Heine,

Neues Lüftungssystem für Krankenhäuser, Schulen u. dgl.
n. Wochschr. Berlin, 1887, XXXVII, 699—700.

i. Du surmenage intellectuel et de la sédanterité dans les
Bull. Acad. de Méd., 1886, 27 Avril.

. F. Report upon school hygiene. Rep.-State Bd. Health
rk, Albany, 1886, VI,

, G. L'enseignement actuel de l'hygiène dans les Facultés de
en Europe. Paris, 1887, Le Soudier.

undzüge einer Hygiene des Unterrichts. Wiesbaden, 1887,
in, 8°.

L'inspection hygiénique et médicale des écoles. Rev. d'hyg.,
886, VIII, 939—966.

. Overwork and sanitation in the public schools of Phila-
with remarks on the influence of overwork in the production
us diseases and insanity. Ann. Hyg. Philadelphia, 1884—1886,
305.

Ansteckende Krankheiten in der Schule. Ärztliche Winke

zum Erkennen derselben. *Für Lehrer und Väter.* (In 15 Vorlesungen). Wien, 1886, Pichlers Wwe. u. Sohn. 8°..

NEFFE. *La myopie à l'école moyenne de Gand.* Ann. Soc. de méd. de Gand, 1886, LXV, 330—334.

NELSON, E. M. *School hygiene.* St. Louis Cour. Med., 1886, XVI. 388; 481.

O'SULLIVAN, R. J. [et al.] *The sanitary interests of the public schools of New York.* Papers Med.-Leg. Soc. New York, 1886, 3. s., 450—459.

PFLÜGER, E. *Kurzsichtigkeit und Erziehung.* Akademische Festrede, gehalt. a. d. Univ. Bern am 20. Nov. 1886. Wiesbaden, 1887, Bergmann. 8°.

— E. *La myopie scolaire,* Paris, 1887, Baillière et Fils., 8°.
Reglamento de la Escuela central de gimnástica, establecida por ley de 9 de Marzo de 1883. Corresp. méd., Madrid, 1886, XXI. 313—315.

ROCHARD, J. *L'éducation hygiénique.* Rev. des deux Mond., Paris 1887, 15. Mai.

SCHMIEGELOW, E. *Bidrag til Bedømmelsen af presbygdommes Hyppighed Clandt Skolebørn i Danmark.* Hosp.-Tid., Kjøbenhavn, 1886, 3. R., IV, 1057; 1081.

STEFFAN. P. *Unsere neuen Schulgebäude (Schulpaläste) und ihr Einfluß auf die sog. Schulkurzsichtigkeit.* Centralbl. f. allg. Gesundheitspflege, Bonn, 1886, V, 195—201.

YEAMAN, G. H. [et al.] *Schoolroom poisoning in New-York.* Papers Med.-Leg. Soc. New York, 1886, 249—268.

Bei der Redaktion eingegangene Schriften:

DOR ET MEYER, E. *Revue générale d'ophtalmologie. Recueil mensuel Bibliographique, analytique, critique,* Paris, 1887, Masson, tome VI. No 1 et 6.

ENGELHORN. *Die ärztliche Überwachung der Schule.* Vortrag, gehalten am 29. Juni 1887, in der Jahresversammlung des ärztlichen Landesvereins zu Schwäbisch-Hall. Mediz. Korresp.-Bl. des Württemb. ärztl. Landesvereins, Stuttgart, 1887, Bd. LVII, No. 27, S. 209—214.

GERHARD, W. P. *A guide to sanitary house inspection,* New York, 1885, J. Wiley & sons. 8°.

—, — — *The prevention of fire; chiefly with reference to hospitals, schools and other public institutions,* New York 1887, 2. ed.

HERMANN, A. *Die rechtsschiefe Kurrentschrift und die Liniennetze beim Schreiben, Zeichnen und einigen Arbeiten des Fröbel'schen Kindergartens in ihren schädlichen Einflüssen auf die Haltung und die Augen der Kinder.* Monatsbl. f. öffentl. Gesundheitspfl., Braunschw. 1882, Jahrg. V, No. 8.

(Fortsetzung in nächster Nummer).

Verlag v. Leopold Voss in Hamburg u. Leipzig. — Druck v. J. F. Richter in Hamburg.

Zeitschrift für Schulgesundheitspflege.

I. Jahrgang.	1888.	No. 3.

Original-Abhandlungen.

Über das Wachstum der Knaben vom 6. bis zum 16. Lebensjahre.

Von

Dr. FRITZ CARSTÄDT,

Rektor der evang. höheren Bürgerschule I. in Breslau.

In meiner Stellung als Leiter einer großen Anstalt von über 600 Schülern (evang. höhere Bürgerschule I zu Breslau) stand mir ein zahlreiches Material von Knaben während deren Hauptwachstumszeit zur Verfügung. Daher beschloß ich vor mehreren Jahren durch regelmäßige, eine längere Zeit hindurch fortgesetzte Messungen meiner Schüler der Frage, in welcher Größe und mit welcher Gesetzmäßigkeit das Wachsen der Knaben verlaufe, nahe zu treten.

Für jeden Schüler wurde zu diesem Zwecke ein Meßblatt gefertigt, das oben Namen und Geburtstag enthielt, darunter eine Reihe von Querspalten, denen die Meßtermine: 1. April, 1. Juli, 1. Oktober und 1. Januar vorgedruckt waren, während die Jahreszahlen beim Messen selbst beigeschrieben wurden. Ich ließ mir ein genau gearbeitetes Schiebemaß mit derbem Fußbrette anfertigen, an welchem eine Teilung in Centimeter angebracht war. Die Klassen wurden einzeln nach dem durch seine bequeme Größe geeigneten chemischen Auditorium meiner Anstalt geführt; der Lehrer, welcher die betreffende Stunde zu geben hatte, war zugegen, nahm die Mappe mit

den alphabetisch geordneten Mefsblättern an sich und rief die
Schüler einzeln der Reihe nach auf. Jeder Knabe trat, nachdem er das Schuhwerk abgelegt hatte, was, nebenbei bemerkt, bei
den kleinen zu manchem komischen Intermezzo Veranlassung gab,
unter das Mafs. Hier gab ich ihm die erforderliche genaue Stellung,
welche die Schüler übrigens meist bei der 2. oder doch
3. Messung schon so genau kannten, dafs sie dieselbe sogleich
von selbst annahmen, und führte die Messung aus, deren
Resultat der anwesende Kollege in das Mefsblatt eintrug und
sodann den nächsten aufrief. Die Sache ging auf diese Weise
sehr rasch von statten, so dafs auch eine starke Klasse kleiner
Knaben (60—70 Köpfe, wohl auch darüber) in einer halben
Stunde bewältigt werden konnte. Die Zehntelcentimeter schätzte
ich nach dem Augenmafs, worin ich von früheren physikalischen
Untersuchungen her grofse Sicherheit besafs, die sich natürlich
bei fortgesetzter Übung zu voller Gewifsheit steigerte. Ich
glaube mich kaum je auch nur um $^1/_{10}$ Centimeter getäuscht
zu haben. Meine Kollegen haben mich bei diesen Arbeiten
immer in bereitwilligster Weise unterstützt, wofür ich denselben
hier meinen besten Dank ausspreche. Für die Schüler hatte
das Messen beim ersten Male den Reiz der Neuheit, nahm
dann ihr Interesse in hohem Grade in Anspruch, weil jeder
begierig war, zu erfahren, um wieviel er und seine näheren
Bekannten im verflossenen Vierteljahr gewachsen wären. Auch
nachdem ich die Messungen abgebrochen hatte, weil ich aus-
reichendes Material zu besitzen meinte, erinnerten sie wiederholt daran.

Die Messungen sind fast regelmäfsig reichlich 2 Jahre hindurch fortgesetzt worden, nur den Termin am 1. April habe
ich nicht immer innehalten können, weil mir dringende Amts-
geschäfte bei Beginn des Schuljahres dies unmöglich machten.
Das 16. Lebensjahr mufste ich als obere Altersgrenze festhalten,
weil mir von älteren Schülern nur eine verhältnismäfsig
geringe Zahl zur Verfügung stand, der ich nicht das nötige
Gewicht beilegen zu dürfen glaubte. Die Durchschnittsgröfse
für $16^1/_2$ jährige Burschen, die ich am Schlusse der folgenden

Tabelle noch anführe, kann darum keine grofse Sicherheit für sich in Anspruch nehmen. Dasselbe gilt fast ebensosehr für die 6 jährigen Knaben, deren ich ja der Natur der Sache nach ebenfalls nur eine relativ kleine Zahl zur Verfügung hatte. Die Resultate von 4274 Messungen enthält die folgende Tabelle I.

Tabelle I.

Alter in Jahren	Zahl der Messungen	Durchschnitts- gröfse in cm	Wachstum in	
			½ Jahr cm	1 Jahr cm
6	68	109,3		
6½	147	111,8	2,5	
7	203	113,8	2,0	4,5
7½	199	116,8	3,0	
8	197	118,9	2,1	5,1
8½	189	121,6	2,7	
9	174	123,7	2,1	4,8
9½	157	126,0	2,3	
10	204	128,5	2,5	4,8
10½	232	130,8	2,3	
11	272	133,3	2,5	4,8
11½	317	135,6	2,3	
12	298	138,1	2,5	4,8
12½	325	140,4	2,3	
13	291	143,3	2,9	5,2
13½	274	145,8	2,5	
14	206	149,1	3,3	5,8
14½	157	152,3	3,2	
15	125 ·	156,6	4,3	7,5
15½	104	159,9	3,3	
16	75	162,8	2,9	6,2
16½	60	164,5	1,7	
	4274			

Das im vorschulpflichtigen Knabenalter sicher bedeutendere Wachstum erfährt hiernach im ersten Schuljahre, wie ja recht erklärlich, eine Reduktion auf 4,5 cm, erreicht aber im zweiten Schuljahre, nachdem der Körper sich an das veränderte Leben und die neuen Anstrengungen des Geistes gewöhnt hat, eine bedeutendere Größe, nämlich 5,1 cm. In den 4 Jahren vom vollendeten 8. bis zum vollendeten 12. Lebensjahre verläuft das Wachsen aber mit vollständigster Regelmäßigkeit und beträgt fürs Jahr 4,8 cm. Nun beginnt eine erst langsamere, dann aber sehr bedeutende Zunahme sich merklich zu machen. Weitaus das stärkste Wachstum (7,5 cm p. a.) fällt in die Zeit vom 14. bis 15. Lebensjahre; in der Zeit vom 15. bis zum 16. Jahre geht es zurück, bleibt aber immerhin noch recht erheblich (6,2 cm), um, wenn die letzte Spalte noch Vertrauen verdient, sodann ganz beträchtlich abzunehmen. Bis zu 17$\frac{1}{2}$ Lebensjahren, wofür mir allerdings nur noch 60 Messungen zu Gebote standen, beträgt das Wachstum noch 2,2 cm; die 12 vorhandenen Messungen von 18 jährigen jungen Leuten ergeben kein weiteres Wachstum, zeigen, wie bei den 17$\frac{1}{2}$ jährigen, eine Durchschnittsgröße von 166,7 cm. Das Wachstum scheint demnach mit 17$\frac{1}{2}$ Jahren im allgemeinen beendet zu sein. Das Gesamtwachstum beträgt in der Dekade von 6 bis 16 Jahren 53,5 cm.

Innerhalb der einzelnen Altersklassen waren natürlich sehr bedeutende Größenunterschiede wahrzunehmen. Die nachstehende Tabelle II. gibt die Maxima und Minima an.

Der Unterschied zwischen Maximum und Minimum ist also bei den 6 jährigen Knaben am geringsten (17,8 cm) und wächst bis zu 13$\frac{1}{2}$ Jahren, wo er den größten Betrag mit 44,0 cm erreicht; von hier an nimmt er wieder ab. Diejenigen Knaben also, die vor Eintritt der Pubertätsperiode schon eine bedeutende Größe erreicht haben — und 169,4 cm sind für einen 13$\frac{1}{2}$ jährigen Knaben gewiß eine recht respektable Länge — wachsen mit Eintritt derselben langsamer, während sich bei den bis dahin langsam wachsenden von dieser Zeit an ein stärkeres Wachstum geltend macht. —

Tabelle II.

Alter	Maximum	Minimum	Differenz
6 Jahr	117,8	100,0	17,8
6½ „	119,6	101,0	18,6
7 „	127,4	103,3	24,1
7½ „	127,7	105,1	22,6
8 „	129,9	108,0	21,4
8½ „	133,7	109,7	24,0
9 „	137,7	113,0	24,7
9½ „	139,4	115,0	24,4
10 „	139,1	115,1	24,0
10½ „	148,5	119,0	29,5
11 „	149,4	119,9	29,5
11½ „	154,1	119,8	34,3
12 „	157,5	121,9	35,6
12½ „	161,4	123,1	38,3
13 „	167,4	124,6	42,8
13½ „	169,4	125,4	44,0
14 „	170,5	132,3	38,2
14½ „	173,3	133,6	39,8
15 „	173,9	140,8	33,1
15½ „	174,6	141,3	33,3
16 „	176,8	147,7	29,1
16½ „	177,6	148,7	28,9

Vielleicht gibt diese meine Arbeit Direktoren von Voll-
anstalten, die ja 3 Jahrgänge mehr enthalten als meine Schule,
Anregung, das Wachstum bis zum vollendeten 19. Lebensjahre
festzustellen. Ob über dieses Alter hinaus die jungen Leute
im allgemeinen noch weiter wachsen und um wieviel, könnte
seitens der Militärärzte ohne Schwierigkeit untersucht werden.

Zur Orientierung der Schulzimmer.

Von

CHR. NUSSBAUM,
Architekt in München.

Die Angaben und Forderungen über die Lage der Schulzimmer nach den Himmelsgegenden weichen sehr weit von
einander ab, bald findet man die Besonnung, bald die Beleuchtung in den Vordergrund gestellt, bald wieder wird eine
Vereinigung beider zu erreichen gesucht; und doch ist die
Lösung dieser Frage gerade beim Schulzimmer weit leichter
und einfacher als beim Wohnhause.

Die Fensterwand des Schulzimmers ist in Neubauten
heute kaum etwas andres mehr als eine Glaswand, oder
sollte dies wenigstens zur Erzielung einer guten Beleuchtung
bei städtischen wie bei ländlichen Schulhäusern sein. Die
als Stütze dienenden Mittelpfeiler der Wand, mögen sie nun
aus Eisen, Stein oder Holz hergestellt sein, werden kaum
breiter als 10—25 cm gewählt, und auch die gemauerten
Seitenpfeiler der Fensterwand sind durchweg so gering in
ihrem Ausmaße, daß die Wärmeleitung und Strahlung derselben für die Temperatur des Schulzimmers kaum mehr in
Betracht gezogen werden kann. Die Größe des Schulzimmers
steht in keinem Verhältnis zum Flächenausmaße dieser Pfeiler.
Ob dieselben daher feucht oder trocken, besonnt oder unbe-
sonnt sind, ist für die Wohnlichkeit des Schulzimmers wenig
von Belang, die geschlossenen Wandflächen der übrigen Mauern
desselben sowie die große Glasfläche der Fensterwand geben
in dieser Beziehung den Ausschlag.

Sind die geschlossenen Umfassungswände des Schulzimmers
Innenmauern, so müssen Heizung, Ventilation und Lüftung
dafür sorgen, daß dieselben trocken erhalten werden, und die
Temperatur derselben während der Dauer des ganzen Jahres
eine möglichst gleichmäßige bleibe. Sind es Außenmauern,

so werden sie nach einer Sonnenseite gerichtet werden müssen, und es ist ferner durch Stärke und Konstruktion bezw. Verkleidung derselben dafür Sorge zu tragen, daß eine übermäßige Wärmeausstrahlung von ihnen nach außen bzw. im Sommer von ihnen zu den Körpern der Schulkinder nicht stattfinden kann.

Dagegen ist es kaum verständlich, wie eine Besonnung der Fensterwand beim Schulhause gefordert werden kann, da die Besonnung so großer Glasflächen Übelstände mit sich führt, gegen welche die Vorteile kaum in Frage kommen können.

Die Glasfläche soll in erster Linie der Beleuchtung dienen, sie muß daher naturgemäß nach einer Himmelsgegend gerichtet sein, welche zu jeder Jahreszeit ein gleichmäßiges Licht für die ganze Dauer des Unterrichts gewährt. Jede Besonnung stört die Gleichmäßigkeit des Lichtes, sie macht ein Verdecken und damit ein Verdunkeln der Glasflächen durch Vorhänge u. dgl. m. notwendig, das besonders bei wechselnder Beleuchtung (halbbewölktem Horizonte) zu einer den Augen der Schüler wie der Lehrer schädlichen Beleuchtung Veranlassung gibt.

Ferner führt eine Besonnung großer Glasflächen in der wärmeren Jahreszeit eine Temperaturerhöhung der Schulzimmer herbei, welche Lehren wie Lernen in denselben sehr schwierig, den Aufenthalt in ihnen an heißen Tagen zu einer Qual machen kann und hygienisch entschiedene Bedenken verursacht.

Dagegen ließe sich einwenden, daß die Besonnung der Glasflächen im Winter von großem Vorteile für die Temperatur der Räume sei. Dies würde allerdings im vollsten Maße zugegeben werden müssen, wenn die sonnigen Tage in der kühleren Jahreszeit die Regel bilden würden. In unsrem Klima ist aber leider das Gegenteil der Fall, und daher verwandelt sich dieser einzige Vorteil der Fensterwandbesonnung geradezu wieder in einen Nachteil. Denn es ist nur bei einzelnen leicht regulierbaren Beheizungsarten überhaupt möglich, für Räume mit großen Glasflächen eine gleichmäßige Tempe-

ratur zu erzielen, wenn diese Glasflächen bald eine Abkühlung
des Raumes herbeiführen, bald infolge der Besonnung zur
Erhöhung der Temperatur in demselben ganz wesentlich
beitragen. Immer aber macht die Besonnung der Glasflächen
das Regulieren der Heizung sehr zeitraubend und schwierig,
ob dieselbe eine lokale oder eine zentrale ist, ob sie vom
Lehrer oder vom Heizer geleitet wird.

In jedem Falle sind wir ferner gezwungen, das Schulzimmer gegen die Wärmeausstrahlung der Glaswand durch
andre Mittel als die Besonnung zu schützen [1] und die Heizung
so einzurichten, daß sie die durch die Glaswand abgegebene
Wärmemenge auch ohne Besonnung an den kältesten Tagen
des Winters zu ersetzen vermag.

Hierdurch wird der ganze Vorteil der Fensterwandbesonnung ein sehr geringer, er läuft in der Hauptsache auf die
Ersparung einiger Zentner Kohlen hinaus; ein Gewinn, der
gegenüber der Gesundheit des Auges der Schulkinder (und
damit des ganzen Volkes) als ein winziger erscheinen dürfte.

Es ist hiermit wohl der Beweis geführt, daß die Orientierung der Fensterwand des Schulzimmers sich einzig und
allein nach der Erlangung einer möglichst günstigen Beleuchtung
richten muß. Dagegen sollen freiliegende, geschlossene Seiten-
wände der Schulgebäude voll nach Sonnenseiten liegen, was
beides sich ja naturgemäß vereinigen läßt.

Räume, welche während der Vor- und Nachmittagsstunden

---

[1] Dicht schließende Doppelfenster mit sehr starkem, aber reinem
Glase für Winter wie Sommer. Ferner bei Röhrenheizung, Heizanlage
in den Fensterbrüstungen bei durchbrochenen Fensterbänken, durch
welche die an den Glasflächen sich abkühlende und infolgedessen senkrecht herabsinkende Luft zu den Heizkörpern gelangt, um durch letztere
erwärmt unmittelbar vor der kalten Luftschicht wieder aufzusteigen.
Die Trennung beider Schichten innerhalb der Brüstung geschieht durch
Pappen oder dünne Holzverschalungen, welche bis zu den Röhren her-
abreichen, unter diesen aber freien Raum lassen. Es wird dadurch
sowohl Kälteausstrahlung wie eine Bewegung kalter Luftströme nach
dem Schulzimmer verhindert.

zum Unterricht benutzt werden sollen, liegen daher am
günstigsten mit den Fenstern nach N, NNO oder NNW.
Für Räume, die ausschließlich dem Vormittagsunterrichte
zu dienen haben, kann auch die Westseite unter Umständen
sogar die Südwestseite gewählt werden, sobald die Lage des
Gebäudes genügend Schutz gegen den Anprall des Windes
aus diesen Himmelsrichtungen gewährt.

Ist es nicht möglich, die Fensterwände aller Schulzimmer
nach den genannten Weltgegenden zu legen, so wird man am
besten thun, für den Rest derselben die Südlage· zu wählen,
da die von dort nahezu senkrecht einfallenden Sonnenstrahlen
sich durch Markisen oder ähnliche Vorrichtungen auffangen
bzw. deren Glut im Sommer mildern läßt, ohne die Beleuchtung der Schulzimmer sehr wesentlich zu verschlechtern.

Dagegen ist die Lage nach O und SO sowie für Räume,
in denen Nachmittagsunterricht abgehalten wird, nach W und
SW geradezu als verwerflich zu bezeichnen, da die wagerecht
oder doch sehr schräg einfallenden Sonnenstrahlen erstens ein
Verhängen der ganzen Fensterfläche notwendig machen und
zweitens die ausgiebigste Besonnung der Glaswand herbeiführen.[2]

Besonders die Ost- und Südostseite sind in letzterer Beziehung verwerflich, da im Hochsommer schon in der Frühe
die Temperatur der nach dort mit großen Glasflächen versehenen
Räume übermäßig gesteigert wird, und bei der hohen Lufttemperatur im Freien eine Abkühlung derselben im Laufe des
Tages (ohne künstliche Vorkehrungen) nicht mehr erzielt
werden kann.

Gegen diese Ausführungen könnte vielleicht eingewandt
werden, daß das Sonnenlicht als solches für das Gedeihen des
menschlichen Körpers von hohem Werte ist, und daß es ferner
zur Verbesserung bzw. zur Reinigung der Luft in den Räumen
beizutragen vermag.

---

[2] Vgl. AD. VOGT in Bern, Über die Richtung städtischer Straßen
nach der Himmelsgegend u. das Verhältnis ihrer Breite zur Häuserhöhe.
Zeitschrift für Biologie, Bd. XV, S. 319.

Ersteres ist unbestreitbar, nur ist es für die eigentlichen Unterrichtsräume überhaupt nicht möglich, den Sonnenstrahlen durch große Fensterflächen den Eintritt zu gestatten, ohne das Augenlicht der Schüler und Lehrer zu gefährden. Als Ersatz dafür sollte allerdings Sorge getragen werden, daß die Sonne während des Turn- und Schwimmunterrichts sowie in den Erholungstunden bei den Schülern nachholen kann, was in den eigentlichen Unterrichtsstunden und während der Hausarbeit in dieser Beziehung versäumt wird.

In Betreff der luftreinigenden Wirkung der Sonnenstrahlen aber läßt uns die Forschung noch völlig im Dunkeln; wir werden uns daher einstweilen für Schul- wie Wohnräume wohl damit begnügen dürfen, durch gründliche Ventilation und, wo es not thut, durch kräftige Lüftung mittels Durchzug vor und nach dem Gebrauch der Räume für die Reinheit der Atemluft in ihnen Sorge zu tragen.

Aus Versammlungen und Vereinen.

Die Schulgesundheitspflege auf dem Wiener Kongresse für Hygiene und Demographie.

Von

Professor Dr. Leo Burgerstein in Wien,
Sekretär der II. Sektion des Kongresses.

(Fortsetzung und Schluß.)

Das XIII. Thema des Kongresses betraf den hygienischen Unterricht. Die Referenten haben alle den Wert ihrer Berichte durch die Darstellung des Zustandes, in dem sich dieser Unterricht in ihrem Lande befindet, erhöht.

v. Fodor verlangt ihn, weil die Hygiene die Leistungsfähigkeit des Einzelnen, also auch des Ganzen sichert und
den Sinn für Humanität fördert. Die edelsten Ideale, gewöhnliche Instinkte und sündhafte Leidenschaften — Alles vereinigt
sich, auf den verschiedensten Gebieten zu einer wetteifernden
Arbeit anzuspornen, welche heute schon zu einer ungesunden
Höhe sich entwickelt hat. Selbst für die abscheulichste und
gefährlichste Arbeit finden sich Menschen genug, wenn sie nur
bezahlt wird. Hinsichtlich des Ausmaßes geht das heutige
Zeitalter schon weit über die Grenzen hinaus, welche vom
Standpunkte der Hygiene gesteckt werden müssen. Dieses
Übermaß zu reducieren kann am wirksamsten durch Belehrung,
d. h. Unterricht angebahnt werden. Derjenige, bei welchem
auf diesem Wege die Wertschätzung der Gesundheit Platz
greift, wird auch späterhin sich zu wahren wissen. Manchen
Gefahren für die Gesundheit kann auch der Ärmste richtig
begegnen. Jene allgemeine Aufklärung kann aber nur
durch allgemeinen Unterricht in der Gesundheitslehre erworben
werden.

Der Unterricht in Hygiene soll die Kenntnis der wich-
tigsten sanitären Bedürfnisse des privaten und gesellschaftlichen
Lebens vermitteln; er soll die reine Luft, die gesunde Nahrung
und Wohnung, verständige Arbeit, die Reinlichkeit, das gute
Trinkwasser, die Pflege der Unvermögenden, den Schutz gegen
Infektion u. s. w. — nicht aber eine auf Beschreibung der
Organe etc. gegründete Makrobiotik zum Gegenstande haben.
Berichterstatter entwickelt an Beispielen, wie und wie sehr
der Hygiene-Unterricht zum Fortschritt des allgemeinen Wohles
beizutragen mit berufen ist.

Der einzige berechtigte Einwurf ist die Überbürdung
der Jugend. Referent sagt: „Wir lernen in der Schule sehr
Vieles, was schön ist . . . . auch ein wenig Solches, was
für den Lebensunterhalt nützlich ist, was aber . . . notwendig ist, die Erhaltung, den Schutz und die Entwickelung
der Gesundheit . . . . das lernen wir nirgends — selbst
praktische Ärzte lernen es nicht."

Für die Volksschule verwahrt sich FODOR gegen „zwei
populäre Lesestücke oder einige zehngeboteartige Phrasen."
Die Mittelschule nennt er die eigentliche hygienische Schule
der Nation, für die Mädchenschulen wünscht er besonders
bestimmte Themen: häusliche Gesundheitslehre, Säuglings-,
Kinder- und Krankenpflege. Von gröfster Wichtigkeit ist
Hygiene-Unterricht für Lehrerbildungs-Anstalten und selbstverständlich für Ärzte. Für Techniker und Juristen empfehlen
sich gewisse Zweige. Alles das wird näher ausgeführt.

Referent gibt eine Übersicht der s e h r vorgeschritten en
und in prächtiger Weiterentwickelung begriffenen
diesbezüglichen Verhältnisse in Ungarn, wo der Hygiene-
Unterricht auf sämtlichen Stufen der öffentlichen
Schule eingeführt ist, so durch Gesetz von 1876 in die
Volksschule. Der ungarische Unterrichtsminister v. TRÉFORT
hat einen Konkurs für den besten Lehrbehelf ausschreiben
lassen und der als solcher befundene[1] wurde in vielen Tausenden
von Exemplaren unentgeltlich verteilt. In den Lehrer- und
Lehrerinnen-Bildungsanstalten wird Hygiene-Unterricht seit
1876 mit grofser Sorgfalt erteilt. Für die Mittelschule hat
v. TRÉFORT 1885 die Institution der Mittelschul-Ärzte und
Gesundheitslehre-Professoren ins Leben gerufen. Diese haben
besonders die Aufgabe, den sanitären Zustand der Schulen zu
überwachen und den hygienischen Unterricht zu erteilen.
FODOR bringt das ausgezeichnete Statut grofsenteils zum
Abdruck. Aus demselben will ich nur citieren: „§ 27. Der
Schularzt und Professor der Hygiene ist Mitglied des Lehr-

---

[1] SZÉLL Dr. L. Leitf. z. Lebensrettung u. z. Hygiene. Preis geb
50 Kreuzer. — Lebensrettung u. Gesundheitslehre. Pr. geb. 20 Kr.

[2] Ich kann die Gelegenheit nicht unbenutzt lassen, meinem Bedauern
darüber Ausdruck zu geben, das musterhafte ungarische Normativ, das
einen so grofsen Fortschritt anbahnt, bei Abfassung meiner „Gesundheitspflege i. d. Mittelschule" (Wien, 1887) nicht gekannt zu haben.
Es ist vollständig abgedruckt in: Pester medizin.-chirurg. Presse, redig.
v. Löw, No. 51 v. 20. Dez. 1885 p. 1028—1030 u. in COHN „Über die
Notwendigk. d. Einführung von Schulärzten", Zeitschr. f. Hygiene, herausg.
v. KOCH u. FLÜGGE, Leipz. I. Bd. 1886 p. 283—286.

körpers und in hygienischen Fragen stimmberechtigt. §. 28. Derselbe muſs in allen auf die hygienischen Erfordernisse der Schule und auf den Gesundheitszustand der Schüler bezüglichen Fragen angehört werden; von seiner Wohlmeinung kann der Leiter der Anstalt nur über eigene Verantwortung abweichen." An den höheren Staats-Töchterschulen wird in der obersten Klasse wöchentlich 3 Stunden Hygiene gelehrt. In den Priesterseminarien, sowie an allen vier Fakultäten der Universitäten, am Polytechnikum und der Schemnitzer Montan-Akademie ist systematischer Unterricht in Hygiene durch qualifizierte Ärzte eingeführt. —

Gleiche Fortschritte in dieser Richtung sind meines Wissens nirgendwo auf der Erde zu verzeichnen.

Die zehn Thesen FODORS enthalten den Extrakt seiner oben skizzierten Auseinandersetzungen.

KUBORN bringt eine glänzend geschriebene Darstellung der belgischen Verhältnisse. Der mächtigste Fortschritt wurde 1848 durch Minister ROGIER, den Vater der öffentlichen Gesundheitspflege in Belgien, angebahnt, einen Mann, „qui semble avoir ambitionné toutes les gloires les plus pures". Der nächste groſse Schritt ist die Aktion des belgischen Unterrichtsministers von 1880. Dieser sprach u. a. aus: Die Vulgarisation hygienischer Begriffe ist in den Augen der Regierung ein weit mächtigeres Mittel, als Zirkulare und Gesetzesbestimmungen. Dasselbe gilt auch von der ärztlichen Schulaufsicht, die in belgischen Städten die bestorganisierte ist. 1835 wurde an den neu gegründeten Universitäten zu Gent und Lüttich öffentliche Gesundheitslehre systemisiert. Die nicht staatlichen Universitäten (Löwen, Brüssel) folgten nach. 1857 wurde u. a. leider auch Hygiene als obligater Prüfungsgegenstand gestrichen, 1876 endlich wieder eingeführt. Zwei sehr wichtige Faktoren fehlen aber noch: die klinische Hygiene (Besuch der Fabriken etc.) und das Laboratorium. — Von 1860 oder 1861 an begann die Ausbreitung des hygienischen Unterrichts an andern Schulen. Ein Ministerialerlaſs von 1880 führte ihn in drei Abteilungen gegliedert (Kinder von

6 bis 8, 8 bis 10 und 10 bis 12 Jahren) in die Volksschule
ein. 1884 verschwand er. — Mittelschulen niederen Grades
(Programm für Knaben und Mädchen im allgemeinen gleich):
Die Knaben haben keinen hygienischen Unterricht, die Mädchen
ca. 50 halbe Stunden, verteilt auf zwei Jahre. — Lehrer- und
Lehrerinnen - Bildungsanstalten niederen Grades: Alle 9
staatlichen Institute besitzen Unterricht in der Hygiene nach
gut durchgearbeitetem Programm, welches Referent im Detail
anführt. An jeder Anstalt ist ein Arzt, an den meisten lehrt
dieser Hygiene, an einzelnen aber der Professor für Naturwissenschaften oder Pädagogik. Zweifellos erfordert die Durch-
arbeitung des gründlichen Programmes gründliche Sachkennt-
nis. Von den privaten 10 Lehrer- und 23 Lehrerinnen-Bildungsanstalten (Kommune, Klerus) haben nur 5 oder 6 hygienischen
Unterricht. — Bildungsanstalten mittleren Grades: In den
zweien für Lehrer ist die Gesundheitspflege nicht Unterrichtsgegenstand. Die zwei für Lehrerinnen hatten Unterricht durch
Ärzte; 1884 verschwand er, d. h. er wurde der Lehrerin —
für Haushaltungskunde (!) zugewiesen. Im übrigen lernen die
Mädchen die verschiedensten Dinge, auch Lateinisch. — Von
den Mittelschulen haben die humanistischen Etwas, die realisti-
schen und kommerziellen Nichts. — In den sämtlichen zahlreichen kleinen von der Geistlichkeit erhaltenen Seminarien
und dem gleichfalls dem Klerus gehörigen ca. 200 Mädchen-
Pensionaten ist Nichts von Hygiene - Unterricht zu finden. —
In 20 von den 31 Gewerbeschulen (Kommunal-Anstalten) genießen 6000 von den 11000 Schülern hygienischen Unterricht.
Als Beispiel eines der besten Programme wird das vorzügliche
der Gewerbeschule zu Seraing, dem Sitz der großen belgischen
Metallindustrie, gegeben. Der Kurs umfaßt ca. 70 Stunden
in 2 Jahren (1 pro Woche). — Die Hebammenschulen, die
Militär- und die Kriegsschulen haben einen eben so guten als
nützlichen Spezialkurs. — 1878 wurde an der höheren Lehrer-
bildungs-Anstalt in Lüttich eine Lehrkanzel für Hygiene systemisiert. Leider wissen die Kandidaten fast gar nichts von
Naturwissenschaften. Das treffliche Programm (auch die so

bedeutsame Hygiene des Lehrers ist nicht vergessen) wird angeführt. — An der staatlichen Tierarzneischule fehlt die für
den Tierarzt besonders auf dem Lande (Kommissionen) wichtige
Hygiene des Menschen. — Die traurigste Thatsache ist, daſs
an den 6 groſsen Priesterseminarien nirgends Hygiene gelehrt
wird. Welches Feld für den Tröster der „Enterbten"! . . . .
— **Höhere** Gewerbeschule in Antwerpen — Nichts. Archi-
tekturschule: „Tout pour le style"! Die groſsen Bergwerks-
akademien — Nichts!!

„Wir machten uns vor 6 oder 7 Jahren das Vergnügen,
die Bilanz unsrer Reichtümer, das Gedeihen unsres Handels
und unsrer Industrie der Welt vorzuführen (étaler); weiſs
man aber, welcher Preis an Entbehrungen, Elend und Gesundheit dafür bezahlt wurde?

Fragt nicht nach ihm bei Nationalökonomen und Kabinetts-
politikern: nein, bei Ärzten, Priestern, den Besuchern der
Armen, bei jenen, an welche alltäglich Elend, Leiden und
Krankheit sich drängen (qui coudoient), und die deren Ursprung
bis in die versteckten Schlupfwinkel verfolgen, fragt! . . .

Der Nationalreichtum kann nicht das Kriterium der
Wohlfart der niederen Klassen sein . . . Der Reichtum eines
Volkes wird nicht nach der Zahl seiner Millionäre, sondern
nach der seiner Unglücklichen geschätzt".

Wer über die Bedeutung der Verbreitung hygienischer
Kenntnisse sich belehren will, der sehe sich das Bild der
sozialen Zustände an, wie es KUBORN in meisterhafter und er-
greifender Weise malt. —

Hinsichtlich des Elementarunterrichts macht uns KUBORN
mit der Ansicht belgischer Gelehrter bekannt, dahin gehend,
die hygienische Belehrung sei gelegentlich der Vorkommnisse
im Schulleben überhaupt erzählend zu bringen, überdies aber
dem Kind ein Büchlein in die Hand zu geben, das ihm die
Wahrheiten in einfacher und anziehender Weise bietet — ein
kleines Kunstwerk, das ist auſser Frage. — Die 7 Thesen
brauche ich nach dem ausführlichen Auszug des Referates
wohl nicht anzuführen.

LAYET berichtet über Frankreich. In den Elementarschulen (7. bis 13. Lebensjahr) findet kein hygienischer Unterricht statt. In den höheren Primärschulen, welche die absolvierten
Schüler der vorigen übernehmen, ist durch Gesetz von 1886 und
Durchführungsbestimmungen vom Januar 1887 Unterricht in
privater und öffentlicher Hygiene eingeführt. — In den niederen
Lehrer- und Lehrerinnenbildungs-Anstalten der Departements
(für Kindergärten und obengenannte Schulen z. Tl.) wird seit
1881 infolge eines Ministerialerlasses Hygiene-Unterricht im
dritten Studienjahr erteilt (Hygiene des Individuums, Schulhygiene, erste Hilfe bei Unfällen). In den höheren Lehrer-
und Lehrerinnenbildungs-Anstalten hat er nach analogem, aber
vertieftem Programm seit Januar 1887 eine Stelle gefunden.
Für die Mädchen-Mittelschulen ist er 1880 dekretiert worden,
für Knaben-Mittelschulen nicht. Berichterstatter gibt die detaillierten Programme.

Für die Volksschule verlangt LAYET besonders Anfangs
streng affirmativen Unterricht, der sich in scharf umschriebener
Weise an das Gedächtnis wendet; für die höhere Volksschule
(14. Lebensjahr u. ff.) spezielleren Unterricht hier durch sachverständige Ärzte, welche die Hygiene des Individuums und
der Gesellschaft vorzutragen haben. — Handels- und Gewerbeschulen: Der der besonderen Lebensrichtung angepaßte Unterricht soll durch kompetente Hygieniker gegeben werden. —
Natürlich muß dies besonders gründlich in den Lehrerbildungs-
Anstalten geschehen. Für die Mittelschule wünscht LAYET
einen elementaren und einen höheren Kurs.

GAUSTER gibt ein Referat über Österreich. Hier besteht
gegenwärtig kein hygienischer Unterricht. Durch die Opferwilligkeit von Fachmännern fand er einmal unobligat an
Lehrer- und Lehrerinnenbildungs Anstalten in Wien und Klagenfurt, in ersterer Stadt zwölf Jahre lang mit bestem, teilweise
glänzendem Erfolge statt. Trotzdem ließ man ihn wegen
„Überbürdung" der Lernenden fallen, obwohl er dem Staate
keine Kosten machte und die künftigen Lehrer (es sind immer
nur solche für Schulen niederer Grade gemeint) in den Stand

setzte, das zu thun, was das Gesetz (Ministerialverordnung von 1873, goldene Worte!) von ihnen fordert.

Soviel über die thatsächlichen Verhältnisse. „Würden wir", sagt GAUSTER, „die jährlichen Wertverluste durch Krankheiten und vorzeitigen Tod in der Produktionskraft der Bevölkerung berechnen, wie wir es bei den volkswirtschaftlichen Verlusten durch Tierseuchen thun, es würde sich zeigen, was für enormer Geldschaden auf diese Weise jährlich den einzelnen Staaten erwächst und zwar viel weniger in aktiven Ausgaben, selbst bei grofsen Auslagen für Krankheitsbekämpfung in Seuchenzeiten, als passiv im Verluste an Erwerb, an Durchschnittsvermögen der Bürger, an Leistungen derselben für das Allgemeine. Diesen Ziffern gegenüber würde bald der Widerstand gegen produktive Ausgaben zur Förderung des Gesundheitswesens schwinden".

Referent motiviert nun seine Forderung, durch hygienischen Unterricht in der Schule den erwähnten Übelständen abzuhelfen und gibt das Programm für die einzelnen Schulkategorien. In der Volksschule will er, dafs das Verständnis der wesentlichsten Lebensbedingungen erzielt und z. B. die Bedeutung der Luft etc. erkannt werde. Am ausführlichsten begründet GAUSTER die Notwendigkeit des Hygieneunterrichts an Lehrerbildungsanstalten. Dafs der Lehrer überhaupt hygienisch gebildet sein mufs, ist für Jedermann, der Schule und Schulhygiene verfolgt, vollkommen klar. Ich citiere: „Der Lehrer überhaupt! — sei nochmals wiederholt; denn der Sünden gegen den berechtigten gesundheitlichen Schutz der Schüler gibt es in aller Art von Schulen genug, in den Mittelschulen und in den Privatschulen viel mehr als in den Volksschulen".

Es ist „dringend geboten, in den Priesterseminarien einen systematischen hygienischen Unterricht zu erteilen". Für Gewerbeschulen empfiehlt er sich besonders hinsichtlich der Schädlichkeiten der verschiedenen Gewerbe, Techniker brauchen ihn, weil sie in so hohem Mafse berufen sind, Mittel zur Abhilfe mit zu erdenken und herzustellen.

Von Ärzten soll über die Erwerbung tüchtiger hygienischer Kenntnisse der Nachweis vor Erteilung der venia practicandi gefordert werden.

Auf die 9 Thesen GAUSTERS komme ich noch zurück.

2. Debatten.

Die Schulhygiene stand als erster Gegenstand der II. Sektion auf der Tagesordnung und gelangte „Ärztliche Überwachung der Schulen" am 27., „hygienischer Unterricht" am 28. September zur Verhandlung. Wer dieser, besonders am ersten Tage, beiwohnte, hat die Überzeugung gewinnen müssen, daß solche Kongreßverhandlungen wesentlich zur Klärung der Anschauungen beitragen. Am ersten Verhandlungstage präsidierte Vormittags NOTHNAGEL (Wien), Nachmittags LOEWENTHAL (Lausanne). Stenographische Aufnahme konnte wegen der Vielsprachigkeit und der hohen Kosten beim Kongresse nicht stattfinden. Ich werde den Verlauf der Debatten aus den Aufzeichnungen, die ich machte, zu skizzieren versuchen, wobei ich mich natürlich mit Rücksicht auf den Raum, wie bisher, innerhalb enger Grenzen halten muß.

Zunächst erhalten die Referenten das Wort. WASSERFUHR resumiert seinen Bericht und betont die Notwendigkeit der Verwendung staatlich angestellter sachverständiger Ärzte.

H. COHN bekämpft mit Geschick und Laune die Ausführungen des Korreferenten in dieser Hinsicht. Er weist darauf hin, wie wenig Garantie für Sachverständigkeit in der Anstellung von Staatsärzten liege: der geprüfte Staatsarzt kann mehr Dilettant sein, als ein gewöhnlicher praktischer Arzt; die älteren Herren haben überhaupt keine Prüfung in Schulhygiene gemacht, da sie eine neue Wissenschaft ist, die jüngeren müssen bei ihrem Hygiene-Examen (es ist immer von Deutschland die Rede) nicht aus Schulhygiene gefragt worden sein; die Fortschritte der letzteren aber sind so groß, daß derjenige, der nach der Prüfung nicht selbst weiter arbeitet, trotz des Examens zurückbleibt. Das von WASSERFUHR für die Nicht-Physiker gebrauchte Wort „Dilettanten" habe viele Ärzte gekränkt.

Zum Beweise, wie wenig phantastisch die Genfer Thesen waren, läfst Redner dieselben gedruckt verteilen. Daſs sie „mit kaltem Blute" angenommen wurden, sei nur ein Beweis für die Leidenschaftslosigkeit der damaligen Beratung. Welche Schwierigkeiten aber entständen, wollte man nur Staatsärzte anstellen, gehe daraus hervor, daſs z. B. Breslau 50,000 Schulkinder aber — nur sechs Medizinalbeamten habe; da bekanntlich alle Hygieniker darüber einig seien, daſs einem Arzt mehr als 1000 Schüler unmöglich zugewiesen werden können, ergäbe dies für die genannte Stadt allein einen Bedarf von 50 Ärzten. Übrigens gibt WASSERFUHR später in seinem Referat selbst Nicht-Physiker zu, wo Staatsärzte nicht vorhanden sind. Mit letzteren allein ist die Sache heute in Deutschland nicht durchführbar. Redner hebt die Vorzüglichkeit des ungarischen Normativs hervor.

NAPIAS bemerkt, er habe keine Thesen aufgestellt, da die vorgebrachten ohnehin in Frankreich verwirklicht seien; Redner beantragt die Aufstellung eines engeren Komitees (die Referenten und BURGERSTEIN, DESGUIN, LOEWENTHAL) behufs Formulierung definitiver Thesen.

DESGUIN (Antwerpen) berichtet über die vorzügliche Organisation der ärztlichen Schulaufsicht in Antwerpen. Die Schule wirkt dort direkt bessernd auf den Gesundheitszustand der Schüler ein. Speziell sei erwähnt, daſs die Ärzte auch die kranken Schüler wöchentlich einmal besuchen, um besonders bei Infektionskrankheiten das Nötige zu veranlassen, ferner daſs Impfung und Revaccination durch die Schule besorgt wird etc. Am Schlusse jedes Monates legt der Inspektionsarzt einen Bericht über seine Wahrnehmungen (auch hinsichtlich des Schulprogrammes) vor. Aus den vom Redner gedruckt vorgelegten Thesen sei bemerkt: Neu eingetretene Schüler der Freischulen werden nicht endgültig zugelassen, ehe sie nicht vom Aufsichtsarzt untersucht sind, der das Resultat in ein eignes Buch einträgt. Der Aufsichtsarzt bespricht sich mit dem Lehrpersonal. Die Zähne der Schüler sollen wenigstens zweimal, die Augen einmal jährlich von Spezialärzten untersucht werden u. s. f.

Schreiber des Vorliegenden sagt, es sei bekannt, wie weit die öffentliche Erziehung in hygienischer Hinsicht im allgemeinen noch von jener Stufe entfernt ist, der sie zustreben muſs, und die sie rascher erreichen würde, wenn die hohe praktische Bedeutung des Gesetzes der Summierung kleinster Kräfte seitens der Schule auch für den Körper gebührend gewürdigt wäre. Redner stellt als Leitmotiv den Satz auf, zu dem AXEL KEY in seinem unikalen Werke gelangt: „Die Forderungen der Hygiene müssen in Acht genommen werden, ob sich Überanstrengung in der Schule findet oder nicht, ob die Schule bisher nachweislich schädigend auf den Gesundheitszustand der Schüler einwirkt oder nicht". Progressive Schritte einzelner Stellen (Schulbäder in Berlin und Göttingen, SARGENTS Turnsystem, präventive Medizin in Schulen belgischer Städte etc.) anführend verlangte ich zur These 1 WASSERFUHRS den Zusatz: „fortlaufende" Beteiligung der Ärzte. Ebenso wünschte ich, daſs der 2. These desselben Referenten (Zweck der ärztlichen Aufsicht) hinzugefügt werde: „und auf eine gesundheitsförderliche Thätigkeit der Schule hinzuwirken (z. B. körperliche Übungen)". Da manche Schädigungen der Gesundheit der Schüler erst beim Unterrichte erkannt werden, so beantragte ich ferner, bei These 3 WASSERFUHRS (Schulinspektion) einzuschalten: „Besonders auch während des Unterrichts". Endlich schlug ich vor, die Thesen COHNS und WASSERFUHRS mit oder ohne obige Zusätze zu vereinigen und legte der Versammlung die kombinierten und amendierten Thesen gedruckt vor.

MANGENOT (Paris) spricht über die Schwierigkeiten der ärztlichen Schulaufsicht auf Grund der Pariser Erfahrungen; der Lehrer wollte jedes Kind, daſs sich unwohl fühlt, gleich fortschicken.

v. FODOR entwirft ein Bild der gewaltigen Fortschritte Ungarns auf diesem Gebiete. Für die Mittelschulen ist der Arzt als ständiges Mitglied des Lehrkörpers designiert und hat die einzelnen Schüler fortwährend im Auge zu behalten. Bezüglich der Volksschule ist die Organisation im Zuge; man beabsichtigt die Mittelschulärzte den Schulinspektoren als Sachverständige beizugeben.

PETER (Görz) gibt eine durch ihre zu drastische Form kongreſswidrige Darstellung des Schulbetriebes seiner Heimat in hygienischer Beziehung; in sachlicher Hinsicht hat er jedoch Recht. Daher sei seiner gedacht. Er beantragt den Turnlehrer als Mitglied in die Schulkommission aufzunehmen.

GAUSTER spricht über die sanitäre Schulaufsicht in Österreich. Faktisch ist nur für die Volksschule das Gesetz von 1873 vorhanden, für die Mittelschule keines. Da die Geldfrage eine so groſse Rolle spielt, so ist hygienischer Unterricht von um so höherer Bedeutung.

NAVARRE (Paris), ein schneidiger Redner, ist Augen- und Ohrenarzt der Pariser Schulen. Er schildert die Schwierigkeiten der Schulaufsicht. Eltern verheimlichen öfter die Krankheit des Kindes, um es nicht zu Hause behalten zu müssen. Redner rügt den groſsen Fehler der Verwaltung, welche die ärztlichen Berichte so oft ungelesen in den Papierkorb wirft. Da der Arzt nicht beständig alle Details überwachen kann, ist der Lehrer ein sehr wichtiger Mitarbeiter.

BARANOWSKI (Lemberg) betont die Notwendigkeit sachverständiger Ärzte auf Grund seiner Erfahrungen als Schularzt.

DEVAUX (Brüssel) spricht über die vorzüglichen Einrichtungen der belgischen Städte, die Notwendigkeit, diese Einrichtungen auch auf kleine Ortschaften auszudehnen und schlieſst sich dem Antrage NAPIAS's an.

PUCHY (Feldsberg) bedauert durch amtliche Organe an der Ausübung ärztlicher Schulaufsicht behindert zu werden.

v. REUSS (Wien) macht einen Vorschlag, welcher die guten Gedanken COHNs und WASSERFUHRS vereinigt und ergänzt, für die praktische Durchführung der ärztlichen Schulaufsicht von der gröſsten Bedeutung ist und allgemeine Beachtung verdient. Das Wesentliche ist: die Oberaufsicht sollen Medizinalbeamte führen, die Detailaufsicht soll durch freiwillige Ärzte, besonders hinsichtlich der Einzelheiten, wie Augen u. s. f. (nicht durch Ärzte mit dem bekanntlich oft nicht nur zwecklosen kleinen Honorar) angestrebt werden. Die Lehrer sind mit herbeizuziehen; v. REUSS stellt eine dem entsprechende These auf.

Bedenkt man, wie viel auf dem Wege freiwilliger Leistung in allen Kulturstaaten erreicht, auf wie vielen Gebieten des Lebens Notwendiges derart besorgt wird, ohne daß Staaten oder Gemeinden die bezüglichen Institutionen erhalten, so wird man zugeben, daß auf diese Weise an vielen Stellen Vieles geschehen kann. Da die Schule eine sehr genau organisierte und geregelte Institution ist, böte es gewaltige, wenn auch nicht von vornherein begründete Schwierigkeiten, nicht-beamtete Ärzte dort arbeiten zu lassen. Dies ist kein Vor-wurf gegen die Lehrerschaft: auch andre Körperschaften von amtlichem Charakter würden sich solche Eingriffe von Privaten nicht gefallen lassen; wäre die Schule keine Institution von der Art, wie sie es wirklich ist, oder könnten die Ärzte ihre Arbeit leisten, ohne die Schule zu betreten, ich bin sicher, die Erfolge wären heute schon großartige. Was bisher in hygienischer Beziehung geschehen ist, verdankt die Schule in Deutschland und Österreich mittelbar der Initiative unbezahlter Ärzte, d. h. freiwilliger Leistung. Man denke z. B. an COHNS bahnbrechende Arbeit. Der REUSSsche Vorschlag macht es möglich, die freiwillige Thätigkeit in Zukunft in ausgedehnter und intensiver Weise zu benutzen. Ich muß ihn daher der Beachtung der Behörden auf das wärmste em-pfehlen und werde bei HILLISCHER noch darauf zurückkommen.

CUSTER (Zürich) schildert die Verhältnisse in der Schweiz. Bei der weitgehenden Dezentralisation sind sie überaus wechselnd; sehr gut ist die ärztliche Schulaufsicht in Lausanne organisiert. Einiges ist in Basel geschehen, in St. Gallen im Werden u. s. f. Redner hebt die fortschrittliche Thätigkeit des Kärntnerischen Lehrerbundes hervor, besonders die dritte der von ihm auf-gestellten Thesen: „Es ist wünschenswert, daß Schulärzte und Schulmänner von Zeit zu Zeit zusammen beraten". Er beantragt in die erste These Cohns auch „die Kindergärten" ein-zubeziehen.

Lorenz (Wien) spricht über die Lehnen der Subsellien und verweist auf die nach seinen Angaben gemachten in der Ausstellung befindlichen Bänke (Kretschmar, Schreiber und Klein, Küffel) und auf seine demnächst erscheinende Broschüre.

Während der Beratungspause tagte das auf Napias' Vorschlag konstituierte engere Komitee, welches die vereinigten Cohn-Wasserfuhrschen Thesen mit den eingebrachten Amendements neu gruppierte und stilistisch redigierte.

Der Nachmittagssitzung präsidierte, wie bemerkt, Loewenthal (Lausanne). Er teilt der Versammlung die Thätigkeit des engeren Komitees mit.

Wasserfuhr bringt die kombinierten und amendierten Beschlüsse[1] zur Verlesung. Sie lauten in ihrer endgültigen Z. T. erst Nachmittags hergestellten Fassung.

I. Das Interesse der Staaten und der Familien erfordert eine dauernde Beteiligung sachverständiger Ärzte an der Schulverwaltung.

II. Zweck dieser Beteiligung ist, Gesundheitsschädlichkeiten des Schulbesuches und Unterrichtes von den Schülern und Schülerinnen abzuhalten und auf eine gesundheitsförderliche Thätigkeit der Schule hinzuwirken.

III. Mittel hierzu sind teils Gutachten, teils periodische Schulinspektionen unter Zuziehung der Schulvorsteher, besonders auch während des Unterrichtes.

IV. Vor allem ist eine staatliche hygienische Revision aller öffentlichen und privaten Schulen, einschliefslich der Vorschulen, (Kindergärten u. dgl.) notwendig. Die dabei gefundenen Mifsstände müssen schleunigst beseitigt werden.

V. In jedem Schulaufsichtskörper mufs, wo und sobald ein Arzt vorhanden ist, derselbe Sitz und Stimme haben.

VI. Die hygienische Schulaufsicht ist sachverständigen

[1] I, II, III, VII sind die 4 Thesen von Wasserfuhr (I, II und III amendiert), IV, V, VI die 3 (amendierten) Cohns.

Ärzten anzuvertrauen, gleichviel, ob sie beamtete Ärzte sind, oder nicht.

VII. Von den vorstehenden Gesichtspunkten aus ist die Beteiligung sachverständiger Ärzte in die in den einzelnen Staaten bestehenden Organisationen der Schulverwaltung als integrierender Teil einzufügen.

Die Thesen gelangen einzeln zur Debatte und Abstimmung.

HILLISCHER (Wien) bemerkt zu These II, daß er, die Bewilligung seitens der Schulbehörden vorausgesetzt, gerne bereit wäre, im Sinne der VON REUSSschen Vorschläge mit seinem Assistenzpersonale eine Untersuchung des Mundes der Wiener Schulkinder durchzuführen. Untersuchung obligatorisch, Behandlung fakultativ. Gewiß würden sich auch für andre Spezialarbeiten hilfsbereite Fachmänner finden.

v. HÖPFLINGEN-BERGENDORFF (Troppau) erhebt (wohl nur in Folge irriger Auffassung) gegen das Amendement „besonders auch während des Unterrichtes" zur III. These Bedenken.

LUCAS (Salzburg), COHN, LUSTKANDL (Wien) und LOEWENTHAL sprechen dafür. Die These wird mit allen gegen 3 Stimmen angenommen.

PFUNDTNER (Breslau) spricht gegen These IV, WASSERFUHR, RÓZSAHEGYI (Klausenburg) GUERTLER (Hannover) sprechen dafür; die These wird, nachdem noch mehrere Redner formelle Vorschläge gemacht haben, in obiger Form angenommen.

LUSTKANDL wendet sich gegen V (alter Fassung), weil in kleinen Gemeinden oft Ärzte fehlen. Hierzu spricht auch: RÓZSAHEGYI, COHN, CUSTER und GUILLAUME (Neuchâtel); letzterer beschreibt die ausgedehnte nützliche Wirksamkeit der entsprechend vorgebildeten Geistlichkeit im Kanton Neuchâtel.

HILLISCHER beantragt die oben gegebene Fassung der These, welche zur Annahme gelangt.

WOLDRICH (Wien), BAER (Berlin) u. A. sprechen zu These VI., welche in obiger Fassung zu stande kommt. VII. wird unverändert acceptiert.

Die vortrefflichen Vorschläge, welche v. REUSS und HILLISCHER vorgebracht haben, konnten, allseitig anerkannt, deshalb nicht in irgend einer Form den Thesen einverleibt werden, weil man diese grundsätzlich in allgemeinster Form zu fassen beschloſs.

Die ganze Verhandlung verlief sehr animiert. Mit Recht stand die ärztliche Schulaufsicht an erster Stelle; dies ist der Weg für weitgehenden und schnellen Fortschritt; er schlieſst zweifellos die erziehliche hygienische Einwirkung der Schule mit ein. Als besonders erfreulich muſs hervorgehoben werden, daſs alle Lehrer, die sich an der Debatte beteiligten, gut zur Sache sprachen; nicht nur kam Nichts von einem prinzipiellen Widerstand vor, sondern es war im Gegenteil das Bestreben, eine gute Sache zu fördern, zu bemerken. Wie gezeigt, haben sich für die praktische Durchführung mit Rücksicht auf die Geldfrage neue Gesichtspunkte ergeben.

Das XIII. Thema (hygienischer Unterricht) kam unter dem Vorsitz von Cav. Mosso (Turin) zur Verhandlung. Bei dem Umstande, daſs auſser den Referenten 28 Redner, darunter mehrere zweimal das Wort ergriffen, muſs ich mich auf eine kurze Wiedergabe einiger wichtiger Punkte beschränken,

v. Fodor resumiert sein Referat.

Kuborn sagt u. a., der hygienische Unterricht sei zwar in Belgien schon ziemlich weit vorgeschritten, aber ein „Coup de fouet" könne gelegentlich eines Kongresses von der Bedeutung des gegenwärtigen nicht schaden. Das Richtige ist, das Resultat, die Frucht zu sehen; wenn die Kinder gut entwickelt sind, dann ist die Garantie für die Güte der hygienischen Systeme gegeben. Als Illustration bringt Redner die Statistik der Tuberkulose für das schulpflichtige Alter (6 bis 13 Lebensjahr) in Belgien. Der Lehrer habe eine überaus wichtige Aufgabe in hygienischer Beziehung: der hygienische Unterricht, den dieser genieſse, sei von groſser Bedeutung. — Auch Gauster betont dies. —

Woldrich gibt eine Darstellung der Verhältnisse in Österreich, beruft sich auf eine Reihe ausgezeichneter älterer Schulmänner, in diesem Staate die seit Jahren für hygienischen

Unterricht eingetreten sind, und bemerkt, es sei höchste Zeit, allmählich eingelebte Übelstände zu beseitigen.

LOEWENTHAL skizziert die traurigen Verhältnisse des Hygiene-Unterrichts an Hochschulen und bezeichnet die bezügliche These GAUSTERS (s. später) als eine der besten. Die Lehrer anlangend, sagt LOEWENTHAL, man müsse die Entwickelungsgesetze und das Objekt kennen und hierfür sei bisher bei den Lehrern nicht gesorgt worden. Die Pädagogik ist nicht in philosophischer Form zu lehren: sie ist die Anwendung der verwickelsten Prozesse auf dem verwickelsten Gebiete.[1]

ROTH (London) macht auf das bei der gänzlichen Unabhängigkeit des Unterrichtes von der Regierung in England beliebte System der Verbreitung belehrender Flugschriften in ungeheurer Menge aufmerksam (z. B. wie ein Baby zu erziehen ist und dgl.).

v. FODOR schlägt vor, GAUSTERS Thesen zur Grundlage der Spezialdebatte anzunehmen, was geschieht.

BENEDICT (Wien) beantragt hinsichtlich der II. These (hygienischer Unterricht in den Volksschulen) Übergang zur Tagesordnung; die Volksschüler seien ganz unreif, einen solchen Unterricht zu genießen. Die These wird von FRIED (Wien), GAUSTER, LOEWENTHAL, LUSTKANDL, BARANOWSKI, DAUM, PFUNDTNER, WOLDRICH verteidigt und angenommen.

In der Nachmittags-Sitzung beantragt DESGUIN zur These III. den Zusatz: Die schon angestellten Lehrer sollen gelegentlich der Prüfung der eben eingetretenen Kinder auf Fehler der Konstitution und auf Prädisposition zu Krankheiten herbeigezogen werden, um bei dieser Gelegenheit praktisch zu lernen.

PASCHKIS (Wien) spricht für fakultative Zulassung der Techniker als Hörer hygienischer Vorlesungen an den medizinischen Universitätsfakultäten.

DAUM (Wien): Für die Studierenden der rechts- und staats-

---

[1] Näheres hierüber in LOEWENTHALS sehr beachtenswerter Schrift: „Grundzüge einer Hygiene des Unterrichts". Wiesbaden, 1887.

wissenschaftlichen Fakultäten soll Hygiene fakultativ, für solche, die Verwaltungsbeamte werden wollen, obligatorisch sein.

RYCHNA (Prag) spricht für spezielle Belehrung der Lehrer und Priester hinsichtlich ansteckender Krankheiten.

RÓZSAHEGYI schildert die lebhafte Beteiligung der Juristen am Hygiene-Unterricht in Klausenburg.

Diese ins Spezielle gehenden Anträge werden aus dem früher angegebenen Grunde abgelehnt. Die Diskussion betraf vielfach Einzelheiten, die ich in einem Referate wohl übergehen darf.

Im Ganzen zeigte sich hier die gröfste Übereinstimmung bezüglich der dringenden Notwendigkeit des Hygiene-Unterrichtes für Lehrer und Ärzte. Die Redaktion der angenommenen Thesen wurde wieder durch das engere Komitee besorgt. Die amendierten Thesen GAUSTERS lauten in definitiver Fassung:

I. Der Staat hat zu sorgen, dafs die Bevölkerung zur Mitwirkung an der öffentlichen Gesundheitspflege herangezogen und daher in das Verständnis der allerwesentlichsten Grundsätze der Gesundheitslehre eingeführt wird, da der Schutz der Gesundheit und die Leistungsfähigkeit der Bevölkerung von ausschlaggebender Bedeutung für die allgemeine Volkswohlfahrt ist.

II. Er hat daher in der Volksschule für beide Geschlechter einen fasslichen und einfachen Unterricht über Bau- und Thätigkeitslehre des menschlichen Körpers, über die Grundbedingungen seiner Gesunderhaltung gegenüber den gewöhnlichen Lebensverhältnissen im Geiste des Gesamtunterrichtes einzuführen, sonach in den untersten Klassen im Wege der Lesestücke, später in kurzen systematischen Umrissen durchweg auf Verständnis und richtiges Denken auf Grund eigener Anschauung hinarbeitend, nicht als blofse Gedächtnisübung.

Diese Belehrungen werden in den Fortbildungsschulen entsprechend erweitert.

In den Mädchenschulen sind thunlichst die hygienischen

Verhältnisse der Wohnung, Körperpflege und Nahrung in den wichtigsten Sätzen etwas eingehender zu behandeln.

III. Zu diesem Zwecke ist ein fasslicher, systematischer Unterricht in der Gesundheitslehre überhaupt und der Schulgesundheitspflege insbesondere als Endziel allgemein biologischer Bildung durch Ärzte an den Lehrer- und Lehrerinnenbildungsanstalten obligatorisch einzuführen und der Nachweis ausreichender Kenntnis aus derselben bei der Prüfung für die Lehrbefähigung zu verlangen. Überhaupt haben alle Personen, welche die Lehrbefähigung für irgend eine öffentliche oder private Schule erwerben wollen, die Kenntnis der Gesundheitslehre nachzuweisen.

Für Lehrer sind Ferienkurse zum Unterrichte in der Hygiene zu errichten.

IV. Wünschenswert wäre, wenn auch allgemach in den Mittelschulen in Verbindung mit dem naturwissenschaftlichen Unterrichte hygienischer Unterricht erteilt würde, aufgebaut auf dem elementar-hygienischen Unterrichte der Volksschule, ohne dafs aber dabei eine Mehrbelastung der Schüler herbeigeführt wird.

In den höheren Mädchenschulen erscheint dieser Unterricht unbedingt notwendig.

V. In den Priesterseminarien, sowie überhaupt in den Lehranstalten für Seelsorger ist ein fasslicher kurzer Unterricht über die wichtigsten Grundsätze der Gesundheitspflege einzurichten und der Nachweis des erfolgreichen Besuches dieses Unterrichtes zu verlangen.

VI. An den Gewerbeschulen ist die Gewerbehygiene, soweit sie das Unterrichtsfach berührt, in fasslicher und anschaulicher Weise zu lehren.

VII. Es ist unbedingt notwendig, dafs für Ärzte die Gesamthygiene (experimentelle und angewandte) obligatorischer Unterrichts- und Prüfungsgegenstand ist und dafs diesbezüglich an allen medizinischen Fakultäten für Lehrkanzeln mit ausreichend dotierten Instituten gesorgt wird.

VIII. An den technischen Hochschulen ist der hygienische Unterricht unter besonderer Betonung der Gewerbehygiene und der hygienischen Technik notwendig, und wäre der Nachweis ausreichender Kenntnis darin vor Diplomierung oder Vollendung der Studien zu fordern.

IX. Es sind Spezialkurse über experimentelle und angewandte Hygiene einzurichten für diejenigen, welche die medizinischen Studien bereits vollendet haben und sich dem öffentlichen Sanitätsdienste widmen wollen. —

III. Ausstellung.

Die mit dem Kongreſs verbundene Ausstellung war mit Rücksicht auf die zu Gebote stehenden Mittel und Räume (Arkadenhof der Wiener Universität und ein paar Zimmer) als eine gewählte geplant und wies im ganzen diesen Charakter auf. Demgemäſs war auch die Schulhygiene vertreten. Ich kann mich daher über deren Anteil kurz fassen.

Zum Kapitel „Subsellien" hat BARON (Breslau) eine recht anziehende und instruktive Serie von 20 Modellen, die Geschichte der Schulbank an den hauptsächlichsten Typen darstellend, ausgestellt. Gröſse 1 : 10, bewegliche Teile der Originale beweglich; den Sammlungen der Lehrerseminare bestens zu empfehlen. (Preis 50 Mark). Derselbe Aussteller brachte auch durch eine bewegliche Gliederpuppe richtiges und falsches Sitzen zur Anschauung. KRETSCHMAR (Wien) hat u. a. eine Bank mit sehr solidem Mechanismus für die Verschiebung der Schreibplatte, SANDBERGER (Wien) verstellbare und zusammenlegbare Haussubsellien, SCHREIBER und KLEIN (Wien) solche mit beim Setzen automatisch vorgleitendem Sitz (Distanz!), sowie solche mit einer 20° nach rückwärts geneigten Rücklehne, die Schreiben mit rückwärts gelehntem Oberkörper gestattet, ausgestellt, KÜFFEL und DOLLMAYER (Wien) eine Verbesserung am Stellmechanismus der Schreibplatte der „Wiener Schulbank", die Stadt Wien eine Kollektion von 36 Originalbänken verschiedener Systeme, NIGG (Korneuburg, N.-Österr.) eine Arbeitsschürze zur Erzielung gerader Haltung der Kinder.

Das preussische Hygiene-Museum, sowie COHN
(Breslau) stellten u. a. ein Modell zur Demonstration der
Veränderungen, welche während der Akkommodation im menschlichen Auge vor sich gehen, aus, sowie den zu relativen
Helligkeitsbestimmungen besonders für Schulen wichtigen und
leicht zu handhabenden Raumwinkelmesser von WEBER, den
jede Schule oder doch jede Schulkommission zum Verleihen an
die zugehörigen Schulen besitzen und benutzen könnte
(Optikus HEIDRICH in Breslau, Preis 36 Mark). Das Museum
brachte auch COHNs Karte, darstellend die Überhandnahme
der Kurzsichtigkeit.

LERCH (Wien) hat seine verdienstlichen Bestimmungen
über Temperatur der Zimmer einer Volksschule vor und nach
dem Unterrichte, Vor- und Nachmittags im Zusammenhang
mit den übrigen maßgebenden Faktoren (Himmelsrichtung,
Kubikraum, Schülerzahl, Außentemperatur) zur Ausstellung
gebracht.

ROTH (London): Modelle für Blinden-Unterricht; Abbildungen, verschiedene Themata der Schulhygiene betreffende
Litteratur.

Stadt Wien und umliegende Gemeinden: Schulpläne
Der Franz-Josef-Jugend-Asylverein für verwahrloste
Iugend (Weinzierl, Nied.-Österr.), der Verein zur Errichtung von Seehospizen (Wien) und der Wiener Ferien-
kolonien-Verein: Pläne, Ansichten, Berichte, Statuten.

Die k. k. statistische Centralcommission (Wien)
hat in der demographischen Abteilung eine Serie interessanter
Kartogramme über österreichische Verhältnisse (Analphabeten,
Verhältnis von Volksschule und Bevölkerung, von Schulpflichtigen und Schulbesuchern) ausgestellt.

Die Bibliothek des Kongresses war stattlich beschickt;
sie enthielt Interessantes in Bezug auf Schulhygiene, was sonst
schwer zugänglich ist und in den bewegten Tagen nicht
studiert werden konnte; hoffentlich bleibt recht viel davon in
Wien, das den Kongreß so gastlich aufnahm!

Kleinere Mitteilungen.

Hygienisches aus den Vereinigten Staaten. Nach dem letzten Schulbericht des Erziehungsamtes in Washington für 1884—85 wird in 18 Staaten und 1 Territorium hygienischer Unterricht mit besonderer Rücksicht auf die schädlichen Wirkungen der Stimulantia und Narkotica erteilt. Durch Kongreſsakte von 1886 ist dieser Unterricht für gewisse Teile der Vereinigten Staaten obligatorisch. Die Ausdehnung des Hygieneunterrichts in Schulen verschiedener Grade ist in den beteiligten Staaten verschieden, es fällt aber auf, daſs die besondere Rücksichtnahme auf Stimulantia und Narkotica immer wieder hervorgehoben wird. Speziell für Lehrerbildungsanstalten haben Alabama, Kansas, Louisiana und Nebraska obligatorischen Unterricht in Gesundheitslehre eingeführt. — Der Staat Ontario macht bedeutende Fortschritte: durch Gesetz von 1884 wurde nicht nur anbefohlen, bei neuen Schulbauten den Forderungen der Hygiene Rechnung zu tragen, sondern auch aufgetragen, daſs bereits bestehende derlei Anlagen bis 1. Januar 1885 diesem Gesetz entsprochen haben müssen. Cohns berechtigte Forderung hinsichtlich alter Schulböhlen ist also in Ontario bereits erfüllt.

L. Burgerstein.

Der Berliner Verein für Ferienkolonien. Der Anregung der deutschen Kronprinzessin ist es zu verdanken, daſs sich in dem unter ihrem Protektorate stehenden Vereine für häusliche Gesundheitspflege eineUnterabteilung für Entsendung armer Schulkinder auf das Land gebildet hat, damit dieselben die Wohlthat einer Luftveränderung während der Sommerferien genieſsen. Im Jahre 1881 konnten nur 108 Kinder in die Kolonien geschickt werden, 1887 dagegen bereits 1500. Die Entsendung von Kindern in Abteilungen von 14 bis 20 Köpfen nach stellenweis von Berlin weit entfernten Orten erfordert jedoch ziemlich bedeutende Geldsummen. Man ist daher auf einen Ausweg verfallen, um mit geringen Mitteln Gröſseres leisten zu können. Da jedenfalls die Hauptsache bleibt, daſs die Jugend frische Waldesluft einatmet und sich im Freien umhertummelt, Wasser und Wald aber auch um Berlin ziemlich häufig sind, so hat man den Plan gefaſst, in der Umgegend der Residenz groſse Zelte zu erbauen und in jedem derselben etwa 100 Kinder unterzubringen. Diese Zelte würden zugleich den Vorzug besserer Lüftung vor den gewöhnlichen Wohnräumen haben. Auch könnten die Kleinen hier an den Sonntagen leicht die Besuche ihrer Eltern empfangen und selbst des Nachts nach Hause zurückkehren. Durch Errichtung solcher Zelte, die für einen billigen Preis herzustellen sind, würde man mit den vorhandenen Geldmitteln mehr als das Fünffache erreichen und vielen Tau-

senden von Kindern eine Erholung während der Sommerzeit bieten
können. Aber auch dann noch sind große Summen erforderlich. Man
gibt 70000 Mark an, die beschafft werden müssen, sollen die Bestrebungen des Berliner Komitees für Ferienkolonien 1888 in dem beabsichtigten Umfange ausgeführt werden. Für den Verein würde es in dieser
Beziehung sehr vorteilhaft sein, wenn er nicht auf jährliche Sammlungen
angewiesen wäre, sondern ähnlich, wie in Frankfurt und Köln, über feste
Kapitalbestände verfügte. In diesen beiden Städten erwuchs den betreffenden Vereinen durch die Veranstaltung eines Bazars eine Summe von je
100 000 Mark. Jedenfalls wünschen wir den Absichten des Komitees, an
dessen Spitze die Stadträte EBERTY und BORCHARDT stehen, auch nach
dieser Richtung hin den besten Erfolg. Die geforderten Mittel sind verhältnismäßig geringfügig gegenüber dem ganz beträchtlichen Gewinn,
welchen die Kinder an Leib und Seele empfangen, und der nicht nur
den Kleinen selbst, sondern auch ihren Eltern, sowie dem Staate zu
gute kommt.

Gegen das französische System der Erziehungs-Kasernen, der
„Internate", wendet sich GASTON JOLLIVET im „Matin" mit geistreicher
Lebhaftigkeit. Er schildert den Gegensatz zwischen französischen und
englischen Schülern, die er in einem Seebade nebeneinander ihre Ferien
zubringen sieht. Seine jungen Landsleute flößen ihm tiefes Mitleid ein:
Schmächtig, einige schon gebückt oder Brillen tragend, sahen sie von
weitem wie kleine Greise aus, die man in Lyceums-Uniformen gesteckt
hatte. Ich sah sie wieder am Strande, wo einige der jungen englischen
Badegäste Lawn- Tennis auf dem Sande spielten. Meine dem Lyceum
Entronnenen sahen zuerst aus achtungsvoller Entfernung den Wechsel-
fällen des Spieles zu. Dann schlug einer von ihnen, dadurch angespornt,
seinen Kameraden vor, „Fangen" zu spielen. Er wurde mit Verdruß
zurückgewiesen. Herumrennen! wie kindisch auch für künftige Kandidaten zur Aufnahme in die polytechnische Schule! Während dieser ganzen
Zeit konnte ich zwischen diesen Söhnen Albions und den gleichalterigen
Söhnen Frankreichs die kräftigen Körper der einen mit der eingezogenen
Brust der andren, den Eifer, mit welchem die einen, das Ballnetz in der
Hand, dem Balle entgegenrannten, mit der traurigen Resignation vergleichen, unter welcher sich die andern schließlich gesenkten Kopfes
einen Felsblock entlang hinsetzten und die kleinen Krabben in den Wasser-
lachen hin- und hergleiten sahen, und ich verfluchte wieder einmal aus
ganzem Herzen das Internat der französischen Lyceen. Was mich am
meisten wundert, ist, daß die jetzt an der Macht befindliche Partei nicht
eine Reform des Internatswesens in die Hand genommen hat. Nachdem sie
gegen die jesuitische Erziehungsweise geschrieen, schreitet sie blindlings
auf dem Pfade der guten Patres weiter. Sie hat denselben nicht bloß

iehungsmethode, sondern sogar ihr Programm der Studien-
rsstunden entlehnt. Nun sind es aber jetzt gerade die Je-
ch von ihrer gewöhnlichen Praxis befreien! Ihr Kolleg in
rird ziemlich nach den Regeln der englischen Unterrichts-
sitet. Mag es sich der staatliche Unterricht merken; da er
ler hinter den Jesuiten hergehinkt ist, so nehme er sie sich
am Muster! Es ist Gefahr in Verzug!

sen für den hygienischen Unterricht in Schulen. Für
ht der Schüler in der Gesundheitspflege hat die Provinzial-
ehörde zu Toronto in Kanada ein leicht verständliches
iter dem Titel: „Manual of hygiene for schools and colleges,
36" herausgegeben. Denselben Zweck verfolgt die Schrift
r: „Manualu elementaru de igiena, Bucuresti, 1886", sowie
1: „Cours d'hygiène", das jetzt in dritter Auflage erschienen
schland besitzen wir unsres Wissens nur ein einziges Werk
„Leitfaden der Gesundheitslehre. Für Schulen von Dr.
Direktor der Kranken- und Irrenanstalt zu Bremen, Leipzig
1886".

Tagesgeschichtliches.

---

em VI. internationalen medizinischen Kongresse in
hielt Dr. HENRY DAY aus London einen Vortrag über
er Kinder von übermäfsigem Schulbesuche behufs Verhütung
merz und Nervenleiden.

Leipziger Lehrerbildungsanstalt des deutschen Vereins
handarbeit werden auch in diesem Jahre während der
und August wieder zwei vierwöchentliche Unterrichtskurse
rerden.
sen Kursen sollen die Teilnehmer je nach ihrer Wahl in
Tischlerei (Hobelbankarbeit), Holzschnitzerei und Metall-
wiesen werden. Es steht den zu Unterrichtenden frei, sich
r ein Hauptfach oder ein Hauptfach und zugleich
'ach auszuwählen. Geschieht das Letztere, so entfallen auf
ch dreifsig Stunden, auf das Nebenfach achtzehn Stunden
Die Hobelbankarbeit darf nur als Hauptfach betrieben
rend alle übrigen Arbeiten sowohl als Haupt- wie als Neben-
ig sind.
voraus zu entrichtende Honorar beträgt fünfzig Mark für
ichtskursus. Aufserdem sind fünf Mark als Entschädigung

für das gelieferte Material zu zahlen. Dagegen verbleiben alle gefertigten Arbeiten im Besitze der Kursteilnehmer.

Vorsteher der Anstalt ist Herr Oberlehrer Dr. W. Götze in Leipzig, der auch bereitwilligst jede weitere Auskunft erteilt.

Der deutsche Verein für erziehliche Knabenhandarbeit gibt sich der Hoffnung hin, daß wie bisher, so auch fernerhin städtische und Unterrichtsbehörden, Kreisausschüsse, gemeinnützige Vereine u. drgl. die gute Sache unterstützen werden. Unter anderm könnte dies dadurch geschehen, daß man den Teilnehmern, die darum bitten, Beiträge zu den Unkosten für den Besuch der Lehrerbildungsanstalt lieferte.

Heilkursus für stotternde Schulkinder. Die städtische Schulbehörde zu Potsdam hat veranlaßt, daß sowohl 1886 wie 1887 daselbst ein Kursus für stotternde Schulkinder stattfand, welcher unter Leitung des Lehrers Herrn Kirbis stand. Derselbe unterrichtete nach der Methode des Herrn A. Gutzmann und zwar währte der Kursus ein viertel Jahr bei wöchentlich sieben bis acht Stunden. Bei der zum Schlusse stattfindenden öffentlichen Prüfung ergab sich, daß sämtliche Schüler von ihrem Gebrechen geheilt worden waren.

Turnspiele der Volks- und Mittelschüler in Lübeck. Nach dem „Hbg. Corr." hat der Lehrer-Turnverein in Lübeck, welcher im vorigen Jahre durch seine Mitglieder an den freien Nachmittagen Turnspiele mit den Knaben der dortigen Volks- und Mittelschulen veranstaltete, beschlossen, diese Einrichtung auch im kommenden Sommer aufrecht zu erhalten. Da auch die Hauptlehrer der Schulen sich günstig über diese Neuerung ausgesprochen haben, dürfte die Beteiligung an den Spielen, Turnfahrten u. s. w. zum Wohle der Jugend eine immer allgemeinere werden.

Amtliche Verfügungen.

Prüfung der Mediziner in der Schulhygiene. In der Aufgabensammlung, welche der preußische Minister der geistlichen, Unterrichts- und Medizinalangelegenheiten für die Prüfung der Kandidaten der Medizin in der Hygiene in Vorschlag gebracht hat, befindet sich unter No. 16 auch das Thema „Schulhygiene".

Ein auch in schulhygienischer Beziehung bemerkenswertes Schriftstück hat das Rektorat des Maximilians-Gymnasiums in München vor kurzem an die Eltern der ihm anvertrauten Schüler übersandt:

„Die Schlußbemerkung der Disziplinarsatzungen legt den Eltern und den Stellvertretern derselben die Verpflichtung auf, die Schule in der Handhabung der Disziplin zu unterstützen. Diejenigen Eltern, denen die geistige und sittliche Ausbildung ihrer Kinder am Herzen liegt, werden sich dieser Pflicht um so mehr bewufst sein, als der Schule bei der grofsen Zahl der Schüler und der Gröfse der Stadt die Beaufsichtigung des Verhaltens aufserhalb der Schulräumlichkeiten gröfstenteils entzogen ist. Die Lehrer haben leider häufig Gelegenheit, zu beobachten, dafs das Zurückkommen und die Entartung von Schülern dem elterlichen Hause zur Last fällt, wenn es der Erziehung und dem sittlichen Verhalten der Kinder gegenüber Gleichgültigkeit zeigt. Besonders sind Zerstreuungen und unzeitige Vergnügungen, welche der für die Studien unbedingt nötigen geistigen Sammlung hinderlich sind, fernzuhalten. Die Zwecke der Schule können durch das Elternhaus auf vielfache Weise gefördert werden, durch Gewöhnung der Knaben an Ordnung und eine richtige Zeiteinteilung, an fehlerfreie und geordnete Sprechweise, durch Beaufsichtigung der häuslichen Arbeiten, durch Pflege des Interesses für Kunst und klassische Dichtung, durch gemeinsame Lektüre, welche besonders Schüler höherer Klassen in die Schätze der deutschen Litteratur einzuführen geeignet ist. Um die klassischen Dramen kennen zu lernen, kann auch das Theater dienen. Vor allem liegt dem Elternhause die Sorge für die körperliche Entwickelung ob. Der Knabe soll nie bei Dämmerlicht lesen oder schreiben und nicht an einem zu hohen Tische arbeiten. Dabei soll immer gerade Haltung des Körpers beobachtet und das Auge 35 bis 40 cm vom Papier fern gehalten werden. Von den Turnstunden sollte Dispens nur in den dringendsten Fällen, eigentlich nur bei akuten Krankheiten, nachgesucht werden. Aber die wenigen Turnstunden der Schule können nicht ausreichen, um die nötige körperliche Erfrischung zu erzielen. Es müssen regelmäfsige Spaziergänge im Freien und anderweitige körperliche Übungen hinzukommen. Die Zeit dazu wird gewonnen durch angemessene Ordnung der Arbeitsstunden, dadurch, dafs rege Aufmerksamkeit beim Unterricht die häusliche Arbeit des Nachlernens verringert und volle Sammlung des Geistes die Arbeiten beschleunigt, durch Wegfall von Privatunterricht, welcher nicht gewünscht wird und häufig mehr schadet als nützt".

Das sind goldene Worte, welche alle Eltern beherzigen sollten. So manche Klage über Überbürdung würde fortfallen, wenn die Zeitausnutzung der Schüler zu Hause eine richtigere wäre.

Personalien.

Zur Mitarbeiterschaft an der Zeitschrift für Schulgesundheitspflege haben sich aufser den früher Genannten weiter bereit erklärt die

Herren: Primaraugenarzt Dr. H. ADLER in Wien, Direktor des Gymnasiums Dr. K. DUDEN in Hersfeld, Stadtbaurat GERBER in Göttingen, Direktor des Wilhelms-Gymnasiums Dr. F. HEUSSNER in Kassel, Professor der gerichtl. Medizin und Hygiene Dr. J. KRATTER in Innsbruck, Docent der Medizin Dr. O. LASSAR in Berlin, Docent der Chirurgie Dr. AD. LORENZ in Wien, Oberrealschulprofessor H. LUKAS in Salzburg, Direktor des Gelehrtengymnasiums Dr. PÄHLER in Wiesbaden, erster Assistent am hygienischen Museum Dr. PETRI in Berlin, Stadtschulrat Dr. PFUNDTNER in Breslau, Hausarzt des Theresianischen adeligen Damenstiftes am Hradschin Dr. J. BYCHNA in Prag, Professor der Medizin Dr. L. VON SCHRÖTTER in Wien, Direktor der neuen Mädchenschule M. SCHUPPLI in Bern, Direktor der höheren Mädchenschule Dr. A. THORBECKE in Heidelberg.

Litteratur.

Besprechungen.

J. WIDMARK: **Refraktions undersökningar, utförda vid några skolor i Stockholm.** Nordiskt med. Arkiv. Stockholm, 1886, XVIII. No. 24. 1—33. 1 Taf.

Einem Autoreferate des Verfassers über seine „Refraktionsuntersuchungen in einigen Schulen Stockholms" in der Rev. gén. d'opht. VI. 6 entnehmen wir die folgenden Daten. WIDMARK untersuchte im ganzen 6 Schulen: 1. Das höhere Lehrerinnenseminar (Högre Lararinneseminarium) nebst Normalschule (Normalskola), eine Staatsanstalt mit 14 Klassen; die Schülerinnen der untersten Klasse standen durchschnittlich in einem Alter von 7, die der obersten in einem solchen von 21 Jahren. 2. Die Wallinsche Schule (Wallinska skolan), eine für die Universität vorbildende Privattöchterschule mit 13 Klassen; das Durchschnittsalter betrug in der untersten Klasse 7, in der obersten 19 bis 20 Jahre. 3. Das Töchter-Lyceum (Lyceum för flickor), gleichfalls eine Privatanstalt mit dem Rechte, zur Universität zu entlassen: 12 Klassen mit Jahreskurs; Durchschnittsalter in der ersten 7 bis 8, in der letzten 19 Jahre. 4. Die Beskowsche Schule (Beskowska skolan), eine Privatknabenschule, welche für die Universität vorbildet, mit 3 Vorbereitungs- und 7 Sekundärklassen, von denen die beiden letzten 2 Abteilungen haben. Das Alter betrug in der untersten Klasse im Mittel 7, in der obersten 19 Jahre. 5. Die neue Elementarschule (Nya Elementar skolan); sie ist Staatsanstalt und hat das Recht, Maturitätszeugnisse für die Universität auszustellen; ihre 7 Klassen entsprechen ungefähr den erwähnten

klassen der Beskowschen Schule. Durchschnittsalter in der
n der siebenten 18 bis 19 Jahre. 6. Vorschule (Förberedande
Herren LAGERSTRÖM und NORDQUIST mit 4 Klassen; Durch.
· in der zweituntersten 6 bis 7, in der obersten ungefähr

ahl der geprüften Mädchen betrug 742, die der Knaben 704.·
iner beigefügten Kurventafel ist sowohl für die Knaben, wie
leben die Prozentzahl der Myopen in den einzelnen Klassen
en verschiedenen Altersstufen ersichtlich. Ebenso ist der
·ad der Myopie für sämtliche Klassen und Lebensjahre in
ungegeben. Auch die durchschnittliche Sehschärfe, welche
iedenen Graden der Myopie entsprach, erscheint in der Ta·
:chnet.

nzelnen ist erwähnenswert, dafs sich in der untersten Klasse
enschulen kein, in der zweituntersten, welche von 8 bis
chülerinnen besucht war, nur ein einziges kurzsichtiges Auge
h in der dritten Klasse blieb die Zahl der Myopen bei den
·hr gering, stieg aber bei den Knaben plötzlich auf mehr als
n. Der Verf. erklärt dies daraus, dafs die Knaben in dieser
Examen abzulegen haben, um aus der Vorschule in die
kule überzutreten.

·lter von 16 Jahren, mit dem die jungen Schwedinnen ge·
ie Schule verlassen, waren 33,33 Proz. derselben myopisch und
·e Grad ihrer Kurzsichtigkeit betrug 2,50 Dioptrien. Der
: kurzsichtiger Knaben in diesem Alter wich nicht viel hiervon
;en fanden sich in der obersten Klasse mehr myopische junge
ls Knaben, nämlich 54,28 Proz. mit einer Durchschnittsmyopie
Dioptrien. Desgleichen wurde die höchste Prozentzahl der
;en, 66,67 Proz., sowie der stärkste Grad der Myopie, 4,16 Diop·
·einer Mädchenklasse konstatiert. Der Verf. schliefst daraus,
äfsige Augenarbeit den Mädchen gefährlicher als den Knaben
ängt dies zum Teil von der geringeren Widerstandsfähigkeit
·hen Geschlechts ab. Aber man darf auch nicht übersehen,
Mädchen in ihren Freistunden sich viel mit Handarbeit und
häftigen und so ihre Augen mehr als die Knaben anstrengen.
treiben sie seltener gymnastische Übungen und Spiele im
e überhaupt ihr ganzes Leben gebundener ist. Was ins·
die Lehrerinnenseminare betrifft, so möchten wir aus unsrer
noch die Bemerkung anfügen, dafs die jungen Damen einen
·ren Examenehrgeiz als die jungen Männer besitzen. Ihm
wir es nicht am wenigsten zu, dafs z. B. in Hamburg fast ²/₃
äftigen Lehrerinnen kurzsichtig sind.

KOTELMANN.

Dr. ADOLF LORENZ, Docent a. d. Universität Wien: **Die heutige Schulbankfrage etc.** 8⁰. Wien, 1888. ALFRED HÖLDER. (IV. u. 63 S. m. 46 Abb.)

Der Autor gibt zunächst eine ausführliche kritische Skizze der
Entwickelung der Schulbank und geht dann auf die rationelle Konstruktion
derselben über. Die Schüler sitzen beim Schreiben in den modernen
und in den alten Subsellien gleich schlecht (? Ref.). Da die bisherigen
Lehnen beim Schreiben nicht benutzt werden und das zu lange Verweilen in der vorgeneigten Sitzhaltung an sich eine Schädlichkeit für
die Kinder bedeutet (Myopie, Skoliose etc.), da ferner die Forderung der
militärischen Haltung mit völlig aufrechtem Rumpf in der Zeit, wo nicht
geschrieben wird, für die Muskelkraft dieses Alters zu rigoros erscheint,
so schlägt Verf. Subsellienkonstruktionen vor, deren wesentliche Merkmale
entsprechend hohe, mit Lendenbausche versehene, 10—15⁰ nach rückwärts geneigte Lehne und stark geneigte bewegliche Schreibplatte mit
grofser negativer Distanz von 7—12 cm beim Schreiben sind. So ist
die hintere Sitzhaltung, „die Reklinationslage" des Autors, gegeben.
Diese Zwangslage ist die bequemste, schliefst die üblen Folgen der vorgeneigten aus und bewirkt überdies, dafs Kurzsichtige von selbst zum
Gebrauch von Gläsern gezwungen werden. Ref. wünscht die praktische Erprobung des neuen Banksystems speziell an Kindern im ersten
Schuljahre. Ingenieur KRETSCHMAR und Ingenieur KÜFFEL, beide in Wien,
haben Pulte nach LORENZschem Systeme konstruiert.

Prof. Dr. L. BURGERSTEIN in Wien.

Med. Dr. GUSTAV CUSTER, prakt. Arzt, Redakteur der Schweiz. Blätter
für Gesundheitspflege: **101 Winke und Wünsche für Gesundheit,**
3. Aufl. Zürich und Stuttgart, 1887, SCHRÖTER u. MEYER.

Die 47 Seiten lange kleine Schrift, welche populäre hygienische
Belehrungen enthält, behandelt auch die Gesundheitspflege in der Schule.
Sie tritt für rationell gebaute Schulbänke ein, für „Hitzferien", Schulgärten, Lüftung der Schulzimmer während der Pausen, Ablegen der
Überkleider im Korridore, häufige Jugendspiele im Freien. Letztere
werden besonders für Kleinkinderschulen und Kindergärten empfohlen,
welche sowohl vom pädagogischen als gesundheitlichen Standpunkte
sorgfältigster Aufsicht bedürfen. Auch soll der Lehrer die Jugend über
die Bedeutung reiner Luft, sauberer Haut, vernünftiger Kleidung und
einfacher aber kräftiger Kost durch Wort und That unterrichten. Wir
zweifeln nicht, dafs das praktische Büchlein seinen Zweck erfüllen wird,
zumal der Volkston vorzüglich getroffen ist. KOTELMANN.

Bibliographie:

DUNN, J. H. *Our system of public instruction from a hygienic stand-
point.* Northwest. Lancet, St. Paul, 1886—87, VI, 221, 241.

, B. *Die psychischen Störungen im Kindesalter.* Gerhardts
. Kinderkrankh., Nachtr. II, Tübingen, 1887, H. Laupp.
V. A. *Brain forcing in childhood.* Pop. Sc. Month., New-
36—87, XXX, 732.
Welches ist die beste Beleuchtung für Turnhallen? Deutsche
ing, Leipzig, 1888, No. 3.
J. *Über Gesundheitspflege an unsern Volksschulen. Eine
hygienische Darstellung der Zuger Schulverhältnisse,* Zug,

e *Gesundheitsverhältnisse in den Schulen Schwedens.* Period.
Kongr. d. med. Wissensch., Bericht 1884, Kopenhagen,
, Abth. f. öfftl. Med. u. Hyg., 23—39.
städtische Schulwesen. Anst. d. Stadt Berl. f. d. öff.
A. etc., 1886, 335—385.
Helsovarden i vara skolor pa landsbygden [Gesundheitspflege
i Landschulen]. Helsovännen, Göteborg, 1886, I, 371—379.
. *On the ventilation and warming of chemical labora-
d applied science schools generally.* Tr. San. Inst. Gr. Brit.
1885—86, VII, 228—241.
*Über Schülerepidemieen. Beobachtungsresultate und Vor-
ur Verhütung und Verhinderung der Weiterverbreitung der-
'rag,* 1887, Dominicus. gr. 8°.
. *Die Heilstätten für skrophulöse Kinder.* Wien, 1887,
Schwarzenberg.
Verbesserte Druckschrift für Schulbücher. Centralbl. f.
ihtspfl., Bonn, 1886, V. 417—422.
r *Kurzsichtigkeitsfrage.* Münch. med. Wochschr., München,
, 1. 2.
Della inspezione igienica nelle scuole. Atti Cong. gen. d.
ital. 1885, Perugia, 1886, XI, 410—415.
Untersuchung über die Entstehung der Kurzsichtigkeit.
n, 1887, Bergmann. gr. 8°.
g *and ventilation of the Honesdale Graded School.* San.
lew-York, 1886—87, XV, 574—576.

ei der Redaktion eingegangene Schriften:
eau der schweiz. perm. Schulausstellung in Zürich. *Übersicht
hygienischen Gesetzes- und Verordnungsbestimmungen in der*
Bern, 1884.
, L. *Der Schularzt.* Vortrag, gehalten am 12. November
die Vereine „Mittelschule" und „Realschule" in Wien.
d. Zeitschr. f. d. Realschulwes., Wien, 1888, A. Hölder,
. 1. Heft.

104

Custer, G. *Schweizerische Blätter für Gesundheitspflege.* Zürich, 1887, No. 23 ff., 1888, No. 1 ff.

—, — *Über Stand und Reformen der Schulgesundheitspflege im Kanton St.Gallen.* Amtl. Schulbl. d. Kant. St. Gallen, 1883, Bd. 3. No. 3. 4.

Deutscher Verein für Knaben-Handarbeit. VII. deutscher Kongreß für erziehliche Knaben-Handarbeit zu Magdeburg am 25. September 1887. Görlitz, 1887, Vierling. 8°.

Erkelenz, H. *Ein Wort zur Überbürdungsfrage, insbesondere mit Rücksicht auf die häuslichen Aufgaben.* Jahresb. üb. d. städt. höh. Mädchensch. zu Köln, Köln, 1883.

Hermann, A. *Der Sedantag 1886 und die Leistungsfähigkeit der Wettkämpfer.* Monatsbl. f. öffentl. Gesundheitspfl., Braunschw., 1887, Jahrg. X, No. 6.

Hertel, A. *Om Sundhedsforholdene i de højere Drenge-og Pigeskoler i Kjøbenhavn,* Kjøbenhavn, 1881, C. A. Reitzel. 8°.

—, — *Aus dem Bericht, verfaßt von der sub 23. Juni 1882 erwählten Kommission, um Aufklärungen über mögliche sanitäre Fehler und Mängel in der Ordnung des dänischen Schulwesens zu verschaffen und Vorschläge ihrer zukünftigen Verhinderung vorzubringen.* Archiv f. Kinderheilkunde. Bd. VI.

—, — *Rapport sur l'état de santé des enfants dans les écoles danoises.* Congrès internat. des sciences méd. Compt. rend. 1884, Copenh., 1886, IV, Sect. de méd. pub. et d'hyg. 14—22.

Kjellberg, G. *Influence du régime scolaire et des méthodes de l'enseignement actuel sur la santé de la jeunesse. Recherches médico-psychologiques présentées au congrès international de Bruxelles 1880,* Paris, 1880, A. Delahaye et E. Lecrosnier. 8°.

Schwalbe, B. *Zur Schulgesundheitspflege.* Nach einem Vortrag, gehalten in der Sektion Berlin des allgem. deutschen Realschulmännervereins. Centr.-Org. f. d. Interess. des Realschulwes., Berlin, 1885. Jahrg. XIII, Septb., 537—573.

Druckfehler in No. 1. u. 2.

S. 25, Zeile 2 von unten: 1836 statt 1866. S. 51, Zeile 9 von unten: Bereicherung statt Berührung. S. 57, Zeile 15 von unten: Sitzungsb. statt Sitzung 6.

Mitteilung der Verlagsbuchhandlung.

Mit dem vorliegenden 3. Heft erhalten die Abonnenten dieser Zeitschrift unentgeltlich: *Die Schularztdebatte auf dem internationalen hygienischen Kongreß zu Wien* von Professor Dr. Hermann Cohn in Breslau. Preis für Nichtabonnenten ℳ 1.—

Verlag v. Leopold Voss in Hamburg u. Leipzig. — Druck v. J. F. Richter in Hamburg

Zeitschrift für Schulgesundheitspflege.

I. Jahrgang.   **1888.**   **No. 4.**

Original-Abhandlungen.

Der Gehörssinn in seinen Beziehungen zur Schule.

Von

Dr. med. C. KELLER,

Ohrenarzt in Köln.

Wie das lebendige, gesprochene Wort eine weit höhere Bedeutung für den Unterricht hat als das geschriebene, so gebührt auch dem Gehörssinne mit Rücksicht auf die Schule der Vorrang unter den Sinnesorganen; von dem Maße seiner Leistungsfähigkeit hängt in erster Linie die gedeihliche geistige Entwickelung des Schülers ab, und dies um so mehr, je weiter wir auf die Anfänge des Schulunterrichts zurückgreifen.

Es ist nun eine, von beteiligter Seite fürs erste allerdings kaum zugestandene Thatsache, daß die Schule diesem für sie so wichtigen Organe nicht diejenige Beachtung und Pflege zu Teil werden läßt, welche der Bedeutung desselben entspricht; diese Behauptung aber, fügen wir das gleich hinzu, schließt keinen direkten Tadel in sich ein, insofern nämlich die Thatsache selbst nicht sowohl auf Fahrlässigkeit oder Gleichgültigkeit, als vielmehr auf einer immerhin entschuldbaren Unkenntnis der realen Verhältnisse beruht. Nichts erscheint einfacher, als die Schwerhörigen unter den Schülern herauszufinden; ist denselben nach Maßgabe der erkannten Hörschwäche ein entsprechender Platz in der Nähe des Lehrers angewiesen, zudem noch das Elternhaus von der Schwerhörigkeit und der dadurch bedingten Schädigung der Fortbildung

des Schülers benachrichtigt worden, vielleicht zugleich mit der
Mahnung, insofern solches noch nicht geschehen, sich ärztlichen
Rats zu erholen, um dem Übel nach Kräften abzuhelfen, so
erscheint damit auch jegliche Forderung, welche man billiger-
weise an die Schule zu stellen berechtigt ist, erfüllt zu sein.
Noch in letzter Zeit ist dieser Anschauung seitens des preufsischen Kultusministeriums gleichsam ein offizieller Ausdruck
gegeben worden, indem dasselbe in einem an die Königlichen
Provinzial-Schulkollegien gerichteten Reskripte bekannt machte,
dafs eine Untersuchung, welche in Folge ärztlichen Hinweises
auf die durch Schwerhörigkeit nicht selten bedingte Schädigung
der geistigen Entwickelung der Schüler an den höheren Lehranstalten angestellt wurde, ergeben habe, dafs die Anzahl der
Schwerhörigen in den höheren Schulen der gesamten Monarchie
2,18% betrage, die einzelnen Provinzen untereinander zudem
nur geringe Abweichungen hiervon zeigten; dafs ferner in fast
allen Fällen das Gehörleiden bereits bei der Aufnahme der
Schüler bestanden habe und nur zu einem kleinen Bruchteile
während des Schulbesuchs aufgetreten sei, der Schule aber und
ihren Einrichtungen keinerlei spezifischer Einflufs auf die Entstehung und Zunahme der Schwerhörigkeit zuzusprechen sei,
letztere vielmehr mit Schädlichkeiten allgemeinerer Art, wie
Erkältungen, oder mit gewissen Krankheiten, besonders Masern,
Scharlach zusammenhänge; im Einklange mit dieser Anschauung stehe auch die durch die Untersuchung erwiesene Thatsache, dafs die Zahl der schwerhörigen Schüler nicht mit den
höheren Klassen zunehme. Nach diesen Erwägungen habe die
Schule keine Veranlassung, durch besondere Mafsnahmen, wie
dies z B. bezüglich des Gesichtssinnes geschehe, auf das Gehör
der Schüler Rücksicht zu nehmen und könne deshalb von
spezialärztlichen Untersuchungen der höheren Schulen auf
Schwerhörigkeit der Schüler völlig abgesehen werden, es müsse
vielmehr die Sorge hierfür lediglich dem Elternhause überlassen
bleiben; die Schule habe ihre Pflicht gethan, wenn sie durch
Anweisung geeigneter Plätze den sich ergebenden Übelständen
möglichst abzuhelfen suche und in schweren Fällen die Eltern

davon in Kenntnis setze, daß von fernerem Besuche der Schule seitens ihres Sohnes ein Erfolg nicht zu erwarten sei.

Die Einseitigkeit dieses im übrigen in seiner wohlwollenden Fürsorge anerkennenswerten Ministerialerlasses, welche darin besteht, daß die Untersuchungen lediglich von den Lehrern selbst, ohne fachärztliche Beihilfe angestellt worden sind, habe ich bereits in einem in der „Deutschen medizinischen Wochenschrift" erschienenen Aufsatze betont; bei Vermeidung dieser Einseitigkeit würde man, wie wir im Nachstehenden ausführen werden, zu Resultaten gekommen sein, welche, weit entfernt, die bisherigen Anschauungen zu Recht bestehen zu lassen, die maßgebenden Kreise überrascht und denselben die Überzeugung beigebracht hätten, daß man es in der That hier mit bis dahin unbekannten Verhältnissen zu thun habe, deren gewissenhafte Berücksichtigung. ebenso sehr im Interesse der Schule liege, als durch das Gerechtigkeitsgefühl des Lehrers gerade den schlechteren Schülern gegenüber geboten sei. Es scheint mir von doppeltem Nutzen zu sein, in dieser Zeitschrift, welche die Fürsorge für die Schule auf ihre Fahne geschrieben hat, und ebenso den pädagogischen Interessen, wie den berechtigten Ansprüchen des Arztes an die Schule. zu dienen bemüht ist, das Thema vor einem andren Leserkreise einer erneuten Besprechung zu unterziehen. Nichts hat bisher der wohlwollenden Beachtung und praktischen Durchführung ärztlicher Ratschläge in Bezug auf die Schule mehr geschadet, als die Maßlosigkeit, mit welcher vielfach an den Einrichtungen der Schule Kritik geübt worden ist und Forderungen gestellt wurden, welche, weit über das Ziel hinausschießend, den Keim ihrer Unfruchtbarkeit in sich selbst trugen. Die nachstehenden Ausführungen sollen diese Fehler vermeiden und empfehlen sich dafür einer freundlichen Berücksichtigung besonders seitens des pädagogischen Leserkreises.

Das Gehörorgan bietet gerade für die die Schulzeit umfassenden Lebensjahre einige Besonderheiten dar, welche für den Gegenstand unserer Erörterungen die vollste Beachtung verdienen. Zunächst gehört hierher die ungemeine Häufigkeit von Gehöraffektionen im jugendlichen Alter, wobei zu unterscheiden sind 1) solche von durchaus chronischer Natur mit dauernd mehr oder minder herabgesetztem Hörvermögen, welche, häufig mit Ohrenfluſs verbunden, meist auf skrofulöser Grundlage entstanden sind oder Folgezustände gewisser Erkrankungen, vornehmlich des Scharlachs und der Masern, darstellen; 2) solche, welche rasch auftreten, nur kurze Zeit andauern und wieder verschwinden, meist ohne Ohrenfluſs hervorgerufen zu haben, dafür aber um so häufiger wiederkehren und eine dauernde, wenn auch nur geringe Beeinträchtigung der Hörschärfe zurücklassen. Diese letztere Kategorie interessiert uns hier vorzugsweise; ihre Entstehungsgeschichte ist auf einen chronischen Entzündungszustand der Schleimhäute des Rachens und der Nase zurückzuführen, welcher, oft in wirkliche Gewächsbildung ausartend, durch Verstopfung der für den Luftzutritt bestimmten Nasengänge ein stetes Offenhalten des Mundes zur Folge hat, wodurch das Gesicht jenen bekannten schlaffen und blöden Ausdruck erhält, welcher dem Betreffenden zu einer Quelle steten, aber nicht verdienten Tadels zu werden pflegt. Durch die unmittelbare Nachbarschaft des Ohres, welches durch seine im Nasenrachenraum gelegene innere Öffnung mit Nase und Schlund in Verbindung steht, erwachsen diesem leicht Gefahren, insofern bei geringer Steigerung des chronischen Entzündungszustandes oben genannter Teile durch Fortpflanzung des Katarrhes auf das Gehörorgan auch dieses sehr leicht in den Kreis der Erkrankung mit einbezogen wird.

Aber nicht in allen Fällen ist die hierdurch bedingte Abnahme des Gehörs der Umgebung bemerkbar, und führt uns dieser Punkt zur Besprechung einer zweiten Eigentümlichkeit der Gehörerkrankungen, welche darin besteht, daſs oft selbst beträchtliche Herabsetzung der Hörweite, sehr häufig aber geringere Grade nicht bloſs der Umgebung, sondern auch dem Betroffenen selbst unbemerkt bleiben können, und zwar deshalb, weil der Schwerhörige sich auſserordentlich leicht die Fähigkeit aneignet, vom Munde abzulesen und Lücken in der Auffassung des Gehörten durch geistige Kombination meistens in genü-

gendster Weise auszufüllen. Ist nun dieser Ausgleich auch
für das Elternhaus und den gewöhnlichen Umgang ausreichend,
so stellen sich die Verhältnisse anders, wenn, wie dies beim
Unterricht der Fall ist, an die Aufmerksamkeit des Schülers
gröfsere Anforderungen gestellt werden, vielleicht auch noch
andre ungünstige Umstände, wie schlechte Akustik der Schulräume, undeutliche Aussprache des Lehrers oder zu grofse Entfernung vom Katheder, hinzukommen; hier reichen die oben
genannten Hilfsmittel nicht mehr aus. Die Ursache der daraus
resultierenden Störungen braucht jedoch dem Schüler selbst
nicht immer klar zu werden; hört er ja anscheinend völlig
genügend im Elternhause und im Umgange mit seinen Mitschülern, wie sollte er dazu kommen, einen Ausfall seines
Gehörs gerade für die Schule anzunehmen? Der Lehrer aber
wird bei Unkenntnis der Verhältnisse nur zu leicht geneigt
sein, die durch das unzureichende Gehör des Schülers bedingten
Störungen des Unterrichts und mangelhaften Leistungen lediglich auf Unaufmerksamkeit und Zerstreutheit zurückzuführen.

Kommen nun diese geringen Grade von Schwerhörigkeit
in der That so häufig vor, dafs die Schule ihr Augenmerk
darauf zu richten hat, oder ist z. B. der Erlafs des preufsischen
Kultusministeriums im Recht, welcher die Prozentzahl der
schwerhörigen Schüler nur auf 2,18 festsetzt? Die Antwort gibt
eine Reihe von Untersuchungen, welche innerhalb des letzten
Dezenniums von Ohrenärzten verschiedener Länder mit grofser
Sorgfalt und bemerkenswerter Übereinstimmung der Resultate
an umfangreichem Material angestellt worden sind. Bevor wir
diesen Ausführungen näher treten, möchte ich kurz darauf
hinweisen, wie analoge Erfahrungen bezüglich des Gesichtssinnes gemacht worden sind. So kommt HEUSE (Centralbl. für
allg. Gesdhtspflege, 1887. 8/9.) zu dem überraschenden Nach-
weise, dafs bei einer Untersuchung von Schülern der unteren
Klassen sämtlicher Elberfelder Volksschulen, welche von ihren
Lehrern als zurückgeblieben bezeichnet worden waren, ungefähr die Hälfte schwachsichtig war. „Vielfache Beobachtungen
in meiner langjährigen Thätigkeit als Augenarzt", fährt HEUSE

fort, „haben mir zweifellos bewiesen, daſs die nicht erkannte Sehschwäche viele Versehen und Ungerechtigkeiten in der Schule zum Gefolge hat. Die Kinder selbst, besonders so lange sie klein sind, besitzen weder die Intelligenz noch den Mut, um zu sagen, daſs sie dem Unterricht an der Tafel nicht zu folgen vermögen, und die Lehrer, ohne jeden Anhaltspunkt gelassen, werden nur ausnahmsweise erkennen, ob aus Sehschwäche die Unfähigkeit des Lernenden herzuleiten ist. War doch unter den mir zugesandten schwachbegabten Kindern die Hälfte mit vortrefflichen Augen versehen und hatten doch nichts gelernt, die andre Hälfte aber war gequält und gestraft worden, trotzdem sie bei dem besten Willen das Pensum nicht hatten bewältigen können, weil ihnen der Weg des Erkennens verschlossen war.“

Kommen wir zu den oben erwähnten Untersuchungen zurück, so ist als einer der ersten, welche diesbezügliche Mitteilungen machte, W. von Reichard, Arzt des Gymnasiums in Riga, zu nennen; derselbe fand unter 1055 mit der Uhr untersuchten Schülern 22,2% mangelhaft hörend. Ausgedehntere Hörprüfungen stellte Weil in Stuttgart in den Jahren 1880—82 in verschiedenen Volks- und Mittelschulen an 5905 Schülern an; je nach dem sozialen Charakter der einzelnen Schulen schwankte die Zahl der Schwerhörigen zwischen 10 bis 30%; unter 1105 Schülern einer allerdings nur von Armen besuchten Volksschule befanden sich nicht weniger als 353 notorisch mangelhaft Hörende. Weil betont mit Nachdruck, daſs nach seinen Erfahrungen jedes unaufmerksame und flatterhafte Kind auf sein Gehör geprüft werden sollte, und schlägt deshalb öfters zu wiederholende ohrenärztliche Untersuchungen der Schüler vor. Samuel Sexton (Washington) untersuchte 570 Schüler verschiedener Anstalten und konstatiert 13% mit erheblich herabgesetztem Hörvermögen. Moure (Bordeaux) fand 17%, Gellé (Paris) 22—25%, Bezold (München) unter 1918 Schülern von Volks- und Mittelschulen 25,8%, welche Flüstersprache auf höchstens 1/3 der normalen Hörweite verstanden, darunter 11,3% mit Verständnis der Flüstersprache

nur zwischen 4 und 0 m Entfernung; derselbe
len Nachweis führen, daſs mangelnde Hörschärfe
Fortkommen der Schüler in unverkennbarem
e steben, wenigstens für viele Fälle. Sehr in-
weise hat in letzter Zeit GELLÉ (Paris) geführt,
chiedenen Volks- und Mittelschulen die schlech-
auf ihr Gehör prüfte; in einer Klasse fand er
zeichneten Schüler nur 2, welche die normaler
weit gehörte Uhr mehr als 1 m entfernt hörten;
ır auf eine Distanz von 0,5 m und weniger,
weit auf dem einen, 1 m weit auf dem andren
Schülern der letzten Bank einer andren Klasse
),55 m Hörweite und weniger; unter 9 andern
itierte GELLÉ 2, welche mehr als 1,25 m weit,
u 1 m auf einem, 0,60—0,25 m weit auf dem
orten. Von diesen 20 im Alter von 10 und 18
en Schülern, welche als die schlechtesten be-
hatten mithin nur 4 ein gutes Gehör, 16 nach-
der doppelseitige Gehörverschlechterung, ohne
hrzahl der Fälle dieselbe als solche erkannt ge-

len geben gewiſs zu ernsterer Erwägung die
ranlassung; liegen die Verhältnisse in der ge-
ise, so erwächst für die Schule die unabweis-
orab dem' Gehörszustande jener Schüler ihre
tsamkeit zuzuwenden, welche durch ihre Zer-
ihre geringen Leistungen Gegenstand steten
ache unliebsamer Störungen des Gesamtunter-
sind; dann aber auch dem Gehörssinn aller
ne gröſsere Rücksichtnahme, als bisher geschehen
ι und in ihren Einrichtungen und Verhältnissen
alten, ob nicht dieselben nach der einen oder
g hin im stande sind, einer schon bestehenden
ι ihrer Schüler Vorschub zu leisten oder viel-
ch nur indirekt, den Grund zu einer solchen

Aber, könnte man einwenden, ist denn eine relativ so geringfügige Beschränkung der Hörschärfe, worüber uns die mit Uhr und Flüstersprache, also feineren Prüfungsmitteln, angestellten Untersuchungen Aufschluß gegeben haben, thatsächlich im stande, auf den Unterricht einen so nachteiligen Einfluß auszuüben, sollte nicht vielmehr der Schüler bei dem nur geringen Hördefekte doch noch im stande sein, dem Unterrichte zu folgen? Die Antwort muß vom ärztlichen Standpunkte aus verneinend ausfallen. Unter allen Anforderungen, welche an das Ohr gestellt zu werden pflegen, ist das Verständnis der menschlichen Sprache gerade eine der allerschwierigsten. Der Grund hiervon liegt in der ungemein starken Häufung von Konsonanten, welche als Geräusche dem Ohre bedeutend schwerer verständlich sind, als die den musikalischen Klängen mehr verwandten und als solche viel leichter aufzufassenden Vokale. Die Leichtigkeit, womit der Normalhörende z. B. einem Vortrage zu folgen vermag, steht hiermit nicht in Widerspruch; denn wie wir beim Lesen das Wort nicht in seine einzelnen Buchstaben zerlegen, sondern auf Grund tausendfältiger Übung als Gesamtbild in uns aufnehmen, ebenso erfassen wir das gesprochene Wort durch einen Akt geistiger Reflexion als ein ganzes, ein Wortbild; hierzu aber genügt oft schon ein einziger charakteristischer Laut, wir können auf die distinkte Auffassung der übrigen im Worte enthaltenen völlig Verzicht leisten. Sollen wir jedoch die vorgesprochenen Worte einer uns fremden Sprache nachsagen, so treten bald die erwähnten Schwierigkeiten ein.

Wenden wir nun diesen Erfahrungssatz, daß das Verständnis der Sprache große Anforderungen an das Gehörvermögen stellt, auf unser Thema an, so wird es einleuchtend sein, daß an und für sich geringere Hördefekte schon im stande sein können, die Auffassung des Gesprochenen in wesentlichem Maße zu erschweren; bei erhöhter Anspannung seiner Aufmerksamkeit wird es auch dem minder gut hörenden Schüler vielleicht für eine Zeit lang möglich sein, dem Vortrage, einem Diktate oder dergl. zu folgen; allmählich aber

gespannte Aufmerksamkeit, es stockt durch ein .
; aufgefaſstes Wort das Verständnis; während nun
Falle der guthörende Schüler durch die nachfol-
te auf dem laufenden erhalten bleibt, ist auf der
> die kurze Unterbrechung schon genügend, den
:n Schüler bald aus dem Zusammenhange heraus-
iierzu kommt, daſs störende äuſsere Einflüsse, wie
mangelhafte Akustik des Schulzimmers, undeutliche
; Lehrers, sich weit mehr dem Schwerhörigen
rmalhörenden gegenüber geltend machen müssen.
sich nun hieraus für das Verhalten der Schule
unächst müſste dieselbe bei den anerkannt schwer-
ülern mit gröſserem Nachdruck, als dies bisher
geschehen pflegt, darauf drängen, daſs, soweit dies
:ens der Eltern Abhilfe geschaffen werde; besonders
iechendem, stärkeren Ohrenfluſs streng darauf zu
dieser Übelstand durch ärztliche Hülfe behoben
muſs eventuell die Fernhaltung der Schüler von
ois zu diesem Zeitpunkte angeordnet werden, indem
Ekel erregenden Ausfluſs nicht nur groſse Belästi-
dern selbst gesundheitsschädliche Einflüsse für die
)edingt sein können; BEZOLD hat nämlich das Vor-
von Tuberkelbacillen im Ohreiter nachgewiesen,
;r Grund zur Übertragung der Tuberkulose auf
; werden kann.
dieser Fürsorge für die anerkannt schwerhörigen
es ein unabweisliches Erfordernis für den gewissen-
er, sich immer aufs neue die Thatsache ins Ge-
·ückzurufen, daſs ein schlechter Schüler möglicher-
·n schlecht hörender sein kann, weshalb es dringend
int, alle wegen ihrer Unaufmerksamkeit und unge-
·eistungen bekannten Schüler von Zeit zu Zeit auf
zu prüfen. In den Städten, in welchen die Ein-
gemeiner schulärztlicher Untersuchungen bereits zu
ht, wie Frankfurt a/M., Basel, Paris, Brüssel, sowie
garn ist die Prüfung des Gehörs der Schüler zur

Pflicht des Schularztes gemacht; eine präzise Formulierung der vorstehend gestellten Forderung habe ich jedoch nur in dem Reglement des Erziehungsrates des Kantons Baselstadt (1886) finden können: „Die Lehrer haben darauf zu achten, ob nicht das Gehör solcher Schüler, welche durch dauernde Unaufmerksamkeit oder Zerstreutheit zu Klagen Veranlassung geben, fehlerhaft ist. Sollten ihre Beobachtungen sie zu der Überzeugung führen, daß wirklich Schwerhörigkeit vorhanden ist, so sind den betreffenden Schülern ihre Plätze in unmittelbarer Nähe des Lehrers anzuweisen; auch ist den Eltern oder deren Stellvertretern Kenntnis zu geben, damit sie zur möglichen Hebung des Übels ärztliche Hilfe nachsuchen.“ Ein praktischer Vorschlag zur Ausführung solcher Untersuchungen seitens des Lehrers auch ohne ärztliche Beihilfe stammt von GELLÉ, welcher hierzu das Probediktat empfiehlt: der Schüler steht, den Rücken gegen den Sprechenden gewandt, an der am Ende des Zimmers befindlichen Wandtafel; von letzterer ist bis zum andren Ende des Schulzimmers eine in ganze und halbe Meter geteilte Linie auf dem Fußboden mit Kreide gezogen; der Lehrer steht möglichst entfernt von der Tafel, diktiert mit deutlicher Stimme und nähert sich im Verhältnis des mangelnden Sprachverständnisses, wie sich solches in dem zögernden oder unrichtigen Nachschreiben des Schülers bekundet. Nach dem Ergebnis dieser Hörprüfung ist dem Schüler sein Platz anzuweisen: bei weniger als 5 m Hörweite sitzt derselbe in der ersten Bank, bei weniger als 3 m am Katheder, und zwar ist bei einseitiger Schwerhörigkeit das guthörende Ohr dem Katheder zugewandt.

Die Fürsorge der Lehranstalten für das Gehörorgan der Schüler muß sich aber noch weiter erstrecken. Wenn es auch keinem Zweifel unterliegt, daß den Einrichtungen der Schule an und für sich keine Schuld an der Entstehung von Gehörschädigungen beizumessen sein dürfte, wie dies bei der Kurzsichtigkeit der Schüler der Fall ist, so muß gleichwohl mehr, als dies bisher geschehen, auf die Pflege des Ohres der Schulkinder Rücksicht genommen werden, und zwar in erster Reihe bei der Anlage und Einrichtung des Schulhauses. Es sollen die Schulen möglichst entfernt vom Geräusche der Straße liegen, durch einen freien Platz, welcher zum Spiel- und Turnplatz dienen kann, von ihr getrennt; Baumanpflanzungen auf demselben tragen ebenfalls zur Abhaltung äußerer Geräusche bei. Sodann empfiehlt es sich, die Klassenzimmer durch einen Korridor von der Straße zu trennen, die Treppen möglichst entfernt von den Zimmern anzulegen; die Treppenstufen sollen nicht von Holz gefertigt, die Treppengänge nicht gewölbt sein; auch ist es für die Akustik der Schulzimmer von Vorteil, wenn Nischen und Wölbungen der Decken vermieden und nebeneinander gelegene Zimmer durch möglichst solide Zwischenwände isoliert werden; auch dürfen die Schulzimmer nicht zu groß sein, weil dann in denselben die Stimme des Lehrers mehr verhallt und rascher ermüdet. GELLÉ, welcher diesen Verhältnissen eine eingehende Besprechung zu teil werden läßt, plaidiert für ein langgestrecktes Parallelogramm als beste Form des Schulzimmers mit dem Katheder an einer Kleinseite; letzteres dürfte allerdings Sache des Versuchs und der gegebenen örtlichen Verhältnisse sein.

Neben diesen rein bautechnischen Einrichtungen gibt es in den Unterrichtsverhältnissen selbst noch mancherlei, dessen Berücksichtigung von unsrem Standpunkte aus nutzbringend sein muß. Hierhin gehört zunächst alles, was dazu dienen kann, die Schüler vor Erkältungen und der dadurch bedingten Gefahr einer Mitbeteiligung des Gehörs zu schützen, die Sorge für geregelte Wärmeverhältnisse im Schulzimmer, Vorsicht beim Öffnen der Fenster, Vermeiden von Luftzug in Korridoren und Treppenhäusern, Verbot des Tragens wollener Halstücher während des Unterrichts u. dgl. mehr; im Winter sollen die Schüler nicht ohne genügende Bekleidung ins Freie gehen, im Sommer darauf aufmerksam gemacht werden, beim Flußbade die Ohren sorgfältig durch in Öl getauchte Watte zu verstopfen, eine Maßregel, deren Vernachlässigung oft genug zu heftigen Entzündungen zu führen pflegt.

Auch soll der Lehrer seinem Vortrage gebührende Aufmerksamkeit zuwenden, wobei auf Deutlichkeit der Aussprache, Vermeiden jeglicher Übereilung, sowie des Verschluckens von Endsilben zu achten ist; möglichst grofse Ruhe während des Unterrichts erleichtert nicht nur das Verständnis des Gesprochenen, sondern auch den Vortrag selbst in beträchtlichem Mafse. Zum Schlusse dürfte auch hier die Warnung vor Schlägen aufs Ohr am Platze sein; auch ohne besonders starke Gewalt kann es dabei zu Trommelfellzerreifsungen kommen, deren Folgen für alle Beteiligten bekanntlich recht unangenehm werden können.

Wir sind am Schlusse unsrer Erörterungen über die Beziehungen des Gehörs zur Schule angekommen; dieselben können ihrer Natur nach nicht jene Bedeutung beanspruchen, welche z. B. der Darlegung der schädlichen Einflüsse der Schule auf den Gesichtssinn beizumessen ist; nichtsdestoweniger sind die mitgeteilten Thatsachen von nicht zu unterschätzender Bedeutung, und unzweifelhaft wird der Wert derselben mehr und mehr auch seine praktische Würdigung finden, zumal — und hier sei es mir gestattet, den Schlufssatz des oben erwähnten Ministerialerlasses anzuführen — „da in den Lehrerkreisen die Aufmerksamkeit auf alle Fragen der Gesundheitspflege unverkennbar in erfreulicher Zunahme begriffen ist."

Die Ausbildung des Willens im Dienste der Schulhygiene.

Von

M. Schuppli,

Direktor der neuen Mädchenschule in Bern.

Ein wichtiges Moment, das bei den rationellsten Einrichtungen der Schulhäuser, Schulzimmer, Subsellien und bei den für die Hygiene des Unterrichtes zweckmäfsigsten Lehrmitteln, Unterrichts- und Stundenplänen, nicht genug beachtet wird, sind die kontinuierlichen Einwirkungen des Erziehers auf die Weckung, Bildung und Stärkung des Willens der Zöglinge, damit sie auch alle die ihnen gebotenen Mittel benutzen und alles thun, was ihre körperliche Entwickelung und Bildung fördern kann. Das Kind erkennt weder Zweck noch Mittel seiner physischen Erziehung; es lebt noch in seinen natürlichen Trieben, Begehrungen und Neigungen, der verständige und vernünftige Wille muſs in ihm erst gebildet werden, um die ihm dargebotenen Mittel zu benutzen und zweckmäſsig anzuwenden. Hier liegt nun ein wichtiges Moment in der Pflicht der Eltern und Lehrer, das nicht genug anerkannt und erfüllt wird. Man besitzt das Mittel, allein man wendet es nicht genug und nicht richtig an und hat zu wenig Acht auf die Willensbildung des Zöglings, der alles bewuſst und gewissenhaft thun soll, was seine körperliche Ausbildung fördern kann.

Ja, höre ich sagen, das Kind versteht die Wichtigkeit dieser Hingabe noch nicht, also kann sie von ihm auch noch nicht gefordert werden. Eben darum, antworte ich, muſs es dazu angeleitet, gewöhnt und erzogen werden. Dazu braucht es allerdings von seiten der Eltern und Lehrer unablässige Einwirkungen in Liebe und Geduld.

Beleuchten wir unsren Gedanken mit einigen Beispielen.

Das Schulzimmer ist mit zweckmäſsigen Subsellien ausgerüstet, allein die Schüler sitzen in denselben so nachlässig, krumm und unanständig, daſs der rationelle Tisch für sie kein hygienisches Mittel ist. Beim Schreiben soll der Schüler sich so halten, daſs das Auge 25—30 cm über der Tischplatte sich befindet, allein die Hälfte der Klasse liegt mit dem Kopfe bereits auf dem Tische und weder Lehrer noch Schüler beachten es.

In den Turnstunden übt man sich, eine gerade Haltung des Körpers anzunehmen und schöne Gangarten sich anzueignen, allein auſser den Turnstunden denkt niemand mehr daran, sich gerade zu halten und schön zu gehen.

Es sind Ventilations-Vorrichtungen im Schulzimmer angebracht, allein keiner beachtet im Laufe des Tages die schlechte, mit Kohlensäure geschwängerte Luft und keiner kümmert sich um deren Entfernung.

Viele Schüler sitzen in einer Bank, die ihrer Körpergröße nicht augemessen ist, aber niemand denkt daran, die Schüler zu messen und denselben die richtigen Banknummern zuzuteilen.

Keinem kommt es in den Sinn, die Schüler ihrer Sehkraft und Gehörsfähigkeit nach zu untersuchen, um ihre Sitzplätze danach zu bestimmen.

Vor der Hausthür sind Scharreisen angebracht, allein die Eintretenden versäumen, dieselben zu benutzen, um die Treppen, Gänge und Schulzimmer vor Schmutz und Staub zu bewahren.

Es ist ein Papierkorb im Zimmer vorhanden, und doch ist der Boden übersät mit Papierabfällen und andern ungehörigen Gegenständen.

Es wäre noch eine ganze Reihe von ähnlichen Fällen anzuführen, die beweisen, daß in Haus und Schule viel zu wenig auf die vorhandenen Erziehungsmittel des Körpers geachtet wird, daß solche nicht gewissenhaft benutzt werden, um den Willen des Kindes durch fortgesetzte Einwirkungen in hygienischer Richtung zu wecken und zu bilden. Wenn in einem Schulhause alles zum besten eingerichtet ist und man hat die Wachsamkeit, den Willen und die Kraft nicht, die Einrichtungen zu benutzen und zu verwenden, so hat eben alles keinen Wert.

Und auf diesem Punkte stehen wir noch vielfach und mancherorts.

Der Weg zum Thun ist die Gewöhnung, welche zur Gewohnheit führt und die Wachsamkeit, welche das Bewußtsein offen hält. Der geübte Wille vollzieht eine Thätigkeit, die, öfters wiederholt, zur Fertigkeit, Geläufigkeit wird. Man sage dem Knaben, dem Mädchen, das immer nach vorne geneigt einhergeht: „halte dich aufrecht!"; man sage es ihm freundlich, man sage es ihm immer. Hat man Geduld und Ausdauer, so wird der Wille des Kindes gekräftigt und gebildet und es gewöhnt sich nach und nach an eine gerade

Ville ist stärker als eine Maschine zum Gerad-
eist baut den Körper. In der Gewohnheit
ige Kraft; sie ist eine Herrscherin, der nichts

nufs jede erzieherische Einwirkung mit einer
orführung im Beispiel beginnen und von einer
lehrung begleitet werden.
g", sagt Dr. G. FRÖHLICH, „der unermüdliche
ne Ausdauer, welche täglich und stündlich den
das Nützliche, Schöne, Rechte und Gute zu
on auch mitunter langsam, doch sicher zum

t gut durch Worte, aber noch besser durch
. stetige Wirksamkeit, die nie ermattet, einge-
srwortes:
ie langsam schafft, doch nie zerstört,
:u dem Bau der Ewigkeiten
  Sandkorn nur für Sandkorn reicht,
  von der grofsen Schuld der Zeiten
ten, Tage, Jahre streicht."

Kleinere Mitteilungen.

für bedürftige Gymnasialschüler. Unter diesem
n Februar d. J. auf Anregung des Laryngologen Pro-
TER in Wien ein Verein konstituiert, dessen Zwecke
ng eines in einer Alpengegend Steiermarks gelegenen
Alpinen Montangesellschaft in Wien wesentlich geför-
L. BURGERSTEIN.

solierung der mit Keuchhusten behafteten Lyceum-
treich. Die Pariser Akademie der Medizin beschlofs
om 24. Januar d. J. auf den Vorschlag OLLIVIERS, dafs
n leidenden Schüler nicht früher als 30 Tage nach
kteristischen Hustenanfall zum Unterrichte im Lyceum
werden sollen.

Über eine neue Arbeitsschürze für Mädchen schreibt uns Fräulein MARIANNE NIGG, Volksschullehrerin zu Korneuburg in Nieder-Österreich, folgendes: Meine Arbeitsschürze hat den Zweck, das gerade Sitzen der Schülerinnen beim Handarbeitsunterrichte zu ermöglichen und Verkrümmungen der Wirbelsäule (Schiefwuchs, Skoliose) zu verhindern. Die Schülerinnen halten das Knäuel beim Arbeiten oft u n t e r dem Arme oder in Körbchen und Täschchen, welche sie a n e i n e m Arme tragen, ja selbst in den Taschen der Schürzen und Kleider auf der rechten Seite, so daß ihnen der Arbeitsfaden immer nur von e i n e r Seite aus zukommt, auf welche sie sich neigen.

Bei meiner eigens konstruierten Arbeitsschürze kommt der Faden der arbeitenden Schülerin aus der in der Mitte des Körpers angebrachten Tasche zu; dieselbe hat beide Arme frei und ist weder genötigt, sich nach rechts, noch nach links zu biegen.

Häufig sind die Schürzen der Kinder aus zu hellen, zu grellen, gestreiften, gemusterten oder gar schwarzen Stoffen angefertigt und wirken daher schädlich auf das ohnehin so angestrengte weibliche Auge. Ich wählte daher zur Anfertigung meiner Arbeitsschürzen ein mattes, dem Auge ungemein wohlthuendes Blaugrau, welches schonend auf dasselbe einwirkt.

Die Schürzen werden über der übrigen Kleidung beim Arbeiten getragen und dienen zugleich zur Aufbewahrung der Handarbeiten.

Traurige soziale Verhältnisse von Londoner Schulkindern. In London sind laut der „Preuß. Schulz." durch Untersuchungen von seiten eines besonderen Kommissars über die sozialen Verhältnisse der Schulkinder sehr traurige Verhältnisse aufgedeckt worden. Von 30,000 Schülern kommen jeden Morgen mehr als ein viertel in die Schule, ohne das Geringste genossen zu haben. In manchen Stadtteilen sind sogenannte Penny-Dinners eingerichtet worden, doch leben viele Kinder in so ärmlichen Verhältnissen, daß sie selbst den Penny nicht bezahlen können. In einer Schule kamen 12 Knaben, 9 Mädchen und 9 ganz kleine Kinder an den kältesten Tagen des verflossenen Winters barfuß in die Schule.

Schülerfahrten in Sachsen. Die Kgl. sächsische Eisenbahn-Betriebs-Oberinspektion Leipzig II hat über die Schülerfahrten, welche in ihrem Bezirke stattgefunden haben, Bericht abgestattet. Danach haben die von ganzen Schulen mit der Bahn unternommenen Ausflüge einen erfreulichen Zuwachs erfahren, indem sowohl die Zahl der Teilnehmer als die der Ausfahrten und der gewählten Reiseziele größer geworden ist. Im Jahre 1886 wurden nämlich 248 Ausflüge nach 56 Stationen mit 12,620 Schülern unternommen, im Jahre 1887 dagegen 267 Ausflüge nach 60 Stationen mit 14,765 Teilnehmern. Von diesen 14,765 Teilnehmern waren 10,462 Schüler, 4,308 Schülerinnen. Was die seitens der Bahn bewilligten Preisermäfsigungen anbetrifft, so wurden von 12,722 Schulkindern je 3, von 2043 je 2 auf ein Billet befördert; die ersteren zahlten also ¹/₃, die letzteren ¹/₂ des gewöhnlichen Fahrpreises. Die einzelnen Lehranstalten beteiligten sich an den Ausflügen in der Weise, dafs die Volksschulen 90 Fahrten mit 5961 Personen unternahmen, die Bürgerschulen 74 Fahrten mit 3375 Personen, die Gymnasien 36 Fahrten mit 1652 Personen, die Realschulen 23 Fahrten mit 1179 Personen, die Bezirksschulen 17 Fahrten mit 686 Personen, die Seminarien 8 Fahrten mit 518 Personen, die Realgymnasien 13 Fahrten mit 357 Personen, die Privatschulen für Mädchen 4 Fahrten mit 204 Personen, die Privatschulen für Knaben 4 Fahrten mit 181 Personen, die landwirtschaftlichen Winterschulen 7 Fahrten mit 157 Personen, die Privatinstitute für Mädchen 1 Fahrt mit 100 Personen, das Polytechnikum 2 Fahrten mit 70 Personen, die Seminarschule 1 Fahrt mit 60 Personen, die Fabrikschule 1 Fahrt mit 60 Personen, die Fortbildungsschule 1 Fahrt mit 50 Personen, das Lehrerinnenseminar 1 Fahrt mit 50 Personen, die Handelsschule 1 Fahrt mit 45 Personen, die Ferienkolonien 2 Fahrten mit 35 Personen, die Fachschule 1 Fahrt mit 25 Personen. Im Vergleich mit dem Vorjahre hat sich besonders die Beteiligung der Volksschulen und der Gymnasien gehoben, indem 1887 1006 Volksschüler und 469 Gymnasiasten mehr als 1886 befördert wurden. Als Reiseziel wurde, um nur einige bekanntere Städte zu nennen, 34 mal Grimma von 1931 Schülern, 19 mal Dresden von 932 Schülern, 14 mal Leipzig von 794 Schülern, 12 mal Meifsen von 600 Schülern und 2 mal Zwickau von 200 Schülern gewählt; doch waren die Ausflüge erfreulicher Weise viel öfter nach kleineren, durch ihre Naturschönheit ausgezeichneten Orten gerichtet. Auf die einzelnen Monate verteilten sich die Schulreisen in der Weise, dafs im März 4 Fahrten von 80 Personen ausgeführt wurden, im Mai 8 Fahrten von 864 Personen, im Juni 67 Fahrten von 3545 Personen, im Juli 101 Fahrten von 5384 Personen, im August 36 Fahrten von 1350 Personen, im September 76 Fahrten von 3035 Personen, im Oktober 3 Fahrten von 109 Personen und im November 2 Fahrten von 18 Personen. Die meisten Ausflüge fanden demnach im Juli statt. Zu bedauern ist, dafs verhältnismäfsig so wenig Mädchen an denselben teilnahmen, da gerade diese bei ihrer sitzenden Lebensweise ganz besonders der Bewegung im Freien bedürfen. Für die Schüler aber wird man eine strenge Beaufsichtigung bei solchen Gelegenheiten nicht aufser acht lassen dürfen, da namentlich ältere Schüler bei Ausflügen leicht in Baccho excedieren.

Sterblichkeit der Kinder in Kaschmir an Blattern. Nach „Lancet" (24. Sept. 1887) gehen in Kaschmir über 75⁰/₀ der Kinder an Blattern zu Grunde. Unter den Komplikationen, bezw. Nachkrankheiten treten dort eitrige Knochen- und Gelenkaffektionen am häufigsten auf. Auffallend war bei den veröffentlichten Fällen der trotz lange anhaltender und starker Knocheneiterungen gute Ernährungszustand der Kinder. Die Heilung der vorgenommenen operativen Eingriffe verlief in befriedigender Weise. Man sieht aus diesen Angaben, wie wichtig die zum Teil unter Beihilfe der Schule ausgeführten Impfungen sind.

Desinfektion von Schulhäusern. In der fünften Hauptversammlung des preußischen Medizinalbeamtenvereins, welche vom 15. bis 16. September v. J. in Berlin stattfand, sprach der erste Assistent am dortigen hygienischen Museum, Herr Dr. PETRI, über Desinfektion nach dem heutigen Stande der Wissenschaft. Bei der sich daran anschliefsenden Diskussion bemerkte Herr Dr. med. PHILIPP, dafs in dem Schulhause zu Rummelsburg bei Berlin umfassendere Versuche mit Sublimatdesinfektion angestellt worden seien, wobei sich dies Verfahren in hohem Mafse bewährt habe. Die Desinfektion wurde nicht wie gewöhnlich mit einem die Sublimatlösung zerstäubenden Sprayapparat, sondern vermittelst eines langen Schlauches ausgeführt, mit dem die Wände ähnlich wie mit einer Spritzflasche berieselt wurden. Für die Berieselung war nur kurze Zeit erforderlich, so dafs dieselbe bei einiger Vorsicht den Arbeitern nicht gefährlich werden kann. Damit nicht durch Haftenbleiben des Sublimats später Quecksilberintoxikationen erzeugt würden, wurden die Wände nach dem Trocknen mit Sodalösung abgewaschen. Das neuerdings von ESMARCH besonders befürwortete Abreiben mit Brot hält PHILIPP für weniger empfehlenswert, weil es bei gröfseren Räumen viel Zeit erfordert. Von andrer Seite wurde auf den Ätzkalk als ein für die Desinfektion untapezierter Wände sehr geeignetes Mittel hingewiesen.

Ausfallen der Haare bei den Schülern der Lyceen und Alumnate in Frankreich. Viele Zöglinge in französischen Lehranstalten, insbesondere in Lyceen und Alumnaten leiden an einem eigentümlichen Haarausfall, der den Namen „la pelade" führt. Die Pariser Akademie der Medizin hat über diese Krankheit in ihrer Sitzung am 27. Dezember 1887 verhandelt. OLLIVIER führte dieselbe auf eine Tropho-Neurose zurück und wünschte, dafs ein jeder Einzelfall genau untersucht werden möchte. Doch wollte er die Kranken aus der Schule nicht unbedingt ausgeschlossen wissen. BESNIER dagegen forderte strenge Trennung derselben von den Gesunden. Die Akademie beschlofs eine weitere Prüfung der Angelegenheit durch eine Kommission von 6 Mitgliedern vornehmen zu lassen.

Schulgärten. Mit der Gründung dieser in pädagogischer und hygienischer Beziehung gleich wichtigen Einrichtung ist zuerst Schweden

ı Jahre 1881 befanden sich daselbst bereits 1890 Schul·
Österreich haben dieselbe grofse Verbreitung gefunden.
tzt bis jetzt 16 mehr oder weniger vollständige Schul·
m Kanton Zürich. Der sanitäre Nutzen dieser Gärten
fs er nicht nur Lehrern und Schülern Gelegenheit zu
chäftigung gibt, sondern dieselben auch veranlafst
nterrichtszeit in frischer Luft zuzubringen.

Reichs-Patent No. 42371: Projektions-Schultafel von
Wiesloch, Baden. Das Patent betrifft eine zum Auf·
lerlassen eingerichtete Schultafel, bestehend aus drei
es verbundenen Teilen, welche sich derart aufklappen
isammen die drei Projektionsebenen darstellen.

Tagesgeſchichtliches.

ygiene im österreichischen Parlamente. Nach den
iener Tagesblätter hat in der Sitzung des Budget-Aus-
ses der Abgeordneten vom 12. März d. J. gelegentlich·
rricht" Abgeordneter Dr. MENGER seinem Bedauern
k gegeben, dafs das Institut der Schulärzte an den
terreichs noch immer nicht Eingang gefunden habe;
dneten Dr. ZEITHAMMER vorgeschlagene Resolution be-
lhygiene wurde in derselben Sitzung angenommen.

L. BURGERSTEIN.

mische Ausstellung in Moskau. Die Gesellschaft
des Gewerbefleifses in Moskau, welche in diesem Jahre
res 25jährigen Bestehens feiert, gedenkt bei dieser Ge-
sstellung zu veranstalten. Dieselbe ist für die Zeit vom
Mai 1888 in Aussicht genommen. Unter den verschie-
n befindet sich auch eine solche für Schulhygiene, sowie
id Massage.

t in Hamburg. In Hamburg ist ein Knabenhort ein-
t, welcher die Beschäftigung von Knaben nach der
zlichen Handfertigkeitsarbeiten bezweckt. Die Arbeits-
ı dem Volksschulhause Nagelsweg 71 am Montag, Diens-
und Sonnabend statt; sie beginnen für den von Herrn
lten Pappunterricht um 5½ Uhr Nachmittags, für den
icht des Herrn STRÜVE um 6 Uhr und dauern jedesmal
ı den Kosten tragen die Knaben Mk. 1 vierteljährlich

9*

bei; sind sie bedürftig, so kann ihnen der Beitrag erlassen werden. Die Leitung des Knabenhorts ist einem Vorstande anvertraut, bestehend aus einem Vorsitzenden, einem stellvertretenden Vorsitzenden, zwei Schrift-führern, einem Kassierer, einer Ehrendame und einer Anzahl Damen und Herren, welche die Aufsicht während des Handfertigkeitunterrichtes führen. An den beiden Kursen nehmen bis jetzt je 30 Schüler Teil. Die Gründung weiterer Knabenhorte auch in andern Stadtvierteln Hamburgs ist in Aussicht genommen und steht nahe bevor.

Die Hygiene im österreichischen Abgeordnetenhause. Bekanntlich wurde vor mehr als einem Jahre im österreichischen Abgeordneten-hause der Antrag auf Errichtung eines Reichsgesundheitsamtes nach Art des deutschen gestellt. Der Ausschufs, welcher diese Frage zu beraten hatte, empfiehlt nun dem Hause eine Reihe von Resolutionen, aus welchen wir die folgende hervorheben: „Die k. k. Regierung wolle 1. *a*) an jeder der medizinischen Fakultäten Lehrkörper für die Fächer der hygienischen und bakteriologischen Forschung ins Leben rufen und zweck-entsprechend mit genügenden Mitteln ausstatten; *b*) anordnen, dafs für die ordentlichen Hörer der Medizin künftighin das Studium der Hygiene obligater Gegenstand werde". Eine solche Einrichtung würde auch der Schulhygiene zu gute kommen.

Zahl der Turnvereine und der Turner in Deutschland. Die deutsche Turnerschaft zählte am 1. Januar 1887 in 3372 Vereinen 323125 Vereinsangehörige, von denen 170205 turnten. Sie ist in einem Jahre um 226 Vereine, denen 24157 Mitglieder angehören, gewachsen. Seit dem deutschen Turntage in Eisenach im Jahre 1883 hat sie um fast 1000 Vereine mit 120000 Mitgliedern, von denen 70000 Turner sind, zu-genommen.

Granulöse Augenentzündung der Schüler in Holzminden. Zu Holzminden im Herzogtum Braunschweig ist die granulöse Bindehaut-entzündung der Augen (sogenannte ägyptische Augenkrankheit) gegen Ende des vorigen Jahres in einer so verbreiteten Epidemie aufgetreten, dafs allein auf dem Gymnasium 90 Erkrankungen vorkamen und die Schulen geschlossen werden mufsten.

Über die ärztliche Beaufsichtigung der Schulen hielt am 13. März d. J. Herr Dr. med. CLASSEN einen Vortrag im Verein Hamburger Volksschullehrer. Das in medizinischen und pädagogischen Kreisen jetzt so viel ventilierte Thema ist auch auf die vorläufige Tagesordnung des VII. deutschen Lehrertages gesetzt.

Amtliche Verfügungen.

Der zweite Schularzt in Deutschland. Nachdem der erste deutsche Schularzt in der Person des Herrn Sanitätsrat Dr. SPIESS in Frankfurt a. M. angestellt worden ist, hat jetzt auch Breslau einen Schularzt erhalten. Von der dortigen Schuldeputation ist folgende Verfügung erlassen: „Herr Dr. med. STEUER übernimmt als Mitglied der städtischen Schuldeputation, unter Entbindung von seinen bisherigen Amtsgeschäften, die Funktionen eines Schularztes und bearbeitet in dieser Eigenschaft alle auf die Schulhygiene bezüglichen Angelegenheiten. Sein amtlicher Wirkungskreis erstreckt sich auf sämtliche städtische Schulen mit Einschluß der Räume oder Anlagen, welche zum Turnen, Zeichnen oder für sonstige Unterrichtszwecke gebraucht werden, sowie auf die der Schuldeputation unterstehenden Privatschulen. Demselben sind insbesondere zur gutachtlichen Prüfung und kurzen Berichterstattung vorzulegen:

a) die Anträge wegen Schließung ganzer Schulen oder einzelner Schulklassen im Falle eintretender Epidemien — unbeschadet der Mitwirkung des betreffenden Polizei-Physikus;

b) die Bestimmung und Kontrolle der zu treffenden beziehungsweise getroffenen Desinfektions-Maßregeln vor Wiedereröffnung des Unterrichts in den unter a gedachten Schulen oder Schulklassen;

c) die für den Bau ganz neuer Schulen entworfenen Pläne, sowie die Pläne für den Um- oder Erweiterungsbau bestehender Schulen bezw. Schulklassen;

d) die Gesuche um Genehmigung zur Errichtung neuer, oder Verlegung bestehender Privatschulen, Kindergärten und Kleinkinderbewahranstalten behufs Prüfung der Brauchbarkeit der in Aussicht genommenen Schullokale nebst Zubehör.

Bei dieser Prüfung, welche eventuell an Ort und Stelle vorzunehmen ist, sind namentlich ins Auge zu fassen:

1. die Licht- und Luftverhältnisse innerhalb und außerhalb der Schulgebäude (mit Einschluß der Turnhallen);
2. die Lage der Treppen und Korridore, sowie der einzelnen Unterrichtszimmer;
3. die Lage und Ausdehnung der Schulhöfe und Turnplätze;
4. die Lage und Einrichtung der Bedürfnisanstalten;
5. die Zweckmäßigkeit der Heiz- und Ventilationsanlagen;
6. die Raumverhältnisse der einzelnen Zimmer (Quadrat und Kubikmeter) zur Feststellung der zulässigen Maximal-Schülerzahl.

e) die Grundrisse und Lagepläne der für Schulzwecke zu mietenden Gebäude oder Klassenzimmer;

f) die Gesuche der Lehrer und Lehrerinnen aller Art um Anstellung im städtischen Schuldienst, behufs Prüfung der Gesundheitsverhältnisse der Bewerber und Bewerberinnen;

g) die Pensionierungs-Gesuche der Lehrer und Lehrerinnen behufs Prüfung der Dienstunfähigkeit — insoweit nicht ein PhysikatsAttest erforderlich ist;

h) zweifelhafte Fälle von Überschreitung des Züchtigungsrechtes;

i) Anzeigen über unzweckmäfsige oder ungenügende Reinigung bezw. Lüftung der Schulgebäude und Klassenzimmer, sofern dieselben auf Mängel in der baulichen Anlage oder auf örtliche Einrichtungen zurückzuführen sind;

k) Anträge auf neu einzuführende Lehr- und Lesebücher unter Vorlegung der letzteren behufs Prüfung von Druck und Papier;

l) alle dem Schularzt von dem Vorsitzenden der Schuldeputation besonders zugeschriebenen Angelegenheiten.

Der Schularzt soll auch berechtigt und verpflichtet sein, die Schuldeputation auf Mifsstände in schulhygienischer Beziehung aufmerksam zu machen und zur Abhilfe derselben mündlich oder schriftlich Anträge zu stellen."

Personalien.

Der Tod hat im verflossenen Jahre auch unter den Hygienikern reiche Ernte gehalten. In London starb der berühmte 87jährige EDWIN CHADWICK, während Würzburg am 10. Februar 1887 den Professor OEIGEL verlor. Ferner verschied in Leipzig Professor RECLAM und zu Gardone Riviera infolge beruflicher Überanstrengung der um die Kinderheilstätten an der Nordsee hochverdiente Dr. ROHDEN. Endlich hatte Paris den Tod des Hygienikers LIOUVILLE zu beklagen.

Wir haben die Freude, als weitere Mitarbeiter an unsrer Zeitschrift die folgenden Herren verzeichnen zu können: Bezirksschulinspektor M. BARANOWSKI in Lemberg, Professor der Hygiene Dr. P. L. DUNANT in Genf, Professor der Hygiene Obersanitätsrat Dr. J. FELIX in Bukarest, Professor am Realgymnasium G. FLEISCHER in Bjelovar, Professor am höheren Geniekurse Architekt F. RITTER VON GRUBER in Wien, Bezirksschulinspektor R. HOFBAUER in Wien, Schularzt Dr. JOEL in Lausanne, Docent an der technischen Hochschule Stadtbaudirektor R. LINNER in Graz, Primarlehrer W. SPIESS in Bern, Gymnasialdirektor Dr. VOGT in Kassel, Professor am Seminar Dr. J. WALSER in Gran.

Litteratur.

Besprechungen.

Kurzsichtigkeit und Erziehung. Akademische Festrede zur Feier des Stiftungsfestes der Universität Bern, am 20. November 1886 gehalten vom zeitigen Rektor Dr. ERNST PFLÜGER, ord. Prof. der Augenheilkunde. Wiesbaden, 1887. J. F. BERGMANN.

Seit COHN seine Untersuchung der 10,060 Schulkinder veröffentlichte, ist eine ganze Litteratur über Schüleraugen entstanden. Man könnte glauben, der Gegenstand sei erschöpft; dem ist jedoch keineswegs so. Kaum glaubt man, irgend eine Thatsache sei endgültig festgestellt, so tauchen Arbeiten auf, welche dieselbe von einer ganz neuen Seite beleuchten, oder sie wird von einer gegnerischen Partei vollkommen in Frage gestellt. So glaubte man, die Schulbankfrage sei gelöst, durch die Arbeiten von SCHENK und LORENZ ist sie aufs neue ins Rollen gekommen; so hielt man den kausalen Zusammenhang von Schule und Progression der Myopie für erwiesen, und doch kommt von seiten eines Skeptikers ab und zu der Einwand, dafs es gar nicht so sicher sei, ob ein solcher Zusammenhang überhaupt existiere. Und so grofs auch die Anzahl derer sei, welche es gar nicht mehr für diskutierbar halten, dafs nicht die Schule allein, sondern Schule und Haus zusammengenommen, kurz unser Erziehungsmodus, die übermäfsige Nahearbeit die Myopie verschulde, so mufs man doch zugeben, dafs wenigstens für die genannten Skeptiker, der Beweis noch nicht mit wünschenswerter Sicherheit erbracht ist, die Myopie entstehe durch diese Schädlichkeiten und sei nicht blofs eine Veränderung des Augenbaues, welche während der Lehrjahre unter allen Verhältnissen eintreten würde, dafs das *propter hoc* sich nicht auf das einfache *post hoc* reduzieren läfst.

Es ist deshalb stets von grofsem Interesse, wenn ein Mann von Namen die bisherigen Urteile in dieser Sache übersichtlich zusammenfafst und seinen Standpunkt präzisiert, selbst ohne gerade wesentlich neues zu bringen. Letzteres kann auch nicht die Aufgabe einer Festrede sein, wie sie PFLÜGER hielt, der sich als ein warmer Verteidiger des *propter hoc* manifestiert.

Als allgemein bestätigt führt PFLÜGER folgende drei Sätze COHNS auf:

1. Die Kurzsichtigkeit nimmt an Häufigkeit zu mit den Anforderungen der Unterrichtsanstalten, sie wächst konstant von den Dorfschulen zu den städtischen Elementarschulen, Sekundarschulen, Realschulen und Gymnasien.

2. Die Zahl der Kurzsichtigen wächst in den einzelnen Schulen von Klasse zu Klasse.

3. In den oberen Klassen und in den höheren Schulen kommen stärkere Kurzsichtigkeitsgrade vor als in den unteren Klassen und in den niederen Schulen.

Nur lokale Bedeutung für Breslau mißt Pflüger den folgenden Cohnschen Thesen zu:

a. Der Durchschnittsgrad der Myopie wächst von Klasse zu Klasse.

b. Es gibt doppelt soviel Prozent myopischer Knaben als Mädchen in den untersuchten Schulen.

c. Für die reine Myopie ist in circa 3 % aller Fälle Kurzsichtigkeit der Eltern nachgewiesen.

Bezüglich des Punktes *a* hält Pflüger es für notwendig, den mittleren Brechzustand der Augen sämtlicher Schüler einer Klasse festzustellen, anstatt des Durchschnittsgrades der Myopie: So fand Dürr (Hannover) die durchschnittliche Refraktion von + 0,83 in der untersten zu — 2,05 in der obersten Klasse steigen und Willi (Industrieschule in Chaux-de-fonds) von + 0,4 zu — 1,2 Meterlinsen.

Die Geschlechter anbelangend ist nach Pflüger der Satz festzuhalten, daß unter denselben äußeren Bedingungen die Mädchen leichter an Kurzsichtigkeit erkranken als die Knaben und mit höheren Graden. Unter diesen gleichen Verhältnissen ergab sich in Chaux-de-fonds in der untersten Klasse 27,3 % Myopie bei Knaben, 38,5 % bei Mädchen, in der obersten 50 % bei Knaben, 90,9 % bei Mädchen.

Die Nachfragemethode betreffs der Erblichkeit hält Pflüger für unzuverlässig. Er eruierte für sämtliche Familien, welche Söhne in Mittelschulen und für 200 Familien, die Kinder in öffentlichen Schulen hatten, wieviel kurzsichtige und wieviel nicht kurzsichtige Kinder diesen Familien angehörten. Es ergab sich 10 % mehr Myopie in den erblich belasteten Familien. Diese Ziffer 10, meint Pflüger, repräsentiert den wahrscheinlichen Ausdruck der eigentlich ererbten Kurzsichtigkeit, während die erbliche Disposition, die unter günstigen Umständen latent bleiben kann, eine bedeutend größere ist. An eine verschiedene Disposition nach Völkern und Stämmen glaubt Pflüger nicht und betrachtet es als feststehend, daß unter den dazu erforderlichen äußeren Umständen sich bei jedem Volke Myopie entwickelt.

Gegen die Ansicht der größten Skeptiker, daß die Myopie sich nur während der Schuljahre entwickele, weil das kurzsichtige Auge in die Länge wachse, solange dies der Körper thue, weshalb auch nach dem 18. Lebensjahre selten Myopie entstehe, führt Pflüger an, daß Derby in New-York vom 19. bis 23. Jahre ein Anwachsen der Myopie von 35 % auf 47 % beobachtete, sowie daß nach Bircher in der schweizer Armee nachträglich viele wegen Myopie ausgemustert werden mußten, die sich ohne Zweifel größtenteils nach dem 18. Jahre ausgebildet hatte.

Als besonders beweisend, daſs der gröſsere Teil der Kurzsichtigen ihr Leiden direkt der Schule verdankt, werden wieder die Verhältnisse in Chaux-de-fonds angeführt, wo bei der Rekrutierung wenige, in der obersten Mädchenklasse der Industrieschule erschreckend viele Kurzsichtige gefunden wurden.

Daſs die Erziehungsmyopie keine weise Anpassung des Auges an die Existenzbedingungen unsres hochkultivierten Jahrhunderts sei, dagegen sprechen die herabgesetzten Sehschärfen der Myopen und die mit dem Augenspiegel zu findenden krankhaften Veränderungen des Augengrundes.

Aus dem, was PFLÜGER über die Schulgesundheitspflege sagt, möge folgendes hervorgehoben werden. Das System der Übercylinder auf jeder Art Lampen verdient die Aufmerksamkeit der Hygieniker, da die strahlende Wärme durch dieselben sehr herabgesetzt wird. So wurde die Nadel einer thermoelektrischen Säule bei einer Petroleumlampe mit Übercylinder nach 1 Minute um 43°, bei derselben Lampe mit einem einfachen Cylinder aber um 81° abgelenkt. Die elektrische Beleuchtung durch Glühlampen verdient die wärmste Empfehlung.

Die Schulbank von Dr. SCHENK in Bern („das erste ganz neue Prinzip, das seit Jahren in der Schulbankfrage eingeführt wurde") wird sehr gelobt. Aber „auch der beste Schultisch wird gerade gut genug sein, die Wachstumsverhältnisse unsrer Jugend nicht allzusehr zu schädigen für den Fall, daſs sie nicht zu lange an demselben zu sitzen braucht; hier liegt der wundeste Punkt der Frage, der allzuwenig Berücksichtigung findet". Ein Primarschüler soll nie länger als 20, ein Sekundarschüler nicht länger als 30, ein Gymnasiast nicht länger als 40 Minuten ruhig auf seinem Platze sitzen.

Die Frakturschrift ist durch die Antiqua zu ersetzen, damit nur eine Schriftform gelehrt zu werden braucht. Soweit auf Tafeln geschrieben werden muſs, was möglichst einzuschränken ist, sind weiſse Tafeln den schwarzen vorzuziehen.

Die Grundstrichrichtung wird nicht unerheblich durch willkürliche Kopfhaltung beeinfluſst. PFLÜGER hat gefunden, daſs bei Schülern im dritten Schuljahre deutlich, im vierten noch erkennbar die Strichelemente selbst bei den einfachsten Buchstaben mit den Augen verfolgt werden. Die Augenbewegungsgesetze gelten daher in ausgedehntem Maſse für die ersten Schuljahre und bei der Kalligraphie auch für die späteren. Auf letztere ist in Zukunft weniger Zeit und Mühe zu verwenden; es sollte überhaupt in der Schule weniger geschrieben werden.

Die Zeilenlänge soll nicht über 75—80 mm hinausgehen; wenn man die Schulhefte nicht schmäler machen will, so müſsten sie wie ein Kollegienbogen in der Mitte gefalzt werden. Die Neigung der Tischplatte soll 10° mehr als die gewöhnliche betragen; dies wäre für Augen und Körperhaltung vorteilhafter und mit den pädagogischen Interessen sehr wohl vereinbar.

Die Untersuchung der Augen hat der Schularzt auszuführen; die Voruntersuchungen besorgen die Lehrer ganz gut.

Zum Schlusse noch folgenden Passus:

„Es entwickelte sich zwar rasch eine ansehnliche schulhygienische Litteratur mit vielen dankenswerten Fortschritten, die ebenso wichtige Unterrichtshygiene blieb dagegen in den Windeln stecken, machte sogar da und dort von ihren ersten Anfängen Rückschritte. Ein befriedigendes Resultat ist nur von einem harmonischen Zusammenwirken beider, der Schulhygiene und der Unterrichtshygiene, zu erwarten; das Ideal, das gute Resultat wird uns erst leuchten, wenn als dritte im Bunde eine rationelle, zu Haus wesentlich mit durchgeführte Erziehungshygiene mit in Akkord einfällt. Dieser harmonische Dreiklang wird noch lange auf sich warten lassen; vorher müssen viele Vorurteile fallen, vorher muß die allgemeine Volksernährung eine andre werden". „Der dritte Punkt umfaßt die sorgenschweren Probleme der Zukunft, au deren Lösung mitzuarbeiten das ganze Volk berufen ist".

Prof. d. Augenheilkunde Dr. A. v. REUSS in Wien.

Dr. ERNST ENGELHORN: **Schulgesundheitspflege**. Zum Gebrauche für Schulvorstände, Lehrer und Eltern. Stuttgart, 1888. C. KRABBE. (184 S. 8° mit 17 in d. Text gedruckt. Abbild.).

Der Verfasser, Königl. Württembergischer Oberamtsarzt in Göppingen, hat sich um die Schulgesundheitspflege ein entschiedenes Verdienst erworben durch die vorliegende Arbeit, welche im Verlage von CARL KRABBE in Stuttgart in sehr hübscher Ausstattung erschienen ist.

Die Aufgabe, welche sich der Autor gestellt hat, war, die Regeln der Gesundheitslehre für das schulpflichtige Alter zu schildern, und dieser Aufgabe ist derselbe auch in klarer und vor allen Dingen in gedrängter Form mit Vermeidung jeder Weitschweifigkeit und jedes gelehrten Aufputzes nachgekommen. Auf diese Weise hat er ein leicht verständliches, höchst anregend und belehrend geschriebenes Büchlein geschaffen, welches allen, für die es berechnet ist, Schulvorständen, Lehrern und Eltern nur aufs wärmste empfohlen werden kann.

Die Gliederung ist eine logische, welche die klare Entwickelung des Gegenstandes in hohem Grade fördert. Verfasser teilt den Stoff in zwei Teile. Im ersten behandelt er den Organismus der Schulkinder im gesunden und im kranken Zustande. Die normale körperliche und geistige Entwickelung, sowie die Störungen derselben im schulpflichtigen Alter werden in gemeinfaßlicher Weise abgehandelt; die beigefügten Abbildungen halten wir für sehr wertvolle Beigaben zur Erzielung eines klaren Verständnisses.

Im zweiten Teile werden die Einrichtungen der Schule und des Unterrichtes besprochen, wie sie beschaffen sein müssen, um den Aufgaben einer rationellen Gesundheitslehre gerecht zu werden. In diesem Teile finden wir goldene Worte, von denen wir nur wünschen können, sie möchten überall da Beachtung finden, wo die Schulgesundheitspflege noch weit zurücksteht hinter jenem glücklichen Lande, dem der Verfasser angehört, welches in bezug auf seine Schuleinrichtungen zu den fortgeschrittensten Ländern Europas zählt. Wir würden den Rahmen einer Besprechung überschreiten, wollten wir auf Details eingehen; wir begnügen uns, die auf voller wissenschaftlicher Höhe stehende, dabei in anspruchslose, einfache Form gekleidete Schrift nochmals wärmstens allen zu empfehlen, deren heilige Pflicht es ist, das körperliche und geistige Wohl der heranwachsenden Jugend, der Freude und Hoffnung des Volkes, der Zukunft des Staates, wahrzunehmen und zu pflegen, den Eltern, Lehrern und — Schulbehörden.

Prof. d. Hygiene Dr. KRATTER in Innsbruck.

M. SCHUPPLI, Direktor der neuen Mädchenschule in Bern: Beitrag zu den Gröfsen- und Wachstumsverhältnissen der Mädchen und deren Anwendung auf eine richtige Bestuhlung der Schulzimmer. Sep.-Abd. der „Mitteilungen aus der Neuen Mädchenschule in Bern". Bern, 1887, No. 3, S. 83 ff.

Verfasser führt aus, dafs ein richtig konstruierter Schultisch für die Körperentwickelung der Schüler sehr wichtig sei. Als Ausgangspunkt habe die Körperlänge zu dienen. Die Differenz müsse bei Knaben $1/8$, bei Mädchen $1/7$ der Körperlänge $+ 4$ cm, die Sitzhöhe $2/7$ der Körperlänge $+ 2$ cm, die Distanz 0 bis $— 5$ cm betragen. Daher müsse zur Konstruktion zweckmäfsiger Schulbänke die Körperlänge bekannt sein. Verfasser hat zu diesem Zweck 541 Schülerinnen der ihm unterstellten neuen Mädchenschule in Bern, die vom Fröbelschen Kindergarten bis zum Seminar (4.—18. Jahr) reicht, gemessen. Eine die Ergebnisse zusammenfassende Tabelle von 7 Spalten enthält neben Altersangabe und Zahl der gemessenen Mädchen die Durchschnitts-, Maximal- und Minimalgröfse, Differenz der Extreme und Betrag des Wachstums fürs Jahr. Die letzte Spalte, die ja besonderes Interesse beansprucht, zeigt auffallende Unregelmäfsigkeiten; so beträgt das Wachstum vom 8.—9. Jahre 3,44 cm, vom 9.—10. 7,37, vom 10.—11. 4,80 cm; ähnliche, wenn auch nicht so starke Schwankungen treten vom 11.—14. Jahre ein; das vom 14.—15. Jahre 3,18 cm betragende Wachstum fällt im folgenden Jahre auf 0,66 cm. Man kann sich schwer davon überzeugen, dafs derartige Unregelmäfsigkeiten normal sein sollen, kommt vielmehr zu der Ansicht, dafs die Zahl der gemessenen Mädchen zu klein gewesen sein müsse; beträgt doch die Maximalzahl eines Jahrganges nicht mehr als 52, die Minimalzahl gar nur 20. Dem berechneten jährlichen Durchschnittswachstum für den ganzen 14jährigen Zeitraum von 4,₁₅ cm können wir keine Bedeutung beilegen, da z. B. das Wachstum in den 4 Jahren vom 14.—18. zusammen nur 3,₄₃ cm ausmacht; jedenfalls wird es nicht ohne weiteres zur Bestimmung der Größenverhältnisse der Schulbänke dienen dürfen. — Mit 5 Größennummern der Bänke reicht die Volksschule aus.

Rektor Dr. Carstädt in Breslau.

Bibliographie:

Batten, R. W. *An address on the physical training of girls.* Brit. M. J.₃ 1887, I, 605—607.

Bericht über die deutschen Ferienkolonieen für arme und schwächliche Schulkinder der Stadt Prag im Jahre 1886. Prag, 1887, Dominicus. gr. 8°.

Campbell, J. *Elements of hygiene and sanitation for schools and colleges.* 2 ed., London, 1887, Simpkin. 12°.

Hartwell, E. M. *Muscular exercise.* Med. Reg., Philadelphia, 1887, II, 553; 577.

Hürlimann, J. *Über Gesundheitspflege und Revision des schweizer. Volksschulwesens.* Korresp.-Bl. f. Schweiz. Ärzte. 1888, No. 5.

Javal. *Sur la myopie scolaire.* Bull. Acad. de méd., Paris, 1887, 2. s., XVIII, 443.

Imre, J. *Nehángy szó az iskol ai padok ugyében.* [*Einige Worte über Schulbänke.*] Közeg. es Törvény Orvos., Budapest, 1887, 26—29.

Katchenovski, L. [*Probleme der physischen Erziehung*], St. Petersburg, 1887, Prizreu. 16 p. 8°.

Lagneau. G. *Du surmenage intellectuel et de la sédentarité dans les écoles, au nom d'une commission.* Bull. Acad. de méd., Paris, 1887, 2. s., XVII, 551—554. Auch: Bull. Soc. d'anthrop. de Par., 1886, 3. s., IX, 514—519.

Layet, A. *De quelques faits pédagogiques considérés au point de vue de l'hygiène du cerveau.* Rev. san. de Bordeaux. 1887, V, 20—23.

Mangenot. *L'inspection hygiénique et médicale des écoles en France.* Deuxième partie. Rev. d'hyg., Paris, 1887, IX, 299—314.

Martin, A. J. *L'inspection sanitaire des écoles.* Gaz. hebd. de méd., Paris, 1887, 2. s., XXIV, 94—97.

Meier, E. *Das Schreiben in der Volksschule in Rücksicht auf die Gefahr der Kurzsichtigkeit,* Frankenberg i. S., 1887, Rossberg. 8°.

Merkel. *Über Schulbäder.* Deutsche Vierteljahrschr. f. öff. Gsndhtspfl., Braunschweig, 1887, XIX, 46—54.

,-O. *Die Kinderheilstätten an den deutschen Seeküsten* *Versandbarkeit auf die konstitutionell erkrankten Kinder* *nlandes.* Centralbl. f. allg. Gsndhtspfl., Bonn, 1887, VI,

für Erziehung und Gesundheitspflege. 1. Jahrg., Oktob. Septemb. 1888, 12 No., Hamburg, 1887, Martens. gr. 8°. *Opthalmia in the Norwood schools.* Brit. med. Journ., 1396. p. 731.

ARTHUR. *School hygiene: the laws of health in relation to* London, 1887, Swan [& others]. 8°.

The water-supply, drainage and sewerage of the Lawrence- l. Tr. Am. Soc. Civil Engin., New-York, 1887, XVI 66—

zur Schulgesundheitspflege. Schweiz. Blätt. f. Gsndhtspfl., 87, Jahrg. II, No. 23.

thly examinations in schools. Texas Cour. — Rec. Med., 7—88, V, 85—87.

as E. *The arrangement and construction of school sana-* on, 1887, J. & A. Churchill. 8°.

ROMAIN. *De quelques accidents de croissance,* Paris,

ürzz, M. *Der hygienische Unterricht an Universitäten und* | *Hochschulen.* Wien. med. Wochenschr., 1887, XXXVII, lg 1285.

ignement de l'hygiène dans les universités et dans les écoles *supérieures.* Rev. d'hyg., Paris, 1887, IX, 821—831.

Hygiène de la pensée. J. d'hyg., Paris, 1887, XII, 201—206.

condition of the public schools throughout the State. Rep. Health New-York, 1886, Albany, 1887, VII, 503—639.

---

i der Redaktion eingegangene Schriften:

eobachtungen und Bemerkungen über das Sehen der Taub- Sep.-Abdr. a. d. klin. Monatsbl. f. Aughlkde, Berlin, 1876,

. Ueberbürdung hervorgerufenen Augenerkrankungen der Sep.-Abdr. a. d. Wien. med. Pr., Wien, 1887. gr. 8°.

praktische Augenheilkunde, 1888, Jan.-Hft., Leipzig, p. 8°.

WALD, AL. *Jahres-Bericht über das Gymnasium der* *Akademie in Wien für das Schuljahr 1887,* d. Theresianischen Akademie.

Feuilles d'hygiène et de police sanitaire, 1887, No. 9, Neuchâtel.

HÜRLIMANN, J. *Über Gesundheitspflege an unsern Volksschulen.* Eine populäre hygienische Darstellung der Schulverhältnisse des Kanton Zug. Mit 3 Taf., Zug, 1887, J. M. A. Blunschi. 8°.

MAGNUS, H. *Die Jugend-Blindheit.* Klinisch-statistische Studien über die in den ersten 20 Lebensjahren auftretenden Blindheitsformen. Mit 12 Farb.-Taf. und 10 Abbild. im Text, Wiesbaden, 1886, J. F. Bergmann. gr. 8°.

Physik, Praktische. Zeitschrift für Experimental-Physiker, Studierende der Physik, Mechaniker, Optiker u. s. w. und Organ für den physikalischen Unterricht, Magdeburg, 1888, Hft. 3, A. & R. Faber. 8°.

SCHILDBACH, C. H. *Kinderstuben-Gymnastik.* Eine Anleitung zur körperlichen Ausbildung der Kinder in den ersten Lebensjahren. Für Eltern, Lehrer und Kindergärtnerinnen. Mit 48 Abbild., Leipzig, 1880, Veit & Comp. 12°.

VON SCHRÖTTER, L. *Über die weitere Entwicklung Wien's in sanitärer Beziehung.* Sep.-Abdr. aus d. Allgem. Wien. med. Zeit., 1884, No. 4.

Schulblätter, Badische. Zeitschrift für das badische Mittelschulwesen, Karlsruhe, 1888, J. Bielefeld, Jahrg. V, No. 1.

Societatum Litterac. Verzeichnis der in den Publikationen der Akademieen und Vereine aller Länder erscheinenden Einzelarbeiten auf dem Gebiete der Naturwissenschaften, Berlin, 1888, R. Friedländer u. Sohn, No. 1 ff.

SPIESS, W. *Das Primarschulwesen Berns und die geistige und körperliche Entwicklung unserer Schuljugend.* Ein Mahnruf an Behörden, Lehrer und Eltern anläfslich der Gemeindereorganisation, Bern, 1888, Selbstverlag. fol.

Turn-Zeitung, Deutsche, Leipzig, 1888, No. 1 ff.

Vierteljahrsschrift für öffentliche Gesundheitspflege, Deutsche, Braunschweig, 1888, F. Vieweg u. Sohn, Hft. 1, gr. 8°.

Zeitschrift, Breslauer ärztliche, 1888, No. 1 ff., Hamburg und Leipzig, Leop. Voss. 4°.

Zeitschrift für Nahrungsmittel-Untersuchung und Hygiene. Eine Monatsschrift für chemische und mikroskopische Untersuchung von Nahrungs- und Genufsmitteln, Gebrauchsgegenständen und für Hygiene. Wien, 1888, M. Perles, Jahrg. II, Hft. 1.

Um eine möglichst schnelle und vollständige Berichterstattung zu erreichen, wird um gefällige Einsendung aller einschlägigen Separatabzüge, Dissertationen, Monographien u. s. w. sogleich nach Erscheinen an die Redaktion direkt oder durch Vermittelung der Verlagsbuchhandlung Leopold Voss in Hamburg, Hohe Bleichen 18, ergebenst ersucht.

Verlag v. Leopold Voss in Hamburg u. Leipzig. — Druck v. J. F. Richter in Hamburg.

riginal-Abhandlungen.

Professor J. Stillings
über die Entstehung der Kurzsichtigkeit,
kritisch beleuchtet.

Von

Dr. PFLÜGER,

ofessor der Augenheilkunde in Bern.

angeführten Titel hat Dr. J. STILLING, Pro-
niversität Strafsburg, ein Buch veröffentlicht,
h enthält, die Frage nach der Genese der
vom anatomischen als vom klinischen Stand-
r Lösung näher zu bringen. Das Werk ver-
sse und den Dank der speziellen Fachgenossen
nten anatomischen Untersuchungen, die, eine
in sich schliefsend, bisher unbeachtete Be-
Musculus obliquus superior zu der Form des
ge gefördert, mehr Klarheit über die Länge
nd sein Verhalten bei der Konvergenz, gröfsere
Relation von Hornhautkrümmung und Axen-
tion gegeben haben. Dem historischen Interesse
age wird zum Schlusse durch eine Fülle gegen Rechnung getragen und wird gezeigt, dafs
e Begleiterin der Kultur gewesen ist.
st sich, wie er in der Vorrede ausdrücklich
der Schwierigkeit, das eigentliche patholo-
sche Material für eine derartige Untersuchung
der Mängel wohl bewufst, die seiner Arbeit

anhaften müssen, glaubt sich aber zu der Hoffnung berechtigt, daß die vorliegenden Untersuchungen dazu beitragen werden, zur Beschaffung des Materials energisch anzuregen und die positive anatomische Behandlung der ganzen Frage im allgemeinen zu fördern.

Soviel hat STILLING erreicht, und dafür wird ihm der Dank nicht ausbleiben. STILLING hätte aber, eingedenk der Mangelhaftigkeit und Lückenhaftigkeit seines Materials, sich beschränken sollen, nur Schlüsse aus demselben zu ziehen, die unanfechtbar aus demselben hervorgehen.

Gestützt auf die anatomische Untersuchung von 10 myopischen Augen, von denen 5 sehr hohe Grade von Myopie, 16 Dioptrien und darüber hinaus hatten, glaubt STILLING sich berechtigt, zwei scharf getrennte Formen von Myopie zu unterscheiden, die nichts gemeinsam mit einander haben als die Refraktion, durch keinerlei Übergänge mit einander verbunden. Die eine Form, die Arbeitsmyopie, betreffe ganz gesunde Augen, die sich von normalsichtigen und übersichtigen nur durch das unter abnormen Muskeldruck zu stande gekommene größere Längenwachstum unterscheiden, mit oder ohne den sogenannten Conus je nach dem Verlauf und Ansatz des Musculus obliquus superior; diese Arbeitsmyopie werde mit beendigtem Körperwachstum stationär; die zweite Form betreffe sogenannte hydropische Augen, die in keiner Abhängigkeit von der Naharbeit ständen, gegen die jede Therapie machtlos sei, die eben kurzsichtig seien, weil sie krank sind und nicht umgekehrt.

Zu diesen Schlüssen berechtigt das relativ große, absolut aber außerordentlich kleine Material keineswegs. Die klinische Beobachtung dagegen widerspricht den Anschauungen STILLINGS mannigfach. Des beschränkten Raumes halber kann ich nur auf die wichtigsten Punkte aufmerksam machen.

1. Bei Zunahme der Refraktion unter dem Einfluß der Naharbeit, Abnahme von Hypermetropie, Übergang derselben in Emmetropie und dieser in Myopie, bei Zunahme von Myopie zeigt der Augenspiegel oft unverkennbar entzündliche Veränder-

ungen erst des Sehnerveneintrittes, in einem weiteren Stadium häufig auch in der Umgebung desselben, ganz abgesehen vom Conus, jenseits desselben, zwischen ihm und dem gelben Fleck, zuweilen auch rings um die Papille, Infiltrationen der Netz- und Aderhaut, Pigmentverschwemmungen, partielle Atrophien, die durchaus nicht mit perspektivischen Veränderungen der Papille zu verwechseln sind. Es gibt eine ganze Reihe von hinteren Staphylomen, für welche die STILLINGsche Erklärung des Sichtbarwerdens der Innenseite der Duralscheide der Papille nicht zutrifft, bei denen die Papille rund, von dem Skleralring scharf umschlossen, das Staphylom eine wirklich gedehnte atrophische, sichelförmige Sklerochorioidalpartie ist, durch einen schmäleren oder breiteren Streifen wenig veränderten Gewebes vom Sklerralring deutlich getrennt.

2. Die Arbeitsmyopie steht durchaus nicht immer mit dem Wachstum still, kann sich erst zwischen dem 18. und 23. Lebensjahre, eventuell auch später entwickeln, stationär werden bei günstigen Arbeitsverhältnissen und später bei ungünstigen wieder progredieren.

3. Die hochgradigen Formen von Myopie, 9 Dioptrien und darüber, sind nicht, wie neuere Arbeiten zu beweisen scheinen, ganz unabhängig von Lesen und Schreiben; sie kommen thatsächlich häufiger vor in den gelehrten Berufsarten als beim Landvolk.

4. Das kurzsichtige Auge disponiert vor allen andern zu der gefürchteten zentralen Aderhaut-Netzhautentzündung. Naharbeit macht häufig genug diese Disposition manifest; frühzeitig behandelt heilen diese Formen mit gutem Resultat, aber nur bei absoluter Ruhe: die Hydropsie spielt eine sichtbare Rolle nur in einer untergeordneten Zahl von Fällen.

5. Allgemein anerkannt ist, dafs den Naturvölkern die Myopie so gut wie unbekannt ist, trotzdem ihnen die Disposition zu derselben nicht abgeht; bei diesen müfste, die Zweiteilung STILLINGS angenommen, wenigstens die von der Naharbeit unabhängige hydropische Form vorkommen.

Mit den Thatsachen steht für mich in besserem Einklang

die Annahme, daſs eine unschuldige Arbeitsmyopie und eine
bösartige, konstant progressive Myopie als Endglieder einer
Reihe zu betrachten sind, die von zahlreichen Übergangsformen
ausgefüllt werden. Auf welcher Übergangsstufe ein gewisser
Fall stehen bleiben wird, ist oft zum voraus gar nicht zu bestimmen; dies hängt auſser von der Erblichkeit wesentlich ab
vom Allgemeinbefinden einerseits, von den Zumutungen, die
ans Auge gestellt werden, anderseits. Es sei an die Formen
erinnert, welche sich an akute Infektionskrankheiten anschlieſsen,
an die Formen, welche sich auf der Basis von Ernährungsstörungen im weitesten Sinne des Wortes entwickeln, besonders
im Kindesalter, aber auch bei Erwachsenen.

Als wichtige disponierende, schwer aggravierende Momente
müssen Astigmatismus und Hornhauttrübungen genannt
werden. Wie häufig treffen nicht rebellierendes Hornhautekzem,
und parenchymatöse Hornhautentzündung, welche die fatalen
Hornhautflecken im Gefolge haben, mit schlechter Ernährung
zusammen. Würden diese Grundursachen frühzeitig durch den
Arzt — Schularzt oder Hausarzt — erkannt, der Astigmatismus
genau korrigiert, die Hornhautentzündungen und die sie hervor-
rufenden Momente bekämpft, so würden viele der schwersten
und hochgradigsten Formen der Myopie verhindert. Hierzu
gehört aber oft genug eine radikale Elimination des obligatorischen Unterrichtes für längere Zeit, oft eine erhebliche
Reduktion desselben; da muſs der Arzt ins Programm der
Schule hineinreden. Das 4—5 Stunden lange Sitzen in der
giftigen Stickluft eines überfüllten Schulzimmers, abgesehen
von der geistigen Abspannung, genügt vollständig, um Anämie
zu schaffen und vorhandene nicht heilen zu lassen. Man schaue
sich die Schulkinder vor und nach den Ferien an. Ich erinnere
an die Mitteilungen des Herrn Dr. H. NAPIAS auf dem letzten
Hygiene-Kongreſs in Wien über die Gewichtszunahme der
Kinder nach der Rückkehr aus den französischen Ferien-
Kolonien. Findet die Schule bei den ihr anvertrauten Kindern
disponierende Faktoren vor, schlechte Ernährungsverhältnisse,
konstitutionelle Leiden, oder direkt ungenügende Nahrung,

schlechte Bekleidung, ungünstige Wohnungsverhältnisse, mangelhafte Hautkultur u. s. w., so wundere man sich nicht, daſs sie zu häufig Gelegenheit findet, im Gesamtorganismus, wie speziell im Auge Krankheiten auszulösen, die ohne sie möglicherweise latent geblieben wären.

Wir müssen uns daher gewöhnen, bei Kindern nicht mehr allein von Arbeitsmyopie zu sprechen, sondern von Erziehungsmyopie, welcher Name an die disponierenden Momente und zugleich an die Gelegenheitsursachen erinnert. Wir müssen gegen die Gesamtheit der Schädlichkeiten Front machen, die Gesellschaft und den Staat an ihre Pflichten und bisherigen Unterlassungssünden erinnern. Da ist mit kleinen Änderungen an Schulprogrammen nicht geholfen; da bleiben noch viele männerwürdige Aufgaben zu lösen; eine der ersten soll sein, daſs die Lehrer hygienisch gebildet und die Schulen unter Aufsicht von Ärzten gestellt werden, die sachbezügliche Studien durchgemacht haben.

Es ist daher ein verantwortliches Wort, wenn STILLING sagt:

„Es ist meine aufrichtige Meinung, daſs man der Schule in bezug auf Entstehung der Myopie eine Schuld vielfach aufbürdet, die sie gar nicht hat, daſs es an der Zeit ist, jener unaufhörlichen Aufregung ein Ende zu machen, in der man die Schulmänner hält, deren Aufgabe ohnehin schwer genug ist, daſs man von augenärztlicher Seite sich hüten soll, sich in die Feststellung der Lehrpläne und dergl. zu mischen." Ich bin der zum mindesten ebenso aufrichtigen entgegengesetzten Meinung, daſs mit gutem Willen und mehr Einsicht — allerdings nicht nur der Lehrer, sondern auch des Staates und der Gesellschaft — für die Bedürfnisse der Schüler und der Lehrer die Schule weniger gesundheitsfeindlich und leistungsfähiger gemacht werden kann.

Es muſs hier ferner auf einen Passus auf pag. 166 erwidert werden, wo STILLING sagt: „Die ophthalmologischen Kämpfer gleichen ein wenig jenen römischen Fechtern, die gezwungen waren, in Helmen mit undurchsichtigem Visier zu kämpfen etc." STILLING unterschätzt den bisherigen ophthal-

mologischen Standpunkt und überschätzt den durch seine anerkennenswerten Arbeiten gewonnenen. Die Ophthalmologen
wußten ganz gut, daß die anhaltende Beschäftigung mit Lesen
und Schreiben, besonders in zu großer Nähe und bei vorn-
übergebeugter Kopfhaltung die zur Entwickelung der Kurzsichtigkeit günstigen Bedingungen in sich schließt, die um so
stärker wirken, je jünger und schwächer der Organismus ist.
Gegen diese komplexe Schulschädlichkeit hat sich bisher der
Kampf der Ophthalmologen gerichtet; deshalb wurden, um ein
Beispiel anzuführen, seit Dezennien Individuen mit progressiver
Myopie steile Pulte zum Lesen und Schreiben verordnet, deshalb bekämpfe ich seit Jahren die gewöhnliche Neigung der
Schultischebene von 10—15° und möchte dieselbe ersetzt
wissen durch eine von 25—30°. STILLING hat durch seine
Untersuchungen einen Faktor dieser Schulschädlichkeiten durch-
sichtig gemacht, die Wirkung·des Musculus obliquus superior.
Hat er damit aber den Kampf gegen die Erziehungsmyopie
auf einen neuen Boden gespielt, auf dem derselbe mit mehr
Aussicht auf Erfolg geführt werden kann? Nein, die Schulhygiene ist durch die theoretischen, anatomisch-physiologischen
Studien STILLINGS nicht gefördert worden; nach wie vor sind
wir darauf angewiesen, dem anhaltenden Nahesehen, namentlich
behufs Lesens und Schreibens in vornübergebückter Haltung
entgegenzutreten.

Wenn die Schulhygiene der von STILLING aufgepflanzten
Fahne folgen wollte, so käme sie im Gegenteil rückwärts;
sie darf ihr Augenmerk nicht nur auf einzelne unphysiologische
Momente richten, sie muß die Gesamtsumme der hygienischen
Schulschäden berücksichtigen. Wie der beste Schultisch nur
dann nicht den kindlichen Organismus schädigt, wenn derselbe
nicht unphysiologisch lange auf demselben festgehalten wird,
so verhält es sich ähnlich mit der idealen unendlichen Papier-
rolle STILLINGS, an der wir, wenn sie als möglich gedacht
wird, die Schüler gleichwohl nicht nach Art einer Großzahl
von Uhrmachern, monokular und mit der Lupe bewaffnet
beschäftigen würden.

Was die reellen Verbesserungsvorschläge von STILLING
betrifft, so wird die Praxis kaum sich mit denselben befreunden.

STILLING wünscht möglichst lange Zeilen zum Lesen und
Schreiben und nur wenige Zeilen übereinander; im gleichen
Sinne empfiehlt er ein Pult, das bei der Arbeit sich leicht
nach oben verschieben läfst. Die Erfahrung hat nun gelehrt,
und SCHNELLER hat dies auch theoretisch begründet, dafs lange
Zeilen und die damit verbundenen starken Seitenwendungen
der Augen äufserst ermüdend sind. Der sonst oft augen-
mörderische Druck der Zeitungen hat instinktiv herausgefunden,
dafs kurze Spalten sich leichter lesen als lange. Die Zeile
des Schulbuches mufs kurz, die Seite nicht lang, das Buch
nicht dick sein, damit der Schüler sitzend oder stehend das
Buch ohne Beschwerde in der Hand halten kann, nach Bedürfnis etwas höher oder tiefer, je nachdem unten oder oben
auf der Seite gelesen wird. Ein Musterformat für Schulbücher
ist z. B. das der elektrotechnischen Bibliothek. Einfacher und zweckmäfsiger als die Verschiebung des Pultes
nach oben erscheint mir die des Buches oder Heftes. Dies in
richtiger Weise zu thun, dazu mufs der Schüler vom Lehrer
gewöhnt werden, ebenso gut wie an die übrigen Regeln einer
richtigen Schreibhaltung. Das kann aber nur geschehen, wenn
der Lehrer Einsicht in die Physiologie des Lesens und Schreibens
hat und wenn er mit Lust und Liebe seine Schüler erzieht.
Ohne diesen wichtigen Faktor werden die gröfsten konstruk-
tiven Verbesserungen recht wenig leisten.

Das Urteil über das Buch von STILLING läfst sich kurz
dahin zusammenfassen: Durch die schönen, anatomischen Untersuchungen normaler Augen hat sich STILLING ein nicht zu
unterschätzendes Verdienst um augenärztliche Erkenntnis erworben. Die pathologisch-anatomischen Untersuchungen kurzsichtiger Augen haben ebenfalls zu neuen Anschauungen geführt; sie sind aber zu wenig umfassend, als dafs sie ab-
schliefsend zu allgemein zwingenden Schlüssen berechtigten.
Die Schlüsse von STILLING widersprechen gröfstentheils der
Erfahrung und gefährden viele schon errungene und noch zu

erringende Fortschritte in der Schulhygiene, weil der erste
streng naturwissenschaftliche Teil der Arbeit um so mehr den
Leser in der Beurteilung der praktischen STILLINGschen
Folgerungen beeinflufst, je weniger derselbe die Myopie aus
eigener klinischer Beobachtung, den Augenspiegel in der Hand,
kennt.

Unter die Augenärzte allein geworfen, würde das Buch
keinen Schaden stiften, wohl aber thut es dies unter der
Laienwelt, der es zuerst durch beifällige Rezensionen in Tages-
blättern empfohlen worden ist und die oft ein Urteil zu haben
wähnt, wo ihr ein solches abgeht — speziell unter dem Lehrer-
stand, von dem ein Teil in demselben eine willkommene Wehre
gegen die ihm vielfach unbequemen schulhygienischen Forderungen seitens der Ärzte finden und bald genug davon lebhaften
Gebrauch machen wird.[1]

Ein deutsches Schulhaus vor 250 Jahren.

Von

CARL HINTRÄGER,

diplomierter Architekt in Wien, z. Zt. in Rom.

Es dürfte für Pädagogen, Schulhygieniker und Bautechniker
von Interesse sein, zu erfahren, wie ein deutsches Schulhaus
vor 250 Jahren beschaffen war. Nicht allein das Historische
im allgemeinen dünkt mir wissenswert, sondern namentlich
auch die Thatsache, dafs schon zu jener Zeit gewisse Prinzipien
in bezug auf Unterricht, Gesundheitspflege und bauliche Einrichtung der Schulen mafsgebend waren, die heute noch gelten.

Lernen wir auch nicht viel Neues und Nachahmenswertes
kennen, was wir bei den grofsen Fortschritten der jungen

---

[1] Dies ist unter anderm von Professor Dr. TH. ZIEGLER in den
„Neuen Jahrbüchern für Philologie und Pädagogik" bereits geschehen.

Die Redaktion.

hygienischen Wissenschaft heutigestags noch verwenden könnten, so bleibt zum mindesten unsre Neugierde nicht unbefriedigt, wenn wir einen Blick auf die Verhältnisse des Schulwesens jener Zeit zurückthun.

Der 30jährige Krieg hatte so manche blühende Stadt des deutschen Reiches in Schutt und Asche gelegt; Kirchen und Schulen wurden zerstört, und recht schlimm war es um die Erziehungs- und Unterrichtsstätten jener Zeit bestellt.

Der westfälische Friede im Jahre 1648 brachte endlich die lang ersehnte Erholung, und kaum steckte das Schwert in der Scheide, so entstanden schon neue Schulen als Stätten der Veredelung und Bildung des Volkes.

Gelehrte Baumeister und erfahrene Stadtväter gaben dabei ihren Rat ab, und mancher sammelte wohl gar seine Erfahrungen in einer eigenen Druckschrift, die er, mit Normalplänen für derartige Anlagen bereichert, seinen Mitbürgern zur Verfügung stellte.

Das Schulhaus nun, das wir kennen lernen wollen, stand in der alten Reichsstadt Ysni (dem heutigen schwäbischen Städtchen Isny), und der Cicerone, der uns dasselbe vorführt, ist JOSEPH FURTTENBACH DER JÜNGERE.

Im Jahre 1631 wurde die Stadt durch eine grofse Feuersbrunst zerstört und hierbei unter andern öffentlichen Gebäuden auch das Schulhaus eingeäschert. Jenes Schulhaus nun beschreibt uns FURTTENBACH aus der Erinnerung und teilt uns dabei zugleich seine Erfahrungen und seine Bedenken mit, die er bei dem Aufbau eines neuen Schulgebäudes berücksichtigt wissen will.

Zum Teile die Schriften seines Vaters, JOSEPH FURTTENBACHS DES ÄLTEREN, benutzend, dessen „Arithmetica" er zwei selbst radierte Grundrisse eines ganz neu „inventierten Schul-gebäws" entlehnt, zum Teil seine eigenen Anschauungen zum besten gebend, widmet er 1649 sein kleines Werk

„Teutsches Schul-Gebäw"

dem Bürgermeister und Rat der heiligen Reichsstadt Ysni.

Der etwas langatmige Titel seiner Schrift lautet wörtlich:

„Wie ein Teutsche Schulstuben wolbestelltermassen / gegen den vier Winden / dergestalt gerichtet / dafs zuuorderst Gottes defs Allmächtigen gnädige Beschützung / die liebe Jugend hier / in gutter Gesundheit verharren / Ingleichen dafs jhre Schreibtisch vnd Bänckh / in solcher bequemen vnnd gutten Ordnung gestellt werden / dafs sie zur Gottesforcht / gutten Sitten / zucht vnd Erbarkeit / Benchen zu Erlernung defs Schreibens / Rechnens / vnd der so hochnutzlichen Buchhalterey / hierinnen erwünschte Gelegenheit finden werden.

Allen christeifferigen Liebhabern der Teutschen Schulen / zu wolgefallen beschriben / vnd mit einem hierzu hochnutzlichen / selber geradierten Kupfferstuck in den Truck gegeben.

Durch
Joseph Furttenbach / den Jüngern.
Anno M. DC. XLIX."

Schon als Kind kam FURTTENBACH im Jahre 1603 nach Jsny und besuchte dort zwei Jahre hindurch die Schule unter der Leitung des tüchtigen Schulmeisters CHRISTOFF ROLL, dessen Andenken er dankbarst bewahrt. In seinem Werke greift FURTTENBACH auch auf dieses Schulgebäude zurück, das durch die grofse Feuersbrunst im Jahre 1631, welche Isny heimsuchte, ein Raub der Flammen wurde.

Die Wichtigkeit eines gesunden Schulhauses legt er in folgendem dar:

„Die Schulkinder / dise jungen Pflantzen soll man hoch vnd werth halten / dieselbigen in gutem Wolstand zuuorderst zu Gottes Lob vnd Ehr aufferziehen / rechtschaffene Leut daraufs machen / damit sie nach vnserem Hintritt / auch in den weltlichen Sachen / zu Handel / Wandel / vnd ehrlichen Handwerkern können gebraucht werden.

Derowegen sie auch gar wolwürdig seynd / dafs man ihnen ein schön lüfftig: gesundes Zimmer / beneben genugsamen Platz / dafs sie sich zum Schreiben vnd Rechnen wol erstrecken können/ verordne / auch an irgend einer guten commoditet kein Mangel erscheinen lasse."

Als notwendige Erfordernisse für ein Schulhaus führt er 6 Kardinalpunkte an:

1. Die Schulstube.

Dieselbe war ähnlich der auch heute noch in Frankreich üblichen Bauart von beiden Langseiten beleuchtet und durch zwei Säulen, welche das Gebälk trugen, unterteilt. Ihre Ausmafse waren 48 Schuh Länge, ebensoviel Breite und 10½ Schuh Höhe.

Die Orientierung sollte von Ost nach West oder, was ihm besser dünkt, von Nord nach Süd stattfinden, in welch letzterem Falle man auch gut daran thut, die Westseite vollkommen zu vermauern, damit Wind, Regen und Schnee dem Gebäude nichts anhaben können.

Die Luft mufs gut durch die Stube streichen können, ohne die Kinder zu belästigen. Der von so viel Kindern herrührende „Athem oder Dampff" steigt der Natur gemäfs gegen die Decke und wird daselbst durch eigene Luftöffnungen entfernt.

Dieselben sind in der Gestalt von oberen drehbaren Fensterflügeln in der Länge von 1½ Schuh und in der Höhe von ½ Schuh vorhanden und können je nach Bedarf geöffnet werden, um sowohl das Entfernen der verdorbenen Zimmerluft zu ermöglichen, als auch frische Luft von aufsen zuströmen zu lassen.

Wenn im Winter durch das Heizen die erwünschte Zimmertemperatur überschritten wird, können diese Fensterflügel ebenfalls, geöffnet werden.

Die Beheizung erfolgte durch einen grofsen Kachelofen, der von einer eigenen Heizkammer aus bedient wurde. Er stand der gröfseren Feuersicherheit halber unter einem Gewölbe an der einen Schmalseite des Schulzimmers und erwärmte auch den anschliefsenden, für den Unterricht in der Buchhaltung bestimmten Raum.

Damit die Wärme dem Lokale nicht zu bald entweicht, ist die Thür an der dem Ofen entgegengesetzten Wand angebracht, auch müssen die Fensterverschlüsse gut passen und erhalten die Decken eine wärmehaltende Füllschicht von Sägespänen.

Früh morgens wurde der Ofen stark angeheizt und gab dann die angesammelte Wärme den ganzen Tag über langsam ab.

Interessant ist es, einige Daten über den Verbrauch an Brennmaterial für ein derartiges Schulzimmer zu erfahren:

„Sintemalen vnd wie die schon gemachte Experienza zu erkennen gibt / dafs man mit 6 Klaffter / das seynd 6: gemeiner Wägen voll Holtz / so etwann mit 12: Reichsthaler zu bezahlen weren eine dergleichen Schulstuben ein gantzen Winter erwärmen kan.“

2. Schulbänke.

Das Schulzimmer für die Knaben war von dem für die Mädchen bestimmten vollkommen durch einen zwischenliegenden Flur getrennt, und erhielten beide Räume symmetrisch dieselbe Einrichtung.

An den Fensterwänden stehen mit der Stirnseite gegen dieselben jederseits 4 Tische von je 18 Schuh Länge, $3\frac{1}{2}$ Schuh Breite und $2\frac{1}{2}$ Schuh Höhe. Diese Tische waren mit schwarzer Ölfarbe gestrichen und durch rote Linien unterteilt, und zwar der Länge nach in zwei und der Breite nach in acht Teile; somit entstanden 16 Felder, von denen jedes $2\frac{1}{2}$ Schuh Länge und $1\frac{3}{4}$ Schuh Breite hatte.

Unter dem Tischbrette waren Behälter (offene Kästchen) angebracht, welche die Länge des Sitzplatzes hatten, aber nur $1\frac{1}{4}$ Schuh tief und $\frac{3}{4}$ Schuh hoch waren; sie durften die Kinder im Sitzen nicht beirren und waren dazu bestimmt, für Papier, Bücher und Rechenblätter Platz zu geben, teils um den Tisch nicht zu sehr zu verlegen, teils um die Nebensitzenden nicht zu beengen.

Mit roten Ziffern wurden die 16 Felder auf jedem Tisch-

ıufend numeriert. Die Zuweisung der Plätze an
fand nach dem jeweiligen Studienfortgang der-
und wurde alle 8 Tage aufs neue vorgenommen.
ler fleifsigste Knabe auf dem Platz No. 1 safs,
faulste sich mit dem Platz No. 128 begnügen.
en zu je 16 Plätzen fafste nämlich das Lehrzimmer
kinder, eine Zahl, wie sie wohl heute nicht mehr

ıhulbänke waren 1¼ Schuh breit und befafsen
:enlehne. Sie standen an den beiden Langseiten
 wobei natürlich blofs immer die eine Reihe der
n Schreiben das einfallende Licht von links erhielt,
ə andern Kinder aufser dem von links kommenden
ı Licht der gegenüberliegenden Fensterwand die
; von rechts empfingen.
ər Kreuzungsstellen der roten Unterteilungslinien
 waren die Tintenfässer in Form bleierner Ge-
ıpfen zum Einstecken angebracht, neben denen die
ıtbehrlichen Sandbüchsen standen. Somit benutzten
ı und zwar beispielsweise beim ersten Tisch No. 1,
16 ein Tintenfafs.
schen je 2˙Bänken mufste ein 3 Schuh breiter
~~leiben.~~

ın deme / vnd durch die erwehnte wolver-
ang / so kan der Schulmeister ebenfalls zu
aben gelangen / ob jhme hinein sehen was
ob er die Hand / so wol auch die Feder
h führe / wo nicht so mufs er die Gedult
 haben / den Leib / die Armb / vnd die
ı rechter hierzu erforderender Postur zu
ıierdurch so wird er in eine gute Gewon-
ıcht / etwas rechtschaffenes zu verrichten /
en aber / so hat man sich doch nichts frucht-
zu getrösten / jedoch vnd ohne anders
' so sucht ein fleissiger Schulmeister selber
ı saubere Schreiber / sowolen gute Rechner

zu zihlen / damit er dasselbige bey jhren Eltern wider-
neben zu geniessen / vnd mittlerzeit von den Scolarn
selbsten Ruhm erlange."

4. Dieselben Gänge hatten auch den Zweck, zu ermöglichen, daſs die Kinder einzeln ohne Behinderung der Nebensitzenden von und zum Platz gelangen konnten.

5. In der Mitte der Schulstube verblieb ein 12 Schuh
breiter Mittelgang, der zur leichteren Übersicht über die
Schulkinder sowohl während des Unterrichtes, als bei vorkommenden Inspektionen durch „Visitatores" diente.

In diesem Gange (FURTTENBACH nennt ihn „Spatziergang")
stand bei jeder Säule ein kleines verschiebbares Podium
(„Käntzlein"), welches von den Kindern bestiegen wurde, um
gegeneinander sprechend Rede und Antwort zu geben.

6. An der Ofenwand verblieb ein 12 Schuh breiter Platz,
auf dessen einer Seite das um einige Stufen erhöhte Podium
mit dem Tisch für den Schulmeister und seine 2 Provi-
soren, sowie die Wandtafeln standen. Die Tafeln waren
aus Holz und schwarz gestrichen.

Eine Tafel war für die kleinen Knaben bestimmt, auf
ihr standen rote Buchstaben, welche nachgeschrieben wurden.
Die zweite Tafel diente dem Schullehrer zum Schreiben und
Rechnen und wurde auch von den gröſseren Knaben benutzt,
um im Schreiben mit der Kreide Übung zu erhalten.

Zur andren Seite des Ganges stand ein Lehrmittel-
schrank, der Grofs - Fraktur - Buchstaben und -Silben auf
Pappendeckeln enthielt, welche auf ein nebenstehendes senkrecht verschiebbares Pult geschraubt werden konnten. Die
andre Seite dieses Pultes trug das grofse Gesangbuch, aus
dem die älteren Knaben gelegentlich Psalmen und geistliche
Lieder sangen.

Vor dem Pult waren in 5 Reihen 35 bis 40 Nägel in
den Fuſsboden eingeschlagen, die grofse Platten trugen, auf
welche die kleinsten Knaben beim Buchstabieren steigen
muſsten, teils um besser zu sehen, teils um ruhig zu stehen.

Auſser den erwähnten 6 Kardinalpunkten erzählt FURTTENnach auch noch von andern Einrichtungen und Einteilungen. An der Ofenwand war noch Platz für eine Thür, die zu einem Vorraum führte, in dem die Sekrets lagen, allerdings nur in der geringen Zahl von 2 Sitzräumen.

Von dem Vorraume führte eine Nebenstiege in das ebenerdige Wohngeschofs, sie diente der Magd zur Herbeischaffung des Holzes in die hinter dem Ofen gelegene gewölbte Kammer.

In der Mittelachse des Gebäudes lag die Haupttreppe, welche von Knaben und Mädchen gemeinschaftlich benutzt wurde und aus einem Vorraum des Erdgeschosses in den ersten Stock führte.

Der die beiden Lehrzimmer trennende Flur ("Lauben") diente zeitweise als Theater oder Scena di comedia zum Spielen für Knaben und Mädchen, um dieselben im Reden zu üben und sie zugleich beherzt und erfreut zu machen.

Angrenzend an das Schulzimmer war noch ein kleinerer Raum für den Unterricht in der "Buchhalterey" bestimmt; derselbe enthielt einen grofsen in schwarzer Ölfarbe gestrichenen Tisch, an welchem die bereits schreibkundigen Schulkinder und Kostgänger im Buchhalten unterwiesen wurden; ferner war ein Bücherkasten zur Aufnahme der nötigen Lehrmittel vorhanden.

Beim Unterricht in der Buchhaltung für Mädchen hatte die Schullehrerfrau anwesend zu sein.

War die Schülerzahl geringer als 128, so genügten bei Annahme eines schmäleren Mittelganges 4 bis 6 Tische.

Auch konnte man zur Winterszeit und bei geringerer Schülerzahl die Zimmer gegen den Ofen hin durch eine vollständige hölzerne Trennungswand verkleinern, die dann im Sommer wieder entfernt wurde.

An Feiertagen fanden auch Übungen im Freien statt, woran FURTTENBACH folgende Bemerkungen knüpft:

"Es befinden sich aber noch wol auch scharpffsinnige Teutsche Schulmeister / welche noch vber hievornen erzehlte Exercitien / jhren schon zum theil wol erwachsenen Knaben / etwan zu Feyrtags-

zeiten / Kurtzweil machen / sie in das liebliche Feld
hinaufsführen / damit sie jhre in der Schulstuben
erlernte Arithmeticam im Werk selbsten anbringen /
hierdurch die Geometriam, Planimetriam vnd Geo-
graphiam zu erlernen / welches dann bey den Teutschen
Schulen eben sowol zu ergreiffen ist / ja noch vber
das / so haben sich mannichmal vnverdrossene Teutsche Schulmeister vnderfangen die Architecturam
Militarem oder das Kriegs-Gehäw zu exercieren, zu
welchem ende so müssen Nothwendigkeit halber / vnder-
schidliche Instrumenten / ernannte freye Künsten
darmit zu üben in Bereitschafft ligen / welche Instrumenten nun / sampt den Meſsruthen / Sail Häspel /
vnd dergleichen zugehörungen / gar täglich ob dem
Büchergestell in der vilbesagten Buchhalterey auff-
behalten / alsdann vnd wann mans bedarff in das
Feld getragen werden."

Während die beiden Lehrzimmer im ersten Stock lagen,
war das Erdgeschoſs für beide Schullehrer in zwei symmetrisch
gleiche Wohnungen unterteilt.

Diese Wohnungen bestanden je aus einem Flur, einer
Küche, einer Speisekammer, einer (täglichen) Wohnstube,
drei Kammern für die Hausfrau und Kinder, einer stillen
Stube, einer Mägdekammer, einem Vorratsraum, einem
Holzgelasse und einem Sekrete. Sämtliche Räume waren
von einem Mittelgange zugänglich, der sein Licht von der
Stirnseite des Hauses erhielt.

Ein Teil des Hauses war unterkellert und durch eine
eigene Treppe zugänglich gemacht.

Für Kostgänger waren 4 Stuben zu je 3 Betten
vorhanden, es fanden somit 12 Knaben und ebensoviele Mädchen Aufnahme in Kost und Wohnung.

Bezüglich der Wahl geeigneter Schullehrer und bezüglich
des Zweckes des Unterrichts lassen wir zum Schlusse noch
FURTTENBACH sprechen:

„Es will demnach auch an deme gelegen seyn/

als hievornen vernommen / ein fleifsig: vnver-
drofsenen Schulmeister zu erwehlen / welcher
vornemblich die Kinder in Gottesforcht vnder-
richtet / beneben sowol das Lesen / Schreiben
vnd Rechnen bald zu ergreiffen jhnen einbilden
kan / damit sie ohne Versaumung grosser Zeit /
widerumben aufs der Schul genommen / als dann
zu ehrlichen Handwerkern / Item zu Handel vnd
Gewerbs-Geschäfften / Ingleichen vnd also noch .
in jhrer blüenden Jugend / in ferne Länder /
andere Sprachen zu erlernen geschickt / vnd endlich wann sie wider heimb kommen zu nutzlichen
Verrichtungen / abermahlen der Posteritet zum
besten / können gebraucht werden."

Aus Versammlungen und Vereinen.

Die Gesundheitspflege in der Schule.

Von

Dr. med. A. CLASSEN
in Hamburg.

Im Verein für öffentliche Gesundheitspflege zu Hamburg
hielt am 3. März Herr Dr. med. CLASSEN einen Vortrag über
„die Gesundheitspflege in der Schule". Deutschland,
so führte der Redner nach dem „Hbg. Corr." aus, kann mit
Recht auf den Zustand seines Schulwesens stolz sein, dessen
Ausbreitung und Durchführung ihm den ersten Platz unter
den Nationen der Welt verschafft hat. Zum grofsen Teile
beruht unsre Wehrhaftigkeit auf der Schulbildung. Obwohl
wir aber im grofsen und ganzen anerkennen müssen, dafs die
physische Kraft des heranwachsenden Geschlechtes durch den
Besuch der Schule nicht vermindert wird, so sind dennoch in

den letzten Dezennien zahlreiche Klagen über die Zunahme
der sogenannten Schulkrankheiten erhoben. Manche Schriftsteller, wie namentlich Dr. Bock in einer im Jahre 1871 erschienenen Broschüre über die Pflege der körperlichen und
geistigen Gesundheit in der Schule, gehen sogar so weit, dafs
sie fast alle Schwächen, Gebrechen und Krankheiten der
Kinder als eine Folge des modernen Unterrichts ansehen.
Als solche Schulkrankheiten werden besonders genannt: die
Schwindsucht, das Schiefwerden durch Krümmung der Wirbelsäule (Skoliose), die Kurzsichtigkeit und die ansteckenden
Krankheiten, wie Masern, Scharlach und Diphtherie. Die
Schwächung des Körpers sowie des Verstandes und des Ge-
dächtnisses wird auf die geistige Überbürdung mit Lehrstoffen
zurückgeführt.

Es ist nicht zu leugnen, dafs diesen Beschwerden etwas
Wahres zu Grunde liegt, und es ist anzuerkennen, dafs zur
Abhilfe dieser Übelstände wichtige Mafsregeln, namentlich auch
in Hamburg für die hygienische Einrichtung der Schulhäuser,
der Turnplätze u. dergl. getroffen worden sind. Bis auf die
Neuzeit liefs die Luft in den Schulzimmern Vieles zu wünschen
übrig, dieselbe war oft ein günstiges Medium für den Tuberkel-
Bacillus, und manches Kind mag die Keime der Schwindsucht
in der schlecht geheizten und ventilierten Schule in sich aufgenommen haben. Der Redner entwickelte sodann die Prinzipien der Ventilation und Heizung und erklärte die Öfen für
die besten, durch welche ein möglichst vollkommener Wechsel
der warmen und kalten Luft bewirkt wird, wie solches u. a.
durch die Patentöfen des Friedhofdirektors Cordes in Ohlsdorf
bei Hamburg geschieht. Die Wirkung der Heizung hängt jedoch wesentlich von der praktischen Handhabung derselben ab,
weshalb auch die Frage über die Vorzüge der Zentral- und
Spezial-Heizung in verschiedener Art beantwortet wird.

Die Schwindsucht ist besonders gefährlich für die von
Geburt an schwachen Kinder, namentlich wenn dieselben bei
ungenügender Pflege und Ernährung heranwachsen. Dasselbe
gilt von der Verkrümmung des Rückgrats während der Wachs-

bis zum 15. Lebensjahre, in der sich selbst gesunde
zur Skoliose neigen.

der unleugbaren Thatsache, daſs in den oberen
besonders der höheren Unterrichts-Anstalten eine
Anzahl von Kurzsichtigen gefunden wird, hat man
, daſs die Myopie durch die Teilnahme am Schul-
t hervorgerufen und verschlimmert wird. Diese Be-
; ist jedoch nur in solchen Fällen begründet, in denen
en bei schlechter Beleuchtung und in übermäſsigem
enutzt werden. An sich beruht die Kurzsichtigkeit
Gesetzen der Entwickelung des Auges, und ein kurz-
Auge ist deswegen noch nicht krank, weil es kurz-
t, wenn es sich übrigens in normaler Entwickelung
blichen Anlage gebildet hat. Krank kann man ein
Auge nur dann nennen, wenn eine fortschreitende Ver-
seiner Häute stattfindet.

Verbreitung ansteckender Krankheiten durch den
uch bildet seit einiger Zeit den Gegenstand eingehender
lungen der hygienischen Vereine und der Sanitäts-
vieler Länder. In Preuſsen und Sachsen neigt man
dem Erlasse strenger Vorschriften über den Ausschluſs
Schüler oder solcher, deren Geschwister erkrankt sind,
ulbesuch während kürzerer oder längerer Zeit; auch
. Instruktionen für die Lehrer, um die Ansteckung der
end thunlichst zu verhindern, in Vorschlag gebracht.
ch die Frage noch nicht definitiv gelöst ist, ob die
itskeime durch die Kleider gesunder Mittelspersonen
t werden können, so muſs man die Resultate der wissen-
hen Forschungen abwarten, bevor allgemeine Vor-
über diesen Gegenstand erlassen werden. Selbstver-
sind jedoch die an epidemischen und kontagiösen
iten leidenden Schüler von dem Besuche der Schulen
liefsen, obwohl dieselben ihre Krankheiten auch auf
lfe auf ihre Gespielen übertragen können.

Vorhandensein der geistigen Überbürdung ist be-
bei schlecht genährten Schulkindern bemerkbar, welche

11*

mit Kopfweh, Mattigkeit und Übelkeit aus der Schule kommen. In Hamburg sind solche Fälle seit der Einführung der ungeteilten Schulzeit unter den Volksschülern häufiger konstatiert worden. In den höheren Schulen liegt die Gefahr der Überbürdung in der Erweiterung der Lehrstoffe, welche die alten und neueren Sprachen, die Mathematik und die Naturwissenschaften umfassen sollen. Um dieser Belastung der Geisteskräfte entgegenzuwirken, ist die Anwendung richtiger philosophischer Prinzipien auf die Pädagogik erforderlich. Oberflächlich ist die von England aus in Deutschland zur Herrschaft gelangte Anschauung, daß Alles nur für den praktischen Gebrauch gelernt werden soll, und daß wir nur durch die sinnliche Erfahrung zum Wissen gelangen. Das Griechische und Lateinische wird deshalb gegenüber den Naturwissenschaften häufig gering geschätzt. Dagegen ist die von Kant begründete Richtung zur Geltung zu bringen, daß die Fähigkeit der geistigen Aneignung angeboren ist und geübt und entwickelt werden muß, was durch den Unterricht in einigen Fächern, namentlich in den alten Sprachen und der Grammatik so geschehen kann, daß sich auch andre Stoffe leicht auffassen lassen. In diesem Prinzip liegt die Möglichkeit des Erfolges der neuerdings angestrebten Einheitsschule.

Als Gegenmittel gegen die sogenannten Schulkrankheiten empfahl Dr. CLASSEN die Bewegung in frischer Luft, die Gymnastik, das Baden und vor allem eine genügende Ernährung der Schuljugend und schloß seinen anregenden Vortrag mit dem Hinweise auf die in Hamburg errichteten Volksküchen für Kinder, die Ferien-Kolonien des wohlthätigen Schulvereins und die hochherzige Stiftung des Herrn R. M. Sloman, welcher auf seinem Gute am Seienter See eine größere Zahl von schwächlichen Schülerinnen aufnehmen und verpflegen lassen will; die Anmeldungen zu diesem Sanatorium haben jedoch wegen ihrer enormen Anzahl bereits geschlossen werden müssen.

Kleinere Mitteilungen.

Wilhelm und das Turnen. Wenn irgend ein Monarch,
Wilhelm den hohen Wert und die hervorragende Be-
Turnens zu schätzen gewußt. In seiner Jugend zeichnete
durch eine nicht geringe körperliche Gewandtheit aus;
Weitspringen leistete er Bedeutendes, wie er selbst gele-
b. Sehr oft pflegte er die Königliche Zentralturnanstalt
esuchen und hierbei jedesmal sein lebhaftes Interesse für
zu zeigen. Zwei Strafsen Berlins, die Jahn- und Friesen-
r auch nach grofsen Turnern benennen lassen. Noch vor
rwiderte er einen telegraphischen Festgrufs des VI. allge-
hen Turntages in Dresden mit herzlichstem Danke und
, „dafs die deutsche Turnkunst als eine bildende Pflanz-
Wehrhaftigkeit der Nation in ihrer Entwickelung auch
fortschreiten möge."

gen der Studenten in Gröningen sind von H. Kremer
n, welcher in seiner Dissertation darüber Bericht erstattet,
von den 660 Augen der 330 untersuchten Studenten 178
kurzsichtig, während von den 330 Studenten sich 105 oder
isch erwiesen.

en 158 Medizinern befauden sich 25,32 % Myopische,

86 Juristen	„	„	30,23 %	„
42 Philosophen	„	„	40,48 %	„
30 Litteratoren	„	„	46,67 %	„
14 Theologen	„	„	57,14 %	„

also mehr als ein Viertel aller Gröninger Studenten kurz-
übereinstimmt, dafs durch frühere Untersuchungen in
%, in Leyden 28,22 % myopische Studierende festgestellt
liche Verhältnisse hat H. Cohn bekanntlich bei den Stu-
gefunden.

en auf Schulhöfen. Dem „Hbg. Corr." wird aus München
Auch in diesem Winter hat die städtische Verwaltung zu
städtische Kosten an sämtlichen Volksschulgebäuden, wo
befinden, Eisbahnen für die schlittschuhlaufenden Kinder
lichen Benutzung hergestellt und unterhalten. Es wäre
hen, dafs dieses Beispiel auch anderwärts vielfache Nach-
. Wird doch von vielen Orten mit Recht Klage geführt,
ndenen Eisflächen von Einzelnen oder Vereinigungen mit
gt werden und nur gegen oft gar nicht unbeträchtliche

156

Eintrittsgelder der bewegungslustigen und luftbedürftigen Jugend zur
Benutzung freistehen. Mit Recht erheben sich mehr und mehr Stimmen
dafür, die Eisfreuden auch einer weniger begüterten Minderheit zugänglich zu machen. Darum schaffe man auch für die unbemittelte
Jugend Raum und Gelegenheit zum fröhlichen Tummeln auf dem Eise!

Tagesgeschichtliches.

Der V. Kongress polnischer Ärzte und Naturforscher soll
Ende Mai d. J. in Lemberg stattfinden. Mit demselben wird eine hygie-
nisch-ärztliche und didaktisch-naturwissenschaftliche Ausstellung verbunden sein.

Heim für arme kränkliche Schulkinder in Leipzig. Der
kürzlich verstorbene Geheime Medizinalrat Professor Dr. WAGNER in
Leipzig hat dem Verein für Ferienkolonien daselbst die Summe von
30000 Mark mit der Bestimmung hinterlassen, dieselbe zur Gründung
eines Heims für bedürftige kränkliche Schulkinder der Stadt zu verwenden.

Spiel- und Turnplätze in Berlin. Der Etatsausschuß der Stadt-
verordneten-Versammlung in Berlin hat in seiner Sitzung vom 24. März
d. J. den Antrag des Stadtverordneten Dr. IRMER, in verschiedenen
Stadtteilen Spiel- und Turnplätze einzurichten, mit einer geringen Modi-
fikation angenommen. Danach soll dem Magistrate anheimgegeben werden,
in dem Etatsjahre 1888/89 an verschiedenen Stellen der Stadt Spielplätze
anzulegen, welche eventuell auch als Turnplätze Verwendung finden
könnten.

**Unterricht in der Gesundheitspflege an weiblichen Fort-
bildungsschulen.** Die Fortbildungsschulkommission der schweizerischen
gemeinnützigen Gesellschaft hat ein Zirkular mit der Aufforderung zur
Gründung weiblicher Fortbildungsschulen erlassen. In diesen Schulen
soll neben Haushaltungskunde auch Gesundheitspflege gelehrt werden.

**Anzeige von Infektionskrankheiten in Häusern, in welchen
sich Schulen befinden.** Wie die „Bresl. ärztl. Zeitschr." mitteilt, hat
die Sektion für öffentliche Gesundheitspflege der schlesischen Gesellschaft
für vaterländische Kultur in Breslau allen dortigen Ärzten ein Rundschreiben zugesandt, in welchem dieselben ersucht werden, Fälle von
Scharlach und Diphtheritis in Häusern, in welchen sich Schulen befinden,
sofort dem zuständigen Polizei-Physikus schriftlich anzuzeigen. Die
Sektion hat dabei die Hoffnung ausgesprochen, daß im Interesse der
öffentlichen Gesundheitspflege jeder Arzt diesem Ersuchen Folge leisten
werde.

Amtliche Verfügungen.

**Empfehlung der Zeitschrift für Schulgesundheitspflege durch
die Kgl. Regierung in Arnsberg.** Die Königliche Regierung in Arnsberg, Abteilung für das Kirchen- und Schulwesen hat unter dem 7. April
d. J. an sämtliche Kreisschulinspektoren ihres Bezirkes das nachfolgende
Schreiben erlassen: „Euer p. p. machen wir hiermit auf die in der
Verlagsbuchhandlung von Leopold Voss in Hamburg erschienene Zeitschrift für Schulgesundheitspflege aufmerksam mit dem Bemerken,
daß sich dieselbe zur Anschaffung für Lehrer-Bibliotheken und Lehrer-
Lesezirkel eignet. (Gez.) Lucanus."

Gutachten über die Anstellung von Schulärzten. Der preußische
Minister der geistlichen, Unterrichts- und Medizinal-Angelegenheiten, Herr
von Gossler, hat die sämtlichen Königlichen Regierungen zu einem
Gutachten über die Anstellung von Schulärzten aufgefordert.

Überwachung der Diphtheritis. Bei dem häufigen Vorkommen
der Diphtheritis im Regierungsbezirk Stralsund und der großen Zahl
der durch diese Krankheit hervorgerufenen Todesfälle hat der dortige
Regierungspräsident den ihm unterstellten Polizeibehörden am 6. März
v. J. eine Reihe bereits früher erteilter Anweisungen in Erinnerung gebracht. Die wichtigsten derselben gehen dahin:
1. Für die Zeit des Herrschens der Diphtheritis bei Erkrankungen von
   Kindern an Schmerzen und Beschwerden im Halse möglichst schnell
   für ärztliche Hilfe zu sorgen,
2. Kindern, die mit Diphtheritis behaftet sind, sowie Kindern aus
   Familien, in denen ein oder das andre Mitglied an der Diphtheritis
   leidet, den Schulbesuch zu versagen,
3. Leichen von an Diphtheritis Gestorbenen nicht in offenen Särgen
   zur Schau zu stellen, sowie die Särge nicht auf Kirchhöfen oder in
   Kirchen wieder zu öffnen, auch Versammlungen, besonders von
   Kindern, im Hause an Diphtheritis Gestorbener nicht zu dulden und
4. die infizierten Wohnungen sorgfältig zu desinfizieren.

**Eine die Ausbreitung ansteckender Krankheiten durch die
Schule betreffende Verfügung** hat die Kgl. preußische Regierung
zu Düsseldorf erlassen. In derselben wird darauf hingewiesen, daß
nicht selten Fälle von so leichten infektiösen Erkrankungen vorkommen,
daß dieselben weder von den Eltern, noch von den Kindern selbst beachtet werden. Trotzdem können durch Übertragung der Krankheitskeime auf andre, welche zur Entwickelung derselben in höherem Grade
geneigt sind, oft die allerschwersten Erkrankungen entstehen. Die Kgl.

Regierung fordert daher die Lehrer, Schulvorsteher u. s. w. auf, der Gesundheit der Kinder erhöhte Aufmerksamkeit zuzuwenden und solche, welche im Verdachte stehen, an ansteckenden Krankheiten zu leiden, von der Schule auszuschliefsen. Diese Aufmerksamkeit hat sich im allgemeinen zu erstrecken auf jede Veränderung im ganzen Wesen des Kindes, eine sonst nicht wahrgenommene und auf andre Gründe nicht zurückzuführende Müdigkeit, Unlust und Unaufmerksamkeit, auf Frösteln oder Hitze, Kopf-, Rücken- oder Gliederschmerzen. Besonders sei zu achten bei Cholera, Ruhr oder Unterleibstyphus auf leichtere Durchfälle oder Magenbeschwerden, bei Scharlach und Diphtherie, wenn sie als Volkskrankheiten auftreten, auf Schlingbeschwerden oder Halsschmerzen, bei Masern auf Hüsteln, Schnupfen, Niesen, Lichtscheu, Thränen u. s. w., bei allen Ausschlagskrankheiten auf Flecken an sichtbaren Körperstellen. Ein Kind, an welchem solche Erscheinungen wahrgenommen werden, soll für einige Tage, unter Mitteilung der Gründe an die Eltern, vom Schulbesuche ferngehalten und nur mit ärztlicher Genehmigung, welche zu bescheinigen ist, zu demselben wieder zugelassen werden.

Ein jeder Hygieniker wird dieser Verordnung vollen Beifall zollen und nur bedauern, dafs unter den obwaltenden Verhältnissen die Beurteilung von Krankheitssymptomen nicht besonderen Schulärzten, sondern den Lehrern anvertraut ist.

Personalien.

Unser Mitarbeiter, Herr Prof. Dr. Erismann, hat die Leitung der Abteilung für Schulhygiene auf der Ausstellung in Moskau vom 25. März bis 1. Mai d. J. übernommen.

Herr Erziehungsdirektor Regierungsrat Dr. jur. Gobat in Bern hat sich zur Mitwirkung an unsrer Zeitschrift bereit erklärt.

Der Direktor der Königlichen öffentlichen Turnanstalt in München Scheibmaier feierte am 19. März d. J. seinen siebenzigsten Geburtstag.

In Leipzig verstarb am 13. März der durch seine Arbeiten über Skoliose und Orthopädie bekannte Docent an der dortigen Universität Dr. C. H. Schildbach, 65 Jahre alt.

Litteratur.

Besprechungen.

Dr. Hugo Magnus, a. ö. Professor der Augenheilkunde an der Universität zu Breslau. **Die Jugend-Blindheit.** Klinisch-statistische Studien über die in den ersten 20 Lebensjahren auftretenden Blindheitsformen. Mit 12 Farb.-Taf. u. 10 Abbildg. im Text. Wiesbaden 1886, J. F. Bergmann. (148 S. gr. 8.)

Das Material zu dieser überaus fleifsigen Arbeit des bekannten Verfassers wurde durch eifrige Nachfragen in 64 europäischen Blinden-Unterrichts-Anstalten gesammelt. Es ist selbstverständlich, dafs die Ursachen der meisten in diesen Instituten aufgestapelten Erblindungen aus dem vorschulpflichtigen Alter stammen, da Kinder, welche nach dem 10. Jahre ihr Augenlicht verlieren, wohl nicht häufig in solchen Erziehungsanstalten untergebracht werden.

Ein Referat mit Rücksicht auf den schulhygienischen Teil des Buches κατ' ἐξοχήν zu liefern, geht daher nicht gut an, und trotzdem scheint es uns notwendig, auch an dieser Stelle der vorzüglichen Arbeit besondere Erwähnung zu thun. Sicher ist, dafs jedes Lebensalter eine relative Erblindungsgefahr bietet, doch ist, wie auch aus der Arbeit von Magnus hervorgeht, diese Gefahr vom 1. Jahr an in stetiger Abnahme, und dürfte in dem schulpflichtigen Alter durch die Schäden der Schule im ganzen eher die Anlage zu späteren Erblindungen vorgebildet, als direkte Erblindung hervorgerufen werden. Die Erblindungsgefahr im schulpflichtigen Alter, das ist vom 7. bis 15., respektive 20. Lebensjahre, ist relativ eine geringere, als vor diesem Alter. Im mittleren Lebensalter ist das Auge allen Einflüssen der Beschäftigung und den Gefahren derselben ausgesetzt und erblindet daher leichter. Im höheren Alter endlich unterliegt es wieder der stets zunehmenden Anzahl von senilen Augen-Erkrankungen.

Nachdem wir diese allgemeinen Bemerkungen vorausgeschickt, wollen wir erwähnen, dafs der Autor, welcher 3204 Fälle doppelseitiger Jugendblindheit in einer General-Tabelle zusammenstellt, angeborene Erblindung in 17,19 %, idiopathische Erkrankungen der Augen in 33,08 %, Verletzungen derselben in 8,15 %, Allgemeinerkrankungen in 33,17 % als Ursachen der Jugendblindheit konstatieren konnte und dafs bei 8,40 % keine Ursache sich auffinden liefs.

Es ist nicht möglich, an diesem Orte in die Details der einzelnen Kapitel einzugehen, wir wollen nur hinweisen auf die interessanten Zusammenstellungen über die durch Blutsverwandtschaft der Eltern entstandenen Erblindungen, auf die kongenitale Belastung ohne Heredität und Blutsverwandtschaft, auf die angeborene Amaurose in ihrer Beziehung zu gewissen ethnologischen Verhältnissen. Dafs Magnus die Hauptursache der Jugendblindheit, die Blennorrhoea neonatorum, ausführlich bespricht, ist wohl selbstverständlich; wenn er bei aller Anerkennung der Vortrefflichkeit der Credéschen Methode dieselbe doch nicht als einzige prophylaktische Mafsregel den Ärzten staatlich vorgeschrieben wissen will, so entspricht dies ganz unserer Ansicht, indem man einem gebildeten Arzte und Praktiker unmöglich eine bestimmte, zudem vielleicht noch

160

von einer andren neueren Methode einst übertroffene Behandlungsart anempfehlen kann.

Besonders interessant sind des Verfassers Bemerkungen über die Komplikation von Sehnervenatrophie mit Turmschädel u. s. w.

Wir müssen zum Schlusse noch erwähnen, daß der Verfasser sehr übersichtliche graphische Darstellungen in Farben über die Verteilung der wichtigsten Erblindungsursachen in den Blinden-Anstalten Deutschlands und Oesterreich-Ungarns, sowie über die Formen der Jugendblindheit in Europa und in einzelnen Staaten Europas liefert und können nach allem Gesagten die Lektüre der geistvollen Arbeit von Magnus nur wärmstens empfehlen.

Primararzt Dr. H. Adler in Wien.

Med. u. Chir. Dr. Josef Rychna, Hausarzt des K. K. Theresianischen adeligen Damenstiftes am Hradschin. **Über Schüler-Epidemien.** Beobachtungsresultate nebst Vorschlägen zur Verhütung und Verhinderung der Weiterverbreitung derselben. Mit 5 Tabell. u. 1 Karte. Prag 1887. H. Dominicus (70 S. 8°).

Der Verfasser hat 10 Jahre umfassende Notizen über Epidemien, die er in seinem früheren Wirkungskreise als Gemeindearzt in 20 Ortschaften Böhmens gesammelt, publiziert. Seine Beobachtungen erstreckten sich auf Masern-, Keuchhusten-, Scharlach-, Blattern-, Varicellen- und Parotitis-Epidemien, die sämtlich durch den Schulbesuch kranker Kinder entstanden waren. Um ein Gesamtbild der Schüler-Epidemien zu geben, hat er einige wenige Angaben über Typhus, Diphtheritis, Röteln u. s. w. einbezogen.

Die Schrift ist voll von höchst interessanten einzelnen Beobachtungen in betreff der Entstehung und Verbreitung der epidemischen Krankheiten in den Schulen und gibt eine ganze Reihe von belehrenden Aufschlüssen, die teils auf diesen Beobachtungen, teils aber auch auf wissenschaftlichen Daten beruhen, welche den Schriften derjenigen Autoren entnommen sind, die über Schüler-Epidemien geschrieben haben. Endlich, außer den Angaben über die Ätiologie, enthält die Arbeit empfehlenswerte Schlußbetrachtungen, sowie Maßregeln a) zur Verhütung der Einschleppung der akuten, allgemeinen Infektionskrankheiten in die Schule, b) beim Ausbruche derselben im Schulhause und c) beim Ausbruche derselben unter den Schülern.

Zeit und Raum verhindern uns, auf die Einzelheiten der Schrift einzugehen; bemerken wir nur, daß als Besonderheit derselben erscheint ihre zu große Strenge in bezug auf die Prophylaxe.

„Wenn ein Kind, mit Rubeola behaftet, die Schule besucht hat, ... so sollte die Schule 3 Wochen geschlossen bleiben." „Wird konstatiert, daß ein Masernkranker im Prodromalstadium die Schule besucht hatte, ...

e Schule auf 14 Tage geschlossen werden." „Wenn in einer
uch nur ein Cholerafall konstatiert wird, so ist der Schul-
diesem Orte zu untersagen." „Erkrankt ein Schulkind an
und wird konstatiert, dafs es während des ersten Stadiums die
cht hatte, so mufs die Schule 10 Tage geschlossen bleiben . . . ."
ich die Theorie gegen solche Mafsregeln nichts einzuwenden
man doch bemerken, dafs die Praxis des Schullebens schwer-
olchen Strenge beistimmen wird, besonders da in den oben-
Fällen die Desinfektion und die Isolierung der Kranken ge-
obeinen zum Schutze der gesunden Schüler vor Erkrankungen.
Strenge der Mafsregeln könnte das Zutrauen zur Hygiene
rifs nicht wünschenswert wäre — erschüttern.

Staatsrat Dr. med. A. WIRENIUS in St. Petersburg.

LIMANN, Arzt und Erziehungsrat in Unterägeri. Über Gesund-
lege an unsern Volksschulen. Eine populäre, hygienische
ung der Schulverhältnisse des Kanton Zug. Zug 1887.
.. BLUNTSCHLI (51 S. 8º 3 Taf.).
erfasser hielt 1883 auf der kantonalen Lehrerkonferenz einen
ber die Beziehungen der Volksschule zur Gesundheit unsrer
Im Anschlufs daran sprach die Konferenz den Wunsch aus,
ischen Verhältnisse an den Primarschulen möchten einer ge-
ersuchung unterworfen werden. Das vorliegende Schriftchen
Resultate derselben. Der 1. Teil bespricht die Beziehungen
olksgesundheit und Volksbildung, den Gesundheitszustand der
 Eintritt in die Schulen und die sogenannten Schulkrankheiten.
l, wo die Volkskraft, respektive Volksgesundheit abnimmt,
ach der Bildungsgrad des Volkes und die Bildungsfähigkeit
end ab. Die Schule darf aber nicht allein für die vielen Ge-
nd Leiden verantwortlich gemacht werden, welche die von
geschwächten Schulkinder im Verlaufe der Schuljahre befallen.
as Getriebe des heutigen Volkslebens hineinschaut, wer beob-
 das Kind von Jugend auf unrichtig gepflegt, irrationell ge-
 Hause mangelhaft überwacht wird, der wird sich nicht
wenn die Kinder den Stempel der körperlichen Schwäche an
l, und die Bemühungen der Lehrerschaft an den mangelhaft
en skrophulösen Kleinen Schiffbruch leiden."
den Zustand der Jugend beim Eintritt in die Schule
.... berichtet: Ernährungszustand und geistige Fähigkeiten
allgemeinen wenig zu wünschen übrig. Gewicht und Körper-
trafen die gewöhnlichen Durchschnittszahlen um 1,5 kg. und
6 unter 500 Schülern hätten ihrer geringen körperlichen Ent-
wegen vom Schulbesuch dispensiert werden müssen. Die Er-

hebungen der Lehrer ergaben, daſs viele sogenannte „Klassensitzer" aus
der Armee der körperlich Schwachen und Unreifen stammten. 33 %
aller Neueintretenden waren mehr oder minder skrophulös,
ein Umstand, der auf bedeutende Mängel in der Kinderpflege hinweist.
„Die kräftigste Ernährung mit Milch kommt eben nur da zur vollen
Geltung, wo Reinlichkeit und gesunde Luft in Wohn- und Schlafräumen
zu finden sind." Kropfanschwellungen wurden bei 26 % festgestellt,
„also zu einer Zeit, wo von einem Einfluſs der Schule noch nicht gesprochen werden kann." Rückgratsverkrümmungen fanden sich
bei etwa 3 %. Es handelte sich meistens um die Folgen vorausgegangener
rhachitischer Prozesse. Hornhauttrübungen waren als Folgen der
Skrophulose wahrzunehmen. Kurzsichtigkeit konnte bei 4 % festgestellt werden. Ohrenerkrankungen waren häufiger zu finden. Die
Gefährlichkeit chronischer Ohreneiterung schien wenig bekannt zu sein.

Bei Besprechung der eigentlichen Schulkrankheiten ist das folgende
Geständnis des Verfassers von Wert: „Wir haben beim Studium unsres
Untersuchungsmaterials die Überzeugung gewonnen, daſs die Schule die
Entwickelung des kindlichen Organismus nicht in dem Maſse ungünstig
beeinfluſst, wie allgemein angenommen wird. Vielfach sind die Verhältnisse in unsern Schulen günstiger als zu Hause, und für manche Kinder
bilden die Schulstunden eine wahre Erlösung aus den denkbar schlimmsten
Verhältnissen." Ernährungsstörungen zeigen sich häufig gegen Ende
des Schuljahres und verschwinden vielfach in den Ferien. Zirkulationsstörungen (Blutandrang nach dem Kopfe, Kopfschmerzen, Nasenbluten)
sind bei Mädchen öfter vorhanden als bei Knaben und ebenso wie nervöse Störungen (Aufregungs- und Ermüdungszustände) besonders in
den letzten Schuljahren zu finden. Der Schulkropf steigt bis 44 %
in der 6. Klasse; in der Stadtschule von Zug sogar bis zu 56 %. Die
Behinderung des Blutabflusses aus den Halsvenen, hervorgerufen durch
schlechte Körperhaltung und enganschlieſsende Hemdkragen, ist die Ursache dieser Erscheinung. Die Zahl der Rückgratsverkrümmungen
steigt auf 15 % bei Knaben, auf 22 % bei Mädchen. Den hauptsächlichsten Anstoſs dazu geben die zum Teil schlechten Schulbänke mit
ihrer bedeutenden Plusdistanz. Kurzsichtige finden sich in der Ober-
klasse 26 %, gegen 3,5 bis 5,7 % in den unteren 5 Klassen.

Der 2. Teil der Arbeit bespricht die Schulhäuser und Schulzimmer. Wir finden beherzigenswerte Winke über die Lage des Schulhauses (S. oder SO.), über den Bau und die Einrichtung desselben. Der
Luftraum für jedes Kind (normal 4 cbm) schwankte in den Zuger Schulen
zwischen 1,7 und 6 cbm; das Verhältnis der Fenster zur Bodenfläche
war 1 : 4 bis 11; der Kohlensäuregehalt der Luft betrug vor den Unterrichtsstunden zwischen 0,55 und 3,3 %, nach Schluſs derselben zwischen
1,6 und 5 %. „An der Kohlensäureüberladung einzelner Schulzimmer ist

hafte Öffnen der Fenster nach Schluſs und vor Beginn des
Schuld.“

Teil bespricht das Schulmobiliar und die Lehrmittel
Druck und Ausstattung der Schulbücher, Schulbänke); der
Turnen, die Kleidung und Reiulichkeit der Kinder, sowie
rung armer Schulkinder; ferner sind in demselben hy-
Vorschläge enthalten, welche den Schuleintritt und die
methode betreffen.

reuden ist es zu begrüſsen, daſs das Zuger Lesebuch für die
einen Anhang über Gesundheitspflege besitzt. Eine
nrichtung wäre gewiſs auch an andern Orten wünschenswert.
leine anspruchslose Schriftchen ist allen Schulbehörden und
gelegentlichst zu empfehlen. Es enthält eine Reihe prak-
ke, die sich — was hoch zu schätzen ist — auf genaue
ungen gründen, und welche darzuthun geeignet sind, daſs
ig auf hygienische Einrichtung der Schulen manches, ja vieles
n Kosten erreichen läſst.

Lehrer W. SIEGERT in Berlin.

ruxelles. Rapport fait au Conseil Communal etc. Bruxelles,
228 S. u. 1 Tab. 8°.)
em hygienisch vielfach interessanten Bericht der städtischen
Brüssels seien die folgenden Daten hervorgehoben.
men 146 Beurlaubungen der 166 Lehrer vor (88%), 451 der
innen (129,6%). Von der Summe der Beurlaubungen sind
asen 239 Verlängerungen abzurechnen, wodurch die Zahl der
alber eingetretenen Verhinderungen der Lehrpersonen auf
rt wird. Den Löwenanteil haben, wie in den vorhergehenden
mkheiten der Luftwege.
chulkinder im Alter von über 10 Jahren (ihre Totalsumme
iach der vorliegenden Anordnung der Statistik nicht rekon-
aher auch das bezügliche Prozent nicht angeben) wurden zur
on eingeladen; 987 bekamen hierzu die elterliche Erlaubnis und
icciniert. Tierische Lymphe, geliefert vom staatlichen Zentral-
Lympherzeugung, wurde ausschlieſslich angewendet und gab
nen sehr gute Resultate.
ihtlich der sanitären Schulinspektion anerkennt der Bericht
h den Eifer und die Hingebung, welche die Schulärzte bei
ng dieses wichtigen ihnen anvertrauten Amtes entwickelten.[1]

ind die Herren Doktoren DANTZ, DESTRÉE, HINSSEN, HUART,
Br. MOULIN, ROUSSEAU, TOURNAY und Zahnarzt BON. Sie in-
i gansen 37 städtische Anstalten (Kindergärten, Volksschulen,
m)

Die Inspektionsbesuche werden regelmäfsig jede Dekade vorgenommen. Die Monatsberichte dieser Ärzte an die Verwaltung haben wichtige Assanierungsarbeiten in den Schullokalen zur Folge gehabt, um den Aufenthalt daselbst so gesund als möglich zu machen.

Die Schulärzte und der den Schulen zugeteilte Zahnarzt haben ihre ungezwungenen Belehrungen (conférences familières) der Schulbevölkerung der oberen Volksschulklassen fortgesetzt. (Folgt eine Aufzählung der Themen.) Das Gehörte wurde seitens der Zuhörer in Form von Aufgaben resumiert.

Die präventive Medikation, seit 1875 bestehend und seit dieser Zeit eifrig gehandhabt, weist für 1886/87 folgende Ziffern auf:

behandelte Schulkinder 2045
geheilte Schulkinder.................. 223, d. i. 10,9%
gebesserte Schulkinder................ 1571, d. i. 76,8%
kein Resultat bei .... 43, d. i. 2,1%
Resultat unbekannt bei .... 208, d. i. 10,2%

Die unbekannten Resultate erklären sich aus den zahlreichen Veränderungen der Schulbevölkerung. Der Bericht gibt eine tabellarische Zusammenstellung über die Anwendung der präventiven Medizin in den einzelnen Jahren seit 1875. Im ganzen ist daraus ein Fortschritt in jeder Richtung zu entnehmen.

Die zahnärztliche Behandlung wurde 1877 eingerichtet und gibt zufriedenstellende Resultate. 1886/87 wurden 1178 Kinder behandelt, und zwar an

Knochenhautentzündung (Periostitis)......................... 189
Kiefersperre (étroitesse des mâchoires) und überzähligen Zähnen 393
Zahnschmerz (Odontalgie) .... 443.

Einfache Konsultationen wegen verschiedener Affektionen der Mundhöhle fanden 153 statt.

Infolge ansteckender Krankheiten kamen Schulschliefsungen mit nachfolgender Desinfektion, sowie Beurlaubungen von Lehrpersonen, in deren Familie eine ansteckende Krankheit ausgebrochen war, vor.

Auf Grund der vorzüglichen Ergebnisse des vergangenen Jahres wurden für 3 Volksschulen Ferienkolonien etabliert.

In einer wurde Handfertigkeitsunterricht eingeführt (Kartonage- und Holzarbeiten), geleitet durch eigens ausgebildete Lehrer.

Was die Statistik der Todesfälle unter der Jugend in Brüssel anbetrifft, so starben an:

Blattern: unter 1 Jahr Alte 2; 2—5 Jährige 7; 6—20 Jährige 3;
Typhoidem Fieber: unter 15 Jahr Alte 13; 16—20 Jährige 32;
Krupp und Diphtheritis: unter 1 Jahr Alte 14; 2—5 Jährige 100;
6—15 Jährige 17; 16—20 Jährige 1;

Scharlachfieber (fièvre scarlatine): 2—5 Jährige 8; 6—15
Jährige 1; 16—20 Jährige 1.

Die mittlere Bevölkerung der 18 Volksschulen betrug im Schuljahre
1886/87 9881 Kinder, die Zahl der Einschreibungen 11681. — Als interessantes Detail der Statistik mag schliefslich bemerkt werden, dafs von
den 11681 Kindern 118715,06 frcs. in die Sparkasse eingelegt wurden,
d. h. durchschnittlich etwas über 10 frcs. pro Kopf.

Prof. Dr. L. BURGERSTEIN in Wien.

Bibliographie:

BACH et BOUTROIS. *L'hygiène à l'école*, Paris, 1886.

CORONEL. *De gezondheitsleer der school en van het schoolkind*, Kuilen-
borg, 1885.

DELVAILLE. *Le surmenage intellectuel et les colonies sanitaires de vacances.*
Gaz. méd. de Par., 1887, IV, 493—498.

DOLLMAYR, H. *Das Schreibsitzen und die Schulbank in ihrer heutigen
Form*, Wien, 1886.

Educational exhibits of New-Orleans, I, Washington, 1886.

FIEUZAL. *De l'éclairage artificiel, par le Professeur Hermann Cohn
(Breslau). Traduction.* Bull. de la clinique nation. ophtalm., 1887,
tom. V, No. 3, p. 165.

Für die Praxis und aus derselben. Von einem alten Schulmanne. *1. Schwerhörigkeit. 2. Die Freiviertelstunde.* D. Schulfreund, Trier, 1887,
Hft. 4.

GALEZOWSKI, X. *La rougeole se transmet quelquefois par les yeux à
plusieurs membres de la même famille.* Rec. d'opht., Paris, 1887, 3.
s., IX, 513—515.

HEUSE, E. *Ein Beitrag zur Schulhygiene.* Centralbl. f. allg. Gesndhtspfl.,
Bonn, 1887, VI, 285—289.

JACKMAN, W. *On the condition of the eyesight in village school children.*
Transact. of the ophthalm. soc., 1886/87, VII, 326.

KÖRNER, T. *Über eine schwere Diphtheritis-Epidemie in einer hiesigen
Kleinkinderbewahranstalt.* Jahresber. d. schles. Gesellsch. f. vaterl.
Kult., Breslau, 1887, LXIV, 68.

KREMER, H. *De oogen der studenten.* Inaug.-Dissert., Groningen, 1886.

LAYET, A. *Hygiène des écoles*, Paris, 1886.

LENINBERG, N. *Klinisch-statistische Beiträge zur Myopie*, München
1886.

LÖFFLER, A. *Die sanitären Übelstände in den Mittelschulen in Beziehung
auf die Überbürdung.* Mitt. d. Wien. med. Dokt.-Koll., 1887, XIII,
148—151.

166

Luys, J. *Le cerveau et le surmenage scolaire.* Encéphale, Paris, 1887, VII, 578—587.

Meynert, T. *Die durch die Überbürdung an den Mittelschulen bedingten Nerven- und Geisteskrankheiten.* Mitt. d. Wien. med. Dokt.-Koll., 1887, XIII, 151—156.

Preyer, W. *Naturforschung und Schule.* Wien. med. Presse, 1887, XXVIII, 1324—1328.

Reuss, L. *De l'hygiène dans l'enseignement secondaire au point de vue du corps et de l'esprit de l'enfant.* Ann. d'hyg., Paris, 1887, 3. s., XVIII, 435—458.

Roth, W. E. *Elements of school-hygiene,* London, 1886.

von Schrötter, L. *Die durch die Überbürdung an den Mittelschulen hervorgerufenen Entwicklungsstörungen und Schulkrankheiten.* Mitt. d. Wien. med. Dokt.-Koll., 1887, XIII, 159—164.

Straumann, H. *Über ophthalmoskopischen Befund und Hereditätsverhältnisse bei der Myopie. Beitrag zur Lehre von der Entstehung und dem Wesen derselben.* Inaug.- Dissert., Waldenburg, 1887, Diehl. 8°.

Veszely, K. K. *Zur Genese der Myopie.* Wien. med. Wochenschr., Wien, 1887, XXXV, 1150—1153. XXXVI, 1174.

Bei der Redaktion eingegangene Schriften:

Adam. *Mitteilungen über das neue Schulhaus.* Progr. d. Grofsherzogl. Realgymnas. zu Schwerin, Schwerin, 1886, G. Hilb. Fol.

Hartmann, K. *Der hygienische Unterricht an den technischen Hochschulen.* Vortrag, gehalten auf der VI. Versammlung des Vereins für Gesundheitstechnik zu München im September 1885. 8°.

—, — *Die selbstthätige Regelung von Heizungsanlagen.* Vortrag, gehalten auf der VIII. Versammlung des Vereins für Gesundheitstechnik zu Wien im September 1887, München, R. Oldenbourg. 8°.

Kocher, Th. *Über die Schenksche Schulbank.* Eine klinische Vorlesung über Skoliose. Sep.-Abdr. a. d. Corr.-Bl. f. Schweizer Ärzte, 1887, No. 11.

Monatsblätter, klinische für Augenheilkunde, Jahrg. XXVI, 1888, März, Stuttgart, F. Enke.

Monatsschrift, illustrierte der ärztlichen Polytechnik und Centralblatt der orthopädischen Chirurgie und Mechanik. Internationales Organ für alle das ärztliche und sanitarische Arsenal betreffenden Erfindungen und Mitteilungen, 1888, Hft. 1, Bern, Schmid, Francke & Co. gr. 8°. Fortsetzung folgt.

Druckfehler in No. 4:
S. 126, letzte Zeile: Walter statt Walser.

Verlag v. Leopold Voss in Hamburg u. Leipzig. — Druck v. J. F. Richter in Hamburg.

Zeitschrift für Schulgesundheitspflege.

| I. Jahrgang. | 1888. | No. 6. |

Original-Abhandlungen.

—

Neuere Untersuchungen über den allgemeinen Gesundheitszustand der Schüler und Schülerinnen.

Von

AXEL HERTEL,
kommunaler Kreisarzt in Kopenhagen.

Allseitig wird anerkannt, von wie grofser Bedeutung die zahlreichen Untersuchungen über die Kurzsichtigkeit der Schulkinder gewesen sind. Wir wissen jetzt genau, in welchem Alter die Myopie zu beginnen pflegt, dafs sie in den höheren Schulen mit jeder Klasse zunimmt und mit welchen Mitteln wir sie zu bekämpfen haben. Von noch gröfserem Interesse dürfte es sein, den allgemeinen Gesundheitszustand der Schüler und Schülerinnen kennen zu lernen; die Aufgabe ist aber hier auch eine viel schwierigere.

Als notwendige Bedingung erscheint, dafs die Anzahl der untersuchten Kinder grofs genug sei, um Zufälligkeiten ausschliefsen zu können. Mit kleinen Zahlen darf man hier nicht arbeiten. Solche Untersuchungen, die mit einer genügenden Anzahl von Kindern rechnen, sind meines Wissens bis jetzt nur in Dänemark und Schweden, sowie in beschränktem Mafse in England angestellt worden. Die Resultate, zu denen sie geführt haben, sind gewifs von sehr grofser Wichtigkeit für alle, die sich mit der Erziehung der Kinder beschäftigen, selbst wenn sie noch in vielen Punkten näherer Bestätigung bedürfen.

Die erste Prüfung dieser Art wurde von mir im Jahre

1881 veröffentlicht.[1] Sie umfaſste 3141 Knaben und 1211 Mädchen, alle aus den höheren Schulen in Kopenhagen, und wurde in der Weise ausgeführt, daſs ich mich an das Elternhaus wandte und hier die gewünschten Erkundigungen einzog. Jeder Schüler bekam in der Schule ein gedrucktes Schema, das von den Eltern und dem Hausarzte auszufüllen war. In verschiedenen Rubriken ward hier Auskunft über die tägliche Arbeitszeit sowohl in der Schule wie zu Hause, über die Dauer des Schlafes und über die Gesundheit des Schülers mit Angabe eventueller Krankheitszustände gesucht. Die Eltern füllten die Schemata im ganzen mit groſser Bereitwilligkeit aus, und, da die Schuldirektoren die Angaben derselben noch kontrollierten, so erhielt ich ein sehr wertvolles Material, welches aber das traurige Resultat ergab, daſs unter den Knaben 31 % und unter den Mädchen 39 % von chronischen, schwächenden Krankheiten befallen waren. Die akuten Krankheiten blieben alle ausgeschlossen, und die daran Leidenden wurden als gesund aufgezählt. Die Schemata, die nicht oder mangelhaft ausgefüllt waren, führte ich in einer besonderen Rubrik auf.

Nachdem noch einige kleinere Untersuchungen von den dänischen Ärzten Dr. LEHMANN, Dr. NOMMELS und Dr. KAARSBERG veröffentlicht waren, wurden im Jahre 1882 sowohl in Dänemark wie in Schweden offizielle Kommissionen niedergesetzt, um die verschiedenen hierher gehörenden Fragen zu prüfen. Beide haben ausführliche Berichte erstattet.[2]

---

[1] Om Sundhedsforholdene i de höjere Drenge- og Pigeskoler i Kjóbenhavn.

[2] Betänkning afgiven af den under 23. Juni 1882 nedsatte Kommission til at tilvejebringe Oplysninger om mulige sanitäre Misligheder og Maugler i Ordningen af Skoleväsenet, og til at fremkomme med Forslag til saadannes fremtidige Forebyggelse. Kjöbenhavn 1884.

Läroverkskomiténs underdänige utlåtande och fröslag angäende organisationen af rikets almänna läroverk och dermed sammenhängande frägor. Stockholm 1885.

Beide kurz referiert im Archiv für Kinderheilkunde, Bd. VI u. VIII, sowie in Compte rendu du Congrès périodique des sciences médicales. Copenhague 1884.

Die Resultate sind von um so gröfserem Interesse, als die beiden Kommissionen wenigstens zum Teil nach demselben Plane gearbeitet haben.

Bei der dänischen Kommission kamen 17595 Knaben und 11646 Mädchen zur Untersuchung teils aus den höheren Schulen, teils aus den Volksschulen, sowohl in Kopenhagen wie in den Provinzen und auf dem Lande.

In den höheren Schulen wurde die Untersuchung nach der früher erwähnten Methode vorgenommen, indem jedes Kind ein gedrucktes Schema bekam, welches folgende Rubriken enthielt: Name, Alter, Klasse, Dauer der Arbeitszeit in der Schule, Dauer der Arbeitszeit zu Hause, Privatunterricht, Gesundheitszustand des Schülers (vom Hausarzte ausgefüllt), Körperhöhe, Gewicht (beide in der Schule bestimmt), Bemerkungen des Schuldirektors, Unterschrift der Eltern oder des Vormundes. Die Kommission ging sämtliche Schemata kritisch durch; im grofsen und ganzen waren sie gut und vollständig ausgefüllt, die mangelhaften oder ungenau angegebenen wurden bei der statistischen Behandlung für sich aufgezählt.

Für die Volksschüler war diese Methode nicht brauchbar, hier wurde jedes Kind von besonderen Ärzten, die von der Kommission dazu erwählt waren, untersucht. Da die Arbeitszeit hier von geringerer Wichtigkeit war, so gelangte nur der Gesundheitszustand, sowie die Körperlänge und das Gewicht zur Notierung. Die Krankheiten, die speziell angegeben wurden, waren: Skrofulose, Anämie, nervöse Krankheiten, Kopfschmerz, Nasenbluten, chronische Verdauungsstörungen, chronische Lungen- und Herzkrankheiten, Deformitäten der Wirbelsäule, andre chronische Leiden, wie Nierenkrankheiten, Gelenkkrankheiten u. s. w. Dagegen ist die Kurzsichtigkeit nicht mitgerechnet, diese wurde besonders untersucht.

Da die dänische Kommission nicht nur die höheren Schulen, sondern auch die Volksschulen (und auch einige Arten von Erziehungsanstalten) berücksichtigte, so war ein Vergleich möglich von Kindern, die unter ganz verschiedenen Verhältnissen sowohl in pädagogischer wie in sozialer Beziehung leben. Natürlich

Tafel I.
Knabenschulen. Prozente der Kranken.

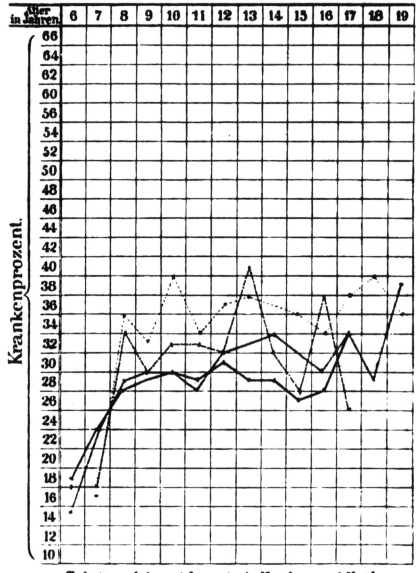

Alter in Jahren	6	7	8	9	10	11	12	13	14	15	16	17	18	19

Krankenprozent.

— · — · — Vorbereitungsschulen und Gymnasien in Kopenhagen nach Hertel.
——————— Sämtliche Knabenschulen
——————— Vorbereitungsschulen und Gymnasien } Dänischer Kommissionsbericht
· · · · · · · Vorbereitungsschulen und Latinabteilung Schwedischer Kommissionsbericht

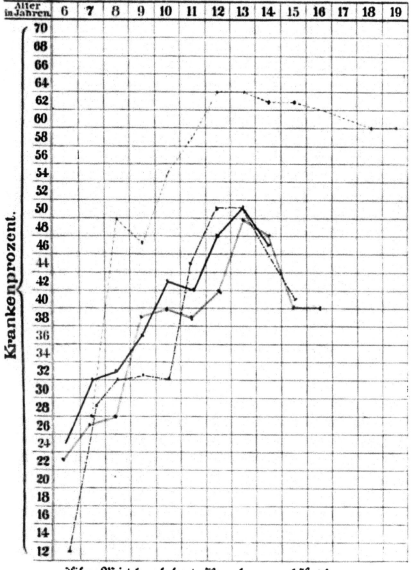

Tafel II.
Mädchenschulen. Prozente der Kranken.

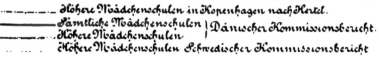

wird dadurch die Anzahl der Kinder in jeder der genannten
Schulkategorien etwas geringer, aber sie bleibt dennoch grofs
genug, um vollgültige Schlüsse ziehen zu können.

Die schwedische Kommission wurde nur mit einer Prüfung der höheren Knabenschulen in Schweden beauftragt; um
jedoch zu sehen, wie die jüngeren Altersklassen gestellt waren,
kamen auch einige Vorbereitungsschulen und aufserdem mehrere
höhere Mädchenschulen in Stockholm zur Untersuchung. Diese
Untersuchung ward auf ganz ähnliche Weise wie die dänische
vorgenommen, also durch Schemata, die teils in der Schule,
teils zu Hause ausgefüllt wurden. Die Rubriken der Schemata
waren dieselben wie bei der dänischen Kommission, nur fragte
man auch noch nach der Dauer der Schlafzeit. Die Anzahl
der Schüler in den höheren Schulen betrug 14434, war also
sehr bedeutend und gröfser als in den entsprechenden dänischen
Schulen. Während ein Vergleich mit den Volksschulen Dänemarks nicht gemacht werden konnte, da, wie bemerkt, in
Schweden die Volksschüler von der Untersuchung ausgeschlossen
waren, erlaubte anderseits die grofse Zahl schwedischer
Kinder aus höheren Schulen ein Eingehen in verschiedene
Details, das bei einer geringeren Anzahl nicht wäre möglich gewesen. Professor KEY, von dem der schwedische Bericht abgefafst
ist, hat diese Gelegenheit in gründlichster Weise benützt und eine
völlig erschöpfende Behandlung aller einschlägigen Fragen
gegeben, die ihresgleichen sucht.

Ohne indessen auf diese Details näher einzugehen, werde
ich jetzt versuchen, die wichtigsten Resultate hervorzuheben,
die aus den drei genannten Untersuchungen, der meinigen, der
offiziell dänischen und der offiziell schwedischen, mit Sicherheit hervorgehen.

Betrachten wir zuerst den Gesundheitszustand in den
Knabenschulen (Tafel I und Tabelle 1—3[1]), so finden
wir (Tabelle 2), dafs von sämtlichen Knaben sowohl der
höheren Schulen wie der Volksschulen 29 % krank sind.

[1] Siehe S. 170 und am Schlufs des Heftes.

also fast ein drittel aller Schüler. Sehen wir dann,
wie das Krankenprozent in den verschiedenen Altersklassen sich verhält, was sehr deutlich aus der graphischen
Tafel I hervorgeht, so ergibt sich, daſs beim Eintritt in die
Schule fast 20 % der Knaben krank sind. Aber schon
bald darauf steigt die Kurve schnell an bis auf 28 %
im 8ten Jahre, dann langsam bis zum 10ten Jahre, wo ein
Stillstand oder ein leichtes Fallen zwischen dem 10ten und
11ten Jahre eintritt. Hierauf folgt wieder ein Steigen bis
zum 12ten Jahre, wo mit 31 % das Maximum erreicht
wird. Weiter schlieſst sich ein geringes Sinken bis zum 16ten
Jahre und dann wieder eine Steigerung an. Diesen Gang der
Kurve: ein schnelles Ansteigen in den ersten Jahren, ein
Stillstand zwischen 10 und 11 Jahren, ein Maximum im 12ten
oder 13ten Jahre und dann eine kleine Senkung finden wir
bei allen drei Untersuchungen und in allen Arten von Schulen
mehr oder weniger ausgesprochen wieder. Das ist also ein
ganz konstantes Phänomen und muſs seine bestimmten Ursachen haben.

Wenn die Knaben den Schulunterricht beginnen, so finden
sich bereits 20 % Kranke unter ihnen; sie sind also von vornherein zu Krankheiten stark disponiert. Mit der Schule gelangt jetzt ein neues und sehr eingreifendes Moment in ihr
Leben. Sie bekommen neue Pflichten und Sorgen, sie müssen
arbeiten und lernen, und, wie bekannt, drehen sich ihre Gedanken auch immer um die Schule und das, was sie dort
gesehen und erlebt haben. Dazu kommt noch das lange Stillsitzen, wozu sie jetzt gezwungen werden. Mit Notwendigkeit
müssen so eingreifende Verhältnisse ihre Wirkung geltend
machen, namentlich auf vorher bereits disponierte Kinder. So
erklärt sich die starke Zunahme der Kranken bis zu 29 oder
30 % in den ersten Schuljahren. Es ist eine Wirkung
des Schulbesuches, am ausgeprägtesten hervortretend in den
höheren Schulen, wo die Forderungen auch gleich zu Anfang
gröſser als anderswo sind. Der Stillstand im 10ten bis 11ten
Jahre läſst sich ohne Zwang so deuten, daſs die Schüler sich

nach und nach an die neuen Verhältnisse gewöhnen; sie akkommodieren sich an die Schule, vorausgesetzt daſs die Forderungen nicht zu hoch gespannt sind. Mit dem 12ten Jahre stehen die Kinder unmittelbar vor einer Periode, die nicht allein für ihre körperliche, sondern auch für ihre geistige Entwickelung von der höchsten Bedeutung ist, der Pubertätsperiode. Sie ist eine Zeit des kräftigen Wachstums nach allen Richtungen hin, wie wir später näher sehen werden, und wird durch eine Steigerung des Krankenprozentes eingeleitet, das hier überhaupt sein Maximum erreicht. Es variiert nämlich zwischen 31 und 41 % (die höheren Schulen in Kopenhagen nach HERTEL), ist also sehr groſs.

Nach Eintritt der Pubertät sinkt das Krankenprozent etwas, hält sich jedoch ziemlich hoch während der ganzen Periode, um nach dieser noch zu steigen. Leider haben wir es nach dem 14ten Jahre nur mit Schülern der höheren Schulen zu thun, da die Volksschüler um diese Zeit die Schule verlassen. Erstere aber sind in diesen Jahren stark mit Arbeit beladen, und so sehen wir, daſs die mächtige Körperentwickelung, die soeben stattgefunden hat, doch nur in geringem Grade den Gesundheitszustand zu verbessern im stande ist; ja sobald das starke Wachstum aufhört, steigt das Krankenprozent wieder schnell.

Es läſst sich gewiſs nicht leugnen, daſs ein so charakteristischer und bestimmter Gang der Krankheitskurve ein sehr interessantes Phänomen ist, welches man notwendig kennen muſs, wenn man die Gesundheitsverhältnisse der Schüler und die vielen Momente, die auf die natürliche Entwickelung derselben einwirken, übersehen will.

Gehen wir jetzt zu den Mädchenschulen über (Tafel II und Tabelle 4—6 [1]), so finden wir, daſs das Krankenprozent für Mädchen aller Schulen und aller Altersklassen 41 beträgt, also viel höher als bei den Knaben (29 %) ist. Was den Gang der Krankheitskurve betrifft,

---

[1] Siehe S. 171 und am Schluſs des Heftes.

so ergibt sich auch hier ein starkes Ansteigen derselben in den ersten Schuljahren, von 25 % im 6ten auf 43 % im 10ten Jahre, dann ein Stillstand zwischen 10 und 11 Jahren (nicht in Schweden) und hierauf eine schnelle Steigerung bis zum 13ten Jahre, wo das Maximum mit 51 % erreicht wird; daran schließt sich ein Fallen. Der Verlauf der Kurve ist also in den Hauptzügen ganz derselbe wie bei den Knaben. Die kleinen Abweichungen, die sich bei den verschiedenen Untersuchungen zeigen, sind nicht so bedeutend, daß sie auf das Gesamtbild einwirken. In den Hauptzügen gibt die Krankheitskurve ein und dasselbe Bild in Schweden wie in Dänemark, was in hohem Grade wahrscheinlich macht, daß wir es hier mit einem konstanten Phänomen zu thun haben, dessen Erklärung zu geben ich früher bei den Knaben versucht habe. Daß mehr als 40 % aller Mädchen zwischen dem 10ten und 12ten Lebensjahre, ja daß unmittelbar vor der Pubertätsperiode mehr als die Hälfte derselben krank sind, ist gewiß eine außerordentlich traurige Erfahrung.

In den schwedischen Schulen sind die Krankenprozente der Knaben, ganz besonders aber der Mädchen auffallend höher als in den entsprechenden Schulen Dänemarks. Sinken doch diese Prozente für die schwedischen Mädchen nach dem 12ten Jahre nicht unter 60 und finden wir doch für sämtliche Mädchen der höheren Schulen Schwedens 61 % Kranke, während in den höheren Mädchenschulen Dänemarks nur 39 % vorkommen. Diese hohe Krankenziffer der schwedischen Mädchen ist geradezu erschreckend, und doch kann nach der ganzen Untersuchung kein Zweifel bestehen, daß sie richtig ist. Dagegen wäre es immerhin möglich, daß der Unterschied zwischen den dänischen und den schwedischen Krankenprozenten zum Teil wenigstens davon herrührt, daß die dänischen Untersuchungen in den Monaten November und Dezember ausgeführt wurden, während die schwedischen im Februar und März stattfanden. Bei uns in Dänemark treten nämlich die Fälle von Bleichsucht, Nervosität und drgl. bei jungen Mädchen unzweifelhaft viel häufiger im Frühling, nach dem

Abschluſs des Winters, als im Herbst, kurze Zeit nach den
langen Sommerferien auf. Auch ist zu bedenken, daſs Krankheiten wie Anämie, Kopfschmerz, Nervosität einem gesunden
Verhalten gegenüber ja nicht scharf abgegrenzt sind und hier
viel von der persönlichen Auffassung des untersuchenden Arztes
abhängt. Endlich liegt ein wichtiges Moment zur Erklärung
der höheren Krankenprozente in den schwedischen Töchterschulen in der viel längeren täglichen Arbeitszeit der schwedischen
im Vergleiche mit den dänischen Mädchen, wovon später näher
die Rede sein wird.

Aus den dänischen Untersuchungen geht hervor, daſs der
Unterschied zwischen den verschiedenen Arten von Schulen,
was die Krankenprozente anbetrifft, nicht bedeutend ist (Tabelle 2).
Im allgemeinen haben die Schulen der in ökonomischer Beziehung
am ungünstigsten gestellten Klassen auch die höchsten Kranken-
ziffern. So sind die Kinder in den Freischulen kränklicher
als die Kinder in solchen Schulen, in denen Schulgeld bezahlt
wird, und ebenso finden sich auf dem Lande mehr Krankheiten
bei den Kindern der Arbeiter als bei denjenigen der wohlhabenderen Bauern, obgleich beide dieselben Schulen besuchen.
Nur eine Ausnahme findet statt. Die Schüler der Gymnasien,
welche sich doch gröſstenteils aus den besseren Familien
rekrutieren, weisen ein sehr hohes Krankenprozent auf, fast
so hoch wie das der Freischulen, offenbar weil sie angestrengter
arbeiten müssen. Im allgemeinen haben die Schulen Kopenhagens etwas mehr Kranke als die entsprechenden Schulen der
Provinzen. Daſs die Kränklichkeit auf dem Lande fast ebenso
groſs wie in den Städten ist, erscheint im ersten Augenblicke
überraschend, rührt aber wahrscheinlich von den vielen feuchten
Wohnungen und der unpassenden Ernährung selbst bei den
reicheren Bauern her.

Zeigt sich die groſse Kränklichkeit also ganz allgemein
bei den verschiedensten Klassen der Bevölkerung, in den
Städten wie auf dem Lande, so wäre es doch unrichtig, hieraus
den Schluſs zu ziehen, daſs dies so sein muſs und keine
Änderung hierin eintreten kann. Die verschiedenen Pflege-

anstalten und Waisenhäuser sowohl für Knaben wie für Mädchen (Tabelle 2 und 5) beweisen nämlich bestimmt, daſs, wenn die Kinder unter günstigen hygienischen Verhältnissen leben und frei von geistiger Überanstrengung bleiben, ein viel besserer Gesundheitszustand bei ihnen erzielt werden kann. Denn trotzdem die Zöglinge aller dieser Anstalten aus den Frei- schulen stammen, also zu den ärmsten Schichten der Bevölkerung gehören, ist doch das Krankenprozent hier bedeutend geringer als irgendwo sonst. Die Gymnasien Sorö und Herlufsholm (Tabelle 2), wo die Schüler gleichfalls in den besten hygienischen Verhältnissen und zum Teil auf dem Lande leben, trotzdem aber oft von Krankheiten heimgesucht werden, scheinen aller- dings auf den ersten Blick eine Ausnahme von der obigen Regel zu bilden. Allein man darf nicht vergessen, daſs hier die günstige Wirkung hygienisch trefflicher Einrichtungen und des Landaufenthaltes durch die starke geistige Anspannung der Zöglinge paralysiert wird.

Was die verschiedenen Krankheitsformen anbetrifft, so kamen Skrofulose, Anämie und habitueller Kopfschmerz in den dänischen Schulen am häufigsten vor; sie machten drei Viertel aller Krankheitsfälle aus. Die Skrofulose ist in den jüngeren Altersklassen, namentlich unter den Knaben und auf dem Lande besonders verbreitet, während die Anämie bei den Mädchen die Hauptrolle spielt. Kopfschmerz und nervöse Krankheiten sind am meisten in den höheren Schulen und unter den älteren Kindern, mehr in den Städten als auf dem Lande vertreten. Die Skoliose ist viel häufiger bei den Mädchen, tritt jedoch nur mit kleinen Prozentzahlen auf, weil eine spezielle Untersuchung dieser Deformität nicht ausführbar war; nur die ausgeprägtesten Fälle konnten aufgezeichnet werden.

In Schweden bilden Anämie, habitueller Kopfschmerz und Nasenbluten die Mehrzahl der Krankheiten unter den Knaben. Unter den Mädchen sind gleichfalls Anämie und Kopfschmerz sehr häufig, auſserdem aber Appetitlosigkeit, so- wie Rückgratverkrümmungen; letztere kommen bei 10 % der Schülerinnen vor. Auch nervöse Krankheiten zeigten sich

ziemlich oft bei denselben. Dagegen litten nur sehr wenige
sowohl von den Knaben wie von den Mädchen an Skrofulose,
im stärksten Gegensatze zu den dänischen Kindern, bei denen
die Skrofulose eine Hauptrolle spielt. Da die anderen speziellen
Krankheiten ganz analoge Verhältnisse in beiden Ländern
darbieten, so ist das verschiedene Auftreten dieses sonst so
verbreiteten Leidens jedenfalls sehr merkwürdig. Eine Erklärung
hierfür zu geben, scheint mir im Augenblicke nicht möglich
zu sein. In bezug auf die näheren Details muſs ich namentlich
auf den schwedischen Originalbericht verweisen, in welchem
Professor KEY eine graphische Darstellung des Ganges jeder
einzelnen Krankheit für die verschiedenen Schulklassen bringt.

Die Kurzsichtigkeit ist in beiden Ländern Gegenstand
spezieller Untersuchungen gewesen, die ganz analoge Resultate
wie in Deutschland und andern Ländern ergeben haben. In
Schweden stieg die Anzahl der Myopen in den Gymnasien
bis auf 37, in Dänemark bis auf 45 %, während in den
Volksschulen nur wenige Prozente vorkamen. Doch wurden
ausnahmsweise in einer Mädchenschule 16 % Kurzsichtige im
Alter von 11 bis 14 Jahren gefunden. Übrigens haben diese
Prüfungen wesentlich Neues nicht zu Tage gefördert.

Weder von der dänischen noch von der schwedischen
Kommission ist die Schwerhörigkeit besonders berücksichtigt
worden. Jedoch hat Dr. E. SCHMIEGELOW später eine ohrenärztliche Untersuchung in einer Volksschule in Kopenhagen
vorgenommen und in „Hospitals Tidende" 1886 darüber Bericht
erstattet. Von 581 Kindern, teils Knaben, teils Mädchen, war
ungefähr die Hälfte in höherem oder leichterem Grade schwerhörig; die meisten von diesen litten an chronischem Nasen-
und Rachenkatarrh oder hatten adenoide Vegetationen im
Rachenraum. Die ungemein groſse Zahl schwerhöriger Kinder
erklärt sich zum Teil daraus, daſs die Untersuchung in den
Wintermonaten vorgenommen wurde, wo Katarrhe bei unserem
Klima sehr häufig sind; zu einer milderen Jahreszeit wäre das
Resultat wahrscheinlich viel günstiger gewesen. Auſserdem ist
die Zahl der untersuchten Kinder nicht groſs genug, um das

nis als Ausdruck der Häufigkeit von Gehörleiden
ischen Volksschulen betrachten zu können. Daß
m immerhin noch viele Kinder, wenn auch nur
schwerhörig sind, ist gewiß von großem Interesse
ule zu wissen, weil man sehr leicht solchen Zög-
ht thut und sie für unaufmerksam oder träge hält,
doch nur eines körperlichen Übels wegen geringe
machen. Recht bezeichnend ist auch, daß unter
n, die nach der Angabe der Lehrer als schlecht
unfähig angesehen wurden, verhältnismäßig sehr
hörig waren.

in Dänemark wie in Schweden wurden die Kinder
und ihre Körperlänge gemessen, wodurch man
liche Beiträge zur Beurteilung ihrer körperlichen
g, sowie ihrer Neigung zu Erkrankungen erhielt.
siche der in Dänemark und Schweden gewonnenen
Tabelle 7) müssen wir uns aber erinnern, daß in
Kinder der verschiedensten Stände, in Schweden
der wohlhabenderen Kreise zur Untersuchung ge-
enn während die dänischen Schüler und Schüle-
um 14ten Lebensjahr inklusive aus allen Schulen
Klassen der Bevölkerung stammten und erst von da
ßlich den höheren Schulen angehörten, hatte man
eden nur mit Kindern der höheren Schulen zu
er weisen denn in Dänemark sowohl die Knaben
chen bis zum 14ten Jahre eine geringere Körper-
hre Altersgenossen in Schweden auf und erst von
ten Zeitpunkte an hört dieser Unterschied wenigstens
ben auf; die schwedischen Mädchen dagegen bleiben
hin größer als die dänischen. Ganz analog sind
en Knaben und Mädchen bis zum 14ten Jahre
die schwedischen; von da an ist das Gewicht der
beiden Ländern ungefähr gleich, wogegen die
t Mädchen in dieser Beziehung auch ferner den
den dänischen behaupten.
d der jährliche Zuwachs sowohl an Körper-

länge wie an Gewicht bis zum 12ten Lebensjahre ziemlich gleichmäfsig ist, tritt von dieser Zeit an eine stärkere jährliche Zunahme, besonders an Gewicht bis zum 16ten Jahre ein, worauf dieselbe wieder geringer wird. Vor der Pubertätsperiode beträgt nämlich die Gewichtszunahme im Durchschnitt jährlich 2 bis 3 Kilogramm, während derselben aber 4 bis 5 Kilogramm, und zwar ist dies bei beiden Geschlechtern der Fall, am stärksten hervortretend freilich bei den Mädchen im Alter von 12 bis 15 Jahren. Denn während die Knaben bis dahin das Übergewicht sowohl in bezug auf Körperlänge wie auf Körpergewicht hatten, tritt von jetzt an das umgekehrte Verhältnis ein; die Mädchen stehen in beiden Beziehungen über den Knaben. Die Entwickelung in den Pubertätsjahren ist also bei den Mädchen intensiver, dafür allerdings aber auch von kürzerer Dauer, was gut zu der allgemeinen Erfahrung stimmt, wonach diese Periode einen durchgreifenderen Einflufs auf die Mädchen als auf die Knaben ausübt.

Von nicht geringem Interesse ist es, zu sehen, wie die Körperlänge und das Gewicht sich bei den Kindern der verschiedenen Bevölkerungsklassen verhalten. Dies geht ganz deutlich aus Tabelle 8 hervor, welche sich auf den dänischen Kommissionsbericht stützt und Knaben und Mädchen im Alter von 11 bis 14 Jahren umfafst. Danach findet sich die stärkste Körperentwickelung sowohl in bezug auf Länge wie auf Gewicht bei den Kindern, welche den besser situierten Ständen angehören; je ungünstiger dieselben in socialer Beziehung gestellt sind, desto mehr bleibt auch ihr körperliches Wachstum zurück. Die Knaben und Mädchen der höheren Schulen übertreffen daher ihre Altersgenossen in den Freischulen an Länge und Gewicht und die Kinder der städtischen Volksschulen besitzen eine gröfsere Körperlänge als die Volksschulkinder auf dem Lande. Dagegen weisen letztere umgekehrt ein gröfseres Gewicht als die städtischen Volksschulkinder auf und namentlich die Kinder der Bauern thun sich in dieser Richtung hervor.

Auch in Schweden überragen die Kinder der höheren

jenigen der Volksschulen von der gleichen Alters-
örperlänge und Körpergewicht· Es ist dies durch
le Untersuchung des schwedischen Volksschulin-
ZYRRBERG festgestellt worden.

ichen wir nun die Häufigkeit der Erkran-
den Kindern mit dem Verhalten der Körper-
des Körpergewichtes, so ergibt sich, daſs
welche die kräftigste körperliche Entwickelung
auch durchgehends des besten Gesundheits-
rfreuen (Tabelle 2 und Tabelle 8). Der ge-
influſs der socialen Verhältnisse, unter welchen
und Schülerinnen leben, tritt also auf allen
rvor. Nur die Zöglinge der Gymnasien bilden
augenfällige Ausnahme hiervon. Denn obschon
sich ihrer Körperlänge und ihres Gewichtes am
hen und im ganzen in bevorzugten socialen Ver-
ich befinden, haben sie doch das höchste Kranken-
ter müssen also bestimmte Momente hinzutreten,
Gesundheit in ungünstiger Weise beeinflussen.
später näher auf dieselben eingehen, wenn wir
eitzeit der Kinder zu sprechen kommen.
n Tabellen 1 bis 3 ging hervor, daſs das Maximum
ichkeit sich bei den 12 bis 13 jährigen Kindern
unmittelbar beim Eintritt der Pubertätsperiode. Aber
e physische Entwickelung während dieser Periode
ustande, das Krankenprozent beträchtlich herabzu-
d die Kränklichkeit bleibt hoch in allen diesen
ohl bei den Knaben wie bei den Mädchen. Dieses
s sich in gleicher Weise in den dänischen und
e Schulen wiederfindet, verdient im höchsten Grade
bmerksamkeit. Es ist klar, daſs von seiten der
zurecht gelegt ist, damit die Kinder, welche sich
Zeit zu Jünglingen und Jungfrauen entwickeln,
cke Menschen werden. Wer früher im Wachstum
bem ist, kann es in diesen Jahren wieder einholen.
dingung, unter welcher dies möglich ist, ist ganz ge-

wifs die, dafs sich von aufsen keine hemmenden Einflüsse geltend
machen. Die grofse Kränklichkeit während der Pubertätsperiode zeigt jedoch, dafs dies der Fall sein mufs. Es müssen
bei der Erziehung der jungen Leute gesundheitswidrige Momente
einwirken, welche von der Körperentwickelung, so mächtig sie
auch sein mag, nicht überwunden werden können. Ja diese
schädigenden Kräfte müssen auch noch nach der Periode der
Pubertät wirksam sein, da, sobald die Zeit des starken Wachstums
und damit der gröfseren Widerstandsfähigkeit gegen äufsere
ungünstige Verhältnisse aufhört, die Kränklichkeit wieder rasch
und nicht unbeträchtlich zunimmt (Tafel I und II). Alles dies
aber ist um so bedenklicher, als nach einer allgemeinen Erfahrung die Unterbrechung der natürlichen Entwickelung
während der Pubertätszeit im späteren Leben nicht leicht wieder
gut zu machen ist. Der Keim zu vielen Krankheiten, die
erst nach Jahren zur vollen Ausbildung kommen, wird gerade
in der Periode der geschlechtlichen Reife gelegt.

Speziellere Messungen, z. B. des Brustumfangs, der Muskelkraft u. s. w., wie solche von andern Forschern, namentlich
von Dr. KOTELMANN in seinen schönen Untersuchungen der
Schüler des Johanneums in Hamburg[1] angestellt worden sind,
waren bei den Massenprüfungen in Dänemark und Schweden
nicht möglich. Doch stimmen auch die Untersuchungen KOTEL-
MANNS mit den dänischen und schwedischen darin überein,
dafs die Pubertätsperiode für die Jugend von der höchsten
Wichtigkeit ist und dafs alles darauf ankommt, die normale
Entwickelung in dieser Zeit vor Störung zu bewahren.

Durch eine Reihe sehr interessanter Untersuchungen von
MALLING-HANSEN, Direktor des Taubstummeninstitutes in Kopenhagen, ist festgestellt worden, dafs das Wachstum der Kinder
sowohl an Körperlänge als an Gewicht das ganze Jahr hin-

---

[1] Die Körperverhältnisse der Gelehrtenschüler des Johanneums in
Hamburg. Ein statistischer Beitrag zur Schulhygiene. Von Dr. med.
et. phil. L. KOTELMANN, Augenarzt in Hamburg, Berlin, 1879. Kgl.
statistisches Bureau (Dr. ENGEL).

ht gleichförmig vor sich geht, sondern periodenweise
MALLING-HANSEN[1] führte nämlich mehrere Jahre lang
Wägungen und Messungen aller Zöglinge seines In-
us und fand· dabei, daſs das Längenwachstum haupt-
in den Monaten April bis Juni stattfindet, während
chtszunahme vom Juli bis Dezember vor sich geht.
genwachstum und die Gewichtszunahme fallen also
icht zusammen. Ferner sieht man, daſs fast ein halbes
durch völliger Stillstand im Wachstum der Kinder
Bemerkenswert ist auch, daſs die Temperatur von
uf das Körpergewicht ist, indem dasselbe bei höheren
uren steigt, bei niedrigen sinkt. Bei künftigen Ver-
der Längen- und Gewichtsverhältnisse von Kindern
ı also notwendig auf die Jahreszeit Rücksicht nehmen
in welcher die Untersuchungen stattgefunden haben.
it es bei der Beurteilung der Resultate, welche durch
·nthalt in Ferienkolonien erreicht worden sind, von
inger Bedeutung, ob die Wägungen vor oder nach
rlichen Steigerungsperiode des Körpergewichtes vor-
n sind. Die Resultate von MALLING-HANSEN haben
durch die Untersuchungen von WAHL, Direktor der
ʒsanstalt auf Jägerspris, eine teilweise Bestätigung er-
Auch WAHL konstatierte nämlich, daſs die Gewichts-
der Mädchen im Sommerhalbjahre gröſser als im
lbjahre ist. ·

   (Fortsetzung und Schluſs in No. 7.)

———

ige Resultate der täglichen Wägungen von ca. 130 Zöglingen
ıubstummeninstitutes in Kopenhagen. Compte rendu du Congrès
international des sciences médicales, 1884, tom. III.

————

Aus Versammlungen und Vereinen.

Schulhygienisches aus der badischen zweiten Kammer.

In ihren Sitzungen vom 3. und 4. Februar d. J. verhandelte die zweite Kammer in Karlsruhe über das badische Mittelschulwesen. Da dabei auch die Überbürdungsfrage, sowie andre schulhygienische Themata zur Besprechung gelangten, so geben wir die betreffenden Reden nach den stenographischen Aufzeichnungen von Professor Dr. R. Goldschmit in den „Bad. Schulbl." wieder.

Bei Beratung des Unterrichtsbudgets ergreift zu Tit. IX § 80 (Oberschulrat) das Wort

Abgeordneter Kraatz-Pforzheim: Maßregeln zum Schutze der Gesundheit des Menschen sind vielfach auf die Schule ausgedehnt worden. Doch hört man oft und seit langer Zeit, daß die Schüler des Gymnasiums überbürdet sind. Die Thatsache ist nicht zu leugnen. Wenn ein kleiner Kerl viele Stunden zur Fertigung seiner Hausarbeiten sitzen muß, so ist das zu beklagen. Wenn man zurückdenkt an die eigene Jugendzeit, an die schönen glücklichen Tage der Freiheit und sieht dagegen die Zeit der Kleinen beschränkt, so muß man diese bedauern. Wenn man die Sekundaner betrachtet, so machen sie den Eindruck sehr gelehrter Herren, aber spielen können sie nicht mehr. Ich habe versucht zu ermitteln, woran dieses alles liegt, und glaube, daß ein Teil der Schuld darin zu suchen ist, daß den Kindern zu viel aufgegeben wird. Es ist auch darüber geklagt worden, daß unsre jungen Lehrer sich immer mehr daran gewöhnen zu docieren, statt zu unterrichten. Darunter leiden die Kinder.

Ähnliche Klagen hört man über die Mädchenschulen. Es wird geklagt, daß der Wissenschaft ein zu hoher Einfluß gegenüber der Bildung des Gemütes gegönnt wird. Die Herzensbildung ist besonders notwendig für Frauen und Töchter. Auch hier habe ich versucht zu ermitteln, und man hat gesagt, daß man in der mittleren und oberen Stufe unsrer Mädchenschule den Lehrerinnen zu wenig Teilnahme gestattet. Es liegt in der Natur des Mädchens, daſs der Mann nicht in der Lage ist, sich so sehr in die Charaktereigenschaften des Mädchens zu versetzen; die Frau kann das viel leichter. Die Aufgabe aller Mädchen ist, später zu erziehen, darum ist bei der eignen Erziehung hierauf das Hauptgewicht zu legen. Die Familie allein kann dies nicht erfüllen.

Abgeordneter GÖNNER-Baden: Der Abgeordnete KRAATZ hat die sogenannte Überbürdungsfrage zur Sprache gebracht, von welcher überall in Parlamenten und Regierungen, wie von den Eltern so viel gesprochen wird. Die Wahrnehmungen sind aber nicht allgemein zutreffend. Ich bin in der Lage, dem, was Abgeordneter KRAATZ gesagt hat, entgegenzutreten. Die Regierung hat mildernd gewirkt, und das Nötige ist geschehen. Ich gehe so weit, zu sagen, es ist nicht zu erstreben, daſs man in der Entlastung der Schüler noch weiter gehe. Das führte nicht zu wünschenswerten Konsequenzen. Der wirkliche Ernst des Lernens wird gefördert, wenn der Schüler zu Hause arbeiten muſs. Wenn man aber dem Schüler den Stoff so mundgerecht hinlegt, daſs kein eigenes Nachdenken mehr erforderlich, so führt das zu einer Energielosigkeit des Denkens, welche die Charakterbildung schädigt. Die Thätig-keit auch durch die Hausarbeit ist anzusprechen. Die Schüler der Mittelschulen sind derzeit nicht überlastet. —

Total vernachlässigt wird die Pflege der Handschrift, besonders in den Mittelschulen. Leserliche, deutliche Schrift sollte man überall verlangen, schon um die Augen zu schonen.

Abgeordneter WILCKENS-Heidelberg: Ich kann erklären, daſs ich in der Überbürdungsfrage dem Abgeordneten KRAATZ nicht beitrete, sondern auf dem Standpunkt des Abgeordneten GÖNNER stehe. Als Mitglied des Beirates habe ich Erfahrung und kann versichern, daſs wiederholt erklärt ward, es sei allen gerechten Anforderungen Genüge geschehen. Es ist sogar gesagt worden, es könne jetzt mehr von einer Unterbürdung als von einer Überbürdung gesprochen werden. Die Eltern gehen in ihren Klagen oft viel zu weit. Ein gewisses Maſs

Schulhyg...

In i...
handelte ...
Mittelscho...
andre so...
so geben
Aufzeichn...
„Bad. Sch.
Bei
§ 80 (Ol...
Abg...
der Gesu...
ausgedeh...
daß die ...
Thatsach...
Stunden ...
das zu be...
zeit, an d...
dagegen
bedauern.
sie den E...
sie nicht
alles lieg...
ist, daß
darüber
mehr da.
unter lei
Ähr...
Es wird
gegenüb
bildung
Auch h
daß m...
schule

... Diese Überbürdung...
... werden.

... angeht, so hat KRAATZ auf
... einfach werden doch solche ver-

... schließe ich mich dem Ab...
... merke nur noch, wie erquickend
... schriften aus der Volksschule sieht.
... bloß den Körper kräftigen, sondern
... ung für den militärischen Dienst
... ist es wünschenswert, wenn der
... mit dem militärischen gegeben
... ung ist nicht vorhanden. Insbesondere
... die Übungen sind vom militärischen
... sch. Selbst durch die Schule der
... gegangen, muß ich für möglichste
... Schulturnens an das militärische Turnen

... ZER-Mannheim: Es wurde darauf hin-
... gehen solle, um die Überbürdung
... dies schon jetzt aufs vollkommenste er-
... reugste Anordnung ist das Maß der An-
... stimmt, es wird auch eingehalten und
... nicht mehr vor. Wenn man jetzt von
... so kann man bei den großen Anstalten
... den überfüllten Klassen viel mehr von
... der Lehrer als der Schüler reden. —
... KIEFER-Karlsruhe: Die Überbürdungs-
... jetzt ruhen lassen. Es kommt fast keine
... wie schon bemerkt wurde. Ich habe mit
... daß man auch in Schülerkreisen so denkt.
... stanz Gelegenheit gehabt, einem Kommerse
... beizuwohnen, an welchem sich auch eine
... Männer, Geistliche, Beamte und Bürger be-
... hörte da unter andrem ein Lied vortragen,
... am Schluß der Vers fand:

„Wer ist der wackerste, bravste Mann im Land?

Der ist's, der die Überbürdung erfand.

Viel freie Zeit!"

Also wenn man unter den Schülern sich so darüber lustig macht, dann sollten auch wir Bedenken haben, uns mit der Überbürdung zu beschäftigen, denn sonst könnte auch auf uns ein Vers gemacht werden.

Abgeordneter FIESER-Donaueschingen: Man richtete hier in der Debatte einen Damm gegen die Besprechung der Überbürdungfrage auf. Man sollte fast daraus das Gefühl ableiten, daſs man bedauert, diese Frage überhaupt je zur Sprache gebracht zu haben. Wenn hier die direkte Aufforderung an die Regierung ergeht, man solle ein Ende machen, so wird das bei den Kollegien und dem Oberschulrat die Wirkung haben, daſs die Sache sogleich wieder ins alte Geleis kommt. Dabei muſs man die Frage vom Standpunkte der jetzigen Methode berücksichtigen. Wenn diese die richtige wäre, könnte eine Überbürdung nicht vorkommen. Denn diese will die gröſste Arbeit in der Schule besorgen. Der normal veranlagte Schüler hat dabei nur aufzupassen. Wenn er dieses thut, so hat er eigentlich nichts weiter zu arbeiten, als zu repetieren, was er gehört. Auſser diesen Rekapitulationen, Rechnungen und Aufsätzen gibt es somit in der Regel zu Hause nichts zu thun. Man muſs also nicht erstaunen, wenn heute weniger Aufgaben gestellt werden. Daſs die jungen Leute nicht mehr so ochsen, das kommt aber doch daher, weil man sich hier beklagt hat. Wenn man nun haben will, daſs die Schüler zu Hause mehr beschäftigt sind, muſs man auf die alte Methode zurückgehen. Ich bin auch kein so übertriebener Anhänger der jetzigen Methode, es wird zu viel in die Subjektivität des Lehrers gelegt. Hat man einen ruhigen, geduldigen Mann, so wird das Pensum ohne Überhastung erreicht; hat man aber einen jungen Mann, der noch mehr thun will, als der Direktor verlangt, zumal wenn dieser über die Zukunft des Lehrers mit zu entscheiden hat, dann ist die Erscheinung vorhanden, daſs die Überbürdung wieder da ist. Es

hat denn freilich die blofse Existenz des Beirates in Zusammenhang mit der Diskussion in diesem Hause mäfsigend und
mildernd gewirkt. Auch die Direktoren wollen keine Unzu-
friedenheit mit dem Beirat, und sie haben schon dafür gesorgt,
dafs die Sache nicht mehr so arg übertrieben wird. Man erhebt aber auch unberechtigte Klagen. In einer grofsen Zahl
von Gymnasien sind die Klassen überfüllt, die neue Methode setzt aber voraus, dafs dies nicht der Fall ist. Der
Lehrer ist beim besten Willen nicht im stande, seiner Aufgabe nachzukommen, wenn die Klassen überfüllt sind. Auch
darin ist der Beirat sehr geeignet, Abhilfe zu schaffen. Und
wir werden auch nach und nach in die Lage kommen, wenn
einmal etwas für die Gymnasien von den Universitäten übrig
bleibt, Abhilfe zu schaffen. —

Auch in den Mädchenschulen merkt man blofs auf die
einseitige Ausbildung des Verstandes. Man sollte dort den
Lehrstoff nicht vermehren, eher vermindern. Siebenzehn- bis
neunzehnjährige Mädchen gehören überhaupt nicht mehr in die
Schule. Eine Verstärkung des weiblichen Elementes beim
Unterrichten im Sinne des Abgeordneten KRAATZ kann ich
nicht billigen. Ein weiblicher Professor ist mir ein Greuel! —

Der Präsident des Kultusministeriums Dr. NOKK: — Die
Überbürdungsfrage ist allseitig dahin beantwortet worden,
dafs wesentliche Klagen nicht mehr existieren. Der Abgeordnete
FIESER braucht nicht zu fürchten, dafs wir nun sofort in böser
Gesinnung uns aufmachen, um die Jugend zu behelligen; wir
sind sehr froh, dafs eine gewisse Anschauung sich gebildet hat,
dafs zur Zeit mit vereinzelten Ausnahmen eine Überbürdung
nicht mehr statt hat; wo sie doch vorhanden ist, soll sie ab-
gestellt werden.

Mit Recht wird darauf hingewiesen, eine Hauptfrage wäre
die, dafs die Schülerzahl in den Klassen kleiner würde.
Es ist sehr leicht, darüber Verordnungen zu machen; es haben
das auch einige Staaten gethan, Sachsen und Elsafs-Lothringen.
Da soll in den untern Klassen die Schülerzahl von 40, in den
obern von 30 nicht überschritten werden; es ist aber zugesetzt

worden „in der Regel", weil man eben nicht Raum, nicht Lehrer und nicht Geld genug hat. Angestrebt muſs das Ziel werden, daſs eine Verringerung in den Klassen eintrete; daſs man eine individuelle Behandlung der Schüler beobachte, kann doch nur zugemutet werden, wenn Klassen von geringerem Umfang vorhanden. —

Daſs die Handschrift unsrer Mittelschulen vielfach zu wünschen übrig lasse, gebe ich zu. Aber man hat bei dem frühern Streben, die Schüler zu entlasten und die Stundenzahl zu vermindern, gesucht, wo das ausführbar sei, und gerade das Schreiben in der Quarta gestrichen. Daher wohl jetzt zum Teil die Klagen. Immerhin läſst sich auch jetzt durch energisches Eingreifen der Lehrer eine Besserung erzielen, und es sollten überhaupt alle Behörden die Mahnung nach einer sauberen und leserlichen Handschrift besonders beherzigen. — In unsrem Turnunterricht halte ich kaum eine Änderung für angezeigt. —

Kleinere Mitteilungen.

Verein für Lateinschrift. In Wiesbaden hat sich ein Verein für Lateinschrift gebildet, an dessen Spitze Herr Rektor Dr. F. W. Fricke daselbst steht und der bereits im Oktober v. J. gegen 5000 Mitglieder in allen Teilen Deutschlands und Österreichs zählte. Derselbe motiviert sein Bestehen durch folgende Erklärung:

„Bekanntlich braucht die Schuljugend aller Völker mehrere Jahre, um Lesen und Schreiben zu lernen. Ist es da recht, wenn man die Zahl der Buchstaben und mit ihr die Lernlast verdoppelt? Niemand wird diese Frage bejahen wollen, und doch zwingt man die deutschen Kinder, zwei Alphabete (deutsch und latein) zu lernen, also 200 Buchstaben (groſse und kleine, gedruckte und geschriebene)! Fast kein andres Volk hat eine solche widernatürliche, schädliche Doppelschreibung, und es dürfte wohl an der Zeit sein, diese Last auch von der deutschen Schuljugend abzuwälzen. Aber nicht die lateinische, sondern die sogenannte deutsche Schrift muſs aufgegeben werden, denn

1. Die Lateinschrift ist fast zur Weltschrift geworden. Über 250 Millionen Menschen gebrauchen sie ausschlieſslich, und bekannt ist

sie meist in den Kulturstaaten aller Erdteile. Wir würden also eine Mauer zwischen uns und der übrigen Welt errichten, gäben wir sie auf, während ihr Gebrauch den Verkehr mit der ganzen Menschheit erleichtert.

2. Jeder Deutsche hat die Lateinschrift in der Schule gelernt; folglich ist sie nicht einzuführen, sondern nur anzuerkennen.

3. Dem Aufgeben der irrtümlich deutsch genannten Schrift steht kein patriotisches Bedenken entgegen, denn sie ist nichts als eine während des Mittelalters von den Italienern, Franzosen, Spaniern u. s. w. ganz ebenso wie von uns Deutschen eingeführte Vereckigung und Verschnörkelung der Lateinschrift. Bis zum 10. Jahrhundert bedienten sich die Deutschen durchweg des lateinischen Alphabets. Eine deutsche Schrift gab und gibt es nicht. Schon J. GRIMM sagte von der Eckenschrift: „Es geschieht ohne vernünftigen Grund, daſs man die verdorbene Schrift eine deutsche nennt; sie könnte ebensogut böhmisch heiſsen."

4. Die lateinischen Buchstaben sind deutlicher. Darum gebrauchen wir sie auf Landkarten, Münzen, Denkmälern, Schildern, bei Eigennamen u. s. w. Auch werden jährlich Tausende von deutschen Büchern und Zeitschriften mit lateinischen Lettern gedruckt.

Als ein weiterer Vorzug der ausschlieſslichen Lateinschrift wird angegeben: Die Handschrift wird besser, wenn nur eine Schriftgattung in Gebrauch ist. Beim Schreibunterricht wirkt das Einüben der spitzwinkligen deutschen Schrift dem Aneignen der gerundeten lateinischen unvermeidlich entgegen und umgekehrt. Daher gelangen die deutschen Schüler seltener und jedenfalls viel später in den Besitz einer festen Handschrift, als es der Fall sein würde, wenn sie nur eine der beiden so verschiedenen Schriften zu üben brauchten.

Nochmals die Desinfektion von Schulhäusern mit Sublimat. In No. 4 teilten wir mit, daſs man zur Desinfektion der Schulzimmer ein Berieseln der Wände mit Sublimatlösung und nach dem Trocknen derselben mit Sodalösung empfohlen hat; durch das Nachspülen mit Soda sollte das Sublimat unschädlich gemacht werden. Nun aber ist, wie man sich durch den Versuch leicht überzeugen kann, die Verbindung, in welche das Sublimat durch Soda übergeht, nämlich Quecksilberoxydchlorid, ganz leicht selbst in der verdünntesten Salzsäure, mithin auch sicher im Magensaft löslich. Die Gefahr der Quecksilbervergiftung würde daher nur ausgeschlossen sein, wenn die Menge des verbrauchten Sublimates eine sehr geringe wäre.

Die Sterblichkeit der Lehrer in England. In jüngster Zeit hat man in England eingehende Ermittelungen über die Sterblichkeit der Männer verschiedener Berufsarten angestellt. Nach diesen erfreuen t Berufszweigen die Geistlichen der geringsten Mortalität, and und Wales von je 1000 in diesem Berufe Thätigen 1880 bis 1882 durchschnittlich nur 8,60 starben. Bei den Erziehern dagegen betrug die Sterblichkeit während des umes 11,12 pro Mille. Besonders aufreibend aber erwies iche Beruf, da sich für die Ärzte eine Sterblichkeit von angab. Auch nach anderweitigen statistischen Erhebungen r sämtlichen Studierten die Ärzte die kürzeste Lebens-

ner Verein für Körperpflege in Volk und Schule, begründet worden ist, hat seine Bestrebungen in den vor allem auf die Veranstaltung von Jugendspielen tplatze in Bonn, die Unterhaltung einer Mädchenturn- Einrichtung von Bädern, sowie auf die Unterstützung lügen an sämtlichen Bonner Volksschulen gerichtet. Seine beträgt ungefähr 300, seine Jahreseinnahme gegen 1500 M. es Vereins ist der bekannte Professor der Medizin Geheim-

lhner Schülerwerkstätten für erziehliche Knaben- finden sich im Falk-Realgymnasium W., Lützowstrasse 84 d -Gymnasium N., Pankstrasse 9—10. Der Unterricht wird Sonnabends von 3—7 Uhr Nachmittags erteilt. Leiter erkstätte ist Herr Lehrer FULLGRAF, Leiter der letzteren IOPFLER. Der Besuch der Werkstätten ist nach vorheriger m betreffenden Vorsteher gerne gestattet.

aher Unterricht in der Schule. Eine der wenigen, wenn e Lehranstalt in Deutschland, an der hygienischer Unter- rd, ist das Knaben-Pensionat und Schul-Sanatorium des Oberlehrers a. D. Dr. F. H. AHN in Lauterberg am Harz. piene ist der dortige Badearzt Herr Dr. med. H. RITSCHER.

Reichs-Patent No. 41705: **Schreibfeder aus Glas** von i Bonn. Die aus Glas bestehende kegelartige Schreibfeder erfläche mit einer Anzahl schraubenförmig gewundener eben, um die Tinte nach der Spitze zu leiten, und durch s mit dem eigentlichen Halter verbunden.

Tagesgeschichtliches.

he Ausstellung in Ostende. Die Direktion des von Ostende veranstaltet daselbst vom Juni bis Sep- ne internationale Ausstellung für Hygiene und Rettungswesen. Dieselbe ist in sieben Sektionen eingeteilt, von denen die fünfte die spezielle Kindes- und insbesondere auch die Schulhygiene umfaßt. Zugleich hat die Gemeindeverwaltung eine goldene Medaille im Werte von 500 Franken als Preis für die vom Standpunkte der Gesundheitspflege der Jugend nützlichste Erfindung gestiftet.

The American Association of Physical Education hat nach uns zugegangenen Berichten auch im letzten Jahre eine rege Thätigkeit entwickelt.

Sanatorium für arme Schulkinder. Eine hochherzige Stiftung hat soeben der Hamburger Schiffsreeder Herr Rob. M. SLOMANN begründet. Auf einem seiner Landgüter in Holstein ist ein Sanatorium für erholungsbedürftige arme Schulkinder eingerichtet worden, in welchem dieselben unentgeltlich verpflegt werden sollen. Da die Anmeldungen weit über das erwartete Maß hinausgingen, so ist die Zahl der aufzunehmenden Kinder auf 150 erhöht worden, die in 3 Abteilungen von je 50 nicht, wie ursprünglich beabsichtigt war, vom 1. Juni bis 1. September, sondern vom 15. Mai bis 15. September auf das Land gehen werden.

Turnkursus für Volksschullehrer in Düsseldorf. Auch im letzten Winter fand wie in frühern Jahren ein Turnkursus für bereits im Amte stehende Elementarlehrer Düsseldorfs statt. Die Beteiligung war eine außerordentlich rege, und so konnte die Schulverwaltung bei dem vor kurzem stattfindenden Schlusse des Kursus den turnenden Lehrern nur ihre volle Befriedigung aussprechen.

Die Altonaer Speiseanstalt für arme Schulkinder ist am 7. April d. J. geschlossen worden. Der Zuspruch während des Winters hat stark zugenommen. An manchen Tagen haben über 100 Kinder im Saale gegessen. Im ganzen erhielten von Eröffnung der Anstalt im Dezember v. J. bis zum 7. April d. J. 6744 Kinder Speiseportionen zu dem billigen Preise von 5 Pfennigen.

Knabenhort in Düren. Zu Düren im Regierungsbezirk Aachen hat eine wohlthätige Familie 150 000 Mark für die Gründung eines Knabenhortes zur Verfügung gestellt.

Über die künstliche Beleuchtung der Schulräume hielt Ingenieur COOLEVINA in der achten Hauptversammlung des Vereins für Gesundheitstechnik in Wien einen Vortrag. Derselbe erklärte graphisch und ziffernmäßig die Beleuchtung sowohl durch 3 oder 4 Gasflammen, als durch die neuerdings verwendeten Intensivbrenner.

Schulbad in Breslau. Der „Bresl. ärztl. Zeitschr." entnehmen wir die folgende Notiz: In Breslau ist am 23. Januar d. J. das erste Schulbad eröffnet worden, nachdem kurze Zeit vorher in Gegenwart von Vertretern der städtischen Schul- und Baubehörde ein Probebaden statt hatte. Das Bad befindet sich in den umfangreichen Kellerräumen des stattlichen Schulhauses an der Kreuzkirche und besteht aus dem Aus- und Ankleidezimmer und dem eigentlichen Badezimmer. Ersteres ist mit Bänken, Kleiderrechen, Spiegeln und Kämmen reichlich ausgestattet, der Fußboden ist durchweg mit Decken belegt. Derselbe wird durch einen eisernen Ofen erwärmt. Das angrenzende Badezimmer enthält den Badeapparat mit dem Heiß- und Kaltwasserkessel und den Douchen. Längs der einen Wand des Zimmers sind vier große kreisrunde zinnerne Bassins aufgestellt; über jedem derselben ist eine schirmförmige Douche-vorrichtung. Je 3 bis 4 Kinder finden in einem Bassin Platz, so daß immer 12 bis 16 Schüler auf einmal baden können. Das genannte Schulhaus an der Kreuzkirche kann man überhaupt als ein Musterschul-haus bezeichnen, denn außer dem Bade enthalten die sich unter dem ganzen Hause hinziehenden Kellerräume noch eine Frühstücks- und Suppen-küche, in welcher armen Schülern, die ohne Frühstück zur Schule kommen, Milch, Suppe, Brot und Semmel verabreicht wird.

Sanitärer Bericht über die Schulen des Regierungsbezirks Minden. Der Generalverwaltungsbericht über das Medizinal- und Sa-nitätswesen des Regierungsbezirks Minden für die Jahre 1883—85, der vor kurzem durch SCHULTZ-HENCKE erstattet worden ist, enthält auch ein sehr beachtenswertes Kapitel über die Schulen.

Amtliche Verfügungen.

Schreiben der Königlichen Regierung in Magdeburg an den Verleger der Zeitschrift für Schulgesundheitspflege. Die Kgl. Re-gierung zu Magdeburg, Abteilung für Kirchen- und Schulwesen, hat an die Verlagsbuchhandlung von LEOPOLD VOSS in Hamburg das folgende Schreiben gerichtet: „Wir danken der Verlagsbuchhandlung ergebenst für die Übersendung eines Probeheftes der Zeitschrift für Schulgesund-heitspflege mit dem Bemerken, daß wir auf diese Zeitschrift abonniert haben und bei sich darbietender Gelegenheit auf dieselbe aufmerksam machen werden. (Gez.) CLEVE."

Rundschreiben des Unterrichtsministers Trefort. Der un-garische Unterrichtsminister TREFORT hat an sämtliche Kirchenbehörden ein Schreiben gerichtet, in welchem er sie darauf aufmerksam macht, daß unter den Ursachen der Kindersterblichkeit auch gewisse aus alten Zeiten überkommene gesundheitsschädliche Sitten figurieren. Eine solche ist die Verwendung von Schulkindern beim Leichenkondukte zur Absingung von Trauerchorälen, wie dies in manchen Gegenden, namentlich bei den protestantischen Konfessionen noch heute gebräuchlich ist. Abgesehen davon, daß die Kinder der Schule entzogen werden, ist diese Gepflogenheit hauptsächlich in sanitärer Hinsicht zu verdammen. Bei Epidemien werden die Kinder der Gefahr des Angestecktwerdens ausgesetzt, im Frühjahr, Herbst und Winter aber haben die gewöhnlich mangelhaft gekleideten Schüler Stunden lang die schädlichen Einflüsse des schlechten Wetters zu ertragen, infolgedessen bei jeder solchen Gelegenheit einige krank werden. Der Minister ersucht daher die Kirchenbehörden, diese Sitte thunlichst zu beschränken, zur Zeit von Epidemien aber und bei ungünstigem Wetter ganz zu beseitigen.

Perſonalien.

Unser Mitarbeiter, Herr Dr. med. C. KELLER, ist zum Einführenden der Sektion für Otiatrie auf der 61. Versammlung deutscher Naturforscher und Ärzte in Köln ernannt worden; die Einführung in die hygienische Sektion hat Herr Sanitätsrat Dr. LENT daselbst übernommen.

Am 14. April d. J. fand, wie die „Wien. med. Wochenschr." mitteilt, auf dem Währinger Friedhofe die Ausgrabung der Gebeine eines der Begründer der Schulhygiene, JOHANN PETER FRANKS, und deren Überführung auf den Zentralfriedhof statt, woselbst sie in einem der „Ehrengräber" beigesetzt werden sollen. Das medizinische Doktorenkollegium in Wien, welches die Übertragung der Überreste FRANKS veranlaßt und eine Stiftung zur Erhaltung der Gruft gegründet hat, wird bei diesem Akte pietätvoller Verehrung durch seinen Vorstand vertreten sein.

In die Reihe der Mitarbeiter unsrer Zeitschrift sind weiter noch eingetreten die Herren Dr. med. E. R. CONI, Mitglied der Akademie der Wissenschaften und Chefredakteur der „Revista Médico-Quirúrgica" in Buénos Ayres, Dr. med. J. HEIM, Chefarzt der k. k. Theresianischen Akademie und Primararzt des St. Josef-Kinderspitales in Wien, Dr. phil. K. F. KUMMER, k. k. Landesschulinspektor in Wien, Dr. phil. J. HITZ, Hauptlehrer für Mathematik und Physik an der städtischen Handelsschule in München, Dr. med. D. A. SARGENT, Direktor des Hemenway-Gymnasiums an der Harvard-Universität zu Cambridge in Massachusetts, Geheimer Oberschulrat Dr. phil. H. SCHILLER, Direktor des Großherzoglichen Gymnasiums und Professor der Pädagogik an der

Universität Giessen, Dr. med. SCHUBERT, Augenarzt in Nürnberg und Dr. med. H. SCHUSCHNY, Schularzt und Professor der Hygiene an der Staatsrealschule im V. Bezirk zu Budapest.

Litteratur.

Besprechungen.

Dr. med. J. KASTAN, prakt. Arzt in Berlin, Badearzt iu Ems: **Gesundheitspflege in Haus und Schule**, ein Lesebuch für Eltern und Erzieher. Berlin, 1887. J. J. HEINE (263 S. 8°).

Das populär geschriebene Buch enthält 8 Kapitel, welche die Überschrift führen: Im Wochen- und Kinderzimmer, Kleidung, die Wohnung (im allgemeinen), das Badezimmer, in der Speisekammer, in der Küche, im Speisezimmer, im Wohnzimmer. Auserdem handelt ein Anhang von der Zusammensetzung einer Hausapotheke und ein zweiter Anhang gibt eine Anleitung zur Wohnungsdesinfektion nach der Methode von HUTH. Wie schon aus dieser Inhaltsangabe erhellt, nimmt das Werk mehr auf die Hygiene im allgemeinen, als speziell die Schulgesundheitspflege Rücksicht. Doch wird auch von der Kinderernährung während des schulpflichtigen Alters, vom Schulbesuch, der Kurzsichtigkeit, den Schul- und Arbeitsbänken, den Unterrichtsmitteln und Lesebüchern, den Schularbeiten, der Gymnastik und dergl. gehandelt. Im einzelnen warnt der Verfasser davor, „dafs die Schulkinder mit dem halb über die Schulter geschlungenen Bücherranzen, die Mütze in der Hand, ihr Frühstück herunterstürzen, die grofsen Bissen Semmel halb oder gar nicht gekaut" und ebenso tritt er gegen die Vernachlässigung des Badens und Schwimmens bei der Schuljugend auf. Für die Kurzsichtigkeit macht er nicht minder als die Schule das Haus verantwortlich, wo zweckmäfsig eingerichtete Arbeitssitze sehr selten sind: „kann man nicht alltäglich die Erfahrung machen, dafs Kinder ihre häuslichen Arbeiten an runden, horizontalen Tischen mit untergeschlagenen Beinen sitzend, oder am Fensterbrett stehend anfertigen? Ist der Anblick eines auf einem Fufsschemel sitzenden kleinen Mädchens oder Knaben so selten, der sein Schreibheft oder sein Lesebuch auf dem Stuhl vor sich liegen hat?" Auf Grund derartiger Beobachtungen verwahrt er sich auch dagegen, dafs man die seitlichen Rückgratverkrümmungen einzig und allein der Schule zur Last legt. Was die Überbürdung anbetrifft, so meint der Herr Verfasser, dafs bei mittlerer Begabung des Kindes und bei hinreichender Aufmerksamkeit sowohl während des Unterrichtes in der Schule als bei Anfertigung der häuslichen Arbeiten in den meisten Fällen davon nicht die Rede sein kann. Dagegen sei es nicht selten, dafs Eltern ihren Kindern auser dem Schul-

unterrichte noch die Erlernung zahlreicher andrer angeblich zur „Bildung"
gehöriger Gegenstände zumuten, selbst dann, wenn nicht das geringste
Talent dafür vorhanden ist. Man sieht, es bricht sich auch unter
den Ärzten mehr und mehr die Überzeugung Bahn, daſs an den
sogenannten Schulkrankheiten auch das Haus einen nicht unbeträchtlichen
Teil der Schuld trägt. KOTELMANN.

KONRAD HARTMANN, Dozent an der technischen Hochschule zu Berlin —
Charlottenburg: **Die selbstthätige Regelung von Heizungsanlagen.** Vortrag, gehalten auf der VIII. Versammlung des Vereins
für Gesundheitstechnik zu Wien im September 1887. München 1888.
R. OLDENBOURG (8°).

Für Schulen sind Heizung und Lüftung Punkte von besonderer
Wichtigkeit, und alle möglichen Systeme sind dabei versucht und in
Anwendung gebracht worden. Dennoch haben gerade diese Anlagen
am häufigsten Veranlassung zu Klagen gegeben und nicht bloſs solche
Anlagen, die aus Mangel an Verständnis oder an Geldmitteln von vornherein verfehlt oder unzureichend waren, sondern auch solche, die im
allgemeinen als gelungen bezeichnet werden konnten. Der Grund lag
dann an Unvollkommenheiten des Systems, deren die Technik noch nicht
Herrin geworden ist, meist aber an der unzureichenden Bedienung durch
ungeeignetes Personal gegenüber verhältnismäſsig neuen und komplizierten
Anlagen, die schon ein höheres Maſs von technischem Wissen und Können
in der Bedienung voraussetzen, als es bei dem gewöhnlichen Heizer-
personal der Schulen in der Regel zu finden ist.

Vor allem tritt bei der Zentralisierung der Wärmeerzeugung und
des Luftwechsels die Schwierigkeit auf, jedem Raum unabhängig von den
übrigen das nötige oder gewünschte Maſs an Wärme und Luft zukommen
zu lassen, zumal es bei Schulen nicht angängig ist, daſs der Heizer die
einzelnen Räume während des Unterrichts betritt, um sich von dem
normalen Stande der Heizung und Lüftung Kenntnis zu verschaffen.
Um dem zu begegnen, hat man Einrichtungen getroffen, welche die
Zimmertemperaturen am Heizerstand ersichtlich machen, so daſs die
Feuerung entsprechend geändert werden kann, und solche, welche den
Personen im Zimmer gestatten, nach Bedürfnis Wärme und Lüftung zu
regulieren. Doch auch dies ist nicht für alle Fälle genügend und bedingt
die Verläſslichkeit und das richtige Verständnis verschiedener Personen:
denn es muſs offenbar der Verbrauch an Wärme genau gleichen Schritt
halten mit der Erzeugung derselben, wenn nicht Stockungen eintreten
oder die Brennmaterialien verschwendet werden sollen.

In dieser Beziehung sind neuerdings erhebliche Fortschritte erzielt
durch die selbstthätige Regelung von Heizungsanlagen. Es
gibt kaum eine Heizart, bei der eine solche nicht versucht wäre und

röfseres Geschäft für Herstellung von Heizanlagen, welches
lierung nicht nach besonderem l'atente herstellte.

ngelegenheit hat einen solchen Umfang gewonnen, dafs
:x Veranlassung genommen hat, einen eingehenden Vortrag
selbstthätige Regelung von Heizanlagen auf der
mmlung des Vereins für Gesundheitstechnik in Wien zu
her in erweiterter Form in dem Bericht dieses Vereins und
diger Ausgabe erschienen ist.   •

ie Sache gerade für Schulen von Wichtigkeit ist, liegt auf
renn es vorläufig auch nicht möglich oder leicht sein wird,
Anlagen ohne gröfseren Umbau mit dieser selbstthätigen
versehen. Wer sich für die Sache interessiert und Verständnis
he Einzelheiten hat, mag auf diese HARTMANNsche Abband-
sen sein. Hier soll darüber nur Folgendes angeführt werden:
   Anordnung der sogenannten Füllfeuerung, wie sie schon
, für eiserne Zimmeröfen angewendet wird, ist das Mafs der
)edeutend verkleinert worden. Wenn aufserdem die Regelung
; dem Wärmebedarf im ganzen entsprechend selbstthätig er-
; damit der weitere Vorteil verbunden, dafs die Feuerung
mg der Unzuverlässigkeit und Ungeschicklichkeit des Heizers
, dafs die Wärmeentwickelung dem Wärmebedarf ent-
Verschwendung an Brennmaterial möglichst vermieden wird.
)ntralheizungen ist aber neben der Regulierung der Ver-
nd Wärmeerzeugung im ganzen noch die nötige Wärme-
die einzelnen Räume zu regeln.

eschieht entweder mittels Stellvorrichtungen durch die im
wesenden Personen oder ebenfalls selbstthätig nach voraus
Temperaturgrenzen.

rrichtungen, welche diese Regelungen bewirken, beruhen bei
ngen auf der Verschiedenheit des Dampfdrucks, sonst all-
den Temperaturänderungen und den von denselben hervor-
mechanischen Veränderungen und können bei allen Heiz-
ndung finden. Besonders geeignet und in Gebrauch sind sie
erdings häufig ausgeführten Niederdruck-Dampfheizungen.

)rgeschlagenen, höchst mannigfaltigen und oft sinnreichen
n erschöpfen fast alle Möglichkeiten, aber nur einzelne sind
a bewährte und einfache zu empfehlen.

chulen, welche den Gemeinden schon ohnehin oft grofse
.asten auferlegen, wird dahin gestrebt werden müssen, zwar
nd Lüftungsanlagen immer mehr zu vervollkommnen, aber
hst zu vereinfachen, so dafs sie ohne grofse Opfer überall
lung gelangen können, dabei in ihrer Handhabung leicht
und von Jedem zu bedienen sind.

                Baurat E. HÄSECKE in Berlin.

Dr. H. Adler, ordinierender Augenarzt des k. k. Krankenhauses Wieden und des·k. k. Taubstummen-Instituts in Wien: **Beobachtungen und Bemerkungen über das Sehen der Taubstummen.** Sep.-Abdr. a. d. „Klin. Monatsbl. f. Augenheilkunde" Berlin. 1876. März-April-Hft. (8°.)

Es ist allgemein bekannt, wie bedeutungsvoll die normale Beschaffenheit der Sinnesorgane für die Geistesentwickelung des Menschen ist. Wie sich aber die einzelnen Sinnesorgane im Dienste der seelischen Funktionen verhalten, wenn andreꞇbeschädigt sind oder fehlen; ob das Fehlen eines Sinnesorganes eine bessere Ausbildung des andren durch öftere und feinere Benutzung verursacht und in welchem Grade — darüber liegen bisher nur spärliche wissenschaftliche Untersuchungen vor. Deshalb scheint es uns geboten, die interessanten Beobachtungen und Bemerkungen des Herrn Verfassers, wenn auch nur kurz, hier mitzuteilen.

Verfasser hat 100 Zöglinge des Wiener k. k. Taubstummen-Institutes (68 Knaben und 32 Mädchen) auf Funktion und Beschaffenheit der Augen untersucht. Alle haben einen normalen Farben- und Lichtsinn gehabt. Der erste auffallende Umstand war, dafs das Gesichtsfeld bei allen eine mehr oder weniger beträchtliche Vergröfserung gezeigt hat, in allen Richtungen, vorwiegend aber nach innen und aufsen. Diese Erscheinung ist dadurch erklärlich, dafs der Taubstumme für seine Orientierung, für das Erkennen alles dessen, was in seiner Umgebung geschieht, nur ein Organ, das Auge, zu seiner Hilfe hat, und dafs die peripherischen Teile der Netzhaut, welche bei vollsinnigen Menschen nur wenig benutzt, weil fast überflüssig sind, für ihn die gröfste Bedeutung haben und daher stark geübt werden. Die Aufmerksamkeit des Taubstummen konzentriert sich eben gänzlich auf sein Sehorgan.

Was die Refraktion der Augen betrifft, so hat Verfasser nur 5 Myopen (alle Knaben) gefunden; aufserdem waren 32 Emmetropen und 63 Hypermetropen vorhanden. Die Myopie hat mit den Schuljahren nach Zahl und Grad nicht zugenommen, und Verfasser nimmt an, dafs im genannten Institute das Lernen keinen Einflufs im Sinne des Myopisch-werdens auf die Schüleraugen gehabt hat. Er sagt unter andrem: „So sehen wir, dafs vor allem die so häufige Entspannung der Akkommodation, die· die Natur dem Taubstummen nötig macht, und die helle Beleuchtung, die er instinktiv aufsucht, alle sonstigen die Refraktion bedrohenden Verhältnisse auszugleichen im stande ist." Wenn aber ausdrücklich hervorgehoben wird, dafs die Hypermetropie in den höheren Jahrgängen immer geringer wurde, so soll dies unsres Erachtens dahin gedeutet werden, dafs eine Erhöhung der Refraktion durch die Augenarbeit in dieser Anstalt ebenso vorkommt, wie in andern Schulen, welche bisher untersucht worden sind. Es mufs aber zugegeben werden, dafs dies in geringerem Mafse geschieht als anderswo, weil eben die Erhöhung der Refraktion nur zur Verringerung der Hypermetropie und nicht zur Myopie führte. Verfasser teilt mit, daſs in der Anstalt die tägliche Augenarbeit der Knaben 9, der Mädchen 10 Stunden beträgt; es wäre aber notwendig, auch zu wissen, wie viel Zeit auf das Schreiben verwendet wird, weil in der letzten Zeit immer mehr die Augenärzte zu der Meinung neigen, daſs der Haupteinfluſs bei der Entstehung der Myopie von dem Schreiben ausgeübt wird. Die oben citierte Meinung des Verfassers ist gewiſs zum Teil begründet, nur ein vollständiges Ausgleichen der die Refraktion verändernden Momente durch die häufige Entspannung der Akkommodation können wir nicht zugeben; um diesen wichtigen Punkt ganz aufzuklären, wären neuere Untersuchungen an zahlreichen taubstummen Schülern nach dem Verfahren des verdienstvollen Verfassers sehr erwünscht.

Die Sehschärfe war bei 60 Kindern normal, bei 10 übernormal, bei 14 nahezu normal; bei den übrigen konnte man die Ursache der geringeren Sehschärfe in einer schon vor der Aufnahme in das Institut erfolgten pathologischen Veränderung am Auge nachweisen. Der Sehschärfe immer streng proportional war der Grad der geistigen Ausbildung, was die hohe Bedeutung eines guten Gesichtes für das ganze Geistesleben der Taubstummen beweist. „Der Taubstumme," sagt Verfasser, „ist ein aufmerksamerer und darum besserer, schärferer Beobachter alles Sichtbaren, als der Hörende" — aber nur dann, wenn er gute Augen hat. Wie wenig bildungsfähig ein blinder oder schlecht sehender Taubstummer ist, darüber und noch über andere verwandte Gegenstände macht Verfasser sehr interessante Bemerkungen.

Augenarzt Dr. J. Imre in Hódmező-Vásárhely.

Bibliographie:

Bach, J. *De la sedentarité scolaire et du surmenage intellectuel*, Paris, 1887, G. Steinheil. 8°.

Bauer, G. *Gesundheitspflege in der Schule.* Vortrag, Leipzig, 1888, Beyer. 8°.

Blayac, E. *Une colonie scolaire (vacances 1887)*, Paris, 1887, imp. Chaix. 8°.

Cruard, T. *Hygiène de l'enfance. Conseils aux mères sur la manière d'élever leurs enfants; surmenage scolaire et ses conséquences*, Paris, 1887, O. Doin. 12°.

Demeny, G. *Programme d'un cours théorique d'éducation physique.* La Gymnastique scolaire, 1887, IV.

Drouineau. *Examen du règlement de 1882 sur les constructions scolaires.* Rev. san. de Bordeaux, 1887, IV, 153—156.

Dubrisay. *Colonies scolaires de vacances des jeunes garçons et des jeunes filles des écoles communales*, I. année, 1887, I. arrondissement, Paris, 1887, imp. Benou et Maulde. 8°.

Kessler, R. *Kurze Gesundheitslehre. Im Anschluſs an die Lehre vom menschlichen Körper für einfache Schulverhältnisse zusammengestellt*, 2. Aufl., Langensalza, 1887, Beyer. 8°.

Leland, C. G. *Practical education*, London 1888, Whittaker & Co. 8°.

LESSHAFT, P. [*Anatomie mit Rücksicht auf physische Belehrung, insbesondere das Problem physischer Erziehung in Schulen*], 1 1888, E. Gerbek. 8°.

LYSTER, H. F. *Heating and ventilation of public buildings.* Re the Wayne County Medical Society of its committee of invest of the system of heating and ventilation and management of c now being introduced into the public school buildings in Med. Age, Detroit, 1887, 553—555.

MARGUERETTAZ, C. *Igiene della scuola*, Aosta, 1887. 8°.

MICHAILOFF, N. F. [*Statistisches Material der physischen Entwi und Morbidität in den Landschulen des Ruzsk'schen Distrikt vernement Moskau*], Moskva, 1887, typog. V. V. Isleneva. 8°.

PETERSSON, O. V. [*Die Ferienkolonie in Bad Sätva im Jahre* Upsala Läkarefören. förh., 1887, XXII, 9, 490.

REIMANN, W. *Die körperliche Erziehung und die Gesundheitspflege Schule*, Kiel, 1885. 8°.

Report, Annual — of the instructor in hygiene. School Document 1887, Boston, 1887, Bockwell & Churchill. 8°.

SCHNELLER. *Über die Entstehung und Behandlung der Kurzsic* Vortrag, gehalten in der naturforschenden Gesellschaft am 15. I 1888. Danziger Ztg., 1888.

Bei der Redaktion eingegangene Schriften:

ADLER, H. *Über die Schäden, die das Auge der Schüler durch Überb an den Mittelschulen erleidet, die in und außerhalb der Schule li Ursachen und die Mittel, diesem Übelstande nach Möglichkei helfen.* Mitt. d. Wien. med. Dokt.-Koll., 1887, XIII, 12—32.

CONI, E. R. *Progrès de l'hygiène dans la république Argentine.* Paris, 1887, Baillière et fils. gr. 8°.

GERHARD, W. P. *The drainage of a house*, Boston, 1888. 8°.

HEIM, J. *Referat über die Überbürdung der Schüler in den Mitteli* Erstattet in der Sitzung der Sektion für öffentliche Gesundheit Mitt. d. Wien. med. Dokt.-Koll., 1887, XIII, 1—11. 8°.

Jahresbericht des Bonner Vereins für Körperpflege in Volk und No. 1, 2, 3, Bonn, 1883—85.

Jahresbericht, fünfundvierzigster, des St. Josef unentgeltlichen spitales in Wien und des damit verbundenen Dr. Biehler'schen wärterinnen-Bildungs-Institutes für das Jahr 1886, Wien, 1886, verl. d. Anstalt. 8°.

MAYER, W. *Die Lage des Heftes beim Schreiben.* Im Auftra Ärztekammer von Mittelfranken nach dem vorhandenen Mater nach eignen Untersuchungen zusammengestellt. Friedreich f. gerichtl. Med., 1888, II, Nürnberg, 1888, Fr. Korn. 8°.

3746	Städtische { Schulen mit Schulgeld										die Gymnasien.)
2417	5 klassige Schulen	—	38,5	39,3	38,5	39,7	35,2	—	37,1	29,2	37,9
600	3 klassige Schulen	—	32,2	36,0	34,9	—	—	—	—	—	34,5
207	2 klassige Schulen	—	40,3	29,5	—	—	—	—	—	—	35,2
113	1 klassige Schulen	—	42,5	—	—	—	—	—	—	—	42,5

Tabelle IV.

Prozente der Kranken in den höheren Mädchenschulen Kopenhagens nach HERTEL 1881.

Schülerinnenzahl: 1211.

Alter in Jahren	6	7	8	9	10	11	12	13	14	15	16	Total
Krankenprozent	(12)	29	32	32	32	45	51	51	46	(50)	(61)	39

Volksschulen								
Freischulen	133	30	138	35	145	35,5	140	30,5
Töchter von Bauern	135	32	138	35,5	143	39,5	149	41,5
Töchter von Arbeitern...	133	31	138	34	143	38,5	143	40
Im Durchschnitt	134	30,5	138	34	146	38	151	42

Zeitschrift für Schulgesundheitspflege.

I. Jahrgang. 1888. No. 7.

Original-Abhandlungen.

Neuere Untersuchungen über den allgemeinen Gesundheitszustand der Schüler und Schülerinnen.

Von

AXEL HERTEL,
kommunaler Kreisarzt in Kopenhagen.

(Fortsetzung und Schluß.)

Die Überbürdungsfrage hat lange Zeit in fast allen Ländern auf der Tagesordnung gestanden. Von verschiedenen ärztlichen Kommissionen und Lehrerversammlungen ist eine Maximalarbeitszeit festgestellt worden, die nicht überschritten werden soll. Wie lange aber die Schüler wirklich den Tag hindurch arbeiten, wurde nicht zugleich aufgeklärt, und doch ist dies von gröfstem Interesse zu wissen. Die dänischen und schwedischen Untersuchungen gewinnen daher eine besondere Bedeutung noch dadurch, daſs die tägliche Arbeitszeit der Schüler durch sehr umfassende Nachfragen bei den Eltern ermittelt wurde. Die von diesen erteilten Antworten können im allgemeinen als richtig angesehen werden. Es gilt dies namentlich in betreff der Gymnasien und Realschulen, weniger bezüglich der Bürgerschulen, da hier die gestellten Fragen bisweilen mißverstanden und unrichtig beantwortet wurden. Was die Volksschulen anlangt, so untersuchte man bei diesen, wie bereits oben bemerkt, die Arbeitsdauer überhaupt nicht. In den Tabellen 9 und 10[1] ist die Arbeitszeit aus-

---

[1] Siehe am Schlusse des Heftes.

schliefslich nach den Ermittelungen der dänischen
und schwedischen Kommissionen angegeben. Von
meinen eignen Untersuchungen mufste ich insofern absehen,
als ich, abweichend von der dänischen Kommission, in die
Arbeitszeit auch den Gesang- und Turnunterricht mit einbezogen
hatte, so dafs meine Resultate mit den dänischen nicht ohne
weiteres verglichen werden konnten. Übrigens stimmten auch
die schwedischen mit den dänischen Untersuchungen nicht ganz
überein, da bei erstern zwar nicht das Turnen, wohl aber der
Gesang in die Arbeitszeit eingerechnet wurde, doch hat dies
auf die gefundenen Zahlen nur geringen Einflufs.

Sowohl die dänische als die schwedische Kommission
konnte nun konstatieren, dafs die Arbeitszeit der Knaben
regelmäfsig von Klasse zu Klasse zunimmt. In den untern
Klassen beträgt sie, da hier der Unterricht nicht lange währt
und die häuslichen Arbeiten nur gering sind, ungefähr
4 Stunden täglich. In den obern Klassen dagegen, wo der
Schulunterricht im Durchschnitt 5 Stunden dauert und die
Hausaufgaben eine sehr bedeutende Rolle spielen, steigt die
tägliche Arbeitszeit in den dänischen Schulen bis auf 9 und
9¹/₂ Stunden, in den schwedischen bis auf 10 und 11 Stunden
an. Diese Zahlen beziehen sich nur auf die öffentlichen
Unterrichtsstunden und die für die Anfertigung der häuslichen
Schularbeiten nötige Zeit. Viele Schüler aber geniefsen aufserdem noch Privatunterricht, in Dänemark 25 bis 30 %, in
Schweden 15 bis 20 % derselben. Für die dänischen Knaben
erwächst daraus eine Vermehrung der täglichen Arbeitszeit um
³/₄ Stunden, für die schwedischen eine solche um ¹/₂ Stunde.
Die ältern Schüler, welche Privatunterricht haben, arbeiten
daher in Dänemark 10 Stunden, in Schweden 11 bis 11¹/₂
Stunden täglich. Da hier nur von der durchschnittlichen
Arbeitszeit die Rede ist, so sind die weniger begabten Schüler
noch länger beschäftigt, und es kommt vor, dafs 14jährige
Knaben 9 bis 10 Stunden täglich ihren Studien obliegen.
Nach dem schwedischen Berichte findet man sogar in einzelnen
Schulen ganze Klassen, deren mittlere Arbeitszeit 12 bis 14

Stunden den Tag über beträgt. An der Richtigkeit dieser Angaben aber ist um so weniger zu zweifeln, als die schwedischen Schulen in jedem Jahre Erkundigungen über die Dauer der Arbeitszeit einziehen, um dem Kultusminister darüber zu berichten, und eine Reihe von Jahren hindurch jene grofse Arbeitslast der Schüler immer von neuem wieder konstatiert werden konnte. Dafs die schwedischen Schüler dieselbe aus- zuhalten vermögen, verdanken sie wahrscheinlich den ungemein langen Ferien, deren sie sich erfreuen. In Schweden beträgt nämlich das Schuljahr nur 36 Wochen, und die Ferien dauern 16 Wochen, während in Dänemark für den Unterricht 42 Wochen, für die Ferien 10 Wochen bestimmt sind. Die schwedischen Ferien verhalten sich demnach zu den dänischen wie 8 : 5.

Vergleicht man jetzt diese faktische Arbeitszeit der schwedischen und dänischen Schüler mit der von verschiedenen Kommissionen vorgeschlagenen, so wird man einräumen müssen, dafs dieselbe über alle Maxima, welche überhaupt als zulässig angesehen sind, bei weitem hinausgeht. Denn während beispielsweise das „ärztliche Gutachten über das höhere Schulwesen Elsass-Lothringens" für die Quartaner und Tertianer höchstens 7, für die Sekundaner und Primaner höchstens 8 bis 8½ Stunden täglicher Arbeit zuläfst, beträgt dieselbe, wie wir sahen, in den obern Klassen Dänemarks 9 bis 9½, in denjenigen Schwedens sogar 10 bis 11 Stunden. In wiefern freilich die Maximalarbeitszeit in den Ländern, in welchen sie normiert ist, auch innegehalten wird, darüber wissen wir nichts; das erfährt man nur durch sorgfältige Unter- suchungen, wie die hier angestellten. Auf jeden Fall aber ist in Dänemark und Schweden das Maximum der Arbeitszeit nicht etwa nur von einigen, sondern von allen Schülern weit überschritten worden.

Wie aus Tabelle 10 hervorgeht, ist die Arbeitszeit der Mädchen durchgehends niedriger als diejenige der Knaben, beträgt aber auch hier in den obern Klassen immerhin noch 7 bis 8 Stunden täglich. Dabei ist indessen zu bemerken,

15*

dafs bei den dänischen Schülerinnen der Privatunterricht in die Arbeitszeit mit eingerechnet ist, und dafs die Musikstunden hier eine bedeutende Rolle spielen, indem 70 bis 80% der ältern Mädchen solche erhalten. Sehen wir aber von dem Musikunterrichte ab, so ist in den schwedischen Mädchenschulen die Arbeitszeit im allgemeinen länger als in den dänischen. Aufserdem zieht sich der Schulbesuch der jungen Schwedinnen bis in ein höheres Alter hinaus, indem sie erst mit 17 bis 18 Jahren die Schule verlassen, während die Däninnen dies mit 15 bis 16 Jahren thun.

Es ist klar, dafs die Überbürdungsfrage durch diese Untersuchungen eine viel thatsächlichere Unterlage als früher gewonnen hat. Denn obschon die Länge der Arbeitszeit für die Überbürdung nicht allein mafsgebend ist, indem auch andre Momente, wie die Zahl der Lehrgegenstände, die Verteilung der Unterrichtsstunden, die Forderungen an besondere Geisteskräfte, z. B. das Gedächtnis dabei in Betracht zu ziehen sind, so werden doch alle, selbst die eifrigsten Pädagogen zugestehen, dafs eine so lange Arbeitszeit, wie die hier nachgewiesene, unbedingt nicht nur der physischen, sondern auch der geistigen Entwickelung der Kinder nachteilig sein mufs. Wenn Turnen und Gesang mit gerechnet werden, so sind die dänischen Schüler der obern Klassen 10 bis 11, die schwedischen 11 bis 12 Stunden täglich beschäftigt, und zwar mit Arbeiten, welche zum Teil in hohem Grade ihre Geisteskräfte in Anspruch nehmen. Woher soll da die Mufse zu irgend welcher selbstgewählten Thätigkeit kommen? Alle Zeit mufs auf die Schularbeit, die Lektionen und Aufgaben verwendet werden. Kein Wunder, wenn daher in fast · allen Ländern darüber geklagt wird, dafs die jungen Studenten unreif und zu selbständiger Arbeit unfähig sind, dafs die Entwickelung des Charakters unter dem übermäfsigen Drucke der Lektionen zu leiden hat.

Von gröfster Bedeutung würde es sein, wenn man direkt den schädlichen Einflufs der starken Arbeitslast auf die Schüler nachweisen könnte. Dies macht grofse Schwierigkeiten, indessen ist es doch möglich, einige Anhalts-

punkte für die Beurteilung jenes Einflusses zu gewinnen. Bei
meinen Untersuchungen versuchte ich daher den Unterschied
zwischen den Schülern, die mehr und denjenigen, welche
weniger als eine gewisse zulässige Zeit arbeiteten, in jeder
Klasse zu bestimmen. Als Maſsstab für diese Arbeitszeit
wandte ich das von der westphälischen Direktorenkonferenz
festgesetzte Maximum an und fand nun, daſs die Schüler,
welche eine längere tägliche Arbeitszeit als das Maximum
hatten, 7% mehr Kranke aufwiesen als diejenigen, deren
Arbeitszeit hinter dem Maximum zurückblieb. In Schweden
unternahm Professor KEY eine ähnliche Untersuchung an 10
Gymnasien Stockholms, indem er die Schüler in zwei Gruppen
einteilte, solche, welche mehr und solche, welche weniger als
die durchschnittliche Arbeitszeit der Klasse arbeiteten. Dabei
fand er, daſs die erstern eine um 5% höhere Kränklichkeit
als die letztern zeigten. Hierdurch ist der nachteilige Einfluſs
der längern Arbeitszeit mit ziemlicher Sicherheit festgestellt.
Von statistischer Seite wurde freilich hiergegen der Einwand
erhoben, daſs die nachgewiesene Kränklichkeit ein Produkt
verschiedener Faktoren, also nicht ausschlieſslich der Arbeitsdauer, sondern z. B. auch der erblichen Disposition und ungünstiger häuslicher Verhältnisse sei. Auf diesen Einwurf ist
indessen zu erwidern, daſs groſse Zahlen ihre Fehler durch
sich selber verbessern und so dürfte den Resultaten des Professor KEY wie den meinigen ein hoher Grad von Wahr-
scheinlichkeit nicht abzusprechen sein. Für die Richtigkeit
derselben spricht auch die groſse Kränklichkeit der viel beschäftigten Gymnasiasten im Alter von 12 bis 14 Jahren,
welche diejenige der entsprechenden Altersklassen andrer
Schülen weit überragt, obgleich die Schüler der Gymnasien
sowohl in Bezug auf Körperlänge als auf Gewicht die erste
Stelle einnehmen und sonst überall die am kräftigsten entwickelten Kinder die geringste Kränklichkeit zeigen. Nicht
minder steht mit den von uns gewonnenen Resultaten in Einklang, daſs die Morbidität in den schwedischen Schulen sowohl
bei den Knaben wie bei den Mädchen beträchtlich höher als

in den dänischen ist, da die Arbeitszeit in Schweden sich ja auch weit gröfser als in Dänemark erwies.

Ein Vergleich der Arbeitsdauer in den verschiedenen Gymnasien, den man in dem schwedischen Berichte angeführt findet, zeigt übrigens, dafs die Arbeitszeit gleichgestellter Klassen sehr verschieden sein kann, und dafs es Schulen gibt, in denen die Arbeitsdauer in allen Klassen bedeutend gröfser als in andern Schulen ist, ohne dafs die Leistungen deswegen bessere sind. Daraus erhellt, wie bedeutungsvoll die Unterrichtsmethode ist. Denn trotz gleicher Erfolge erheischen einzelne Schulen nur die Hälfte der Hausarbeit, die von andern Lehranstalten gefordert wird. Die Lehrer müssen deshalb immer genau unterrichtet sein, wie viel Zeit die Schüler auf ihre Hausaufgaben verwenden; ist dieselbe verhältnismäfsig grofs, so entsteht die Frage, ob nicht die Schule durch einen falschen Unterrichtsgang hieran mehr oder weniger die Schuld trägt.

Wenn die Überbürdung zur Sprache kommt, ist man in der Regel geneigt, ausschliefslich an die höbern Schulen zu denken. Dr. CRICHTON-BROWNE[1] in London hat jedoch das Verdienst, die Aufmerksamkeit darauf gelenkt zu haben, dafs die Überbürdung auch in den Volksschulen nicht selten vorkommt. Sie rührt hier weniger daher, dafs von den Schulkindern an und für sich zu viel gefordert wird. Vielmehr erscheinen dieselben in einem so ausgehungerten und schlecht genährten Zustande in der Schule, dafs selbst die verhältnismäfsig geringe Arbeit, die sie zu leisten haben, für ihr blutarmes Gehirn zu grofs ist und daher leicht verschiedene, namentlich nervöse Leiden bei ihnen erzeugt. Die Schulzeit in den Volksschulen Londons beträgt nämlich nur $4^1/_2$ Stunde täglich, wozu noch einige wenige Hausarbeit kommt. Trotzdem ist diese Arbeitszeit sowohl für die wenig begabten, als auch für die schlecht ernährten Indi-

---

[1] Report of Dr. CRICHTON-BROWNE to the Education Department upon the alleged Overpressure of Work in Public Elementary Schools, 1884.

viduen sehr drückend, weil sie dem Unterrichte nicht recht zu folgen vermögen und doch bei der Prüfung dasselbe wie die gesunden Kinder leisten sollen. Die geistige Arbeit aber macht ihnen besondere Schwierigkeit, weil viele, in einigen Schulen Londons bis zu 40%, zum Unterrichte kommen, ohne Essen von ihren Eltern erhalten zu haben. „Es fehlt ihnen an Blut, und wir geben ihnen ein wenig Hirnpolitur; sie bitten um Brot, und wir geben ihnen Probleme zu lösen." Um die Folgen dieser unglücklichen Verhältnisse nachzuweisen, unter-suchte CRICHTON-BROWNE 6580 Schüler aus einem der ärmsten Stadtteile Londons. Er fand hierbei, daß nicht weniger als 3084 oder 46%, nämlich 40% der Knaben und 52% der Mädchen an Kopfschmerzen litten, die in den meisten Fällen von Anämie oder Neurasthenie herrührten. Bei solchen anämischen oder neurasthenischen Kindern wird nämlich durch stärkere geistige Arbeit sehr leicht Überanstrengung und Er-müdung des Gehirns hervorgerufen. Daher zeigten sich die Kopfschmerzen auch weit häufiger in den obern als in den untern Klassen, öfter des Nachmittags nach der Schularbeit als des Vormittags; sie hatten also entschieden den Charakter des Ermüdungskopfwehs; auch war ihr Sitz in der Regel die Stirn oder das Vorderhaupt. Viele Kinder, nämlich 38% litten außerdem an Schlaflosigkeit und nicht wenige waren Nachtwandler — alles Anzeichen, welche für Störungen des Nervensystems sprechen. Zu diesen Anzeichen gehörten auch die gleichfalls sehr häufigen Neuralgien, welche bei 54% sich fanden, wobei freilich auch die Zahnschmerzen mitgezählt sind. Dagegen wurde kein einziger Fall von Veitstanz konstatiert, obgleich beispielsweise in New-York 20% der Kinder öffent-licher Schulen an dieser Krankheit litten.

Eine besondere Erwähnung verdienen hier noch die Gesundheitsverhältnisse der den englischen Schulen eigentümlichen sogenannten „pupil teachers." Die-selben stehen im Alter von 14 bis 18 Jahren und werden aus den tüchtigsten Schülern der obern Klassen ausgewählt, um die Lehrer beim Unterrichte zu unterstützen. Da sie außerdem noch besondere Stunden erhalten und also verhältnismäfsig viel arbeiten müssen, so sind nervöse Leiden bei ihnen aufserordentlich häufig. So kamen Kopfschmerzen unter den Knaben, welche pupil teachers waren, bei 48 % vor, unter den Mädchen, welche unterrichten halfen, bei 67 %; aufserdem waren Neuralgien, Migräne und ähnliche Krankheiten bei ihnen sehr verbreitet.

Die Untersuchungen von Crichton-Browne haben in England heftige Angriffe erfahren und in der That läfst sich nicht leugnen, dafs dieselben einzelne schwache Punkte enthalten. Selbst aber wenn man die von ihm gefundenen Krankenprozente nicht als sicher ansieht, bleibt ihm doch das Verdienst, schärfer und bestimmter als irgend jemand auf den engen Zusammenhang zwischen ungenügender Ernährung und mangelhaften Leistungen der Volksschüler hingewiesen zu haben. Mit Recht sagt er, dafs bei solchen Kindern weder Strafe noch Ermahnungen, sondern einzig und allein kräftige Mahlzeiten helfen. Wo es an diesen fehlt, da werden alle Versuche, gröfsere Leistungen zu erzielen, sie nur noch tiefer herabdrücken und ihnen nur direkten Schaden zufügen. Selbst angestrengte körperliche Arbeit kann schlecht genährten Schülern nachteilig werden und auch das Turnen in der Schule darf daher immer nur mit grofser Vorsicht von ihnen gefordert werden. Denn die stärkern Muskelanstrengungen bringen eine Vermehrung des Stoffwechsels hervor, wird aber der Stoffverlust nicht durch ausreichende Nahrung ersetzt, so tritt das Gegenteil von dem, was man zu erreichen sucht, ein: der Körper erfährt eine Schwächung, statt gekräftigt zu werden.

Nicht unwichtig für das leibliche Gedeihen der Kinder ist auch, dafs sie in der Nacht die gehörige Ruhe erhalten. Wie die Erfahrung lehrt, bedarf die Jugend während der ganzen Wachstumsperiode reichlichern Schlafes als die Erwachsenen. Namentlich aber gilt dies, wenn an das kindliche Gehirn gröfsere Forderungen gestellt werden, da das Zentralnervensystem leicht zu ermüden pflegt. Sowohl von mir als von der schwedischen Kommission wurde daher die

Dauer der Schlafzeit noch besonders ermittelt. Dabei ergab sich, wie aus Tabelle 11 [1] zu ersehen ist, daſs dieselbe nur bei den Schülern der untern Klassen 8 bis 9 Stunden erreicht; in den obern Klassen beträgt sie wenig mehr als 7 Stunden, was unzweifelhaft zu wenig ist. Wie viel Schlaf ein Kind in einem gewissen Alter bedarf, ist freilich schwer mit Bestimmtheit anzugeben. Es hängt das von verschiedenen Umständen ab. Kranke Kinder haben mehr Schlaf als gesunde nötig; der Winter erfordert, daſs der Körper längere Zeit als im Sommer ruht; auch klimatische Verhältnisse machen sich hier geltend: in nördlichern Ländern braucht man mehr Schlaf als in südlichern. Im allgemeinen aber darf man wohl sagen, daſs eine Schlafzeit von 10 Stunden für die jüngern Kinder, eine solche von 8 bis 9 Stunden für die ältern bei unserm Klima absolut erforderlich ist. In den höhern Schulen Dänemarks aber wird dies Maſs bei weitem nicht erreicht. Die Sorge, daſs die Kinder hinlänglichen Schlaf erhalten, liegt zwar zunächst der Familie ob, doch kann die Schule hier sehr leicht hindernd einwirken, wenn sie ihre Zöglinge bis in die Nacht hinein zu arbeiten zwingt. Aus den schwedischen Untersuchungen geht nämlich als ganz konstante Erscheinung hervor, daſs bei einer Lehranstalt mit verhältnismäſsig langer Arbeitszeit die Schlafzeit sehr gering ist und ebenso, daſs der Schlaf der Knaben von gleichem Alter kürzer ist, wenn sie in einer höhern als wenn sie in einer niedern Klasse sitzen. Man sieht also: die Zeit, die für die gröſsere Arbeit erforderlich ist, wird im allgemeinen von der Schlafzeit genommen.

Die übrigen Verhältnisse, welche die körperliche Entwickelung der Kinder im Elternhause beeinflussen, wie z. B. die Art und Weise der Ernährung sind selbstverständlich von hoher Wichtigkeit. Es lassen sich aber schwer statistische Erhebungen nach dieser Richtung hin anstellen. Die darauf bezüglichen Untersuchungen, welche von der dänischen Kom-

---

[1] Siehe am Schlusse des Heftes.

mission ausgeführt worden sind, führten zu keinem zuverlässigen und brauchbaren Resultate. In Schweden wurden allerdings Thatsachen ermittelt, welche manche hierher gehörige Aufklärung geben, dieselben haben aber nur für dieses Land und wenig allgemeines Interesse, weshalb wir hier nicht näher darauf eingehen.

Durch diese Untersuchungen, welche nicht weniger als 50 000 Kinder umfassen, sind die wesentlichsten Grundlagen für die Beurteilung der physischen Entwickelung und der Gesundheit des heranwachsenden Geschlechts auf das gründlichste und sorgfältigste festgestellt worden. Unter den gewonnenen Resultaten ist ein Faktum von gröfster Bedeutung, dafs die Kränklichkeit in den obern Klassen gröfser als in den untern ist und dafs ein Drittel der Knaben und mehr als die Hälfte der Mädchen in den wichtigsten Jahren an Krankheiten, wie Skrofulose, Blutarmut und Nervosität leiden, welche auf das geistige und körperliche Wohlbefinden einen durchgreifenden Einflufs ausüben. Eine grofse Zahl sind überdies kurzsichtig oder besitzen ein mangelhaftes Gehör. Das ist wahrhaftig ein trauriges Bild der heranwachsenden Jugend, zumal nicht nur die Kinder, welche in Not und Elend leben, sondern auch die der wohlhabendern Stände schwach und kränklich sind. Die Schuld daran trägt bei letztern die übermäfsige Schularbeit, welche ihnen nicht erlaubt, der für ihr Alter nötigen Ruhe zu pflegen. Es ist aber nicht allein die physische Entwickelung, die unter dieser unglücklichen Überbürdung leidet und durch ein paar Turnstunden wöchentlich kaum gebessert wird, nein, auch die geistige Ausbildung wird durch dieselbe geschädigt. Zunächst wirkt schon die aufserordentliche Menge des Lernstoffes nachteilig, die im allerhöchsten Grade das Gedächtnis in Anspruch nimmt. Aufserdem aber werden einzelne Seiten des geistigen Lebens zu ausschliefslich gebildet. Den Verstand und das Denken sucht man zu entwickeln, auf die Erziehung des Willens, des Charakters und Gemütes nimmt man zu wenig Bedacht. Die Folge davon ist, dafs so viele Jünglinge unselbständig und unreif die Schule verlassen. Damit aber sind wir an einem Punkte angelangt, wo eine Veränderung des Unterrichtssystems notwendig wird.

Bei dem Feststellen eines neuen Schulplanes muſs von vornherein gleich berücksichtigt werden, daſs die Schule es nicht mit lauter gesunden und kräftigen Kindern zu thun hat, sondern daſs ein groſser Teil derselben mehr oder weniger schwächlich und leidend ist. Dies erheischt wieder, daſs der physischen Ausbildung ein weit gröſserer Raum als früher zugestanden wird. Die bisherigen Bestrebungen der Schule als wesentlich kenntnisvermittelnde müssen einer auch den Leib mehr erziehenden Wirksamkeit Platz machen. Körperliche Beschäftigung unter einer in pädagogischer Hinsicht passenden Form ist als festes Glied in den Unterricht mit aufzunehmen. Hierdurch, sowie durch Turnen, freie Spiele u. s. w. müssen die Leiber der Jugend auf eine solche Weise gestählt werden, daſs sie schädlichen Einflüssen Widerstand leisten.

Es ist eine charakteristische und eigentümliche Erscheinung, die sich in fast allen Ländern wiederholt, daſs der Zudrang zu den höhern Lehranstalten gegenwärtig weit gröſser als früher ist. Derselbe hat zur Zeit eine solche Ausdehnung gewonnen, daſs man sich ernstlich darüber beunruhigt, es möchte ein litterarisches Proletariat, das gefährlichste unter allen, entstehen. Um diesem starken Zudrange entgegen zu wirken, hat man vorgeschlagen, die Forderungen beim Examen zu verschärfen. Auf diesem Wege aber würde man doch schwerlich etwas andres erreichen, als daſs die Studenten noch schwächlicher und unreifer werden, da die Schularbeit ohnehin beträchtlich genug ist. Die eigentliche Ursache der vermehrten Frequenz der höhern Unterrichtsanstalten liegt in dem Bedürfnisse der niedern Volksschichten, ihren Kindern ein gründlicheres Wissen zu verschaffen, um sie auf diese Weise in dem harten Kampfe ums Dasein mit den besser situierten Klassen gleichzustellen. Dies Bedürfnis läſst sich schwerlich bekämpfen oder zurückhalten. Der rich-

tige Weg ist gewifs, den Wünschen gewissermafsen entgegen-
zukommen, indem man den Prüfungen eine Form gibt, die
mit den Forderungen des täglichen Lebens mehr übereinstimmt.
Wenn der Jüngling die Schule durchgemacht hat, ist er irgend
eines praktischen Berufes ganz ungewohnt und zu demselben meist
unfähig. Er hat nur studieren gelernt und sucht daher ganz
natürlich in fortgesetzten Studien und litterarischer Wirksamkeit
seinen künftigen Lebensberuf. Es wird die Aufgabe der
Zukunftsschule sein, ihm eine solche Erziehung zu geben, dafs
er beim Austritt aus der Schule nicht nur seine Studien fort-
zusetzen, sondern auch zu einer praktischen Thätigkeit über-
zugehen vermag. Diese Fähigkeit wird er nur dann erlangen,
wenn er gelernt hat, seine Hände auch zu andern Dingen
als zum Schreiben zu gebrauchen und wenn sein Auge gewöhnt
ist, nicht allein auf Buchstaben zu sehen. Die körperliche
Arbeit als notwendiger Bestandteil des Schulunterrichts wird
die Jugend daher nicht nur in physischer Beziehung kräftigen,
sondern auch ein sehr wesentliches Element, das jetzt vermifst
wird, in ihre ganze Ausbildung bringen.

Wenn aber auch diese Arbeit der körperlichen Entwickelung zuträglich sein wird, so wird die letztere doch viel mehr
durch Turnen, Spiele und Ausflüge ins Freie gefördert.
Soll aber hierdurch ein wirkliches Gegengewicht gegen das
lange Stillsitzen und seine schädlichen Folgen gewonnen
werden, so mufs wenigstens eine Stunde täglich auf das Turnen
verwendet werden. Ebenso sind regelmäfsige Jugendspiele
einzurichten und Schulausflüge sollten nicht blos ein- oder
zweimal im Jahre, sondern öfter unternommen werden, zumal
sie ein vortreffliches Mittel für die Lehrer sind, ihre Zöglinge
näher kennen zu lernen. Namentlich gilt das Gesagte für alle
gröfsern Städte; hier mufs die Schule den Kindern für ihre
freien Bewegungen Zeit und Gelegenheit schaffen, da es nur
ausnahmsweise in der Macht der Familie steht, für körperliche
Übungen gehörig Sorge zu tragen.

Der Nachweis der weit verbreiteten Kränklichkeit in den
Schulen stellt unzweifelhaft auch neue und bestimmte

Ansprüche an die Persönlichkeit der Lehrer. Wer
Pädagog sein will, muſs ein krankes Kind von einem gesunden
unterscheiden können; auch muſs er verstehen, seine Forderungen
der körperlichen Eigentümlichkeit des Zöglings anzupassen.
Dadurch wird seine Aufgabe sicherlich schwieriger, er wird
aber auch weit mehr ausrichten, wenn er zu individualisieren
weiſs. Er muſs z. B. darüber urteilen können, ob es von
Trägheit oder von Kränklichkeit, von Unaufmerksamkeit oder
periodischer Schwerhörigkeit, von Träumerei oder mangelhafter
Ernährung herrührt, wenn ein Kind eine Zeit lang dem
Unterrichte schlechter als früher folgt. Ist der Lehrer nicht
im stande, dies zu thun, so wird er leicht ungerecht gegen
den Schüler, bestraft denselben, wo er vielmehr Aufmunterung
oder Nachsicht bedarf, und wird so das Entgegengesetzte von
dem erreichen, was er erstrebt. Kenntnisse in der Gesundheitslehre müssen deshalb notwendigerweise von einem jeden Schulmann gefordert werden. Das schuldet man den vielen kränklichen Kindern, sollen dieselben nicht noch weiter geschädigt
werden, und Kurzsichtigkeit, Verkrümmungen der Wirbelsäule
und sonstige Schulkrankheiten nicht noch mehr um sich
greifen.

Daneben muſs aber auch der ganze äuſsere Apparat,
mit welchem die Schule arbeitet, wie Lokal, Subsellien, Lehrmittel u. s. w. so vollkommen als möglich eingerichtet sein und der richtige Gebrauch
desselben von Sachverständigen kontrolliert werden.
Daher hat künftighin der Schularzt im Personal der Schule
eine sehr einfluſsreiche Stellung einzunehmen, da seine Anleitung in gar vielen Fällen nicht entbehrt werden kann. Er
muſs bei der Festsetzung des Stundenplans, der Wahl der
Turnstunden, der vollständigen oder teilweisen Dispensation
von denselben auch eine Stimme haben. Ebenso wird man
seinen Rat gerne einholen, wenn einzelne Schüler erkrankt
oder gar Epidemien in der Schule ausgebrochen sind. Auch
die Untersuchung und Pflege des Gesichts- und Gehörssinnes
der Jugend würde zu seinen Aufgaben gehören.

Mit den Eltern muſs die Schule gleichfalls in
nähere Beziehungen treten und dies um so mehr, als sie
immer mehr von der erziehenden Wirksamkeit übernimmt,
welche früher fast ausschlieſslich der Familie zufiel. Es ist
möglich, daſs dies ein Übelstand ist, sieht man aber auf die
Verhältnisse, wie sie sich in den verschiedenen Ländern entwickelt haben, so wird man zugeben müssen, daſs das Elternhaus weniger als früher im stande ist, die Erziehung der
Kinder in genügender Weise zu leiten und einen Teil daher
an .die Schule abgeben muſs. So viel als möglich sollten deshalb Schule und Haus sich zu gemeinsamer Arbeit verbinden.
Jeder Schuldirektor, jeder Lehrer muſs wissen, wie viel Zeit
die Kinder auf die häuslichen Aufgaben verwenden, schon um
die einzelnen Schüler näher kennen zu lernen. Daſs man
durch das Elternhaus durchaus zuverläſsige und genaue Aufklärungen erhalten kann, haben die vorliegenden Untersuchungen
zur Genüge gezeigt. Sie haben aber auch dargelegt, daſs eine
solche Kontrolle noch nach einer andern Richtung hin von
groſsem Vorteile ist. Es wird nämlich durch sie zugleich
erreicht, daſs die Eltern die Arbeitsweise der Kinder genauer
beobachten und so der Schule nützliche Winke geben können,
ob der Stoff zu den häuslichen Aufgaben den Schülern von
den Lehrern gehörig zurechtgelegt ist. Denn es kommt noch
immer vor, daſs jüngere Kinder sich auf einen Schriftsteller
präparieren oder einen Aufsatz anfertigen sollen, ohne genügende Anweisung dazu in der Schule erhalten zu haben.

Die hier referierten Forschungen, die von denen,
welche die betreffenden Verhältnisse näher studieren
wollen, im Original gelesen werden müssen,[1] haben

---

[1] Da die meisten unsrer Leser wohl des Schwedischen unkundig
sind, so benutzen wir diese Gelegenheit, schon jetzt darauf hinzuweisen,
daſs unser geschätzter Mitarbeiter, Herr Professor Dr. L. BURGERSTEIN,
demnächst im Verlage von LEOPOLD VOSS in Hamburg und Leipzig
ein Werk veröffentlichen wird, welches ein Auszug aus dem Berichte des
Professors AXEL KEY über die schulhygienischen Untersuchungen in
Schweden ist. Die Redaktion.

ohne Zweifel zur Beleuchtung der wichtigsten hygienischen Verhältnisse in der Schule sehr wesentlich beigetragen. Aufser dem hier Mitgeteilten enthalten die offiziellen Berichte noch ausführliche Angaben über Schullokale, Subsellien u. s. w., die in diesem Artikel nicht weiter erwähnt werden konnten. Viele der gewonnenen Resultate haben sicherlich Gültigkeit nicht nur für die Länder, in welchen die Untersuchungen vorgenommen sind, sondern auch für andre Gegenden; denn die Schulverhältnisse der verschiedenen Nationen haben grofse Ähnlichkeit mit einander. Damit soll freilich nicht gesagt sein, dafs nicht auch ein jedes Land seine Eigentümlichkeiten in dieser Beziehung hat. Wir brauchen nur an den auffallenden Unterschied, der sich im Vorkommen der Skrofulose in den dänischen und in den schwedischen Schulen zeigte, zu erinnern. Neue umfassende Untersuchungen in andern Ländern würden daher gewifs noch manche schulhygienisch wichtige und interessante Thatsachen zu Tage fördern, wenn man dem Wege folgte, der durch die dänische und schwedische Kommission eingeschlagen worden ist. Wir können nur wünschen, dafs dies bald und an vielen Orten geschehe.

Aus Versammlungen und Vereinen.

Die Schulhygiene im österreichischen Parlamente.

Im österreichischen Hause der Abgeordneten hat Abgeordneter Dr. F. KINDERMANN am 11. Mai 1888 eine Rede gehalten, der wir nach dem offiziellen stenographischen Protokolle die folgenden auf Schulgesundheitspflege bezüglichen Stellen entnehmen:

— „Ich komme nun zu dem zweiten Punkte, zur Besprechung der Schulhygiene. Es ist wohl selbstverständlich, wenn ich als Arzt bei Titel „Volksschulen" das Wort ergreife, dafs ich in Anbetracht des Kongresses für Hygiene und Demographie, welcher vom 26. September bis 2. Oktober 1887 in

unsrer Monarchie, in Wien tagte, unwillkürlich auch einige
Worte über Schulhygiene spreche. Und doch hätte ich es
nicht gethan, wäre ich nicht von seiten eines hochgeehrten
Herrn Abgeordneten, dessen Thätigkeit auf volkswirtschaft-
hchem und humanitärem Gebiete anerkannt ist, von seiten des
Herrn Abgeordneten PROSKOWETZ[1] hierzu aufgefordert worden.
Ich hätte es deshalb nicht gethan, weil es mich mit Freude
und Genugthuung erfüllen muſs, wenn ich sehe, wie auch
Nichtärzte von der Wichtigkeit der Schulhygiene so durch-
drungen sind, wie es der Herr Abgeordnete PROSKOWETZ ist.
Ich verweise diesbezüglich auf das stenographische Protokoll
der 148. Sitzung, 10. Session, am 10. Mai 1887, in welcher
er über einige Punkte, welche mit dem Wohl der Schuljugend
und speziell mit der Schulhygiene zusammenhängen, gesprochen
hat. Ich habe auch geglaubt, daſs, wenn ein Nichtarzt über
diesen Punkt spricht, der Eindruck ein um so gröſserer sein
muſs, als wenn dies ein Arzt thut, der pflichtgemäſs dazu
berufen ist. Mir fällt es nicht ein, in die nähern Details
einzugehen, welche am 27. und 28. September auf dem genannten Kongresse in Bezug auf die Schulhygiene beraten und
beschlossen wurden. Ich hätte dazu zwar ein Recht, trotzdem
man sich bemüht, die Debatte soviel als möglich abzuschneiden.
Aber allen Herren sind die Verhandlungen dieses Kongresses
bekannt, auch Seiner Excellenz sind sie bekannt, so daſs ich
da nichts Näheres beizufügen brauche. Um aber einem fleiſsigen
Manne, der ein tiefes Verständnis für diese Angelegenheit hat,
gerecht zu werden, verweise ich auf die Brochüre „Schulgesundheitspflege auf dem hygienischen Kongresse, von Prof.
Dr. LEO BURGERSTEIN, Sekretär der zweiten Sektion des
hygienischen Kongresses."[2] In dieser Broschüre, welche zeigt,

---

[1] Herr RITTER VON PROSKOWETZ hat sich erst kürzlich wieder durch
seine auf die Verhütung der Trunksucht gerichteten Bestrebungen im
mährischen Landtage Verdienste erworben.   Die Redaktion.
[2] Diese Zeitschrift, No. 1 und 2, S. 36 ff. und No. 3, S. 74 ff.
Herr Professor Dr. L. BURGERSTEIN ist unser Mitarbeiter.
                                                  Die Redaktion.

mit welchem Verständnis und welcher Liebe er diese Fragen behandelt, sind die hauptsächlichsten Punkte, welche mit der Schulhygiene zusammenhängen, abgehandelt; so im Artikel XII: „Die ärztliche Überwachung der Schule, insbesondere mit Bezug auf die Verhütung von Infektionskrankheiten" und im Artikel XIII: „Der hygienische Unterricht an Volks-, Bürger-, Mittel-, Gewerbe-, Mädchenschulen und in Priesterseminaren, Zweckmäfsigkeit und Begrenzung desselben."

Aufserdem hat dieser Herr noch einen Vortrag gehalten in den Vereinen „Mittelschule" und „Realschule", in welchem er speziell die Frage „Schularzt" besprochen hat. Ich beabsichtige nur von zwei Punkten zu sprechen, und zwar von der Statistik über Erkrankungen und Sterbefälle an den Schulen und über die Anstellung eines Fachreferenten für Schulhygiene entweder im Unterrichtsministerium oder im Ministerium des Innern. Ich hätte es mit Freude begrüfst, wenn Seine Excellenz unter den vielen Verordnungen, die er schon erlassen hat, auch eine in Bezug auf die Schulhygiene erlassen hätte, und wenn er dabei mit gutem Beispiele vorangegangen oder nachgefolgt wäre dem ungarischen Kollegen Trefort, der am 6. April d. J. eine derartige Verordnung erliefs. Ich mufs hervorheben, dafs eine Statistik über Erkrankungen an den Schulen ein absolut notwendiges Bedürfnis ist. Haben wir erst einmal eine derartige Statistik über die Erkrankungen und Sterbefälle unter den Schulkindern, dann erst werden wir ersehen, welch grofser Unterlassungssünde wir uns bisher schuldig gemacht haben, dafs wir nicht in einer viel bessern Weise und in einer frühern Zeit für die Schulhygiene gesorgt haben. Es ist doch naturgemäfs, je gröfser die Anzahl der Erkrankungen und je gröfser die Sterblichkeitsziffer unter den Kindern ist, desto weniger wird die Bevölkerung eine kräftige sein und desto weniger wird eine Zunahme der Bevölkerung eines Staates eintreten.

Was aber die Statistik in nationalökonomischer Hinsicht besagt, dafür lassen sie mich die Worte des unermüdlichen Kämpfers, des Sanitätsrates Dr. GAUSTER, anführen, welche

er auch auf diesem Kongresse gebrauchte.[1] Diese Worte
lauten folgenderweise:

„Würden wir die jährlichen Wertverluste durch Krankheit und vorzeitigen Tod in der Produktionskraft der Bevölkerung berechnen, wie wir es bei den wirtschaftlichen Verlusten
durch Tierseuchen thun, es würde sich zeigen, was für enormer
Geldschaden auf diese Weise jährlich den einzelnen Staaten
erwächst, und zwar viel weniger in aktiven Ausgaben, selbst
bei grofsen Auslagen für Krankheitsbekämpfung in Seuchenzeiten, als passiv im Verluste an Erwerb, an Durchschnittsvermögen der Bürger, an Leistungen derselben für das Allgemeine. Diesen Ziffern gegenüber würde bald der Widerstand
gegen produktive Ausgaben zur Förderung des Gesundheitswesens schwinden."

In Bezug auf die Statistik möchte ich noch anführen, dafs
uns wohl niemand einen bessern Beleg geben könnte als der
Kriegsminister, nicht blofs unsres Staates, sondern auch andrer
Staaten. Denn diese könnten uns mitteilen, welch erschreck-
liches Resultat mitunter Assentjahrgänge aufweisen, welche in
vorhergehenden Jahren durch Infektionskrankheiten, Blattern,
Scharlach, Diphtheritis sehr stark decimiert wurden. Wenn
wir durch eine Statistik auch Daten über chronische, respektive
chirurgische Krankheiten erfahren werden, dann werden wir
den Beweis dafür haben, dafs das Turnen an den Volksschulen
eine Sache ist, die niemals vernachlässigt werden darf, und
dafs es somit ein Unrecht ist, wenn, wie es in dem Antrage
LIECHTENSTEIN der Fall ist, wir das Turnen ganz und gar
missen sollen. Dies beweist nur, dafs die Herren, welche
einen solchen Antrag stellen und das Turnen aus den Schulen
verbannt haben wollen, kein Verständnis haben von den wirklichen Verhältnissen und Bedürfnissen.

Wenn ich über die Einführung einer Statistik und über

---

[1] Diese Zeitschrift, No. 3, S. 81. Herr Regierungsrat Dr. M. GAUSTER
gehört gleichfalls zu unsern Mitarbeitern.

Die Redaktion.

die Schaffung eines Fachreferenten spreche, so soll man mir ja nicht damit kommen, daſs die Angelegenheit schwer durchführbar ist, weil groſse Auslagen damit verbunden sind. Wir haben es erlebt, daſs, wenn über ärztliche Forderungen, betreffen sie nun den ärztlichen Stand oder eine Angelegenheit des Gesamtwohls, welche mit dem ärztlichen Berufe zusammenhängt, gesprochen wird, man immer sagt: „Das kostet Geld, und wir haben keins." Dem gegenüber muſs man wirklich malitiös werden, und man muſs darauf hinweisen, was uns diese Sparsamkeit eigentlich nützt. Aus dem heutigen Budget entnehmen wir, daſs unsre Staatsschuld seit dem Jahre 1879 um nicht weniger als 523 Millionen gewachsen ist, und daſs wir in diesem Jahre gegenüber dem Jahre 1887 allein um 2747557 fl. mehr für die Zinsen der allgemeinen Staatsschuld zahlen müssen. Das hat uns die Sparsamkeit genützt. Es wäre wirklich an der Zeit, von dem alten Wege, nur dort zu sparen, wo es am wenigsten angezeigt ist, und wo das Gegenteil im Interesse der Gesamtbevölkerung gelegen ist, endlich abzuweichen.

Lassen Sie mich nun kurz anführen, was die Schulhygiene alles umfaſst. Sie soll umfassen den Weg des Kindes von der elterlichen Wohnung in die Schule, z. B. ob das Kind überhaupt die entsprechende Kleidung hat, eine Kleidung, welche der Jahreszeit entspricht, sie soll umfassen die Ankunft des Kindes in der Schule, ob es mit einer ansteckenden Krankheit behaftet hinkommt, ob es reinlich und sauber in Kleidung und an Körper hinkommt, und sie soll den Aufenthalt des Kindes in der Schule umfassen. Dieser Aufenthalt erstreckt sich auf die Vergangenheit und die Gegenwart. Die Vergangenheit umfaſst alles von dem Ankaufe des Grundstückes, von der Bestimmung eines Grundstückes, worauf die Schule erbaut werden soll, bis zur vollständigen Fertigstellung des Gebäudes. Alles, was die Hygiene diesbezüglich als richtig erkannt hat, muſs berücksichtigt werden. Die Gegenwart umfaſst die Luft, das Licht, die Räumlichkeit, Ventilation, Zuleitung des Trinkwassers, Senkgrubenwesen etc. etc., sie erstreckt sich auch auf

220

die Erteilung des Unterrichts selbst. Die Schulhygiene erstreckt sich weiter auf den Weg des Kindes von der Schule
zur elterlichen Wohnung, auf den Aufenthalt des Kindes in
der elterlichen Wohnung, wobei zu berücksichtigen kommt, ob
das Kind zu Hause noch zu Fabrikarbeiten verwendet wird
oder ob etwa in der Wohnung der Eltern ansteckende Krankheiten herrschen.

Die Schulhygiene ist notwendig in Rücksicht auf die
staatlichen Verhältnisse. Ich begreife daher, daſs die Forderungen gerechtfertigt sind, daſs an Priester- und Lehrerseminaren
die Hygiene vorgetragen werde und öffentliche Vorträge stattfinden, um die groſse Masse der Bevölkerung auf die Wichtigkeit der Hygiene hinzuweisen und die Renitenz derselben
gegen ärztliche Ratschläge hintanzuhalten.

Ich will nicht sagen, daſs wir in Österreich speziell all-
zuweit gegen andre zurück sind, aber in Bezug auf die Schulaufsicht möchte ich hinweisen, daſs wir ein Gesetz haben,
welches wohl eine Aufsicht von ärztlicher Seite verlangt, daſs
diese aber in der mangelhaftesten Weise durchgeführt wird.
Die eigentlichen Aufsichtsorgane sind die Bezirksärzte. Bei
dem groſsen Wirkungskreise derselben ist es aber nicht möglich,
daſs sie auch nur einmal im Jahre alle Schulen besuchen
könnten, wenigstens gilt dies bei uns in Böhmen. In andern
Staaten, speziell in unserm Nachbarstaate Ungarn, dann in
Belgien und Frankreich ist diesbezüglich viel mehr geschehen.
Ich möchte diese Worte gesagt haben, damit wir in Österreich
daran gehen, das Versäumte nachzuholen. Diesbezüglich er-
laube ich mir eine Resolution zu beantragen. — —

Damit diese Resolution nicht wieder dasselbe Schicksal
ereile, [wie eine frühere des Redners, die zu spät zur Verhandlung kam, — D. Red.] würde ich mir erlauben, darauf aufmerksam zu machen, daſs dieselbe eigentlich nichts anders ist
als ein Zusatzantrag zu jener Resolution a) zu Titel 15, C.
Unterricht, die bei „Mittelschulen" angenommen wurde,[1] und

---

[1] Jene Resolution (499 der Beilagen zu den stenographischen Pro-
tokollen des Abgeordnetenhauses, X. Session, S. 58) lautete: „Die k. k.

ich glaube, man könnte diesen Zusatzantrag sofort beschließen. Sollte es aber trotzdem notwendig erscheinen, daß man diese Resolution dem Budgetausschusse zuweise, so möchte ich bitten, daß darauf hingewirkt werde, daß dieser Gegenstand so rasch als möglich in Beratung komme.

Diese Resolution, respektive dieser Zusatzantrag lautet: „Zunächst hat die k. k. Unterrichtsverwaltung im Einvernehmen mit dem k. k. Ministerium des Innern dafür zu sorgen, daß mit Beginn des nächsten Schuljahres eine genaue Statistik über die akuten (besonders Infektions- krankheiten) und die chronischen (auch chirurgischen) Er- krankungen,"

— ich will damit namentlich die orthopädischen Erkrankungen gemeint wissen —

„über die Sterbefälle und deren jedesmalige Ursache an den Schulen eingeführt werde."

Meine Herren! Das ist das mindeste, was man verlangen kann, und wenn wir nicht einmal damit beginnen, wann sollen wir endlich zur Lösung der Aufgabe kommen, zu der wir thatsächlich verpflichtet sind?

Ebenso möchte ich noch einmal wiederholen, daß es ab- solut notwendig erscheint, daß wir auch einen Fachreferenten für Schulhygiene bekommen, weil wir ohne einen solchen nicht zur Anstellung der Schulärzte kommen können.

Wenn wir noch in diesem Jahre unsrer Aufgabe uns unterziehen, einer Aufgabe, der sich kein zivilisierter Staat der Welt entziehen kann im Interesse der Gesamtheit, des Einzelnen und im Interesse der Humanität, dann, glaube ich, sind wir der Unterstützung dessen sicher, der im heurigen Jahre sein vierzigjähriges Regierungsjubiläum feiert.

Ich empfehle Ihnen die Annahme meiner Resolution."

Regierung wird aufgefordert, der Gesetzgebung der andern europäischen Staaten, insbesondere Frankreichs und Deutschlands, in letzter Zeit auch Ungarns in Bezug auf Schulhygiene ihre Aufmerksamkeit zuzuwenden, eventuell in einem der nächsten Sessionsabschnitte die nötigen Gesetz- vorlagen einzubringen."   Die Redaktion.

222

Hierauf ersuchte der Vizepräsident RITTER VON CHLUMECKY
diejenigen Abgeordneten, welche diesen Resolutionsantrag
unterstützten, sich zu erheben. Das Resultat war, daſs derselbe die nötige Unterstützung fand und dem Budgetausschusse
zugewiesen wurde.

Kleinere Mitteilungen.

**Verbot farbiger Griffel durch das ungarische Unterrichts-
ministerium.** Der ungarische Unterrichtsminister TREFORT hat bestimmt,
daſs in sämtlichen Schulen nur mit Papier überzogene Griffel gebraucht
werden dürfen, da die farbig angestrichenen einen Gehalt an Bleifarbe aufweisen, der auf die Gesundheit der Kinder nachteilig wirkt.

H. SCHUSCHNY.

Kindersterblichkeit an Keuchhusten. Nach der Statistik des
österreichischen Sanitätswesens sind im Jahre 1883 in Österreich-Ungarn
23 975 Kinder an Keuchhusten und dessen Komplikationen gestorben.
Ähnliche statistische Daten teilte Professor HAGENBACH auf dem letzten
Kongresse 'für innere Medizin in Betreff Deutschlands mit. Danach
erkranken hier ungefähr 250 000 Kinder jährlich an Keuchhusten, was bei
einer Mortalität von 7,6 %, wie sie BIERMER angibt, 19 000 Todesfälle ausmacht. Das sind erschreckend hohe Zahlen und die Schule hat daher
gewiſs die Verpflichtung, der Weiterverbreitung der mörderischen Krankheit so viel als möglich entgegenzutreten.

Hygienische Unterweisung der Seminaristen in Preuſsen. In
der Sitzung des Abgeordnetenhauses vom 2. Mai d. J. teilte der Kultusminister VON GOSSLER mit, daſs in den obersten Klassen der Seminarien
(Lehrerbildungsanstalten) seit 1872 von den Turnlehrern Vorträge über
die erste Hülfeleistung bei Unglücksfällen gehalten werden. Die Turnlehrer haben einen Kursus bei der Kgl. Turnlehrerbildungsanstalt in
Berlin durchgemacht, wo eingehender hygienischer Unterricht von einem
Arzte erteilt wird. Dieselben werden auch zum Besuche des Schwimmunterrichts daselbst angehalten, so daſs sie die verschiedenen Unfälle
beim Baden beurteilen lernen.

Turnerische Musterleistungen von Schülern. Bei einem auf
der Hofgartenwiese in Bonn abgehaltenen Spielfest und Preisturnen,
an welchem 800 Schüler unter Leitung des Herrn Oberturnlehrer SCHRODER
Teil nahmen, legte ein elfjähriger Knabe im Wettlauf 100 Meter in

13 Sekunden zurück. Mehrere 13—14jährige Schüler sprangen im Weit-
sprung 4½ Meter, ein Quintaner beim Hochsprung 1,15 Meter hoch.
Ein Untersekundaner sprang im Weithochsprung 3,70 Meter weit über
ein 0,80 Meter hohes Seil. Derselbe stemmte 110 mal hintereinander
eine 25 Pfund schwere Hantel.

Tagesgeschichtliches.

Ferienkolonien für ungarische Gymnasiasten und Realschüler.
Der Landesverein der Mittelschulprofessoren in Ungarn hat jüngst den
Beschluß gefaßt, auch Mittelschüler des Segens der Ferienkolonien teil-
haftig werden zu lassen. Zu diesem Behufe hat derselbe ein Komitee
ernannt, dessen Vorschläge bereits angenommen wurden, und ist zu
hoffen, daß schon in den heurigen Ferien eine größere Anzahl von
Schülern der ungarischen Gymnasien und Realschulen unter Aufsicht
ihrer Professoren in Gruppen von 15—20 Knaben zu ihrer Erholung
aufs Land gehen werden. H. SCHUSCHNY.

**Hygienische Lesestücke in dem neuen deutschen Volksschul-
lesebuche für Österreich.** Der k. k. Unterrichtsminister VON GAUTSCH
hat am 19. März l. J. eine aus höhern Ministerialbeamten, Universitäts-
und Mittelschulprofessoren, Landes- und Bezirksschulinspektoren, Bürger-
schuldirektoren und andern Schulmännern zusammengesetzte Kommission
einberufen, welche sich mit der Umgestaltung der vor zehn Jahren im
k. k. Schulbücherverlage herausgegebenen deutschen Volksschulesebücher
zu beschäftigen hat. Diese Kommission hat unter anderm folgenden
Beschluß gefaßt: In das Volksschulesebuch haben auch Lesestücke über
die Grundsätze der Gesundheitslehre in einer dem kindlichen Alter von
6 bis 11 Jahren faßlichen Form Aufnahme zu finden.

Turnlehrerversammlung in Offenburg. Am 18. und 19. Mai
fand die oberrheinische Turnlehrerversammlung zu Offenburg statt. Das
Programm derselben bildeten ein nicht öffentliches Turnen der Turnlehrer in der städtischen Turnhalle, die Vorführung von vier Knaben-
und zwei Mädchenturnklassen und eine Reihe von Vorträgen über die
Theorie und Praxis des Turnunterrichts.

Hygienischer Kongreß nebst Ausstellung in Brescia. Vom
1. bis 3. September 1888 wird die italienische Gesellschaft für Hygiene
ihren zweiten Kongreß in Brescia abhalten. Mit demselben wird eine
das gesamte Gebiet der Hygiene umfassende Ausstellung verbunden sein,
für welche eine zehntägige Dauer vom 1. bis 10. September in Aussicht
genommen ist.

Amtliche Verfügungen.

Rundschreiben des Kultusministers VON GOSSLER, betreffend die Einführung ärztlicher Schulrevisionen.

Das in No. 5 erwähnte Schreiben des Kultusministers VON GOSSLER, durch welches er sämtliche Königliche Regierungen zu einem Gutachten über die Einführung respektive Erweiterung der ärztlichen Schulrevisionen auffordert, lautet folgendermafsen:

„Berlin, den 25. Februar 1888.

Die Fortschritte in der öffentlichen Gesundheitspflege und insbesondere der hohe Wert derselben für diejenigen Altersklassen, in denen ein hervorwiegend wichtiger Anteil an der Entwickelung des Einzelnen der Schule zufällt, Hand in Hand mit der Geistesbildung auch der Ausbau des Körpers stattfindet und die Fernhaltung krankmachender oder schwächender Einwirkungen von weittragendster Bedeutung für das spätere Leben ist, lassen eine Erörterung der Frage, ob durch die gegenwärtige Organisation der Schulaufsicht die möglichst umfassende und richtige Erfüllung der der Schule in dieser Beziehung obliegenden Aufgaben genügend sichergestellt, oder ob bezw. inwiefern es als erforderlich zu erachten ist, eine gröfsere Gewähr für dieselbe zu schaffen, namentlich Ärzte in stärkerm Mafse und zwar auch nicht beamtete zu diesem Zwecke heranzuziehen, angemessen erscheinen.

Um das Bedürfnis einer solchen Änderung klar zu stellen, wünsche ich eine eingehende gutachtliche Äufserung der Königlichen Regierung zu erhalten. Hierbei werden die nachstehenden Gesichtspunkte besonderer Erwägung empfohlen.

Um ein Urteil darüber zu gewinnen, ob und event. in welchem Mafse eine stärkere Beteiligung von Ärzten bei der Gesundheitspflege in den Schulen für erforderlich zu erachten sein wird, erscheint es notwendig, diejenigen gesundheitlichen Faktoren, deren Gestaltung von den Schulorganen mehr oder weniger abhängig ist — abgesehen an dieser Stelle von der Art und Ausdehnung der Lehrgegenstände und Schularbeiten — einzeln in Betracht zu ziehen, hauptsächlich die Reinheit und Temperatur der Luft in den Räumen des Schulgebäudes, die Reinhaltung der Anstalt überhaupt, die Bedingungen für die Körperhaltung des Schülers im Schulzimmer, insbesondere diejenigen, welche auf die Formung des Körpergerüstes und die Entwickelung des Sehorgans von Einflufs und in der Bauart, den Abmessungen und sonstigen Raumverhältnissen der Sitze und Tische, aufserdem in den Dimensionen und der Belichtung des Schulzimmers, sowie der von dem Schüler vorzugsweise zu betrachtenden Gegenstände, namentlich des Lehrmaterials, gegeben sind, ferner die Gelegenheit zur Bewegung im Freien und in bedeckten Bäumen während der Unterrichtspausen, die Bereitstellung guten Trinkwassers in genügender Menge, zweckmäfsige und ausreichende Abtritte, die Mafsnahmen zur Fernhaltung von Keimen ansteckender oder andrer vermeidbarer Krankheiten.

Hinsichtlich der Fürsorge für die gesundheitsgemäfse Beschaffenheit und Wirkung der Baulichkeiten und der Ausstattung werden die gegebenen Einrichtungen und die Erhaltung und Anwendung derselben zu unterscheiden sein. Unter den erstern werden sowohl die vorhandenen als auch die neu zu errichtenden Anstalten und die etwaigen Abänderungen Gegenstand der Beurteilung sein; in allen diesen Fällen aber wird es nur einer einmaligen Feststellung und auch dieser nur da, wo dieselbe nicht bereits stattgefunden hat, benötigen. Was dagegen die Handhabung der Einrichtungen, wie z. B. die Auswahl angemessen dimensionierter Subsellien für die einzelnen Schüler, die Reinhaltung, die Benützung der Lüftungs- oder der Heizvorrichtungen anbelangt, so würde sich die Art derselben nur durch wiederholte Revision nachweisen lassen, und zwar würden die Zeiträume, in denen zweckmäfsig die Wiederholungen zu erfolgen hätten, sowohl nach den örtlichen Verhältnissen, wie auch nach den einzelnen Zwecken verschieden zu bemessen sein.

Die gegen die Verbreitung ansteckender Krankheiten in der Schule vorzunehmenden Untersuchungen würden sich, insoweit dieselben nicht von dem Lehrer selbst ausführbar sind, nur auf chronische Leiden, namentlich der Haut und der Augen erstrecken können, da eine weitere Ausdehnung dieser Mafsnahme, deren Wichtigkeit an sich nicht verkannt werden kann, zur Aussicht auf befriedigenden, einigermafsen vollständigen Erfolg einen unverhältnismäfsig grofsen und an den meisten Orten unmöglichen Aufwand an ärztlichen Kräften notwendig machen würde. Auch hier wird die Kontrolle nach der verschiedenen Bedeutung, welche die in Betracht zu ziehenden Krankheiten für die einzelnen Gegenden besitzen, in verschiedener Häufigkeit angemessen auszuführen sein.

Während die Feststellungen zum letztern Zweck unzweifelhaft nur durch Ärzte erfolgen könnten, so erscheint die Notwendigkeit, diese auch zu den übrigen Untersuchungen heranzuziehen, nicht im gleichen Grade feststehend, vielmehr zunächst noch eine nähere Erörterung über die bei dem bisherigen Verfahren hervorgetretenen Mängel und die Zweckmäfsigkeit, in dieser Beziehung die Thätigkeit der seither hierin beteiligten Organe (Schulkuratorien, Direktoren, Inspektoren, Vorstände, Lehrer, Baubeamte) durch Ärzte zu verstärken, wichtig. Insbesondere ist hierbei auch zu prüfen, ob bezw. für welcherlei Kontrollen die beamteten Ärzte, deren vorzugsweise Berücksichtigung sich in ihrer besondern Verantwortlichkeit und in höherm Mafse nachgewiesenen Kenntnis der Hygiene begründet, allein ausreichen würden, und für welche andern Zwecke etwa die Heranziehung nicht beamteter Ärzte für nötig oder empfehlenswerter erachtet wird.

Da in einigen Verwaltungsbezirken die Einrichtung der ärztlichen Schulrevisionen bereits besteht, so ist es mir endlich auch von Wert, aus denselben zu erfahren, auf welche Schulen und welche Revisions-objekte sich diese Untersuchungen erstrecken, wie oft, von welcherlei Ärzten und auf wessen Kosten sie ausgeführt werden, welchen ersicht-lichen Nutzen sie bisher gehabt haben, und welche sonstigen Erfahrungen von Bedeutung in betreff derselben etwa gemacht worden sind.

Hiernach veranlasse ich die Königliche Regierung hinsichtlich der der dortigen Verwaltung zugehörigen Schulen nach den erforderlichen Ermittelungen die Frage des Bedürfnisses einer Einführung bezw. Er-weiterung der ärztlichen Schulrevisionen der Erwägung zu unterziehen und sich über das Ergebnis nach Maßgabe der vorstehend bezeichneten Gesichtspunkte gutachtlich zu äußern, insbesondere auch dabei etwaige Vorschläge über die Organisation der Revisionen oder einer ander-weitigen Heranziehung von Ärzten zur Beteiligung an den Aufgaben der Schulaufsicht zu formulieren.   (Gez.) v. GOSSLER".

Perſonalien.

Zur Mitarbeit an unsrer Zeitschrift haben sich weiter bereit erklärt die Herren Dr. med. Ritter von BRECHLER, k. k. Bezirksarzt in Leit-meritz, Dr. med. E. FUCHS, Professor der Augenheilkunde in Wien, Dr. med. E. MÄHLY, Schularzt in Basel, Dr. med. J. RUFF, Chefredakteur der „Gesundheit" in Karlsbad.

Regierungsrat Dr. F. RENK, Mitglied des deutschen Reichsgesund-heitsamts und früherer Assistent von PETTENKOFERS in München, hat sich an der Universität Berlin als Privatdozent für Hygiene habilitiert.

Unser geschätzter Mitarbeiter, Herr Professor Dr. J. UFFELMANN in Rostock, hat das Direktorat des neu gegründeten hygienischen Instituts daselbst übernommen.

Für die neu zu errichtende Lehrkanzel der Hygiene in Giessen sind außer Dr. LÖFFLER noch Regierungsrat BENK in Berlin und die Pro-fessoren GRUBER in Wien und LEHMANN in Würzburg in Aussicht ge-nommen.

Herr Bauinspektor E. HÄSECKE in Berlin, der an unsrer Zeitschrift mitwirkt, ist zum Königlichen Baurat ernannt worden.

Unser Mitarbeiter, Herr Landesschulinspektor Dr. K. F. KUMMER in Wien, ist von dem k. k. österreichischen Unterrichtsministerium mit der Leitung eines Redaktionskomitees beauftragt worden, welches das deutsche Volksschullesebuch Österreichs neu zu bearbeiten und dabei auch Aufsätze, Erzählungen und Sprüche hygienischen Inhalts in dasselbe aufzunehmen hat.

Am 25. Februar d. J. starb in Basel der Präsident des dortigen akademischen Turnvereins, Dr. med. Arnold Baader von Gelterkinden, im Alter von 46 Jahren. Die „Schweizerische Turnzeitung" widmet dem turnfreundlichen, um das Gemeinwohl hochverdienten Arzte einen warmen Nachruf.

In New-York starb am 18. April d. J. Dr. med. Cornelius Agnew, Professor für Augen- und Ohrenkrankheiten. Derselbe war Sekretär der ersten Vereinigung für gesundheitliche Reformen und Vorsitzender der Gesellschaft für öffentliches Schulwesen.

Litteratur.

Besprechungen.

Dr. Friedrich Scholz, Direktor der Kranken- und Irrenanstalt zu Bremen. **Leitfaden der Gesundheitslehre.** Für Schulen. Leipzig und Berlin. 1886. J. Klinkhardt 8°.

Verfasser gliedert den Stoff in vier Abschnitte: α die Lehre von den natürlichen Lebensbedingungen, β die Lehre von der Körperpflege, γ die Lehre von der Verhütung der Krankheiten und δ die Lehre von der ersten Hilfe bei Unglücksfällen und Krankheiten.

Dieser Leitfaden bietet wohl viel Belehrendes und ist für den beabsichtigten Zweck ganz gut gegliedert; er enthält jedoch manche Unrichtigkeiten, Widersprüche und unklare Abschnitte, wie aus Nachstehendem zu ersehen ist.

Verfasser sagt auf S. 2: „Die Stoffe ..... werden als Nahrung von den Verdauungsorganen in den Körper aufgenommen, durch die Verdauung in Blut verwandelt." Der letzte Satz ist unrichtig, da die Verdauungsorgane die Nahrung in Nahrungssaft, nicht aber in Blut verwandeln. — S. 4. Abs. 3. Z. 3 soll es heißen: „aus 79 Raumteilen Stickstoff. Abs. 5 ist Z. 3 nach „daß er" einzuschalten: „in größern Mengen als in der Luft enthalten ohne Schaden." — Abs. e schreibt der Verfasser: „Da Stickstoff und Kohlensäure unatembare Gase sind, so darf man wohl fragen, welchen Nutzen deren Beimischung zu der atmosphärischen Luft hat." Die Antwort bezüglich der Kohlensäure fehlt, die Fragestellung erscheint dem Referenten da ganz überflüssig. — S. 5. Abs. 5. Z. 6 wäre nach „Wasserdampf" einzuschalten: „sowie flüchtige organische Stoffe;" die Absätze h und k S. 6 und S. 7 sollten an den Absatz 9. S. 5 unmittelbar anschließen. — S. 7. Abs. k wäre nach „Hautausdünstung" noch „und Atmung" einzuschalten. — Abs. 12 sollte als besonders wichtig gesperrt gedruckt sein. — S. 8, Abs. 5, Z. 4 soll es heifsen: „pflegt es im Frühjahr und Sommer den höchsten, im Herbst und Winter den niedrigsten Stand zu erreichen." — S. 10, Abs. 9 i: „Wasser macht nicht blofs ungefähr ²/₃ der gesamten irdischen Masse aus" ist eine grobe Unrichtigkeit. Nach HOCHSTETTER verhalten sich die Volumen wie 1 : 780. — Abs. 10, Z. 1 dürfte es sich empfehlen, statt „Gasen" zu setzen: „Grundstoffen." — S. 11, Z. 3 ist statt „Fäulnis tierischer Organismen" zu schreiben: „Verwesung tierischer und pflanzlicher Organismen"; Abs. k, Z. 3 soll heifsen statt „aus hartem Gestein": „aus in Wasser leicht löslichem Gestein." — S. 12, Abs. o könnte der letzte Satz mit Rücksicht auf die Ergebnisse der neuern ausgedehnten Untersuchungen ganz fortfallen. — Abs. 14, Z. 2 ist „gipshaltigem" zu streichen, da gröfsre Mengen von Gips in Brunnenwasser allgemein als gesundheitsschädlich bezeichnet werden. — Im Abs. 15 wäre wohl das Filtriersystem zur Klärung unreinen Wassers kurz zu erläutern. — S. 17, Abs. 13 ist unklar. Das Wesen der Ernährung, resp. des Lebens könnte mit kurzen Worten als das eines Oxydationsvorgangs in leichtfafslicher Form dem Laien begreiflich gemacht werden. — S. 18, Abs. 15 vorletzte Zeile sollte „Umgekehrt" als unmotiviert wegfallen. — S. 19, Abs. 18, 2. Abschnitt, 2. Z soll nach „Zusatz von" eingeschaltet werden: „Lab oder"; Abs. 19, Z. 3 ist statt „sehr viel Fett" zu setzen: „besteht gröfstenteils aus Fett." — S. 20, Abs. γ vorletzte Zeile wäre statt „unverdaulichsten" richtiger „schwer verdaulichen." — S. 21, Abs. n. Z. 7 Herzfleisch — ist statt „unverdauliches" zu schreiben: „schwer verdauliches." — S. 22, Abs. 25 Kartoffel — mufs es statt „wertloses Nahrungsmittel" besser „wenig kräftiges" heifsen. Abs. 26, Pilze — letzte Zeile verdient statt „recht unverdaulichen" den Vorzug: „schwer verdaulichen." Abs. 30 steht in vollem Widerspruche zu dem auf S. 20, Abs. ♂, 6. bis 8. Zeile gethanen Ausspruche, ist daher richtigzustellen. — S. 23, Abs. 35 dürfte besser lauten: „Der Tabak (das ihm innewohnende Gift heifst Nikotin) übt, wenn er mäfsig in den üblichen Formen genossen wird, eine angenehme Reizwirkung auf das Nervensystem aus."

S. 24, II. Teil, 5. Kapitel ist gut bearbeitet. — S. 28, Z. 5 und 6 sagt Verfasser: „Mit der Zeit verwandeln sie (die weifsen Blutkörperchen) sich in rote Körperchen." Das ist jedoch nicht erwiesen, darf daher auch nicht so positiv hingestellt werden. — Im Abs. 5 c wäre bei „Blutwasser" wohl der charakteristische Salzgeschmack zu erwähnen. Abs. 8 ist die Lage des Herzens „im untern Teil der Brusthöhle zwischen den Lungen" angegeben, das könnte doch viel genauer mit der Beifügung „in der linken Brusthöhle, circa handbreit unter der Brustwarze, schief gegen die Mittellinie, mit der Spitze nach abwärts" zum Ausdruck gebracht werden. — Die Abbildung auf S. 29 ist wertlos, da sie zum Verständnisse des Kreislaufes gar nichts beiträgt. — Abs. e sollte nach „Herz-

entzündungen" hinzugefügt werden: „namentlich infolge von"; „und"
ist zu streichen. — S. 34, Abs. 10 ist unvollständig, da beim atmen
nicht bloſs „das Zwerchfell und die Zwischenrippenmuskeln", sondern
auch der sägeförmige Muskel, die Brustmuskeln u. s. w. thätig sind. —
S. 35, Abs. 17 c sind die Atemzüge der Erwachsenen mit „18 in der
Minute" wohl zu hoch angegeben. — S. 42, Abs. 11 wird die Einwirkung
der Galle auf den Speisebrei gar nicht erwähnt. — S. 48, Abs. 6 sagt
Verfasser: „Die Schweiſsdrüsen stellen in der Tiefe korkzieherartig ge-
wundene nach oben gerade verlaufende Kanäle dar." Das ist unrichtig,
da die spiralförmigen Windungen ganz nahe der Oberfläche vorkommen.
— S. 61, Abs. 19 heiſst es: „Das Gehirn ist eine grauweiſsliche, weiche
Masse", — S. 62, Abs. 20: „Das Rückenmark ist ein plattrundlicher,
weiſsgrauer Strang von derselben Substanz wie das Gehirn." Diese Beschreibungen sind doch gar zu oberflächlich. — S. 72, 3. Z. unterhalb
der Abbildung steht: „g Stellknorpelkehldeckelband", im Text S. 70
gebraucht Verfasser die Bezeichnung: „Gieſskannenknorpel." Referent
ist der Ansicht, daſs die bei den Abbildungen angeführten Bezeichnungen
auch im Texte angewendet werden müssen.

Was den eigentlich hygienischen Abschnitt des Buches betrifft, so
zerfällt derselbe in den III. und IV. Teil mit je 4 Kapiteln.

Im 14. Kapitel „Von den Krankheitsursachen" sagt Verfasser nach
Aufzählung der Konstitutionen und Temperamente auf S. 91, Abs. 13:
„Damit Krankheit entsteht, muſs zu der äuſsern Ursache stets auch die
Veranlagung als innere Ursache dazu kommen; Abs. 16: „Die Veran-
lagung ist abhängig vom Lebensalter"; dann S. 92, Abs. 18: „Voraus-
gegangene Krankheiten tilgen die Veranlagung zu denselben Krankheiten."
Referent bemerkt hierzu: Können Krankheiten nicht auch ohne äuſsere
Veranlassung entstehen? Ist die Veranlagung nur vom Alter abhängig?
Kommen nicht Wiederholungen derselben Krankheit vor und ist die
Gefahr der Wiedererkrankung nach Lungenentzündung, Gelenkrheuma-
tismus u. s. w. nicht eine gröſsere?

Im 15. Kapitel „Von den Seuchen" schreibt Verfasser auf S. 96,
Abs. 21, Z. 3 und 4: „Luft und Licht sind die besten Zerstörer von
Ansteckungsstoffen, die es gibt." Richtiger wäre wohl: „durch Licht
und ausgiebige Luftzufuhr werden die Ansteckungsstoffe unschädlich
gemacht."

Das 16. Kapitel, welches „Von den Berufskrankheiten" handelt, ist
unvollständig. Einige auffallende Aussprüche seien hier erwähnt: S. 98,
Abs. 6 b „Erkrankungen des Kehlkopfes durch Überanstrengung desselben
und sich durch Katarrhe und Lähmung der Stimmbänder kennzeichnend,
kommen häufig (!) bei Predigern, Lehrern, Sängern u. s. w. vor."
Ferner S. 99, Abs. 12 α: „Kohlenoxydgas kann auch Plätterinnen ge-

fährlich werden"; ebenso β: „mit pflanzlichem und tierischem Staub haben auch Friseure zu thun."

Das 17. Kapitel ist überschrieben: „Von einigen andern Krankheitsursachen des täglichen Lebens und deren Verhütung." Hier bedarf der Ausspruch S. 101, Abs. 2: „Milch kann die Quelle von Erkrankungen werden, wenn sie verdünnt wird" einer stilistischen Änderung. Im übrigen ist dies Kapitel ziemlich gut behandelt, die beigegebenen Bandwurmillustrationen sind jedoch schlecht.

Gegen das 18. Kapitel „Von der ersten Hilfe bei Verletzungen" ist nichts einzuwenden.

Im 19. Kapitel „Von der ersten Hilfe bei sonstigen Unglücksfällen" sagt der Verfasser Abs. 1: „Erfrierungen kommen nicht nur bei hohen Kältegraden, sondern auch schon alsdann vor, wenn erschöpfte und herabgekommene Menschen sich im Freien niedersetzen, einschlafen und ihnen nun durch scharfen Luftzug Wärme entzogen wird." Eine richtigere Fassung und Ergänzung dieses Abschnittes ist unbedingt notwendig. — 6. Abs., 1. Z. soll statt „erstickt" stehen: „verunglückt"; S. 112, Abs. 10 statt „den Ertrunkenen" richtiger: „den im Wasser Verunglückten"; S. 114, Abs. 16 ist nach Phosphor noch „Kleesalz" und statt „Ätzkalk" zu setzen: „Laugenessenz."

Das 20. Kapitel „Von der ersten Hilfe bei plötzlichen Erkrankungsfällen" ist im allgemeinen gut bearbeitet, doch erscheint dem Referenten der Ausspruch: „Das Fieber erkennt man am besten, wenn man es mit dem Thermometer in der Achselhöhle mißt", sonderbar. Eine bessere Fassung ist wünschenswert. Was Abs. 21 betrifft, so hält Referent die Anwendung lauwarmer oder kühler Bäder von 14—24 ° R., wie solche Verfasser bei Entzündungsfieber vor Ankunft des Arztes empfiehlt, für bedenklich.

Im Kapitel 21 „Von der Krankenpflege im allgemeinen", bedarf Abs. 10, S. 21, 4. Z. bis zum Schlusse einer Verbesserung des Stils. Im übrigen verdient auch dies Kapitel Anerkennung.

Bezüglich der Abbildungen ist noch im allgemeinen zu bemerken, daß sie größtenteils minder gut sind, daß die Größenverhältnisse fehlen, daß viele lateinische Bezeichnungen vorkommen, welche leicht durch deutsche ersetzt werden könnten. Die mit Buchstaben versehenen oder sonst auffallenden Gebilde sollten im Text auch erörtert werden.

Die Anwendung griechischer Buchstaben für die Abteilungsform ist in einem derartigen Buche unzweckmäßig.

Schließlich sei noch darauf hingewiesen, daß Verfasser sehr häufig Sätze, welche nur für spezielle Fälle gelten, als allgemein gültig hinstellt, wodurch vieles unrichtig, unverständlich oder verwirrend wirkt. Mit Rücksicht hierauf und auf das sonst Angeführte vermag Referent diesen

Leitfaden für Unterrichtszwecke nicht als geeignet zu erklären, glaubt jedoch, daß der Verfasser aus demselben durch sorgfältige Umarbeitung ein ganz gutes Lehrbuch schaffen könnte.

Oberrealschulprofessor HERM. LUKAS in Salzburg.

HARTWELL, E. M., Ph. D., M. D., of Johns Hopkins University. **On the physiology of exercise.** Boston medical and chirurgical journal, 1887. 8. A. (32 S. 8°).

Würden die Lehren der modernen Physiologie und Psychologie in betreff der Funktionen des Muskel- und Nervensystems des menschlichen Körpers auch von den sogenannten gebildeten Klassen verstanden, so wäre es verhältnismäfsig leicht, das Nötige für die Annahme und Erprobung von Systemen der körperlichen Übung zu erreichen.

Muskelgewebe macht etwa die Hälfte des Körpergewichtes aus und enthält ungefähr ¹/₄ der gesamten Blutmenge. Etwa 500 Muskeln des menschlichen Körpers sind willkürliche. Der geübte Muskel gehorcht dem erregenden Nerven besser, „through its better acquaintance with them." HARTWELL beruft sich auf die vorzügliche Erörterung dieses Gegenstandes durch WILSON. Er ist der Meinung, daß ein wachsender Knabe mehr körperliche Übung braucht als ein reifer Mann. Nichts fördert nebst passender und hinreichender Nahrung normales Wachstum und normale Entwickelung so als gut regulierte Muskelthätigkeit. ROBERT fand u. a. bei seinen vergleichenden Untersuchungen, daß die Idioten im Durchschnitt die kleinsten und leichtesten sind. BOULTON stellte fest, daß Kinder, die bei ihrer Entwickelung mit einer bestimmten Gröfse oder mehr unter dem Normalmafs blieben, zu konstitutionellen Krankheiten hinneigen. HARTWELL nennt den Zustand, in welchen Kinder seitens thörichter Eltern und Lehrer durch Überladung des Gehirns und Vernachläfsigung von Spiel und körperlicher Übung gebracht werden, geradezu cachexia scholastica. Thun doch jene Personen das Möglichste, Wachstum und Entwickelung, welche sie fördern und regulieren sollten, zu verlangsamen und zu schädigen. Über die Zunahmegröfsen bestimmter Körpermafse (Gewicht, Umfang gewisser Körperteile) werden die sprechenden Ziffern einer Versuchsreihe von MACLAREN angeführt. DU BOIS-REYMOND hat darauf hingewiesen, daß die körperlichen Übungen gleichzeitig Übungen des zentralen und peripheren Nervensystems sind. Die Nerven am Arme des Grobschmiedes sind ganz anders entwickelt als die am Arme des Kindes. Übung spielt hierbei eine grofse Rolle. Sektionen des Gehirns von Personen, denen seit der Geburt eine Extremität fehlte oder die sie bei Lebzeiten verloren hatten, zeigten die ausgebliebene Entwickelung bezw. deutliche Atrophie der zugehörigen Hirnpartien. Der wichtigste Effekt der Muskelübung ist daher die funktionelle Verbesserung des Nervenapparats. Denn die Grundlagen der

232

körperlichen Übung sind auf die Fähigkeit des Nervensystems, Eindrücke
zu empfangen und zu registrieren, basiert. Die Beobachtungen hinsichtlich der Träume Blindgeborener oder früh Erblindeter, sowie ohne
Extremitäten Geborener oder Amputierter beweisen gleichfalls, welche
Rolle die Muskelübung in der Entwickelung der Fähigkeit des Gehirns
spielt. HARTWELL zitiert die Ausführungen von CRICHTON-BROWNE und
die von BAGEHOT und sagt, daſs die Muskelübungen mehr Aufmerksamkeit
verdienen als bisher. In ihren Konsequenzen liegt die Macht unserer
Rasse zur Selbstverbesserung und zur Entwickelung eines höhern
Menschentypus.

Referent bedauert, daſs alle Maſs- und Gewichtsangaben in englischen, nicht in metrischen Einheiten gemacht sind.

Prof. Dr. L. BURGERSTEIN in Wien.

Bibliographie:

ALBITSKI, J. [Einfluſs der Schule auf die physische Entwickelung.]
Vrach, St. Petersburg, 1887, VIII, 997.

BAGINSKY, A. Über Rückgratsverkrümmungen der Schulkinder. Vortrag,
gehalten in der deutschen Gesellschaft für öffentliche Gesundheitspflege am 26. März 1888. Dtsch. Mediz. Zeitg., 1888, XLIV,
529—531.

DUNN, H. PERCY. Infant health: the physiology and hygiene of early
life, London, 1888, K. Paul Trenck & Co. 8°.

ERISMANN, F. F. [Erwägungen zur Frage der besten Konstruktion von
Klassenmöbeln.] Moskau, 1887.

FRANK, A. Die Verbreitung von Volksschulbädern. Gesdhts.-Ingen.,
München, 1888, Jahrg. XI, No. 7.

HÜBLIMANN, H. Die Schulgesundheitspflege und die Revision des Unter-
richtsgesetzes im Kanton Zürich. Schweiz. Blätt. f. Gsndhtspfl.,
Zürich, 1888, X, 131—136.

QUEREXOHI, Alcune considerazioni intorno alla eziologia e patogenesi
della miopia. Annali di Ottalmol., XVI, 1, 27.

RENDON. Fièvres de surmenage, Paris, 1888. A. Delahaye & E. Lecrosnier. 8°.

SCHAARSCHMIDT, G. Siebenter Bericht über die Sommerpflegen kränklicher armer Schulkinder zu Braunschweig 1887. Monatsbl. f. öffl.
Gsdhtspfl., Braunschweig, 1888, Jahrg. XI, No. 5.

SEELEY, H. G. Factors in life. Three lectures on health; food; education, London, 1887. 12°.

SILEX, P. Bericht über die erste augenärztliche Untersuchung der Zöglinge des Waisenhauses zu Rummelsburg, Berlin, 1888, Gebrüder
Grunert.

STADTPHYSIKAT, WIENER. *Hygienische Bemerkungen über die Luft in unsern Schulen.* Mediz. chirurg. Zentr.-Bl., Wien, 1888, Jahrg. XXIII, No. 9.

STAHLEY, GEO. D. *The physical basis of education,* Philadelphia, 1887. 8°,

STÖCKLE, J. *Über Klassenausflüge.* Bad. Schulblätt., Karlsruhe, 1888, Jahrg. V, No. 4.

THOINOT, M. *Epidémie de fièvre typhoïde du Lycée de Quimper.* Société de médecine publique et d'hygiène professionelle, séance du 25. avril 1888. Le Progrès Méd., T. VII, No. 21, P. 417.

TORGLER. *Über den Schulgarten in Lichtensteig (Kanton St. Gallen.)* St. gallisch. amtl. Schulbl., 1888, No. 8 und Schweiz. Blätt. f. Gsdhtspfl., Zürich, 1888, Jahrg. III, No. 9.

WAKEFIELD. *Sollen die gesunden Geschwister masernkranker Kinder vom Schulbesuche ausgeschlossen werden?* Berl. klin. Wochenschr., 1886, XXI.

WALLON, E. *Expériences sur l'aération des locaux scolaires par le verre perforé.* Rev. d'hyg., Paris. 1887, IX, 1037—1048.

WIRENIUS, A. S. [*Die Hygiene des Lehrers*], St. Petersburg. 1888.

—, —. [*Rationelle Schreibmethode auf Grundlage der Untersuchungen der jüngsten Zeit*], St. Petersburg, 1888.

ZIMMERMANN. *Ärztliche Schulrevision im Reg.-Bez. Düsseldorf.* Zeitschr. f. Mediz. Beamt., Berlin, 1888, Jahrg. I, No. 2.

Bei der Redaktion eingegangene Schriften:

Gesundheits-Ingenieur, Jahrg. XI, No. 1 ff., München, 1888, R. Oldenbourg.

MORGENTHALER, J. *Der Schulgarten. Mit besonderer Berücksichtigung der Schweizerischen Verhältnisse.* Auf Grundlage eines vom Verfasser am 8. Januar 1887 in der Aula des Fraumünsterschulhauses zu Zürich gehaltenen Vortrages, Zürich, 1888, Schröter & Meyer. 8°.

NEPP, J. *Selbstthätige Schulzimmer-Ventilation mit Pulsion und Aspiration für alle Neubauten und schon vorhandenen Bauten,* Delitzsch, 1887.

PAWEL, J. *Einige Bemerkungen Guts Muths über die körperliche Bildung der Jugend.* Monatsschr. f. d. Turnwes. mit besond. Berücks. des Schulturn. u. der Gsdhtspfl., Berlin, 1887, V, 140—147.

RANDALL, B. A. *A study of the eyes of medical students.* Reprinted from transact. Pennsylvania state medic. soc., 1885.

RITZ, J. *Die schulhygienischen Bestrebungen unserer Zeit; in wie weit können und sollen sich die Lehrer der Mittelschulen an denselben beteiligen?* Vortrag, gehalten in der sechsten Generalversammlung des

234

Vereins von Lehrern an technischen Unterrichtsanstalten Bayerns 16. April 1884 zu München, München, 1884, Th. Ackermann. 8°.

ROHMEDER, MARZELL und RITZ. *Zur Schulhygiene.* Programm städtischen Handelsschule in München pro 1884/85, München, 18. G. Franz. 8°.

SARGENT, D. A. *An anthropometric chart shewing the relation of individual in size, strength, symmetry and development to the nor. standard,* Cambridge, Mass., 1886. Fol.

— — *Handbook of developing exercises,* Boston, 1886, Rand, Avery Co. 8°.

— — *he effects of military drill on boys with hints on exerce* Reprinted from the Boston Medic. and Surgic. Journ. of Septer 16, 1886, Cambridge, Mass., 1886. 8°.

— — *The physical characteristics of the athlete.* Scribners Magazi 1887, Vol. II, pag. 541—561. 8°.

— — *The physical proportions of the typical man.* Scribners Magazi July, 1887, Vol. II, No. 1, pag. 3—17. 8°

SCHAARSCHMIDT. *Über die Einrichtung von Bädern in Volksschu in Göttingen.* Monatsbl. f. öffentl. Gesdhtspfl., Braunschweig, 18. Jahrg. X, No. 4 u. 5, S. 67—70.

SCHENK, F. *Zur Ätiologie der Skoliose.* Vortrag, gehalten in der c rurgischen Sektion der 58. Versammlung deutscher Naturforscher u Ärzte zu Strafsburg i. E. *Erweitert durch Beschreibung eines Th racographen, sowie eines Apparates zur Untersuchung und graphisch Darstellung der Schreibhaltung bei Schulkindern.* Beitrag zur Lösu der Subsellienfrage. Mit 10 Abbild., Berlin, 1885, H. Heinecke. 4°.

SCHILLER TIETZ. *Die Notwendigkeit des täglichen Schulturnens v physiologischen Standpunkte.* Monatsschr. f. d. Turnwes. mit besor Berücks. des Schulturn. und der Gesdhtspfl., Berlin, 1887, 129—140.

SCHWALBE, B. *Die Gesundheitslehre als Unterrichtsgegenstand* Na einem Vortrage, gehalten zu Wiesbaden bei der Versammlung deutsch Naturforscher und Ärzte, 1887, Sektion für naturwissenschaftlich Unterricht. Zentr.-Org. f. d. Interess. des Realschulwes., 18. März.

SCHWEIZERISCHER LANDWIRTSCHAFTLICHER VEREIN. *Der Schulgarten.* Plä mit erläuterndem Text. Preisgekrönte Arbeiten, Zürich, Hofer Burger. 8°.

STIERLIN, G. *Patent-Klapp-Fensterbeschläge,* Schaffhausen.

(Fortsetzung folgt in nächster Nummer).

Verlag von Leopold Voss in Hamburg und Leipzig.
Druck der Verlagsanstalt u. Druckerei Action-Gesellschaft (vorm. J.F.Richter), Hambu

Zeitschrift für Schulgesundheitspflege.

I. Jahrgang. 1888. No. 8.

Original-Abhandlungen.

Die Lufterneuerung in Lehrsälen und Schulwerkstätten.

Von

Architekt KARL A. ROMSTORFER,
k. k. Professor in Czernowitz.

Bekanntlich wird die Luft in bewohnten Räumen durch das Atmen und die Ausdünstungen des menschlichen Körpers, sowie infolge örtlicher Verbrennungsprozesse (Lokalheizungen, Beleuchtung mittels Flammen) mehr und mehr ihres Sauerstoffes beraubt, während ihr Kohlensäuregehalt wächst, ferner durch verschiedene bei dieser Gelegenheit in die Luft gelangende mineralische oder organische Stoffe verunreinigt. Hauptsächlich ist es die Kohlensäure und der Mangel an Sauerstoff, welche die Luft in Wohn- und Versammlungsräumen, namentlich aber in letztern bald zum Atmen untauglich machen. Reine Luft enthält durchschnittlich 0,4 %o Kohlensäure; steigt der Kohlensäuregehalt bis auf 1 %o, so wird derselbe nach den Untersuchungen von PETTENKOFER u. a. noch nicht nachteilig empfunden; in Luft mit 2 bis 3 %o Kohlensäure verspürt der Mensch bereits Übelkeiten, Kongestionen etc.; unbedingt erstickend wirkt eine Atmosphäre, welche etwa 9 %o ihres Volumens an Kohlensäure enthält (z. B. in Gährkellern). Bei beständigem Aufenthalte in einem Raume verlangt v. PETTENKOFER, dafs die Luft nicht mehr als 0,7 %o Kohlensäure enthalten dürfe.

Aus diesem Grunde nun mufs die Atmungsluft eines geschlossenen Raumes entsprechend erneuert werden, und zwar um desto öfter, je kleiner der auf die einzelne Person entfallende Anteil am Luftraume ist. Dieses Luftquantum ist für Wohnräume, in welchen sich nur wenige Personen aufhalten, natürlich bedeutend größer als für Theater, Schulen und dergl., in welchen gleichzeitig viele Menschen beisammen sind. Die Lufterneuerung wird deshalb in Wohnzimmern minder oft notwendig werden als in Versammlungsräumlichkeiten, minder oft, wenn bei gleichem Luftquantum Kinder, welche weniger Kohlensäure als Erwachsene erzeugen[1], den Raum benutzen, als wenn letztere dies thun. Mit andern Worten, falls wir übereinstimmend mit andern die pro Person stündlich in den Raum einzuführende frische Luft als Ventilationsquantum bezeichnen: in Wohnzimmern und für Kinder wird das Ventilationsquantum geringer sein als in Versammlungsräumen und für Erwachsene.

Es läßt sich das Ventilationsquantum leicht rechnerisch feststellen.

Beobachtungen ergaben, daß die Kohlensäure-Ausscheidung pro Stunde 12 (bei Kindern) bis 36 l (bei kräftigen, arbeitenden Erwachsenen) beträgt; demnach wird das Ventilationsquantum, falls der Kohlensäuregehalt, der in reiner Luft 0,4 ‰ beträgt, bei zeitweiligem Aufenthalte nicht über 1,0 ‰ steigen soll,

$$\frac{12}{1,0-0,4} = \frac{12}{0,6} = 20 \text{ m}^3 \text{ bis } \frac{36}{1,0-0,4} = \frac{36}{0,6} = 60 \text{ m}^3$$

groß sein müssen, wobei m die bekannte Abkürzung für Meter ist.

Erfahrungsgemäß erneuert sich die Luft eines Raumes infolge undichten Verschlusses der Thür- und Fensteröffnungen und durch die Poren der Wände im Durchnitt pro Stunde einmal ohne unser Zuthun. Wären demnach in einem Lehrzimmer für kleine Kinder pro Kopf 20 m³ oder in einem Raum, in welchem Erwachsene arbeiten, pro Kopf 60 m³

---

[1] Im Verhältnis ihres Körpergewichtes erzeugen Kinder mehr Kohlensäure als Erwachsene.

Luftquantum vorhanden, so würde jedwede künstliche Ventilation entbehrlich sein. Kommt jedoch in dem angezogenen Lehrzimmer auf ein Kind blofs ein Luftquantum von etwa 5 m³, was für Schulen die Regel bildet, so haben wir innerhalb der ersten Stunde 20 — 5 = 15 m' Luft, event. später 20 m³ auf künstlichem Wege an Stelle der abzuleitenden verdorbenen Luft einzuführen, d. h. wir haben für eine $\frac{15}{5}$ = 3· bis $\frac{20}{5}$ = 4malige Lufterneuerung zu sorgen.[1]

Der Normalbelag eines Zimmers in österreichischen Kasernen ist[2] derart fixiert, dafs pro Kopf 17 m³ Luftraum entfallen. Da das Zimmer hauptsächlich nur während der Nacht benutzt wird, nach Untersuchungen aber die Kohlensäure-Ausscheidung in den Nachtstunden kaum ³/₄ von jener in den Tagesstunden beträgt, also mit etwa 20 l pro Mann angenommen werden könnte, so wird das Ventilationsquantum in Hinblick auf einen beständigen Aufenthalt

$$\frac{20}{0,7-0,4} = \frac{20}{0,3} = 67 \text{ m}^3$$

sein müssen, was einer $\frac{67}{17}$ = rund 4maligen Lufterneuerung entspricht.

In französischen Hôtels, für welche ein Minimalluftraum

---

[1] A. SICARD v. SICARDSBURG fordert für die Wohnzimmer pro Person nur 19 m³ Luft, damit letztere sich noch behaglich fühlen können, ohne dafs eine künstliche Ventilation notwendig wird. In seinem in der Wiener Bauhütte 1865 gehaltenen Vortrag verlangte er für Schüler 9,5 bis 12,6 m³ Lufterneuerung pro Stunde. In der Wiener Oper werden mit Rücksicht auf die vielen Gasflammen pro Person und Stunde 35 . m³, in der Gebärklinik in Wien 30 m³ Luft eingeführt. Den Beiz- und Lüftungseinrichtungen des Gebäudes der technischen Hochschule in Berlin wurden gelegentlich der zur Einlieferung diesbezüglicher Projekte ausgeschriebenen Konkurrenz (1878) für die Lehrzimmer pro Kopf und Stunde 20 m³ neue Luft mit einer Temperatur von 20° C. zu Grunde gelegt.

[2] Nach D. R. I. § 22.

von 14 m³ pro Person vorgeschrieben ist[1], wird deshalb ebenfalls für eine künstliche Lufterneuerung vorgesorgt werden
müssen.

Für Arbeiterhäuser in Paris verlangt man 15 m³ Schlaf-
raum pro Person, überdies ausdrücklich eigne Ventilationsvorrichtungen.[2]

Für österreichiche Krankenhäuser ist im allgemeinen ein
stündlich 1½maliger Luftwechsel gesetzliche Forderung.

Gehen wir nach diesen beiläufigen Bemerkungen auf
Mittelschulen über und nehmen wir beispielsweise pro
Kopf eine stündliche Kohlensäure-Ausscheidung von durchschnittlich 18 l in Lehr- und Zeichensälen und von 22 l in
Werkstätten an, ferner einen Luftraum in Lehrzimmern von
7, in Zeichensälen von 10 und in Werkstätten von 16 m³,
so wird, wenn wir von der natürlichen Lufterneuerung, ferner
der künstlichen Beleuchtung ganz absehen, als Anfangsluft
jedoch eine bereits bis zur zulässigen Grenze von 1 °/oo Kohlensäuregehalt verunreinigte Luft voraussetzen, eine künstliche
Ventilation nötig sein, u. z.

in Lehrzimmern ein $\dfrac{18}{1,0-0,4} : 7 = 4,3$ maliger,

„ Zeichensälen „ $\dfrac{18}{1,0-0,4} : 10 = 3,0$ „ ,

„ Werkstätten „ $\dfrac{22}{1,0-0,4} : 16 = 2,3$ „ Luftwechsel.

Bei der Annahme aber, daß auf natürlichem Wege eine
stündlich einmalige Lufterneuerung stattfindet, hat

in Lehrzimmern ein $4,3 - 1 = 3,3$ maliger,

„ Zeichensälen „ $3,0 - 1 = 2,0$ „ ,

„ Werkstätten „ $2,3 - 1 = 1,3.$ „ künstlicher
Luftwechsel zu erfolgen.

Diesen Anforderungen nun kann die Technik völlig
genügen. Gewöhnlich werden ausgedehntere Ventilations-

---

[1] A. Raffalovich: Le logement de l'ouvrier et du pauvre. Paris, 1887.
[2] Oazette des architectes et du bâtiment, No. 41, 1884.

anlagen mit den Heizeinrichtungen in Verbindung gebracht, und kann reine Luft mit gewünschter höherer Temperatur, dem nötigen Feuchtigkeitsgrade, event. gekühlt, an beliebiger Stelle und selbst bei etwaigem oftmaligen Luftwechsel mit einer Geschwindigkeit eingeführt werden, welche 1/2 Meter in der Sekunde nicht übersteigt, demnach in keiner Weise als Zugluft u. dergl. fühlbar ist. In ähnlicher Art erfolgt die Abführung der verdorbenen Luft. Die Ventilationsapparate sind ferner mit den nötigen Reguliervorrichtungen versehen, vermöge welcher sie zu jeder Jahreszeit und unter allen Verhältnissen entsprechend funktionieren.

Allerdings ist die Erneuerung besonders großer Quantitäten Luft mit mancherlei Schwierigkeiten verbunden, während geringere Quantitäten oft mittels einfachster Anlagen eingeführt, bezw. abgeleitet werden können; die Erneuerung durch die porösen Wände ist dagegen mühe- und zugleich kostenlos. Aus diesem Grunde verzichtet man ungerne auf die natürliche Ventilation, welche für viele Fälle als ausreichend erachtet wird, und um so weniger, als durch dieselbe allein der Kohlensäuregehalt der Atmungsluft schon bedeutend herabgedrückt wird, jede weitere Lufterneuerung jedoch den Gehalt der Luft an Kohlensäure in verhältnismäßig nur geringerem Grade vermindert.

Ist der Kohlensäuregehalt in der ursprünglich angenommenen Luft bis zur zulässigen Maximalgrenze 1 l pro Kubikmeter, und werden in der ersten Stunde pro Kopf 18 l Kohlensäure durch Atmung erzeugt, so steigt der Kohlensäuregehalt hierdurch in dem als erstes Beispiel angezogenen Lehrzimmer mit 7 m³ Luftraum pro Schüler auf

$$7 \times 1 + 18 = 25 \text{ l, d. i. auf } 25 : 7 = 3.57 \text{ }^0/_{00}.$$

Durch einmaligen Luftwechsel, also durch die natürliche Ventilation werden mit 7 m³ reiner Luft $7 \times 0,4$ l, d. i. 2,8 l Kohlensäure zugeführt, so daß die gesamte Luft pro Stunde $25 + 2,8 = 27,8$ l Kohlensäure enthält, was einen spezifischen Kohlensäuregehalt von nur noch

$$27,8 : (2 \times 7) = 2,00 \text{ }^0/_{00}$$

ergibt. Bei 2-, 3-, 4-, 5maligem Luftwechsel sinkt der Kohlensäuregehalt, wie die weitere Rechnung zeigt, auf 1,46, 1,20,
1,03, bezw. 0,98 ‰, also immer um ein geringeres Maſs;
bei einer 4,3maligen Lufterneuerung aber auf

$$(7 + 4,3 \times 7 \times 0,4 + 18) : (1 + 4,3) \times 7 = 37,004 : 37,1 =$$
$$1,00 \text{ ‰},$$

wie es ja nach der oben angestellten Berechnung sein muſs.

Der Einfluſs mehrmaligen Luftwechsels auf den Kohlensäuregehalt wird durch nachstehende, unter obigen Voraussetzungen konstruierte graphische Darstellung (Fig. 1) ver-
anschaulicht, welche kaum einer weiteren Erklärung bedarf.

Fig. 1.

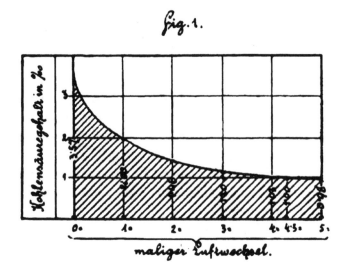

Wir folgten hierbei im wesentlichen den diesbezüglichen Ausführungen, welche C. HEUSER in seinem Aufsatze: „Ventilation
von Schul- und Wohnräumen mit Rücksicht auf die ökonomi-
sche Leistung"[1] niederlegte. Mit Recht bemerkt HEUSER,
daſs, wenn man nicht das theoretisch nötige Quantum an
Ventilationsluft in einen Raum zu leiten imstande ist, man
sich mit einem geringeren Quantum begnügen möge, da die
Wirkung desselben eine verhältnismäſsig groſse sei.

---

[1] Deutsche Bauzeitung, 1881.

Auch infolge der Diffusion der Gase durch poröse Wände erfolgt eine Abnahme des Kohlensäuregehalts der Zimmerluft, aber nach Dr. A. WOLPERT[1] nur bei trocknen, warmen und sehr porösen Mauern und gegenüber den andern auf Luftwechsel wirkenden Einflüssen nur in geringem Maße, weshalb hier weiter keine Rücksicht darauf genommen wird.

Die Luftdurchlässigkeit einer Mauer hängt übrigens, wie bekannt, wesentlich von der Porosität des verwendeten Baumateriales, der Dicke der Wand, dem Feuchtigkeitsgehalt derselben, dem Verputz und der Behandlung ihrer Oberfläche, der Anordnung von Thür- und Fensteröffnungen in derselben, der Temperaturdifferenz zwischen der innern und äußern Luft, dem Winddrucke, endlich der Lage der Wand, ob z. B. gegen einen Gang oder nach außen ab.

Inwieweit nun die Lufterneuerung infolge der Permeabilität der Wände ihre Berechtigung hat, wollen wir nachstehend des näheren untersuchen.

Wird die Reinheit der Atmungsluft allein nach ihrem Gehalte an Kohlensäure gemessen (was bis heute im allgemeinen als Norm gilt), dann mag es gleichgültig sein, auf welche Weise wir die verunreinigte Luft durch neue Luft ersetzen, wenn nur letztere in genügender Menge beschafft wird. Die Luft unsrer Wohn-, Arbeits- und Versammlungsräume enthält aber noch gar manche Verunreinigungen, welche derselben nicht in Gasform, sondern in fester Form beigemengt sind, und zwar in erster Linie Staub, ferner Mikroorganismen, wie Bakterien, Verwesungsstoffe, unter Umständen Sporen des Hausschwammes und sonstiger Pilze u. s. w. Auch diese schädlichen Stoffe sollen aus dem Raum, in welchem sie entstehen, oder wohin sie durch Zufall gelangt sind, mit der verdorbenen Luft abgeleitet werden, um nicht Massenanhäufungen, bezw. Neubildungen derselben zu veranlassen.

Auf diesen Punkt wird hauptsächlich in Schulwerkstätten

---

[1] Theorie und Praxis der Ventilation und Heizung. Braunschweig, 1880.

zu sehen sein, Schul- und Wohnräume, sowie sonstige Arbeits-
und Fabriklokale natürlich nicht ausgeschlossen.

Wie sehr Staub der Gesundheit schädlich ist, wurde
wiederholt nachgewiesen[1]; von den unorganischen Staubarten
sind mineralische (insbesondere Feuerstein, Glas) nebst solchen
aus giftigen Stoffen (Bleisalze, Arsenik u. dergl.) die schäd-
lichsten. Holzstaub äufsert eine besonders nachteilige Wirkung
durch Reizungen der Schleimhäute der Atmungsorgane, und
haben deshalb Schreiner häufig an Lungenentzündungen und
Lungenerweiterungen zu leiden.[2] Organische Staubarten vermitteln hingegen leicht die Entstehung von Infektionskrankheiten.[3]

In selteneren Fällen wird es beim Werkstättenbetriebe
möglich sein, den sich bildenden Staub an der Erzeugungstelle
zu sammeln und aufzusaugen oder durch Verwendung von
Wasser u. dergl. die Staubentwickelung aufzuheben; dagegen
werden direkte Schutzvorrichtungen, wie Respiratoren, Brillen
etc. schon der Unbequemlichkeit halber nur in ganz besonderen
Fällen benutzt werden können. Bekannt ist, dafs sich Staub
am leichtesten in ruhiger Luft absetzt; ferner ergaben Versuche von TYNDALL, dann von Lord RAILEIGH, dafs sich
derselbe aus physikalischen Gründen eher an kälteren als an
wärmeren Gegenständen niederschlägt, während LONDGE und
CLARK fanden, dafs sich in einem Raume, in welchem Elek-
trizität erzeugt wird, (indem einzelne Staubteilchen sich vereinigen) der Staub ebenfalls rascher absetzt. Ob diese
Versuche für die Praxis verwertbar sind, wird erst die Folge
lehren. Im allgemeinen werden wir deshalb zur Zeit den
Staub aus Werkstätten etc. mit Hilfe der Luft ableiten
müssen. Diesbezüglich fordert man von mancher Seite gerade-

---

[1] Dr. L. Hirt: Die Staubinhalationskrankheiten. Breslau, 1871.

[2] Dr. Pfeiffer: Über die Krankheiten der Gewerbetreibenden.
Vortrag, geh. im Lokalgewerbeverein. Darmstadt, 1882.

[3] Dr. Napies: Vortrag auf dem Kongrefs für Gewerbe-Gesundheits-
wesen in Rouen.

zu eine dreimalige Lufterneuerung innerhalb einer Stunde. Tischlerwerkstätten sollen übrigens auch deshalb möglichst staubfrei sein, weil in staubiger Atmosphäre eine reine Politur an Arbeitsstücken nicht leicht herzustellen ist.

Wie schon erwähnt, ist es nicht der Staub allein, welcher die Zimmerluft ungesund macht, sondern insbesondere auch die oft bedeutende Menge von äußerst kleinen Lebewesen, welche nur mit den stärksten Vergrößerungsgläsern wahrnehmbar sind. FREUDENREICH in Bern entdeckte von denselben 20000 und mehr in einem Kubikmeter Zimmerluft, während er in der Außenluft nur etwa 1000, auf Berggipfeln aber nur vereinzelte Exemplare fand.[1] Auch diese werden nur auf ganz ähnliche Weise aus den Wohnräumen entfernt werden können, wie die Staubteilchen. Mit letzteren wollen wir sie als mechanische Verunreinigungen der Luft zusammenfassen.

Nun entsteht die Frage: Werden diese mechanischen Verunreinigungen infolge der Permeabilität der Wände gleich den gasförmigen Verunreinigungen mit der Atmungsluft aus den Räumen geführt werden können? Wir glauben die entschiedene Antwort geben zu müssen: Nein, und zwar deshalb nicht, weil die Mauer gewissermaßen als Filter wirkt und alle mechanischen Verunreinigungen der austretenden Luft teils an ihrer Oberfläche, teils vielleicht in ihrem Innern zurück behält. Eine kurze Betrachtung wird diese Behauptung rechtfertigen.

Denken wir uns in einfachster Weise einen allseitig von Mauern umgebenen, mit einem Dache überdeckten Raum (Fig. 2), dessen Fußboden *AB* etwa luftdicht sein soll, und nun die im Raume befindliche Luft erwärmt — der für den größten Teil des Jahres zutreffende Fall. Durch diese Erwärmung entsteht eine Bewegung der warmen, spezifisch leichteren Luftteilchen nach oben zu und infolge des Auftriebes eine erhöhte Spannung der oberen Luftschichten,

---

[1] Wiener Bauindustrie-Zeitung, III. Jahrgang.

vermöge welcher sich die erwärmte Luft durch die Poren der Wände mit der weniger gespannten Aufsenluft ausgleicht. An den oberen Teilen der Wände fliefst also Luft nach aufsen hin ab, während in den unteren Teilen Luft von aufsen durch die Wände eindringt, etwa in der Weise, wie es in Fig. 2 durch beigesetzte Pfeile anzudeuten versucht wurde. Prof. RECKNAGEL fand durch direkte Messungen die Richtigkeit dieses Satzes bestätigt. Er konstatierte, dafs in einem Raume, welcher eine höhere Temperatur hat als seine Umgebung, ausgehend von einer horizontal um die Begrenzung

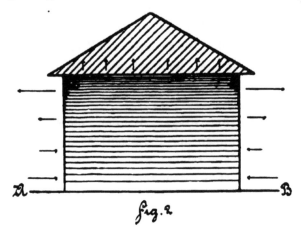

fig. 2

verlaufenden neutralen Linie, oben die Luft proportional mit der Entfernung von dieser neutralen Schichte nach aufsen gedrückt wird, während sie unterhalb der neutralen Linie in gleicher Weise nach innen eintritt.[1]

Würde die Deckenkonstruktion in demselben Mafse wie die Mauer porös sein und direkt an die Aufsenluft grenzen, so würde der gröfste Teil der Zimmerluft nicht seitlich, sondern nach oben hin austreten. Da jedoch in der Regel die Temperatur-Differenz des ins Auge gefafsten Wohnraumes und des Dachbodens oder des etwaigen Obergeschosses eine geringere als die der Luft des ersteren und der Aufsenluft

[1] Wiener Kommunalblatt, 1885.

ist, und da ferner der Verputz der Decken bei uns vornehmlich mit dem· weit weniger als Kalkmörtel porösen Gyps-
mörtel erfolgt, wird nach oben nur ein geringerer Teil der
Luft ausströmen, was in Figur 2 durch kürzere Pfeile angedeutet wurde.

Daß die Bewegung der Luft thatsächlich in der geschilderten Weise erfolgt, sehen wir übrigens mit freiem Auge
in einem stark von Rauch oder Staub erfüllten Lokale, wie
in Cafés u. dergl. an den Folgen dieser Bewegung. Die
Ruß- und Rauchteilchen, welche durch die Wände nicht
nach außen zu dringen vermögen, setzen sich an den Innen-
seiten ab, und zwar um so dichter, je näher der Mauerteil
dem Plafond liegt. An diesen Stellen wird der lichteste
Maueranstrich bald dunkel, während die unteren Mauerteile
und vielleicht auch die Decke ihre lichtere Farbe viel länger
behalten. Das Gleiche beobachten wir in jeder Werkstätte,
in welcher Staub und Ruß entwickelt wird (Tischlerei-,
Schlosserei-, Schmiedewerkstätten u. dergl.) Man erkennt dies
auch aus den ins Freie mündenden Luftlöchern und aus den
geöffneten Oberflügeln der Fenster, durch welche eine dicht
mit Qualm erfüllte Atmosphäre nach außen strömt, während
man in der Nähe der geschlossenen Fenster und Thüren eine
starke, nach innen gerichtete, durch Fugen und Ritzen
dringende Zugluft verspürt. Aus diesem Grunde werden ja
bekanntlich die Ventilationsöffnungen für die kühlere Jahreszeit stets möglichst nahe am Plafond angebracht.

Wie der Ruß und Rauch, so wird nun auch an den
oberen Partien der Wände bei *a* und *b* (Fig. 2) ein· großer
Teil der in dem Raume befindlichen Spaltpilze, Sporen und
dergl. zurückgehalten, und zwar geschieht dies teils an der
Oberfläche, teils mehr oder weniger im Innern der Mauer.
Die oberen Mauerteile werden daher, weil in einem bewohnten
Raume durch Fäulnis- und Gährungsvorgänge, durch In-
fektions- oder zymotische Krankheiten, ferner durch den
Hausschwamm immer neue Bakterien und Sporen sich bilden,
welche, wie nachgewiesen, während langer Zeit ihre Lebens-

oder Keimfähigkeit behalten, von Mikroorganismen mehr und mehr bedeckt, resp. erfüllt werden.

Daſs der Staub nicht durch die Mauer geht, weiſs jede Hausfrau, und darum läſst sie, soll der sich beim Reinigen des Zimmers entwickelnde Staub entweichen, die Fenster öffnen. — Um staubfreie frische Luft von auſsen zu erhalten, leitet man in England dieselbe, bevor sie in den Luftkanal eintritt, durch ein feines Sieb, welches den Staub zurückhält.[1] Es ist ferner bekannt, daſs sich bei ansteckenden Krankheiten Bakterien im Mauerputz festsetzen, und darum ordnet man behufs gründlicher Desinfizierung eines Raumes schon längst völliges Abkratzen des alten Verputzes und Überziehen der Wände mit neuem Mörtel an. E. ESMARCH, welcher direkt die Oberfläche der Wände untersuchte, fand, daſs selbst in staublosen Wohnräumen auf einem Quadratmeter Tapetenfläche über 20000 Keime vorhanden waren.[2]

Für die Behauptung, daſs sich in Mauern von schlecht oder nicht ventilierten Gebäuden organische Stoffe anhäufen, sprechen mehr oder weniger auch die Untersuchungen, welche Dr. EMMERICH in Leipzig im Jahre 1882 anstellte. Er fand in dem Füllmaterial unsrer Zwischendecken, als welches zumeist alter trockener Bauschutt gewählt wird, eine unglaublich groſse Menge von Spaltpilzen, denen man den hauptsächlichsten Anteil an der Verbreitung von Krankheiten zuschreibt, ferner von Sporen des Hausschwammes und anderen mechanischen Verunreinigungen. Er nimmt an, daſs diese Stoffe teils mittels der Luft aus den Untergeschossen, teils durch die Fugen der Fuſsböden direkt oder durch das

---

[1] T. PRIDGIN TEALE: Lebensgefahr im eigenen Hause. Übersetzt von J. K. H. Prinzessin Christian von Schleswig-Holstein. Kiel und Leipzig, 1888. Vergleiche auch W. SCHABRATH: Bekanntmachung der Vorzüge einer neuen Erfindung zur Erhöhung der Gesundheit und Krankenpflege durch Anwendung der Poren-Ventilation. Halle, 1869.

[2] Der Keimgehalt der Wände und ihre Desinfektion. Zeitschr. f. II, 491—520.

NAGEL als hygienisches Erfordernis hinstellt* und welcher auch wir im allgemeinen beipflichten), ferner die Verwendung von reinem Kies oder Sand als Füllmaterial. In der That braucht man, nebenbei bemerkt, namentlich in Deutschland immer mehr und mehr für diesen Zweck gewaschenen Kies, von welchem HARTIG durch Versuche nachgewiesen hat, daſs er unter allen Füllmaterialen am meisten die Holzschwamm-bildung hintanhält.[1] Dagegen dürfte Bauschutt, da unsre Betrachtungen uns zu der Annahme führen, daſs derselbe zahlreiche Mikroorganismen enthält, und zwar infolge seiner früheren langjährigen Funktion als Filter der Atmungsluft, nur dann für Zwischendecken oder als sonstiges Füllmaterial Verwendung finden, wenn die in ihm enthaltenen organischen Stoffe vorher vollständig zerstört sind, was durch Ausglühen desselben erreicht werden kann. Zur Verhinderung der Ent-stehung und Fortentwickelung des Hausschwammes hat Baurat FR. ENGEL schon längst das künstliche Trocknen des Bau-schuttes durch Wärme empfohlen.

Für die Ansicht, daſs sich Mauern in Wohnräumen u. s. w. immer mehr mit schädlichen organischen Stoffen füllen, sprechen endlich auch die Untersuchungen FREUDEN-REICHs, durch welche er feststellte, daſs in Neubauten die Luft zehnmal weniger Mikroben enthalte, als in alten, wenn auch regelmäſsig gelüfteten Häusern.

Übrigens wird sich die Richtigkeit unsrer Ansicht auch

---

[1] Vgl. auch Deutsche Bauzeitung 1888.

direkt erweisen lassen, vielleicht durch chemische, jedenfalls
aber durch mikroskopische und bakteriologische Untersuchungen
des Mauerwerks au Aufsen- und Innenwänden, an ihren
unteren und oberen Teilen, in verschieden alten, verschieden-
artig benutzten, mehr oder weniger ausreichend künstlich
ventilierten Räumen. Es wäre deshalb zu wünschen, dafs
von fachmännischer Seite recht zahlreiche derartige, gewifs
nicht uninteressante Versuchsreihen zusammengestellt würden.
Doch wollen wir schon jetzt hiervon die Nutzanwendung
machen.

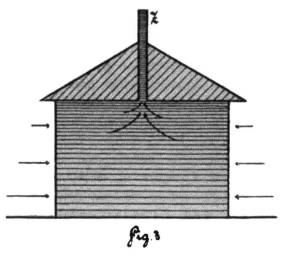

Fig. 3

Denken wir uns daher als Gegenstück zu dem erörterten
Falle der Figur 2 den gleichen Raum, und bringen wir in
demselben eine kräftige Zugesse Z an (Fig. 3), so wird durch
dieselbe im allgemeinen die warme Luft entweichen, während
durch die porösen Umfassungswände neue Luft in das Zimmer
tritt. Mit der warmen Luft werden aber durch den Ventilationsschlot auch alle mechanischen Verunreinigungen der
Zimmerluft fortgetragen werden; die nachströmende reine
Luft wird dagegen die Mauern in keiner Weise verunreinigen
können, und letztere behalten ihre Porosität, welche uns in
dieser Weise ganz gut zu statten kommt. Selbstverständlich
dürfen wir aber, wenn in der Nähe einer Aufsenmauer reine

Luft nicht vorhanden wäre (bei Düngerstätten u. dergl.) oder wenn die Mauer an einen schlecht ventilierten Innenraum stöfst (Abort, Nachbarhaus etc.), dieselbe nicht zum Einführen neuer Luft in einen Wohn- oder Arbeitsraum benutzen, sondern müssen sie, was auch bereits Prof. RECKNAGEL bezüglich der Innenwände überhaupt fordert, luftdicht herstellen.

Aber wenn wir selbst auf die Verwendung der Wände zur Ventilation ganz verzichten, kann dies, eine gute künstliche Ventilation vorausgesetzt, von keinen sanitären Nachteilen sein, und nicht mit Unrecht wird für Arbeiterhäuser in Paris, welchen sonstige Erleichterungen bei ihrer Erbauung gewährt werden (Kapitalsbeschaffung, Steuernachlässe etc.), verlangt, dafs namentlich an den Wasserseiten nur undurchlässige Baumaterialien verwandt werden dürfen und dafs sämtliche Mauern äufserlich einen dreimaligen Ölanstrich zu erhalten haben, während die Plafonds mit Leimfarbe zu bemalen sind, welche auf einen einmaligen Ölanstrich aufzutragen ist, dafs aber die Wohnräume, insbesondere die Schlafzimmer mit entsprechenden Ventilationseinrichtungen versehen werden müssen.

Verzichten wir, trotzdem dafs noch immer Zimmer mit Mauern, welche durch Ölanstrich oder sonstwie luftundurchlässig gemacht sind, als sanitätswidrig angesehen werden[1], auf die Lufterneuerung durch die Mauer, besonders durch ungünstig situierte Wände, und benutzen wir zur Ventilation im Sommer die geöffneten Fenster und Thüren, im Winter den entsprechend konstruierten Heizofen und einen Ventilationsschlot, und wir sind sicher, dafs mit der Kohlensäure auch die mechanischen Verunreinigungen der Luft (Infektionsstoffe, Sporen des auf die Gesundheit nachteilig wirkenden Hausschwammes, Staub, Rufs u. s. w.) aus unseren Wohnungen entfernt werden.

Die Ventilationsanlagen sind dann in jedem Falle derart

---

[1] Wiener Bauindustrie-Zeitung. III. Jahrg., S. 171.

auszuführen, daſs durch sie allein die als notwendig erachtete Lufterneuerung stattfindet, weshalb für die diesbezüglich günstigst veranlagten Räume mindestens noch ein stündlich einmaliger künstlicher Luftwechsel anzuordnen ist. Es gilt dies nicht nur für jeden Wohnraum im allgemeinen, sondern auch für alle Nebenräume, insbesondere aber für Arbeitslokale, Fabrikräume u. dergl. Werden auch die Lehrzimmer aller in neuerer Zeit errichteten Schulen mit Ventilationseinrichtungen versehen, so geschieht dies in Schulwerkstätten in der Regel nicht, da des gröfseren Luftraumes wegen die natürliche Ventilation als ausreichend erachtet wird, eine Ansicht, der wir nach dem Erörterten nicht beipflichten können.

Vom sanitären Standpunkte glauben wir demnach bezüglich Schulen folgende Anforderungen stellen zu müssen:

1. Kein Schulraum, wie überhaupt kein Wohn- und Versammlungsraum, der nicht mit künstlichen Ventilationsvorrichtungen versehen ist, soll der Benutzung übergeben werden.

2. Schulwerkstätten, in denen Staub entwickelt wird, sind verhältnismäfsig kräftig zu ventilieren, damit der gröfste Teil des Staubes sogleich mit der abziehenden Luft durch die Ventilationsöffnung fortgeführt wird.

3. Auch in Nebenräumen sind womöglich entsprechend wirkende Ventilationsvorrichtungen anzubringen.

4. Nur günstig gelegene Aufsenmauern, und diese vielleicht nur in ihrer unteren Hälfte dürfen bei gleichzeitiger Anordnung einer künstlichen Ventilation zur Luftzuführung, keineswegs aber zum Ableiten der verdorbenen Luft benutzt werden.

5. Zwischendecken sind möglichst luftdicht herzustellen.

Aus Versammlungen und Vereinen.

Der VII. Deutsche Lehrertag und die ärztliche Beaufsichtigung der Schulen.

Autoreferat
von
W. Siegert,
Lehrer in Berlin.

In den Pfingsttagen tagte in Frankfurt a. M. der VII. Deutsche Lehrertag. Lehrer Siegert aus Berlin hielt einen Vortrag über die ärztliche Beaufsichtigung der Schulen und beantwortete dabei zunächst die Frage: Ist eine hygienische Überwachung derselben notwendig?

1. Über die Verbreitung der Kurzsichtigkeit sind in den letzten 20 Jahren umfassende Erhebungen angestellt worden. Obwohl die Resultate derselben neuerdings von ärztlicher Seite zum Teil Widerspruch erfahren haben, bleibt doch die Thatsache bestehen, daß die Kurzsichtigkeit sehr weit verbreitet ist, sowie daß sie erzeugt wird durch anhaltende Naharbeit im Kindesalter und bei schlechter Körperhaltung. Auch über die Verbiegungen der Wirbelsäule, über Kopfweh und Nasenbluten bei den Schülern liegen einzelne Beobachtungen vor. Dagegen fehlt, für Deutschland wenigstens, eine umfassende Statistik über krankhafte Zustände mehr allgemeiner Natur (Kränklichkeit überhaupt, Mangel an Eßlust, Blutarmut, Skrofeln, Nervosität, etc.) sowohl innerhalb des schulpflichtigen Alters, als auch während des demselben vorausgehenden Zeitraumes. Die betreffenden Erhebungen in Dänemark und Schweden aber zeigen, wie ungünstig der Zustand der Schuljugend auch nach dieser Richtung hin ist. Wenn Hertel in Kopenhagen von 3141 Knaben 31,1 %, die dänische Untersuchungskommission unter 16789 Knaben 29 %, die schwedische Kommission unter

11210 Knaben sogar 44,8 % als nicht gesund bezeichnen
müssen, so sind das Zahlen, welche jedem denkenden Menschen
die Frage nahelegen: Was ist zu thun?

Zu derselben Frage gelangt man durch einen Blick in
die uns umgebenden Schulverhältnisse. Vielfach noch werden
die Schulhäuser unmittelbar an belebte Straßen gebaut.
Straßenlärm und Staub verhindern das Öffnen der Fenster;
gegenüberliegende Gebäude entziehen das Licht. Die künstliche Beleuchtung läßt fast überall zu wünschen übrig.
4 bis 6 Flammen für 50 Schüler sind entschieden zu wenig.
Bei Anfertigung der Subsellien haben Baumeister und
Tischler vielfach noch freie Hand; Schüler von sehr verschiedener Größe sitzen auf gleichgroßen Schulbänken. Die
Heizfrage liegt noch völlig im Argen. Die Reinigung
der Schulzimmer ist ungenügend. Die Lüftung wird ganz
verschieden gehandhabt; selten ist dieselbe ausreichend. Bei
Schmutz- und Regenwetter sind die Schulhöfe oft kaum
passierbar. Die Hefte sind vielfach derart, daß sich die
Kinder ihre Augen daran verderben müssen. Für die Befreiung vom Turnunterrichte gelten ganz verschiedene
Grundsätze. Unentwickelte Kinder werden zum Schulbesuch zugelassen, nur weil sie das schulpflichtige Alter
erreicht haben. Viele Schulklassen sind überfüllt. Die
Zustände in unsern Seminar-Internaten entsprochen selten
hygienischen Anforderungen.

Auch in Bezug auf das innere Schulleben sind un-
leugbare Mißstände vorhanden. Die Qual des ersten Schuljahres, die gewöhnliche Art der Versetzungsprüfungen, das
Berechtigungsunwesen kennzeichnen u. a. den Geist der
Schablone, welcher unser Schulwesen noch vielfach beherrscht.
Wie die Forderungen der Schulhygiene, so harren auch diejenigen der Unterrichtshygiene noch zum großen Teile
ihrer Erfüllung.

Wirken auf der einen Seite gewisse Momente direkt
gesundheitsschädigend, so vollzieht sich andrerseits die gesund-
heitsfördernde Thätigkeit der Schule (Turnen, gemeinschaft-

liches Spielen im Freien, Hautpflege, Speisung und Bekleidung armer Kinder etc.) in zu engen Grenzen.

Die Abstellung der vorhandenen Übelstände kann von der Thätigkeit der Lehrer allein nicht erwartet werden. Die erste These muſs mithin lauten:

Zur Schonung und Förderung der Gesundheit unsrer Schuljugend ist die hygienische Überwachung der Schulen notwendig.

In welcher Weise sich diese Beaufsichtigung zu vollziehen hat, legte der zweite Teil des Vortrages dar.

2. Vor allem thut die Gewinnung eines festen Bodens not, von welchem aus auf Grund genauer Ermittelungen sichere Schlüsse nach allen Richtungen hin gezogen werden können. Die nötigen Untersuchungen brauchen nicht überall ausgeführt zu werden; es genügt, sie an einzelnen Orten ins Werk zu setzen. Wie fruchtbar dieselben wirken, beweisen u. a. die Arbeiten von BERLIN und REMBOLDT. Untersuchungen haben jedoch nur dann vollen Wert, wenn sie nach gleichen Grundsätzen vorgenommen wurden. Eine vom Staate einzuberufende Kommission hat diese Grundsätze festzustellen. Dieser Kommission gehören auſser Ärzten auch Ingenieure, Architekten und vor allem Lehrer an. Sie hat auf Grund der gewonnenen Untersuchungsresultate die Forderungen der Schulgesundheitspflege in feste Normen zu bringen, welche zum Teil den Heften der Kinder vorgedruckt oder in groſsem Druck in passender Weise an den Wänden der Schulzimmer angebracht werden. Die Kommission würde endlich unter Berücksichtigung der Erfahrungen in andren Ländern diejenigen Grundsätze festzustellen haben, nach denen sich die Beaufsichtigung der Schulen durch besondere, nur zu diesem Zwecke angestellte Schulärzte zu vollziehen hätte. Mit dieser Beaufsichtigung die bisherigen Verwaltungsorgane (Schulräte, Physici) oder Privatärzte zu betrauen, ist nicht angängig. Der Schularzt darf durch keinerlei andre Amtspflichten von der Hauptsache abgelenkt oder durch Rücksichten auf seine Privatpraxis eingeengt werden.

Damit lautet die zweite Forderung:

Eine vom Staate aus Ärzten, Ingenieuren, Architekten und Lehrern gebildete Kommission leitet Untersuchungen über den Gesundheitszustand der Schuljugend ein, gibt Anweisungen für die praktische Durchführung der Schulhygiene und stellt die Grundzüge für die Thätigkeit besonderer Schulärzte fest, welche die Durchführung dieser Anweisungen zu überwachen haben.

3. Es handelt sich bei der Schul- und Unterrichtshygiene um mindestens ebenso wichtige Dinge als beispielsweise bei den hygienischen Anlagen eines gewerblichen Etablissements. Muß der Arzt seine Befähigung zur Mitwirkung in derartigen Angelegenheiten besonders nachweisen, so wird man diesen Grundsatz auch hier festhalten müssen. Die Ausführungen einzelner Redner auf dem Wiener hygienischen Kongresse (GUILLAUME) beweisen diese Notwendigkeit zur Evidenz. Ob der Nachweis durch Ablegung einer Prüfung oder in andrer Weise geführt wird, ist nebensächlich.

Die dritte These fordert daher:

Schularzt kann nur derjenige praktische Arzt werden, welcher die Schulhygiene zum Gegenstande seines besonderen Studiums gemacht hat.

4. Der Schularzt kann möglichenfalls in die Lage kommen, einer Gemeinde gegenüber energisch vorgehen zu müssen. Dabei würde er als Gemeindebeamter einen schweren Stand haben. Daher empfiehlt sich die Forderung:

Der Schularzt ist in der Regel vom Staate anzustellen.

5. Von größter Bedeutung ist die Frage, welche Aufgaben dem Schularzte zufallen, bezw. ob demselben größere oder kleinere Bezirke zugeteilt werden sollen. Die bekannten Genfer Thesen, COHN, BAGINSKY, LÖWENTHAL u. a. fordern

eine fortlaufende Beaufsichtigung. Ist eine solche notwendig und nützlich? Die Prüfung des Bauplatzes, bei Neubauten auch seiner Umgebung, diejenige des Bauplanes, die
Beaufsichtigung der Bauausführung und der Bauabnahme,
die Begutachtung des anzuschaffenden Mobiliars, die Befreiung
vom Turnunterrichte, die Zurückweisung unentwickelter
Kinder würde bei Erfüllung der unter 2 aufgestellten Forderungen dem Physikus (Amtsarzt) überlassen bleiben können,
falls kein besonderer Schularzt am Orte ist. Zur Durchführung der oben erwähnten „Anweisungen" über die Lüftung,
Reinigung, die Heftlage, die Haltung beim Lesen und Schreiben etc. bedarf es ebenfalls keiner fortlaufenden Beaufsichtigung
durch Ärzte. Öftere Untersuchungen der Schulluft überall
vorzunehmen, ist unnötig; praktisch wichtiger ist die reich-
lichste Lüftung der Schulzimmer. Die Feststellung der
Größe der Kinder und die Placierung an passende Subsellien kann der Lehrer so gut besorgen wie der Arzt; ebenso
wird jeder einsichtige Schulmann am Anfange jedes Semesters
feststellen, welche Kinder wegen Kurzsichtigkeit oder Schwerhörigkeit auf die vorderen Bänke oder die bestbeleuchteten
Plätze zu setzen sind. Auf die Unzulänglichkeit jeder ärztlichen Beaufsichtigung zur Verhütung ansteckender Krankheiten weisen v. KERSCHENSTEINER und BAGINSKY treffend
hin. In Paris besucht der Schularzt die Schule zweimal
monatlich. An den übrigen Tagen müssen Direktor und
Lehrer die krankheitsverdächtigen Schüler nach Hause oder
zum Arzt schicken. Was der Lehrer an 28 Tagen thun
kann, dürfte er auch am 29. und 30. zu thun im stande
sein. Beobachtungen während des Unterrichtes sind sicher
notwendig; sie brauchen aber nicht überall vorgenommen zu
werden. Wollte man so weit gehen wie in Antwerpen
und Brüssel, wo die Lehrer auf Veranlassung der Ärzte
den kränklichen Kindern Leberthran, Eisen und Phosphor-
säure verabreichen, dann müßte man tägliche Besuche des
Schularztes fordern. Es ist sicher aber hygienischer gehandelt,
derartigen Kindern Badebillets zu besorgen, sie viel in die

frische Luft zu bringen, die Armen zu speisen und zu kleiden, und das kann der Lehrer ebenso gut als der Arzt.

Im pädagogischen Interesse liegt es, etwaige Störungen des Unterrichts auf das geringste Maſs einzuschränken.

Die fünfte These lautet deshalb:

> Dem Schularzte ist ein gröſserer Bezirk (etwa Regierungsbezirk) zuzuweisen. Schulärzte für kleinere Bezirke sind überflüssig und aus pädagogischen Gründen nicht wünschenswert.

Die Erfahrungen, welche man in Frankreich gemacht, sprechen entschieden gegen die Anstellung vieler Ärzte, zumal im Nebenamt.

Der Bezirksschularzt würde die Schulen in ähnlicher Weise inspizieren, wie dies seitens des Regierungsschulrats geschieht. Er würde in kurzer Zeit ein Bild von dem hygienischen Zustande einer Schule bekommen, würde hier fördernd eingreifen, dort Übelstände abstellen, würde Säumige durch öftere Besuche zur Erfüllung ihrer Pflicht zu bringen wissen, kurz, eine Thätigkeit entfalten, welche der Schule zum groſsen Segen gereichen könnte.

Solche Schulärzte würden auch in Sachen der Unterrichtshygiene als kompetent erachtet werden müssen und wären auf ihren Inspektionsreisen sicher auch für Vorträge zu gewinnen, an denen Eltern, Lehrer und gröſsere Schüler teilnehmen könnten. Die Aufklärung des Volks in hygienischer Beziehung ist eine der wichtigsten Aufgaben der Gegenwart. In dieser Beziehung hat die Antwort des Breslauer Magistrats auf das bekannte Gesuch der Ärzte durchaus Recht, so wenig man im übrigen die Motive dieses Schreibens billigen kann.

Mit der geforderten Einrichtung würde es nicht im Widerspruch stehen, wenn an einzelnen Orten fortlaufende Beobachtungen stattfänden, wenn ferner Ärzte zu Mitgliedern der Schuldeputationen gewählt würden, und wenn man endlich etwaige Anerbieten von Spezialärzten (Zahnärzten z. B.) zur Untersuchung und Behandlung leidender Schüler acceptierte.

6. Die sechste These fordert:

Die Schulärzte eines Landes treten in ge·
wissen Zwischenräumen mit der unter 2 ·ge·
forderten Kommission zu gemeinsamen Beratungen zusammen.

Durch derartige Beratungen würden die Fragen der
Schul- und Unterrichtshygiene ihrer sachgemäfsen Lösung
entgegengeführt und eine gesunde, von jeder Überstürzun
freie Entwickelung dieser Wissenschaften angebahnt werden.

7. Die Voraussetzung für eine derartige ärztliche
Beaufsichtigung der Schule spricht die letzte These aus:

Die Schulärzte werden nur dann eine ge
deihliche Wirksamkeit zu entfalten vermögen,
wenn die Schulhygiene bei den Prüfungen für
Lehrer und Schulleiter Prüfungsgegenstand
wird und die Gesundheitslehre den ihr ge·
bührenden Platz im Schulunterrichte findet.

Das geringe Interesse mancher Lehrer an der Gesundheitslehre weist auf eine Lücke in der Vorbildung hin, welche
ausgefüllt werden mufs. Die Anatomie freilich thuts nicht;
GOETHES „Greift nur hinein ins volle Menschenleben" ist für
diesen Unterrichtszweig ganz besonders zu beherzigen. Notwendig ist vor allem, dafs die leitenden Persönlichkeiten
sich für die Sache interessieren, sonst erlahmt die Kraft des
Einzelnen. —

Stadtarzt Sanitätsrat Dr. SPIESS von Frankfurt sprach
sich durchaus im Sinne des Vortragenden aus und empfahl
möglichst einstimmige Annahme der Thesen. Die Versammlung beschloss denn auch nach kurzer Debatte in diesem
Sinne.

Das Votum des Deutschen Lehrertages mufs als schwer-
wiegend gelten, weil derselbe keine freie Zusammenkunft von
Lehrern darstellt wie die allgemeine Deutsche Lehrerver-
sammlung, sondern aus Delegierten nahezu aller Lehrervereine Deutschlands gebildet wird. Die zur Verhandlung
kommenden Themata werden vom Zentralvorstande zwei Jahre

vorher den Vereinen bekannt gegeben und dort vorberaten. Die Delegierten sind somit genau über die Stimmung der Lehrer unterrichtet. Die Abstimmungen erfolgen nach sorgfältigen Erwägungen und sind jeglichen Zufälligkeiten entrückt. Die anwesenden Gäste sind wohl zur Teilnahme an den Verhandlungen, nicht aber zu Abstimmungen berechtigt.

Möchte die Stimme des VII. Deutschen Lehrertages an maſsgebender Stelle nicht ungehört verhallen!

Miſsbrauch des Alkohols bei der Jugend.

Auf dem VII. Kongresse für innere Medizin, der vom 9. bis 13. April d. J. in Wiesbaden stattfand und von den hervorragendsten Klinikern Deutschlands und Österreichs besucht war, wurde in der 3. Sitzung über den Weingeist als Heilmittel verhandelt. Das Referat hatte Professor C. BINZ aus Bonn übernommen. Nachdem derselbe über die erregende Wirkung, den respiratorischen Nährwert und den die Temperatur beim Fieber herabsetzenden Einfluſs des Alkohols gesprochen hatte, hob er zum Schlusse noch den Nachteil übermäſsigen Genusses hervor, wie er bekanntlich auch bei älteren Schülern vorkommt. Was insbesondere den gewohnheitsmäſsigen Genuſs groſser Mengen Bier betreffe, so sei dafür ebensowenig eine Entschuldigung beizubringen wie für gewohnheitsmäſsiges Schnapstrinken. Auch der Korreferent, Professor v. JAKSCH aus Graz, sprach sich in ähnlichem Sinne, namentlich über die erregende, nährende und antipyretische Wirkung des Weingeistes aus. In der sich daran anschlieſsenden Diskussion aber hob Hofrat Professor NOTHNAGEL aus Wien hervor, er möchte die Gelegenheit ergreifen, um von dieser Stelle aus eine Mahnung an die Eltern und Ärzte zu richten, nämlich die, den Kindern keinen Alkohol als Genuſsmittel zu geben. Kinder, selbst solche von 2 bis 3 Jahren bekämen jetzt häufig Wein oder Bier bei Tische; das sei zum mindesten unnötig, in vielen Fällen schädlich. Die heutige gesteigerte Erregbar-

keit einerseits und die verminderte nervöse Widerstandsfähigkeit andrerseits sei vor allem auf die frühzeitige Anwendung
von Reizmitteln bei der Jugend zurückzuführen.

Wir glaubten auf diese Auslassungen um so mehr hinweisen zu müssen, als uns mehr als eine Schule bekannt ist,
in welche viele völlig gesunde Schüler zu ihrem Frühstücke
Wein, angeblich zur Stärkung, mitbringen. Die gewählten
Sorten wie Sherry, Portwein sind noch dazu besonders er-
regend, weil sehr reich an Alkohol; denn während sich in
den besseren rheinischen Weinen etwa 8 bis 11 Prozent desselben befinden, enthält der Xeres 17 bis 18 Prozent. Auf
jeden Fall ist bei dem Alkoholgenusse der Jugend Vorsicht
geboten.

Kleinere Mitteilungen.

Kaiser Friedrich über das Turnen. Unter dem 22. Juli 1861
schrieb der damalige Kronprinz FRIEDRICH WILHELM aus Osborne auf
der Insel Wight an den Berliner Turnrat: „Ich begrüße das allgemeine
deutsche Turnfest als eine neue willkommene Gelegenheit, Genossen aus
allen Gauen des deutschen Vaterlandes zu vereinen und eine Kunst zu
fördern, deren nutzbringende Thätigkeit von mir schon in früher Jugend
geschätzt ward, und die, gegenwärtig mit neuem Eifer allseitig erfaßt,
sicherlich bei richtiger Handhabung die Söhne des Vaterlandes zu that-
kräftigen Stützen seiner Schicksale anleiten muß."

Noch einmal der Lateinschriftverein. Zu dem Artikel in
No. 6, S. 189—190 unserer Zeitschrift tragen wir nach, daß die Erreichung des Zweckes des Vereins, ausschließlich Lateinschrift herbeizuführen, nur durch zahlreiche Beitrittserklärungen ermöglicht wird. Ein
Mitgliedsbeitrag ist nicht zu entrichten. Es genügt die Einsendung einer
deutlich geschriebenen Karte mit Namensangabe an Rektor Dr. F.W. FRICKE
in Wiesbaden. Der Eintritt in den Verein bedeutet nur die Billigung
seiner Bestrebungen. Bei hinreichender Mitgliederzahl sind Petitionen
an die höchsten Unterrichtsbehörden in Aussicht genommen.

Kontinuierlich selbstthätiger Luftprüfer nennt sich ein von
unserm Mitarbeiter, Herrn Professor Dr. A. WOLPERT in Nürnberg, ange-
gebener und von den Universitätsmechanikern REINIGER, GEBBERT und
SCHALL in Erlangen verfertigter Apparat, der sich seiner Einfachheit
und Billigkeit wegen ganz besonders für Schulen eignet. Ein Blick auf

die Skala des Apparates genügt nämlich, um zu sehen, ob die Zimmerluft „äufserst schlecht", „sehr schlecht", „schlecht", „noch zulässig" oder
„rein" ist. Als Mafsstab der Luftverschlechterung ist dabei der Gehalt
an Kohlensäure angenommen, da nach von Pettenkofer mit der letzteren proportional auch die die Luft vergiftenden Respirations- und
Perspirationsprodukte zunehmen. Wolpert bezeichnet daher als
„äufserst schlecht" die Luft, welche mehr als 4 Promille Kohlensäure
enthält, als „sehr schlecht" solche mit 2 bis 4 Promille, während in
„schlechter" Luft sich 1 bis 2, in „noch zulässiger" 0,7 bis 1 und in
„reiner" 0,5 bis 0,7 Promille Kohlensäure befinden. Die Bestimmung
des Kohlensäuregehaltes hat als Grundlage ein ganz neues, sehr sinn-
reiches Prinzip: eine gefärbte Flüssigkeit, auf welche die Kohlensäure
entfärbend einwirkt. Diese Flüssigkeit ist eine durch Phenol-Phtalein
gerötete Sodalösung von bestimmter Konzentration, welche sich in einem
auf einer Konsole angebrachten Glasgefäsee befindet. Vermittels eines
Heberröhrchens, welches an einem in der Flüssigkeit liegenden Schwimmer
befestigt ist, wird die — im übrigen durch eine dünne Schicht Mineralöl
gegen Berührung mit der Luft geschützte — rote Flüssigkeit selbstthätig auf einen etwa $^1/_3$ Meter langen weifsen präparierten Faden
tropfenweise übergeführt und rötet diesen, indem sie daran herabfliefst.
Die Rötung erstreckt sich gleichmäfsig auf die ganze Länge des Fadens,
wenn die Luft „sehr rein" ist, d. h. weniger als 0,5 Promille Kohlensäure
enthält. In schlechterer Luft dagegen wirkt die Kohlensäure entfärbend,
und folglich ist dann der Faden von unten nach oben um so weiter
hinauf weifs, je verdorbener die Luft ist. Für die Ablesung auf der
Skala gilt die höchste Stelle, an welcher der Faden entschieden weifs
ist, also die Grenze zwischen ganz weifs und schwach rötlich. Der
Preis des Apparates in einfacher Ausführung beträgt 12,50 Mark; bei
fortgesetzter Inganghaltung verbraucht er in einem Jahre für etwa
1,80 Mark Phenol-Phtalein, Soda, Spiritus u. s. w. kostet also täglich
ungefähr 0,5 Pfennig. Einem jeden Exemplar ist eine Gebrauchsanweisung beigegeben.

Schulärztliche Berichte aus Ungarn. Dr. Eug. Tauffer, Professor der Hygiene und Schularzt der Staatsrealschule in Temesvár, hat
an den Unterrichtsminister Trefort über die sanitären Verhältnisse der
genannten Anstalt während des Schuljahres 1887—88 einen ausführlichen Bericht abgestattet, welcher jetzt auch durch den Druck veröffentlicht ist. Danach hat Herr Dr. Tauffer eine sehr rege Thätigkeit
entfaltet und das Institut der Schulärzte, mit welchem Ungarn manchen
gröfseren Staaten wie Deutschland vorangeht, trefflich inauguriert. Ein
anderer Schularzt, unser verehrter Mitarbeiter Herr Dr. Heinr. Schuschny
in Budapest, hat in dem Jahresberichte der dortigen Staatsrealschule

des V. Bezirkes, an welcher er angestellt ist, eine Abhandlung über die Bedeutung der schulärztlichen Institution erscheinen lassen. Auch diese Abhandlung zeugt von dem Eifer, mit welchem sich die ungarischen Schulärzte ihrer Aufgabe widmen.

Die Entwickelung der Ferienkolonien und Kinderheilstätten in Deutschland ist aus folgenden Zahlen ersichtlich. Es wurden von den verschiedenen Vereinen in Sommerpflege gesendet:

1876	aus	1 Stadt	7	Kinder
1877	„	1 »	14	„
1878	„	2 Städten	151	„
1879	„	5 »	385	„
1880	„	11 »	1017	„
1881	„	28 »	2959	„
1882	„	34 »	4782	„
1883	„	42 »	6948	„
1884	„	51 »	8460	„
1885	„	72 »	9999	„

insgesamt in den 10 Jahren 34722 Kinder.

Die Kinderheilstätten der Soolbäder verpflegten seit ihrem Bestehen bis 1886 28 933 Kinder, diejenigen der Seebäder 2208 Kinder. Das Vermögen der einzelnen Vereine für Ferienkolonien betrug am Schlusse des Jahres 1885 225 909 Mark, wovon allein auf den Verein in Frankfurt a. M. 100 602 Mark entfielen.

Nutzen der Schutzpockenimpfung der Kinder. Bekanntlich sind die Schulen Deutschlands und andrer Länder an der Schutzpockenimpfung insofern beteiligt, als sie bei der Aufnahme eines Kindes die Vorlegung des Impfscheines verlangen und die zwölfjährigen Schüler und Schülerinnen veranlassen, sich zum zweiten Male impfen zu lassen. Es dürfte daher für viele Lehrer von Interesse sein, einiges aus den Beiträgen zu erfahren, welche das Kaiserlich Deutsche Gesundheitsamt zur Beurteilung des Nutzens der Schutzpockenimpfung kürzlich veröffentlicht hat. Man erhält daraus den Eindruck, als ob die Pocken zur Zeit kaum noch zu den in Deutschland endemischen Krankheiten gehören. Denn wenn man die durch einen regen Schiffsverkehr mit dem Auslande eng verbundenen Städte Bremen, Hamburg, Königsberg und Danzig zu den Grenzbezirken des Deutschen Reiches zählt, so sind etwa ²/₃ sämtlicher Pockentodesfälle in den Grenzgebieten vorgekommen und nur ungefähr ¹/₃ im Binnenlande. Beispielsweise wurde in Berlin im Jahre 1886 nur eine Person als an den Pocken gestorben gemeldet, in ¡Breslau, Dresden, Köln und Frankfurt a. M. 0, in München nur 2, in Leipzig 3. Wie wenig sich die Pocken 1886 unter der Bevölkerung des Deutschen Reiches ausgebreitet haben, ist unter anderm auch daraus ersichtlich, dafs unter 86 von Pockentodesfällen betroffenen Gemeinden in 54 nur je 1 Todesfall, in 19 andern nur je 2 Todesfälle vorkamen. Nur in 4 der befallenen Gemeinden betrug die Zahl der Sterbefälle an Pocken 5 und mehr, nämlich 17 in Hamburg, 8 in Königsberg u. s. w. Die Pockensterblichkeit in Deutschland hat sich namentlich auch gegenüber derjenigen des Auslandes im Jahre 1886 als sehr unbedeutend erwiesen.

Denn die in Vergleich gestellten Städte Österreichs hatten in diesem Jahre eine 65 mal, die Ungarns eine 486 mal, die der Schweiz eine 44 mal und die Belgiens eine 39 mal gröfsere Pockensterblichkeit als die Städte des Deutschen Reiches. Alle diese Länder besitzen nämlich keinen allgemeinen gesetzlichen Impfzwang wie Deutschland. Dagegen ist in England die Impfung der Kinder im jugendlichen Alter obligatorisch, und die englischen Städte standen deshalb auch bezüglich ihrer Pockensterblichkeit den deutschen Städten weit näher als die Städte jener andren Länder. Immerhin hat auch in den Städten Englands die Pockensterblichkeit noch mehr als das $1^1/_2$-fache von derjenigen in den deutschen Städten betragen, da dort die Wiederimpfung der Zwölfjährigen fehlt. Das alles spricht in überzeugender Weise für den segensreichen Einfluss des deutschen Impfgesetzes, dessen Ausführung daher mit Recht auch die Schule unterstützt.

Schulreisen der Primaner des Gymnasiums in Altona. Dem vor kurzem erschienenen Jahresberichte des Kgl. Christianeums zu Altona über das Schuljahr 1887/88 entnehmen wir, dafs die Oster-Primaner vom 7. bis 10. Juni v. J. den Teutoburger Wald und die Weserkette bereisten, wobei namentlich Detmold und das Hermanns-Denkmal, die Externsteine, Hameln, Rinteln, die Luhdener Klippen, die Ahrensburg, Eilsen, Bückeburg und Hannover besichtigt wurden. Die Michaelis-Prima besuchte am 9. und 10. Juni Flensburg, Gravenstein, Düppel, Sonderburg, Augustenburg, das Denkmal auf dem Arnkiel, Satrupholz und kehrte dann über Glücksburg und Flensburg heim.

Besondere Schulen oder Klassen für schwachsinnige Kinder sind in Frankfurt a. M. in Aussicht genommen. Eine Nachforschung. wie viele Schüler in dieselben aufzunehmen sein würden, ergab das folgende Resultat. Es befanden sich in den Volks- und Bürgerschulen während des Winterhalbjahres 1886—1887: Schwachsinnige geringeren Grades, die aber das Klassenziel nicht erreichen, 104 Knaben und 99 Mädchen; Schwachsinnige höheren Grades, immerhin aber noch bildungsfähig, 34 Knaben und 44 Mädchen. Auch in Hamburg wird beabsichtigt, besondere Schulen für schwachsinnige Kinder einzurichten.

Pläne von Schulhäusern und Schulzimmern, insbesondere von ihren Ventilationsanlagen würden dem neu begründeten Hygiene-Museum zu Berlin sehr willkommen sein. Wie eine neuerdings erfolgte Durchsicht des Katalogs gezeigt hat, sind derartige Entwürfe nicht genügend vorhanden. Im übrigen ist die Schulhygiene unter anderm durch Lehrmittel, Subsellien, Modelle und Zeichnungen von Turnhallen, sowie Veranstaltungen für nicht vollsinnige Kinder vertreten.

Monatlich wiederkehrende Schulausflüge in Bonn. In Folge des Erlasses des Kultusministers von GOSSLER vom 27. Oktober 1882 ist es an den Bonner Schulen zur Regel geworden, daß alle vier Wochen etwa Ausflüge der verschiedenen Schulklassen mit ihren Lehrern, resp. Lehrerinnen stattfinden.

Sterblichkeit der Lehrer in Bayern. Im Jahre 1887 sind in Bayern 217 Lehrer gestorben, nämlich 99 pensionierte und 118 noch im Amte befindliche. Bei den pensionierten beträgt das Durchschnittsalter 65, bei den aktiven 48, bei allen zusammen 57 Jahre. Am günstigsten stellt sich das Durchschnittsalter in Mittelfranken, am ungünstigsten in der Oberpfalz.

Tagesgeschichtliches.

Internationaler Kongreß für Kindergesundheitspflege in Zürich. Das Komitee für Ferienkolonien und Heilstätten rhachitischer und skrofulöser Kinder in Zürich gedenkt am 13. und 14. August d. J. daselbst einen internationalen Kongreß für Gesundheitspflege schulpflichtiger Kinder zu veranstalten. Als Beratungsgegenstände sind bis jetzt in Aussicht genommen:

1. Gründung eines internationalen Organs für Kindergesundheitspflege.
2. Die bisherigen Einrichtungen und Erfolge der Ferienkolonien.
3. Wägungen, Messungen, Blutuntersuchungen bei den in die Ferienkolonien Entsendeten.
4. Heilstätten für rhachitische und skrofulöse Kinder, Milchkuren, sogenannte Stadtkolonien, Schulbäder, Knaben- und Mädchenhorte, Speiseanstalten für arme Schulkinder, Spaziergänge mit der Jugend.
5. Die seit sechs Jahren in den Schulen Zürichs vorgenommenen Augenuntersuchungen und der Einfluß der Sommerpflegen auf das Sehvermögen der Kinder.

Außerdem ist die Besichtigung einiger bezüglichen Anstalten und Einrichtungen geplant.

Anmeldungen für den Kongreſs nimmt der Präsident des Vereins für Ferienkolonien, Pfarrer BION, entgegen.

Über die Verhandlungen werden wir unsern Lesern seiner Zeit berichten.

Eine Audienz des Geschäftsführers der Deutschen Turnerschaft bei dem Kriegsminister des Deutschen Reiches. Der Geschäftsführer der deutschen Turnerschaft, Herr Dr. FERD. GOETZ, hat vor einiger Zeit eine Audienz bei Sr. Excellenz dem Kriegsminister des Deutschen Reiches BRONSART VON SCHELLENDORF gehabt. Nach der „D. Turn-Zeitg." handelte es sich dabei um eine Förderung des Betriebes der Leibesübungen bei der Jugend. Die deutschen Turner sind der Meinung, daſs eine solche Förderung eintreten werde, wenn die Reichskriegsverwaltung erkläre, daſs bei der Entlassung auf Dispositionsurlaub nach 2 Jahren auch die turnerische Leistungsfähigkeit der Mannschaft mit in Betracht gezogen werden solle, und wenn ferner in Zukunft als Bedingung für die Berechtigung zum einjährig-freiwilligen Dienste neben dem verlangten Maſse wissenschaftlicher Ausbildung auch ein gewisses Maſs turnerischer Leistungsfähigkeit, z. B. in Armübungen, Springen und dergl. gefordert würde.

In Bezug auf den ersten Wunsch erwiderte der Kriegsminister, daſs bei der Entlassung nach zwei Jahren drei Punkte maſsgebend seien: die genügend tüchtige militärische Ausbildung, die gute Führung und die häuslichen Verhältnisse der Mannschaften. So hoch er eine gründliche turnerische Ausbildung schätze, so dürfe dieselbe doch allein nie entscheidend sein, da ein guter Turner z. B. ein schlechter Schütze und nicht tadelfrei in seiner Führung sein könne. In vielen Fällen werde allerdings ja gute militärische Ausbildung und tüchtige turnerische Leistungsfähigkeit Hand in Hand gehen.

Was den zweiten Wunsch anbetrifft, für die Erteilung der Berechtigung zum einjährig-freiwilligen Militärdienste eine gewisse turnerische Leistungsfähigkeit zur Bedingung zu machen, so äuſserte sich der Kriegsminister dahin, daſs er zwar prinzipiell gegen diesen Vorschlag nichts einzuwenden habe, daſs aber die bestehenden gesetzlichen Bestimmungen ihm mehrfach entgegenständen. Die Einjährig-Freiwilligen stammten zumeist aus den besser situierten Ständen, welche im allgemeinen körperlich etwas weniger kräftig entwickelt seien. Das Institut der Einjährig-Freiwilligen diene ferner besonders dazu, die Offiziere der Reserve, also den Ersatz des Offiziercorps zu liefern. Da nun im groſsen und ganzen die im Kriege von den Offizieren zu tragenden Strapazen geringer seien, als die der Mannschaften überhaupt, so begnüge sich aus diesen beiden Gründen die bestehende Ersatzinstruktion bei der Aushebung der Einjährig-Freiwilligen hinsichtlich ihrer Dienstfähigkeit mit einem etwas geringeren Maſse körperlicher Tüchtigkeit als bei den übrigen Mannschaften.

Übrigens erklärte der Kriegsminister, er werde mit dem Kultusminister von GOSSLER besprechen, ob, eventuell wie die turnerische Ausbildung der Jugend, besonders in den höheren Schulen zu fördern und zu heben sei. Auch gab er seine Freude darüber zu erkennen, daſs nach einer von der deutschen Turnerschaft aufgenommenen Statistik der Prozentsatz der den Strapazen und Krankheiten während des Krieges 1870—71 erlegenen Turner ein wesentlich niedrigerer gewesen ist als der allgemeine Prozentsatz aller an Krankheiten Erlegenen überhaupt.

Körperliche Erziehung durch die Volksschule. Wie die „St Gall. Schulbl." berichten, hielt Mitte Mai d. J. Lehrer CUSTER von Leuchingen auf der Bezirkskonferenz des Oberrheinthales einen Vortrag über „körperliche Erziehung durch die Volksschule". Er trat besonders für den Schulbesuch erst nach dem zurückgelegten 7. Lebensjahre ein, für Zurückstellen körperlich schwacher Kinder, genaue Einhaltung der Freiviertelstunden, abwechselndes Stehen und Sitzen der Schüler beim Unterrichte, gute Körperhaltung derselben, Abschaffung der Schiefertafeln von der 3. Klasse an, gründliche Ventilation, fleiſsiges Schulturnen, häufige Spaziergänge ins Freie und Arbeiten in Baumschul-, Gemüse- oder Pflanzschulgärten.

Der wohlthätige Schulverein in Hamburg veröffentlicht durch seinen Zentralvorstand, sowie durch die selbständig und mit getrennter Verwaltung und Rechnungsführung wirkenden Zweiganstalten, die Ferien- kommission und die Speisungsanstalten, eine Übersicht seiner Thätigkeit im letzten Vereinsjahr. Danach wurden an die einzelnen Bezirke im ganzen 17800 Mark abgeliefert; hiervon wandte der erste Bezirk für 466 Kinder 3474 M. auf, der zweite für 369 Kinder 3043 M., der dritte 6779 M., der vierte für 523 Kinder 5287 M., der fünfte 5601 M., der sechste für 820 Kinder 6803 M., der siebente für 62 Kinder 622 M. Die Unterstützten wurden mit Kleidungsstücken, Strümpfen, Wäsche, Fuſszeug u. drgl. ausgerüstet und auſserdem mit Speisekarten versehen. Die Ferienkommission hatte im vorigen Sommer 1096 Kinder auf dem Lande unterzubringen, was in 30 in entfernterer Umgebung Hamburgs belegenen Ortschaften geschah. Für 503 Kinder muſste die Kommission hierbei die Kosten ausschlieſslich, für andere teilweise tragen; in manchen Fällen zahlten auch die Eltern allein. Die Gesamteinnahme der Ferien- kolonien, über die Herr Hauptlehrer TRIXT die Oberaufsicht führte, be- trug 30116 M. An Kostgeldern wurden verausgabt 16859 M., an Beför- derungsunkosten 1198 M. Die Speisungskommission, welche ebenfalls eine sehr rege Thätigkeit entwickelte, hatte eine Gesamteinnahme von 14146 M. Einnahme und Ausgabe balancierten.

Augenuntersuchung im Gymnasium zu Marburg a. L. Der
Herr Unterrichtsminister von Gossler hat angeordnet, daß die Augen
der Schüler, sowie die Lichtverhältnisse in den Schulräumen an dem
Gymnasium zu Marburg in Hessen-Nassau einer fachmännischen Prüfung
unterworfen werden.

Hygienisches Museum in Paris. Auf Anregung des Professors
Proust hat die Pariser medizinische Fakultät ein Hygiene-Museum begründet, welches sich im ersten Stock der neuen Gebäude der „école
pratique" hinter dem bakteriologischen Laboratorium befindet. Für den
Schulhygieniker sind, abgesehen von den ausgestellten Heiz- und Ventilationsanlagen, besonders die inneren Einrichtungen von Schulräumen
von Interesse.

**Eine Ausstellung für Kindererziehung und Kinderpflege in
Budapest** ist von einem wohlthätigen Vereine für das Jahr 1889 in
Aussicht genommen. Dem vorbereitenden Komitee gehören auch viele
Ärzte, insbesondere Kinderärzte an. Wir nennen nur Direktor Bókai,
welcher Vorsitzender, und Dr. J. Faragó, welcher Schriftführer des
ärztlichen Subkomitees ist.

**Das Erzherzogin-Maria-Theresia-Seehospiz San Pelagio bei
Rovigno** am adriatischen Meere ist vollendet und seiner Bestimmung
übergeben worden. Dasselbe bietet für 100 skrofulöse und rhachitische
Kinder, sowie das entsprechende Pflegepersonal hinreichenden Raum
und liegt in einem 7000 Quadratklafter umfassenden Parke in gesundester,
durch südliche Vegetation ausgezeichneter Gegend. Auch an einer
eigenen Apotheke und mehreren Cisternen fehlt es nicht. Gesuche um
Aufnahme sind an die Kanzlei des Vereins in Wien IX, Ferstelgasse 1,
zu richten.

Amtliche Verfügungen.

Ausfall des Schulunterrichts bei grofser Hitze. Die Königliche Regierung zu Breslau hat an die ihr unterstellten Kreisschulinspektoren das nachfolgende Schreiben gerichtet:

„Es ist in Anregung gebracht worden, wegen Ausfall des Schulunterrichts bei zu grofser Hitze für den hiesigen Bezirk eine allgemeine
Anordnung zu treffen. Da jedoch bei Regelung dieser Angelegenheit
wesentlich die örtlichen Verhältnisse in Betracht zu ziehen sind, insbesondere die Lage des Schulhauses, des Klassenzimmers, die Gröfse, Höhe
und Ventilation des letzteren, die Menge der in demselben gleichzeitig

unterrichteten Kinder etc., so wollen wir uns darauf beschränken, es dem gewissenhaften Ermessen der Orts-Schulaufseher oder der Rektoren und Hauptlehrer, wenn erstere nicht am Orte sind, anheimzugeben, sobald um 10 bezw. 11 Uhr Vormittags die Hitze auf 21 Gr. R. im Schatten gestiegen, im einzelnen besonders dringlichen Falle ausnahmsweise den Nachmittagsunterricht aussetzen zu lassen. Ist dieser Fall unvermeidlich, so ist darüber im Schultagebuch bezw. in der Schulchronik ein Vermerk zu machen."

Verordnung des k. k. niederösterreichischen Landesschulrates vom 6. Juni 1888, betreffend Maßregeln zur Verhütung der Weiterverbreitung übertragbarer Krankheiten durch Schulen, Lehr- und Erziehungsanstalten. Der k. k. niederösterreichische Landesschulrat, von welchem bereits eine Reihe wertvoller Erlasse zur Verhütung der Verbreitung übertragbarer Krankheiten durch die Schule herrühren, hat neuerdings eine ausführliche diesbezügliche Verordnung samt beigedruckten Formularen herausgegeben, die wir dem Landes-Gesetz- und Verordnungsblatt für das Erzherzogtum Österreich unter der Enns, XIV. Stück vom 21. Juni 1888 entnehmen:

„Um der Weiterverbreitung von Krankheiten der Schuljugend, welche entweder entschieden ansteckend sind, oder als solche gelten (Cholera, Typhus, Diphtheritis, Krupp, Masern, Scharlach, Blattern, Keuchhusten, ägyptische Augenentzündung etc.), nach Möglichkeit zu begegnen, findet der k. k. niederösterreichische Landesschulrat in Zusammenfassung und teilweiser Ergänzung der Verordnungen vom 26. Januar 1880, Z. 8119, L.-G.-Bl. No. 6, vom 3. Mai 1882, Z. 2391, L.-G.-Bl. No. 51, vom 6. Juni 1883, Z. 3346, L.-G.-Bl. No. 50 und vom 13. Juni 1883, Z. 4616 ex 1882, L.-G.-Bl. No. 53, im Einvernehmen mit der k. k. niederösterreichischen Statthalterei im Hinblicke auf § 2 des Gesetzes vom 30. April 1870, R.-G.-Bl. No. 68, Folgendes zu verordnen:

I. Vorschriften zur Verhütung der Ausbreitung von übertragbaren Krankheiten in Schulen, Lehr- und Erziehungsanstalten überhaupt.

§ 1. Die Vorstände von öffentlichen wie privaten Volks-, Bürger- und Mittelschulen, von öffentlichen Privat-Lehr- und Erziehungsanstalten jeder Art, von öffentlichen und Privat-Lehrer- und Lehrerinnenbildungsanstalten, von öffentlichen und Privat-Handelsschulen und von dem k. k. niederösterreichischen Landesschulrate unterstehenden gewerblichen Lehranstalten, sowie das in solchen Anstalten thätige Lehr- und Erziehungspersonal ist verpflichtet, dem Gesundheitszustande ihrer Schüler und Pflegebefohlenen im allgemeinen wie im einzelnen und insbesondere in Bezug auf ansteckende Krankheiten unausgesetzt die vollste Beachtung zuzuwenden und in ihrem Kontakte mit den Angehörigen der Schüler bei ihnen

bekannt gewordenen Erkrankungen derselben soweit als thunlich der
Beschaffenheit der Erkrankung nachzuforschen.

§ 2. Schülern, welche von einer ansteckenden oder als ansteckend
geltenden Krankheit (Cholera, Typhus, Diphtheritis, Krupp, Masern,
Scharlach, Blattern, Keuchhusten, ägyptische Augenentzündung etc.)
befallen sind, oder bei welchen der Verdacht einer solchen Erkrankung
besteht, ist der Besuch der Anstalt unbedingt und insolange zu ver-
wehren, bis durch ein Zeugnis desjenigen Arztes, welchem behördlicher-
seits die Überwachung der Desinfektion anvertraut ist (städtischer Arzt,
Gemeindearzt, gemeindeärztlicher Funktionär), in Orten aber, in welchen
hierfür solche Sanitätsorgane nicht bestellt sind, durch ein Zeugnis des
behandelnden Arztes oder des betreffenden Sanitätsorganes des Nachbar-
ortes dargethan ist, dafs die Desinfektion vorschriftmäfsig durchgeführt
wurde und dafs sonach aus dem Wiedererscheinen des betreffenden
Schülers den Mitschülern keine Gefahr mehr erwächst.

Solche Schüler haben sich vor dem Betreten des Schulzimmers mit
dem betreffenden Zeugnisse dem Leiter der Schule vorzustellen.

§ 3. Aus Familien, von welchen den Vorständen oder den Lehrern
solcher Anstalten bekannt wird, dafs daselbst derartige ansteckende
Erkrankungsfälle bestehen, darf niemand die Anstalt besuchen, bis die
Gefahr der Übertragung der betreffenden Krankheit in die Schule durch
Beibringung des im § 2 dieser Verordnung erwähnten Zeugnisses als
beseitigt konstatiert ist.

§ 4. Es sind nur solche Kinder vom Schulbesuche auszuschliessen,
welche mit den an einer Infektionskrankheit Erkrankten in derselben
Wohnung zusammenleben, somit dem Kontakte mit den Kranken ausgesetzt sind.

Der politischen Bezirksbehörde bleibt es jedoch überlassen, in besonderen Fällen bei Entstehung von Lokalepidemien oder bei Bildung
von Epidemieherden Veranlassung zu treffen, dafs nach Umständen die
Kinder eines Teiles eines Hauses oder selbst eines ganzen Hauses vom
Schulbesuche ausgeschlossen werden.

§ 5. Kommen die Schulleitungen in die Kenntnis, dafs ein Schüler
oder jemand, mit welchem ein Schüler in derselben Wohnung zusammen-
lebt, von einer übertragbaren Krankheit befallen wurde, so haben sie
durch die entsprechende Ausfüllung des Absatzes A oder B der Blankette
(s. S. 270, 271) nach beiliegendem Muster, respektive nach Durchstreichung
desjenigen Absatzes, welcher im gegebenen Falle keinen Gegenstand der Mitteilung bildet, die Gemeindevorstehung hiervon in Kenntnis zu setzen.

In Wien, und zwar im I. Bezirke sind solche Anzeigen an das
Stadtphysikat beim Magistrat, in den übrigen Wiener Gemeinde-
an die betreffende Gemeindebezirkskanzlei zu leiten.

Die Gemeindevorstehung, respektive in Wien das Stadtphysikat oder die betreffende Wiener Gemeindebezirksvorstehung veranlaßt auf Grund dieser Anzeige die entsprechende Erhebung, ergänzt nach dem Resultate dieser Erhebung das erhaltene Anzeigeblankett durch Eintragung des ärztlichen Befundes in die gehörige Rubrik und sendet, unbeschadet der weiteren sanitätspolizeilichen Verfügungen, das sohin ergänzte Blankett an die Schulleitung zurück.

§ 6. Hat die Schulleitung oder Anstaltsvorstehung davon Kenntnis, daß Geschwister, Anverwandte oder Hausgenossen eines von einer ansteckenden Krankheit befallenen und mit ihm in derselben Wohnung zusammenlebenden Schülers ihrer Schule oder Anstalt eine andere Schule, Lehr- oder Erziehungsanstalt besuchen, so ist diese Thatsache in dem Absatze C der angeschlossenen Blankette ersichtlich zu machen.

§ 7. Den Mitschülern eines von einem übertragbaren Leiden befallenen Schülers ist der Besuch des Kranken und seiner Familie, insofern letztere in derselben Wohnung mit dem Erkrankten zusammenleben, für die Dauer der Ausschließung des kranken Schülers von der Schule, desgleichen die Besichtigung der Leiche eines an einer derartigen Krankheit Verstorbenen, sowie die Teilnahme an dem Leichenbegängnisse zu untersagen.

§ 8. Die Vorstehungen von Pensionaten und Erziehungsanstalten werden aufgefordert, die Erkrankung eines Pfleglings an einem der in Rede stehenden Leiden sofort nach der Konstatierung desselben der Gemeindevorstehung anzuzeigen und nach dem Ermessen des von der Behörde entsendeten Amtsarztes (§ 2) da, wo eine entsprechende Isolierung des Erkrankten im Hinblicke auf die in Betracht kommenden Verhältnisse möglich ist, dieselbe zu vollziehen und den Verkehr mit den übrigen Zöglingen und mit jenen Bediensteten der Anstalt, welche mit den gesunden Zöglingen verkehren, möglichst hintanzuhalten oder aber den Erkrankten in auswärtige Pflege zu bringen.

Die Rückkehr eines derartig erkrankt gewesenen Zöglings in die Anstalt und der Verkehr mit den andern Zöglingen ist erst dann zu gestatten, wenn durch ein ärztliches Zeugnis des Amtsarztes (§ 2) jede Gefahr einer Übertragung des Krankheitsstoffes als beseitigt konstatiert ist.

§ 9. Die Vorstände von Volks-, Bürger- und Mittelschulen, von öffentlichen und Privat-Lehr- und Erziehungsanstalten jeder Art und beziehungsweise das in solchen Anstalten thätige Lehr- und Erziehungspersonal sind für die genaue Befolgung dieser Verordnung verantwortlich.

II. Vorschriften zur Verhütung der Weiterverbreitung übertragbarer Krankheiten durch Lehrpersonen oder andere im Dienste der Schule befindliche Personen.

§ 10. Im Schulgebäude einer Volks- oder Bürgerschule sind zunächst nur den Leitern der Schulen (Schulleitern, Oberlehrern, Direk-

20*

Formular A für Wien.

A. Schule _____ im .... Bezirke .... Gasse, Nr. ___
   Lehr- und Erziehungsanstalt

   d . . Schüler
   _____ ...., wohnhaft im   Bezirke   _ Gasse,
   Zögling

   Nr. .___ ist dem Vernehmen nach an... .... ._____ .... erkrankt.

B. Im Hausstande de . . Schüler ..
                      _____ ....,wohnhaft im
                      Zöglings

   .... Bezirke .... Gasse, Nr. .... herrscht dem
   Vernehmen nach eine übertragbare Krankheit.

C. Geschwister, Anverwandte oder Hausgenossen d . . Genannten soll . .

   die Schule _____ im .... Bezirke . ... Gasse, Nr. ....
       Lehranstalt

   besuchen.

   Es wird im Sinne der Verordnung vom   ..... Z. ....
ersucht, die fragliche Krankheit amtsärztlich konstatieren und über das
bezügliche Ergebnis Mitteilung machen zu wollen.

           Datum :................................ ....

Unterschrift des Leiters obiger Schule oder
   Lehr- und Erziehungsanstalt: Unterschrift d . Lehrer

_____

           Von der Schulleitung im . ... Bezirke,
                    .... Gasse, Nr. ....
                         An
           das löbl. Wiener Stadtphysikat

oder

           an das Gemeindehaus im . ... Bezirke.

_____

                    Ärztlicher Befund.

A.   ..... ist mit .... behaftet.
B.   .... ist mit keiner übertragbaren Krankheit behaftet.
C. Im Hausstande d . Genannten wurde ·   .... konstatiert.
       Datum : ....

                    Unterschrift des Amtsarztes:

_____

           Vom Wiener Stadtphysikate.
   Vom Gemeindehause des   Bezirkes
                    An
           die löbl. Schulleitung
                  im

                         Bezirke,
                    · Gasse Nr.

Formular B für das Land.

A. Schule in..
Lehr- und Erziehungsanstalt in ....

d .. Schüler
—————— ...., wohnhaft...................... ...ist dem
Zögling

Vernehmen nach an ....erkrankt.

B. Im Hausstande de . Schüler ..
——————...................................... .., wohnhaft in
Zöglings

.... herrscht dem Vernehmen nach eine übertragbare Krankheit.

C. Geschwister, Anverwandte oder Hausgenossen de .. Genannten soll ..
die Schule
—————— in .... besuchen.
Lehranstalt

Es wird im Sinne der Verordnung vom ....Z. . ..
ersucht, die fragliche Krankheit ärztlich konstatieren und über das bezügliche Ergebnis Mitteilung machen zu wollen.

Datum:..
Unterschrift des Leiters obiger Schule oder
der Lehr- und Erziehungsanstalt: Unterschrift des Lehrers:

Von der Schule . ...in

....

An
den löbl. Gemeindevorstand
in

....

Ärztlicher Befund.

A. .... ist mit..... . ... behaftet.
B. .... ist mit keiner übertragbaren Krankheit behaftet.
C. Im Hausstande d . Genannten wurde.. . .. .konstatiert.
Datum: ....
Unterschrift des Gemeindevorstandes: Unterschrift des Arztes:

Vom Gemeindevorstande in ....

An
die löbl. Schulleitung
in

toren) und den zur Beaufsichtigung und Reinhaltung des Schulhauses unbedingt notwendigen Dienern Wohnungen einzuräumen.

Die Unterbringung von Naturalwohnungen dieser Personen im Schulgebäude selbst liegt nicht nur im Interesse der Schule, sondern auch in der Absicht der Anordnung des § 52 des niederösterreichischen Landesgesetzes vom 5. April 1850, L.-G.-Bl. No. 35.

Den Lehrern und Unterlehrern, welchen, sei es durch das Gesetz (§§ 33 und 36 des niederösterreichischen Landesgesetzes vom 5. April 1870, L.-G.-Bl. Nr. 35), sei es durch freiwilliges Zugeständnis der Gemeinde oder aus irgend einem anderen Titel, eine freie Wohnung zugesprochen ist, sind nach Thunlichkeit aufserhalb des Schulgebäudes Wohnungen zur Verfügung zu stellen.

Aufser den genannten Schulorganen ist niemandem die Benützung einer Wohnung im Schulgebäude zu gestatten.

Die Verwendung eines Teiles eines zu Schulzwecken gewidmeten Hauses auch für Wohnungen von Privaten ist nur unter der Bedingung gestattet, dafs nach Vorschrift des § 2 der Verordnung vom 3. Januar 1874, Z. 3145, L.-G.-Bl. Nr. 6, die Privatwohnungen von den eigentlichen Schullokalitäten vollständig getrennt sind.

Die Verwendung von Zinshäusern oder Häusern, in welchen auch nicht zur Schule gehörige Personen wohnen, zu Schulzwecken ist überhaupt möglichst hintanzuhalten und im allgemeinen nur als eine vorübergehende, provisorische Mafsnahme unter den entsprechenden Vorsichten zu gestatten.

§ 11. Alle in einem Schulgebäude untergebrachten Naturalwohnungen von Funktionären der Schule sind in der Art zu situieren und anzulegen, dafs, wenn schon nicht dauernd, so doch im Falle des Auftretens einer Infektionskrankheit im Bereiche dieser Wohnungen eine vollständige Isolierung derselben von den eigentlichen Schulräumen durchgeführt werden kann.

Die Erfüllung dieser Anordnung ist bei Neubauten, wie bei gröfseren Erneuerungs- oder Erweiterungsbauten zur Bedingung der Baugenehmigung zu machen (§ 20 der Verordnung des hohen Ministeriums für Kultus und Unterricht vom 9. Juni 1873, Z. 4816, Ministerial-Verordnungsblatt Nr. 73).

Bei den bestehenden Schulhäusern ist unter Würdigung der Vermögenskraft der Gemeinden und unter Berücksichtigung der Beschaffenheit des Schulhauses an sich, wie im Verhältnisse zur Ausdehnung der Schule und des Schulortes dahin zu wirken, dafs mindestens bei sich darbietender günstiger Gelegenheit die im Schulhause befindlichen Wohnungen von den Schullokalitäten in einer möglichst einfachen und wenig kostspieligen Weise getrennt werden.

§ 12. Ist in der im gemeinschaftlichen Haushalte lebenden Familie

eines im Schulgebäude selbst wohnenden Schulorganes eine Infektionskrankheit ausgebrochen, so haben der betreffende Bedienstete und alle
Mitglieder seiner Familie, welche mit ihm in derselben Wohnung zusammen leben, auf die Dauer der Ansteckungsgefahr sich jedes Verkehres
mit anderen Schulorganen, mit den Schülern und mit deren Familien
gänzlich zu enthalten, und es ist daher der betreffende Funktionär auch
vom Schuldienste für solange fernzuhalten, bis durch den Amtsarzt (§ 2)
die Beseitigung der Gefahr der Weiterverbreitung der Krankheit, sowie
die Durchführung der Desinfektion konstatiert worden ist.

§ 13. Wenn und insolange die Isolierung einer im Schulhause befindlichen Wohnung, in welcher eine Infektionskrankheit aufgetreten ist,
nicht in einem von der Sanitätsbehörde als zureichend erkannten Maße
hergestellt und entsprechend aufrecht erhalten werden kann, und wenn
die Hintanhaltung der Gefahr einer Übertragung der Krankheit auf die
Schüler auch auf eine von der Sanitätsbehörde gebilligte Art nicht thunlich erscheint, wenn somit die Sanitätsbehörde die Schließung der Schule
als unvermeidlich bezeichnet, dann ist diese sofort anzuordnen. Es sind
jedoch unverzüglich die nach der Lage des speziellen Falles thunlichen
Vorkehrungen zu treffen, um die baldigste Wiederaufnahme des Unterrichtes zu ermöglichen.

§ 14. Lehrpersonen an öffentlichen und Privat-Volks-, Bürger-,
Mittelschulen und an Lehrer- und Lehrerinnenbildungsanstalten, ferner
an öffentlichen und Privat-Handelsschulen und an den dem k. k. niederösterreichischen Landesschulrate unterstehenden gewerblichen Lehranstalten, in deren mit ihnen in gemeinschaftlichem Haushalte lebenden
Familien eine Infektionskrankheit aufgetreten ist, haben sich für insolange
der Erteilung des Unterrichtes in der Schule oder Anstalt und des Verkehres mit derselben zu enthalten, bis vom Amtsarzte (§ 2) die Beseitigung der Gefahr der Weiterverbreitung der Krankheit konstatiert ist.

§ 15. Ist im Schulgebäude einer Volks- oder Bürgerschule eine
Infektionskrankheit aufgetreten, ohne daß deshalb der Unterricht aus-
gesetzt werden mußte, so bleiben zwar selbstverständlich die gesetzlichen
Bestimmungen über den Schulbesuch aufrecht, bei Verhängung von
Strafen für Schulversäumnisse ist jedoch mit Milde und mit Berück-
sichtigung der außerordentlichen Umstände vorzugehen.

§ 16. Die §§ 11, 12 und 13 haben in Hinkunft auch auf die öffentlichen und Privat-Mittelschulen, auf die Privat-Volks- und Bürgerschulen,
auf die öffentlichen und Privat-Lehrer- und Lehrerinnenbildungsanstalten,
ferner auf die öffentlichen und Privat-Handelsschulen und auf die dem
k. k. niederösterreichischen Landesschulrate unterstehenden gewerblichen
Lehranstalten sinngemäß Anwendung zu finden.

§ 17. Alle in einem Schulgebäude einer Lehr- oder Erziehungsanstalt wohnhaften Bediensteten der Schule oder Anstalt sind unter

Androhung strenger Ahndung im Disziplinarwege verpflichtet, jeden in ihrem Hausstande vorkommenden Erkrankungsfall der Schul- oder Anstaltsvorstehung sogleich anzuzeigen, worauf diese sohin durch den betreffenden Gemeindearzt die Beschaffenheit der Erkrankung klarstellen lassen muſs, wobei derselbe die etwa weiter nötigen sanitätspolizeilichen Verfügungen zu veranlassen hat.

Ebenso sind die in solchen Gebäuden wohnhaften Vorsteher von Lehr- und Erziehungsanstalten unter Androhung strenger Ahndung verpflichtet, bei jedem Erkrankungsfalle einer in ihrem Hausstande lebenden Person sofort den Arzt zu rufen und falls von demselben nicht die Ungefährlichkeit der betreffenden Erkrankung in Beziehung auf Weiterverbreitung sofort klargestellt wurde, dem Amtsarzte der politischen Behörde erster Instanz die weitere Anzeige zu machen.

III. Desinfektion der Schulgebäude.

Hinsichtlich der Desinfektion der Schulgebäude ist nach der über Antrag des obersten Sanitätsrates verfaſsten und den politischen Landesbehörden mit dem Erlasse des hohen k. k. Ministeriums des Innern vom 16. August 1887, Z. 20662 bekanntgegebenen Anleitung vorzugehen, welche im Landesgesetz- und Verordnungsblatte für das Erzherzogtum Österreich unter der Enns vom Jahre 1887, XX. Stück, unter Nr. 50 kundgemacht worden ist.

POSSINGER m. p.

Besondere Klassen für schwachbegabte Elementarschüler in Basel.

Ein bedeutsamer Fortschritt in der Fürsorge für schwachbegabte Kinder der Primarschulen ist seit Anfang dieses Schuljahres in Basel durch versuchsweise Errichtung von Spezialklassen für die Genannten gemacht worden. Es sind dafür nachfolgende Bestimmungen getroffen:

1. Auf Anfang des Schuljahres 1888/89 wird in Groſsbasel und in Kleinbasel versuchsweise je eine Spezialklasse für schwachbegabte Schüler der Primarschulen errichtet.

2. Diese Klassen werden in möglichst zentraler Lage der betreffenden Stadtteile untergebracht.

3. Jeder Spezialklasse werden die schwachbegabten Kinder des betreffenden Stadtteils, Knaben und Mädchen, zugeteilt.

4. Die Zahl der Kinder einer Spezialklasse darf 25 nicht übersteigen.

5. Die Leitung einer jeden der beiden Spezialklassen wird von der Primarschulinspektion mit Genehmigung des Erziehungsrates einer Lehrerin, eventuell einem Lehrer der hiesigen öffentlichen Schulen übertragen.

6. In die Spezialklasse werden nicht aufgenommen:

a) Kinder, welche vermöge körperlicher oder geistiger Gebrechen sich für den Besuch einer öffentlichen Schule überhaupt nicht eignen;

b) Kinder, welche sittlich verdorben sind;

c) Kinder, welche das Lehrziel der zweiten Klasse der Primarschule erreicht haben.

7. In die Spezialklasse werden aufgenommen Kinder, welche zwar bildungsfähig sind, aber in Folge körperlicher oder geistiger Mängel einer individuellen Behandlung bedürfen und deshalb in den gewöhnlichen Klassen der öffentlichen Schule mit ihren normal beanlagten Klassengenossen nicht Schritt halten können.

8. Die Aufnahme findet statt:

a) auf Antrag der Eltern und mit Genehmigung des Erziehungsdepartements, nachdem ein wenigstens einjähriger Versuch in einer gewöhnlichen Klasse den Nachweis geleistet hat, daß das betreffende Kind in die Spezialklasse gehört;

b) auf Veranlassung des Erziehungsdepartements und mit Zustimmung der Eltern, nachdem ein wenigstens zweijähriger Versuch in einer gewöhnlichen Klasse erwiesen hat, daß das betreffende Kind in die Spezialklasse gehört.

In beiden Fällen muß die Aufnahme vom Klassenlehrer, vom Schulinspektor und vom Schularzt befürwortet sein.

9. Wenn die Eltern mit der Zuteilung ihres Kindes in die Spezialklasse nicht einverstanden sind, bleibt dem Erziehungsdepartement die Entscheidung vorbehalten, ob das Kind noch länger in einer gewöhnlichen Schulklasse verbleiben oder ob es aus der öffentlichen Schule entfernt werden soll.

10. Auf Antrag der betreffenden Lehrerin bezw. des betreffenden Lehrers und mit Zustimmung des Schulinspektors und des Schularztes kann das Erziehungsdepartement zu jeder Zeit ein Kind aus der Spezialklasse in eine entsprechende gewöhnliche Klasse versetzen.

11. Das Lehrziel der Spezialklassen für schwachbegabte Schüler richtet sich im allgemeinen nach dem der Primarschulen. Die an letzterm mit Rücksicht auf die Befähigung der betreffenden Kinder und nach Maßgabe der gesammelten Erfahrungen vorzunehmenden Änderungen unterliegen der Genehmigung des Erziehungsrates.

Provisorische Instruktion für die Verwertung der im Schulhause an der Amalienstraße in München eingerichteten Badeanstalt.

I. Beschreibung der Einrichtung.

(Von Herrn Bauamtmann LÖWEL.)

Zu Zwecken einer Badeanstalt mit Brausen für Spritzbäder sind im Kellergeschofs genannten Schulhauses mit einem Kostenaufwand von 1900 Mark zwei Bäume eingerichtet worden, und zwar a) ein Aus- und Ankleideraum, und anstofsend daran b) der Baderaum.

Der Aus- und Ankleideraum mit fichtenem, hohlgelegtem Fufsboden, unter welchem die Zimmerluft durchstreift, enthält in seinen zwei Abteilungen längs der Wandvertäfelungen Bänke mit Stiefelbrettern und Kleiderrahmen und zwar für 64 bis 70 Kinder. Der Raum ist mittelst eines eisernen Säulenofens heizbar und mit einem entsprechend grofs angelegten Ventilationsschachte versehen. Durch eine eiserne Thür gelangt man in den eine Stufe tiefer angelegten Baderaum.

Derselbe hat ein Asphaltpflaster auf starker Betonunterlage mit Gefäll zu einem das Wasser in den Kanal abführenden Gullis und in Cement geputzte Wandflächen. Auf dem Asphaltpflaster liegt ein zerlegbarer hölzerner Rost, welcher sich auch auf die Badekabinen erstreckt.

Letztere bestehen aus 2 Meter hohen, nach vorne offenen Blechabteilungen, oberhalb deren die Brausen sich befinden, deren 16 vorhanden sind. Je 8 können mit einander in Betrieb gesetzt werden, und für eine geringere Besucherzahl sind 3 davon für Einzelbäder noch besonders eingerichtet. Die Brausen befinden sich an dem gemeinschaftlichen Mischrohr, welches sowohl direkt von der Wasserleitung, als vom Warmwasserreservoir gespeist wird, und in welchem durch Hahnregulierungen das Wasser auf die gewünschte Temperatur für die Brausenbäder, welche aufgesetzte Thermometer anzeigen, gebracht werden kann.

Das Wasser des Warmwasserreservoirs steht mit einem Wasserbehälter in Verbindung, in welchem die Erwärmung erfolgt. Es wird angenommen, dafs das Kind eine Minute dem Apparat ausgesetzt ist; hiezu braucht man 10 Liter 20—23° C. warmes Wasser.

Nimmt man weiter an, dafs von 64 badenden Kindern die ersten 16, welche den Baderaum gleichzeitig betreten können, vom Eintritt in den Ankleideraum bis zum Eintritt in das Bad 10 Minuten brauchen und bis beim Abduschen und Abreiben zusammen 10 Minuten verweilen, so dafs nach 50 Minuten 4 × 16 Kinder im Baderaum gewesen sein, und die letzte Gruppe wieder 10 Minuten zum Anziehen, so kann Stunde eine Abteilung von 64 Kindern inklusive Aus- und Anbad besuchen.

Badezeit von 8 bis 11 Uhr und 2 bis 4 Uhr pro Tag 5 Abteilungen von je 64 Kindern an einem Tage über Woche 26 × 64 = 1664 Kinder.

Anweisung zur Benützung des Apparates. der Temperatur des Wassers, das Öffnen der ausschliefslich durch den Badewärter (Wärterin).

2. Vor dem Anfeuern des Warmwasserofens muſs die Reserve mit Wasser gefüllt sein, was selbstthätig durch einen Schwimmkugelbahn geschieht, wenn der Hauptzuleitungsbahn geöffnet ist.

3. Sowohl der Warmwasserofen als auch der Ofen des An- und Auskleideraumes müssen so zeitig angefeuert werden, daſs die Lufttemperatur in diesen Räumen 25° C. beträgt; als Brennmaterial für ersteren darf nur Holz oder Torf verwendet werden.

4. Die Wärme des Wassers im Ofen und im Reservoir soll höchstens 50° C. betragen, welche Temperatur, einmal erreicht, bei mäſsigem Weiterheizen sich erhält.

5. Bei einer Wasserwärme von 50° C. im Reservoir genügt eine halbe Umdrehung des Kaltwasserhahnes, um nach Öffnen des Reservoirventils in kurzem nach Aufdrehen des Kaltwasserhahnes im Mischrohr eine Temperatur von 25° C. zu erzielen, was durch die dem Mischrohr aufgesetzten Thermometer angezeigt wird.

6. Diese Temperatur muſs vorhanden sein, ehe die Kinder in die Zellen eintreten; werden nun die Brausen (zu 2 × 8) geöffnet, so hat das Brausenwasser die nötige Temperatur von 20—23° C.

7. Nach Abduschung einer Gruppe während einer Minute, wobei sich die Kinder mit den Händen reiben, treten dieselben aus den Zellen und nehmen die Tücher zum Abtrocknen, wobei sie sich gegenseitig nach Angabe des Badedieners abreiben oder von letzterem abgerieben werden. Duschen, Abtrocknen und Abreiben sollen für eine Gruppe höchstens 10 Minuten in Anspruch nehmen, worauf sofort eine andere Gruppe in den Brausenraum treten kann, während die abtretende Gruppe sich in den Ankleideraum begibt.

III. Ordnung des Badens seitens der Schule.

1. Die Beteiligung der Kinder ist eine freiwillige.

2. Seitens der Schule wird die Reihenfolge der Gruppen (von je 16 Kindern) festgestellt; diejenigen Gruppen, welche an die Reihe kommen, werden 2 Tage vorher davon verständigt.

3. Der Turnus ist so einzurichten, daſs jedes Kind jede Woche (alle zwei, drei Wochen?) zu baden Gelegenheit hat.

4. Für eine Gruppe von 16 Kindern wird eine Badezeit von ½ Stunde reichlich genügen (10 Minuten auskleiden, 10 Minuten duschen und abreiben, 10 Minuten ankleiden).

5. 10 Minuten nach Eintritt der ersten Gruppe in den Ankleideraum folgt die zweite — während gleichzeitig die erste sich in den Brausenraum begibt — nach weiteren 10 Minuten die dritte u. s. w., so daſs also nach 20 Minuten gleichzeitig drei Gruppen in den Baderäumen sich befinden (1 im Auskleidezimmer, 1 im Brausenraum, 1 im Ankleidezimmer).

6. Damit der Unterricht die möglichst geringe Störung erfahre, werden geeignete Unterrichtsfächer (z. B. Lesen, Schreiben) in die Badezeit verlegt.

7. Während der Badezeit ist eine Lehrpersönlichkeit zur Aufsicht und Aufrechterhaltung der Ordnung (Lehrer bei Knaben, Lehrerin bei Mädchen) in den Baderäumen anwesend.

8. Die Tücher zum Abtrocknen bringen die Kinder selbst mit, desgleichen Badehosen (Knaben) und Badeschürzen, sowie Kappen (Mädchen); doch wird auch seitens der Schule dafür gesorgt werden, daſs diese Gegenstände in genügender Anzahl vorhanden sind.

München, den 14. Juni 1888.

Kgl. Lokalschulkommission.

Dr. v. Widenmayer,
I. rechtsk. Bürgermeister.

Borscht,
II. rechtsk. Bürgermeister.

Dr. Rohmeder,
kgl. Stadtschulenkommissär.

Gesundheitspolizeiliche Maſsregeln, betreffend die Schulen in den überschwemmten Gebieten Preuſsens. Der Königlich preuſsische Minister der geistlichen etc. Angelegenheiten hat unter dem 9. April 1888 an die Königlichen Oberpräsidenten der Provinzen Ostpreuſsen, Westpreuſsen, Pommern, Posen, Brandenburg, Schlesien und Hannover eine Verfügung erlassen, der wir Folgendes entnehmen: „Öffentliche Anstalten, wie Schulen, Waisenhäuser, Gefängnisse, Hospitäler, Krankenhäuser und ähnliche erheischen, falls sie der Überschwemmung ausgesetzt gewesen waren, eine besonders sorgfältige Behandlung. Wenn sie wegen ihrer Überschwemmung auſser Benutzung gesetzt bezw. geräumt werden muſsten, müssen sie geschlossen bleiben, bis der Zustand derselben nach sachverständigem Gutachten keine Bedenken mehr bietet. Eine nachträgliche sanitätspolizeiliche Untersuchung derselben Art, wie sie in Vorstehendem für die Wohnungen als zweckmäſsig bezeichnet worden ist, ist für die überschwemmt gewesenen öffentlichen Anstalten unumgänglich notwendig, sofern an denselben nicht besondere Ärzte angestellt sind, denen es obliegt, die gesundheitlichen Verhältnisse zu überwachen.“

Schnelle Entfernung der Kinder aus der Schule bei Feuersgefahr. Von der Königlichen Regierung zu Posen ist unter dem 14. April d. J. an die Schulinspektoren ihres Bezirkes nachstehendes Schreiben gerichtet: „Die Erfahrungen der jüngsten Zeit lehren, daſs bei plötzlich eintretenden Gefahren die Kinder mehrklassiger Schulen die Klassenräume oft nicht mit der erforderlichen Ordnung und Schnelligkeit zu verlassen vermögen, weil ihnen die hierzu notwendige Übung fehlt. Die praktische und erziehliche Bedeutung, welche in derartigen Übungen liegt, veranlaßt uns, Euer Wohlgeboren Erwägung anheimzustellen, ob dieselben in den mehrklassigen öffentlichen und privaten Schulen Ihres Bezirks, besonders in denen die Klassenzimmer nur vermittels Treppen erreichbar sind, nicht in bestimmten Zwischenräumen, etwa vierteljährlich, so einzuführen wären, daß auf ein gegebenes und vorher verabredetes Zeichen eines Lehrers oder des Schuldieners sämtliche in der Schule anwesenden Kinder in bestimmter Ordnung, ohne Hast und viel Geräusch das Schulzimmer probeweise verlassen. Hierbei dürfte darauf zu achten sein, daß die Schüler der unteren Stockwerke sich zuerst entfernen und die Lehrer das Haus zuletzt verlassen. Über den Erfolg der angestellten Übungen Bericht innerhalb eines halben Jahres.«

Wir fügen dem hinzu, daß solche Übungen in den Schulen der Vereinigten Staaten Amerikas längst im Gebrauch sind.

Verordnungen des badischen Oberschulrats, das Turnen an Bock und Pferd betreffend. Der Grofsherzogliche Oberschulrat in Karlsruhe hat vor einiger Zeit bestimmt:

„Wir sehen uns veranlaßt, Nachstehendes anzuordnen: 1. Das Turnen an Bock und Pferd ist in der Volksschule ausgeschlossen; 2. die Geräte Bock und Pferd sind beim Turnunterricht in den Mittelschulen für die männliche Jugend unter folgenden Bedingungen zulässig: a. das Springen am Bock darf nur von solchen Schülern ausgeführt werden, welche die nötige Vorübung und Körperkraft besitzen, im allgemeinen nicht vor dem siebenten Schuljahre. Dabei ist zu beachten, daß die Böcke nicht zu hoch gestellt werden; b. unter den gleichen Vorbedingungen ist das Turnen am Pferde den oberen Schulklassen vorbehalten. Anlaufsprünge vor dem Pferde sind vor dem neunten Schuljahr unstatthaft; c. bei den Übungen an Bock und Pferd muß der Turnlehrer selbst die nötige Hilfegebung leisten. Dieselben dürfen nur von solchen Lehrern geleitet werden, welche mit dem Gebrauche dieser Geräte hinlänglich vertraut sind.

Karlsruhe, 23. Januar 1888.

Grofsherzoglicher Oberschulrat.

(Gez.) BECHERER.«

Perſonalien.

Ihre Mitarbeit an unserer Zeitschrift haben weiter zugesagt die Herren Dr. phil. BUCHENAU, Gymnasialdirektor in Marburg a. L. und Dr. med. AUG. NETOLITZKY, k. k. Bezirksarzt in Eger.

Geheimrat Professor MAX v. PETTENKOFER in München ist von der epidemiologischen Gesellschaft zu London in ihrer Sitzung vom 24. Mai zum Ehrenmitglied ernannt worden.

Die Société royale de médecine publique in Brüssel hat unsern Mitarbeiter, Herrn Professor Dr. HERM. COHN in Breslau, zum korrespondierenden Mitgliede gewählt.

Herrn Professor Dr. BLASIUS in Braunschweig, der an unserer Zeitschrift mitwirkt, ist das Ritterkreuz 2. Klasse des braunschweigischen Löwenordens verliehen worden.

Der Stabsarzt und Privatdozent Dr. FR. LÖFFLER wird am 1. Oktober d. J. die neu zu errichtende ordentliche Professur der Hygiene in Greifswald übernehmen.

Stabsarzt Dr. RAHTS ist mit dem Titel Regierungsrat als ordentliches Mitglied in das Kaiserliche Gesundheitsamt zu Berlin eingetreten.

Dr. P. SMOLENSKI hat sich als Privatdozent für Hygiene an der Moskauer Universität habilitiert.

In England starb der bekannte Professor der Hygiene in Netley, Dr. FRANÇOIS DE CHAUMONT. Früher Assistent PARKES' wurde er nach dessen Tode sein Nachfolger auf dem Lehrstuhl. Er hat auch PARKES' Handbuch der praktischen Hygiene wiederholt neu herausgegeben und den alten Ruf dieses Buches zu erhalten gewufst.

Dr. HIPPOLYTE BROCHIN, hervorragender französischer Publizist auf medizinischem Gebiete, Chefredakteur der Gazette des hôpitaux, die auch der Schulhygiene ihr Interesse zuwendet, ist in Paris einer Lungenentzündung erlegen.

Zu Erie verstarb ED. W. GERMER aus Altbreisach, seit 1848 Arzt in Amerika, Präsident des Staatsgesundheitsrats von Pennsylvanien.

Litteratur.

Besprechungen.

Dr. JOSEPH RITZ: **Die schulhygienischen Bestrebungen unsrer Zeit; in wie weit können und sollen sich die Lehrer der Mittelschulen an denselben beteiligen?** Vortrag, gehalten in der 6. Generalversammlung des Vereins von Lehrern an technischen Unterrichtsanstalten Bayerns am 16. April 1884 zu München. München, 1884. TH. ACKERMANN. (63 S. 8°.)

Dieser vor vier Jahren veröffentlichte Vortrag ist auch heute noch freudig zu begrüßen, da er besonders die Lehrerkreise für die Schulhygiene nicht blofs zu interessieren, sondern direkt heranzuziehen sucht. Warum er verlangt, dafs sich zu diesem Zwecke gerade die Realschulmänner in Zukunft mehr als bisher mit dem Studium der Schulhygiene beschäftigen, wird klar, wenn man weifs, dafs er die Einführung des Schularztes dadurch überflüssig machen will. Denn er geht dabei von dem Gedanken aus, dafs die naturwissenschaftlich vorgebildeten Lehrer sich leicht soweit in die technischen Aufgaben der Schulhygiene einarbeiten können, um den Schularzt völlig entbehrlich zu machen, soweit nicht direkte Krankheiten der Schüler in Betracht kommen. Natürlich wird der Verfasser nichts dagegen haben, wenn wir meinen, dass sich auch an den Gymnasien in den Physikern und Naturwissenschaftern ausreichend Elemente finden werden, um die technischen Fragen der Schulgesundheitspflege, Untersuchungen der Luft, der Beleuchtung etc. zu lösen. Aber wenn nicht alle Lehrer für die Pflege der Gesundheit sich interessieren, so wäre damit, wie der Verfasser selbst an den neuesten Schulmusterbauten erweist, wenig gethan. Warum dies aber nicht auch an den Gymnasien möglich sein sollte, ist einstweilen nicht zu sehen. Denn die sehr einfachen Ausführungen, um den Sitz- und Sehverhältnissen, dem Gehöre, der Ventilation etc. gerecht zu werden, kann jeder Lehrer leicht sich aneignen. Darin hat der Verfasser leider Recht, dafs zur Zeit unter den Lehrern der höheren Lehranstalten noch ein recht geringes Verständnis für die Aufgaben der Schulgesundheitspflege besteht, weil keine richtige Einsicht vorhanden ist in die Bedeutung derselben und in den Wert der Gesundheit für das allgemeine staatliche Wohl. Wir wünschen dem gutgemeinten Vortrage, gerade auch wegen dieser Ausführungen, wenn er bisweilen auch über das Ziel hinausschiefst, den besten Erfolg. Wenn in des Verfassers Sinne alle Lehrer, nicht blofs die naturwissenschaftlichen, Hygiene studieren, sich an der schulhygienischen Forschung, namentlich durch Förderung der Statistik über die Gesundheitsverhältnisse der Jugend beteiligen, und wenn sie vor allem die als berechtigt anerkannten Forderungen der Hygiene, jeder an seinem Teile, durchführen, erst dann werden wir der Aufgabe unsrer Zeit eher zu entsprechen vermögen, die, wie sie auf dem Gebiete des Unterrichts eine gesunde Reaktion gegen die Büchergelehrsamkeit fordert, so auf dem der Erziehung eine viel weiter gehende Berücksichtigung der körperlichen Ausbildung neben der geistigen anzustreben hat. Auch in diesem letzteren Punkte trifft der Verfasser gewifs vielfach das Richtige, wenn er verlangt, dafs die Körperpflege sich weit mehr im Freien vollziehen müsse, und wenn er auf die Gefahren des Turnens im Turnsaale hinweist. Freilich hat er es unterlassen, nachzuweisen, wie die Zeit zu beschaffen ist, wenn für den bedeutend in seiner Stundenzahl zu er-

höhenden Turnunterricht nicht mehr die Uhr, sondern die Witterungs-
verhältnisse mafsgebend sein sollen.

Geh. Oberschulrat, Prof. d. Pädagogik Dr. HERM. SCHILLER in Giefsen.

DR. WILHELM MAYER, prakt. Arzt in Fürth. Die Lage des Heftes beim
Schreiben. Im Auftrage der Ärztekammer von Mittelfranken nach
dem vorhandenen Material und nach eigenen Untersuchungen zusammengestellt. Sep.-Abdr. aus FRIEDREICHS „Blätt. f. gerichtl. Mediz".
Nürnberg, 1888, Hft. 2. (40 S. 8°).

In der Sitzung des mittelfränkischen Ärztetages v. J. ist auf
W. MAYERS Antrag beschlossen worden, die bayerische Staatsregierung
zu ersuchen, das Rechtslegen des Schreibheftes in den Schulen zu verbieten und die Frage, ob Steil- oder Schrägschrift anzuwenden sei, er-
neuter Prüfung zu unterziehen. Zur Begründung dieses Antrags ist
obengenannte Arbeit verfafst, welche teils über die gesamte Steilschrift-
frage klar und erschöpfend Bericht erstattet, teils eigne neue Untersuchungen mitteilt.

Die Schulgesundheitspflege hat zweifachen Grund, die Heftlage zu
überwachen, da letztere sowohl Wirbelsäule als Auge beeinflufst. In
erster Hinsicht beweist MAYER, gestützt auf eigne ältere und neuere
Schulkindermessungen, die Entstehung der Skoliose aus schlechter
Schreibhaltung, was auch durch SCHENKS Untersuchungen bestätigt wird.
Die Körperhaltung ist von der Heftlage abhängig, die Richtung der
Grundstriche einerseits von der Heftlage, andrerseits von der Stellung
der Gelenkachsen der beim Schreiben beteiligten Finger und Handge-
lenke. MAYER gelangt zu folgenden Schlüssen:

Die Lage des Heftes gerade und median vor dem Körper entspricht
für eine gute Haltung allen Anforderungen.

Es kann aber bei dieser Heftlage nur aufrecht stehende Schrift
geschrieben werden.

Soll schräg geschrieben werden, so mufs das Heft in schräge Mittellage oder in eine Rechtslage geschoben werden. Die Lage des Heftes
rechts vom Schreibenden führt nach einstimmigem Urteil aller Autoren
notwendig zu schlechter Körperhaltung; es sollte dieselbe bald und unbedingt für die Schule verboten werden.

Demnach bleibt nur zu entscheiden zwischen schräger Mittellage
mit Schiefschrift, und gerader Mittellage mit Steilschrift. In beiden
Fällen werden die Grundstriche annähernd senkrecht zum Pultrand geschrieben, der Unterschied liegt nur in der Richtung der Zeile, welche
bei schräger Mittellage einen Winkel von 30—40° mit dem Pultrand
bildet. Da Grundstrich und Zeile mit dem Auge verfolgt werden müssen
und dieses gewisse Blickbahnen bevorzugt (LISTING, DONDERS, WUNDT,
LAMANSKY), so wird hier ophthalmologisches Gebiet betreten.

Über die Schreibhaltung bei gerader und schräger Mittellage sind vergleichende Messungen von BERLIN—REMBOLD und von SCHUBERT ver öffentlicht. Erstere fanden keinen nennenswerten Unterschied, sehen daher keinen Grund, von der heute üblichen Schiefschrift abzugehen und verwerfen die Steilschrift wegen der Zeilenführung als unphysiologisch.

SCHUBERTS Messungen aber ergaben, daſs die Körperhaltung bei schräger Mittellage des Heftes schlechter ist als bei gerader, er wünscht daher die Steilschrift in die Schule wieder eingeführt zu sehen, zumal sie von den frühesten noch erhaltenen Anfängen der Schreibkunst bis ins 18. Jahrhundert allgemein üblich war und deshalb nicht wohl unphysiologisch sein kann.

MAYER hat die wichtigsten dieser Messungen teils nach SCHUBERTS Methode, teils mit den von Professor PFLÜGER in Bern ad hoc konstruierten Instrumenten nachgeprüft und ist zu folgendem Ergebnis gelangt:

Die Kopfhaltung ist bei schräger Mittellage schlechter als bei gerader; es findet im erstern Fall eine stärkere Linksneigung statt.

Der schiefe Zeilenverlauf bei schräger Mittellage ist nicht ohne Einfluſs auf das Auge; das Kind folgt der zu schreibenden Zeile nicht, wie BERLIN—REMBOLD annahmen, ausschlieſslich durch Kopfdrehung, sondern immer durch Kopf- und Augenbewegung.

Das von BERLIN—REMBOLD aufgestellte Gesetz von der rechtwinkligen Kreuzung zwischen Grundstrich und Grundlinie kann nicht anerkannt werden. MAYER wiederholte SCHUBERTS diese Angaben widerlegende Messungen nicht, da inzwischen SCHENKS nach völlig unanfechtbarer Methode angestellten Untersuchungen die Ergebnisse SCHUBERTS durchaus bestätigt haben.

MAYERS Schluſssätze lauten:

Die aufrechte Schrift bei gerader Mittellage des Heftes erfüllt alle Forderungen, die Auge und Hand stellen können.

Schiefe Schrift ist am besten in schräger Mittellage mit nach rechts offnem Winkel von 30° bis 40° zu schreiben. Für Auge und Körperhaltung ist die Schiefschrift in schräger Mittellage schlechter als die Steilschrift in gerader Mittellage.

Rechtslagen sind allseitig verworfen wegen Schädigung von Auge und Körperhaltung.

Da die Steilschrift nur bei gerader Mittellage geschrieben werden kann, so liegt bei Hausaufgaben, die ohne genügende Aufsicht gefertigt werden, bei senkrechter Schrift in der Schreibtechnik selbst ein Schutz gegen die berüchtigten Körperverdrehungen vieler schreibender Kinder. Dieser Vorzug rechtfertigt schon allein die Wiedereinführung der Steilschrift beim Unterricht.   Augenarzt Dr. SCHUBERT in Nürnberg.

Bruhns, Alois. Die Gestaltung des Handfertigkeitsunterrichtes für Knaben in der Gegenwart. Pädagog. Jahrb. 1887 etc. Wien, März 1888, S. 122 (13 S.).

Autor gibt in dem zitierten Sammelwerk eine recht gute Darstellung der Bewegung zu Gunsten des Handfertigkeitsunterrichts, seiner bisherigen Einrichtung und Ausbreitung in Deutschland, Schweden, Frankreich und Österreich. Bezüglich Österreichs werden aufser manchen vom Verfasser gesammelten, aufserhalb Österreichs wohl wenig bekannten Details über Verbreitung auch die daselbst bisher über den Gegenstand erschienenen Schriften angeführt. Autor, welcher die Förderung des Handfertigkeitsunterrichts kräftig vertritt, ist selbst Leiter eines Kurses zur Heranbildung von Handfertigkeitslehrern (Wien VII, Zollergasse 41); dieser Kursus erfreut sich, soweit es die vorhandenen Mittel gestatten, regster Beteiligung. — Aus der Darstellung des Verfassers ergibt sich, dafs in Österreich die Regierung eine wohlwollende zuwartende Stellung zur Frage des Handfertigkeitsunterrichts' einnimmt.

Prof. Dr. L. Burgerstein in Wien.

Ernst Lausch, Lehrer an der ersten Bürgerschule in Wittenberg. 137 Spiele im Freien (Bewegungsspiele) für die Jugend (Knaben und Mädchen). Zum Gebrauch auf dem Turnplatze, bei Kinder- und Volksfesten, Spaziergängen u. s. w. — Zur Unterstützung einer geordneten Körperpflege und harmonischen Erziehung. Wittenberg, 1887. R. Herrosé. (94 S. 12°).

Wenn von dem vorliegenden Buche, wie in der Vorrede bemerkt wird, im Verlaufe weniger Jahre die 4. Auflage notwendig geworden ist, so beweist dies die für alle Freunde einer körperlich-kräftigen Jugenderziehung erfreuliche Erscheinung, dafs derartige Bücher heutzutage in Deutschland einem wirklichen Bedürfnis entsprechen.

Der Güte des Werkes möchten wir die nötig gewordenen 4 Auflagen nicht gerade zuschreiben.

Diese 4. vollständig umgearbeitete Auflage enthält 137 Spiele, welche in „Wirkliche Turnspiele" und „Andre Spiele, Turnübungen und heilsame Körperbewegungen" abgeteilt werden. Die ersteren zerfallen wieder in „Ballspiele", „Lauf-, Krieg-, Hasch- und Fangspiele", „Hüpf-, Spring-, Wurf- und Schleuderspiele" und „Kampf- und Jagdspiele", während die zweite Abteilung aufser den drei erstgenannten Unterabteilungen auch „Schnee- und Eisspiele" und „Verschiedene andre Spiele" enthält.

Von den 137 Spielen können als neu in der Spiellitteratur das Wittenberger „Je—dis!"-Spiel (No. 33) und das Spiel No. 112: „Der Drache kommt" hervorgehoben werden.

Die übrigen mehr oder minder bekannten Spiele sind im allgemeinen verständlich beschrieben, teilweise nach andern Büchern, von denen die Quellen angegeben sind. Ob es gerade nötig ist, Kegelspiele, wie „Kegelspiel auf alle Neun" u. s. w., „Klettern am Seil" u. s. w., „Bergschlittenfahrt", „Das Schusseln" (auf dem Eise glitschen), „Die Brettschaukel", „Das Drachensteigen", „Das Blasrohr" und „Die Knallbüchse" zu beschreiben, dürfte mindestens zweifelhaft sein. Jedenfalls berührt es etwas wunderbar, derartige Sachen in einem Buche zu finden, welches sich auf dem Titelblatte rühmt, „auf Grund der Bestimmung des kgl. preuß. Kultus- und Unterrichts-Ministeriums vom 27. Oktober 1882" bearbeitet zu sein.

Überrascht hat es mich, daß das englische Fußballspiel, unser Thorball, gar keine Beschreibung gefunden hat, da es das einzige der nationalen englischen Jugendspiele ist, welches auf unsern höhern Schulen weite Verbreitung gefunden hat. Es hängt dies vielleicht mit einem Versehen zusammen, welches eigentlich dem Herausgeber eines Schulbuches nicht passieren sollte. In No. 4 ist nämlich eine Art von „Fußball" beschrieben, bei welchem die Spielenden im Kreise stehen, sich bei den Händen fassen und mit dem einen Fuße einen Ball abwehren, welchen ein in der Mitte stehender Balltreiber zwischen ihnen mit dem entgegengesetzten Fuße durchzutreiben sich bestrebt. Es wird dieser Beschreibung hinzugefügt: „In England ist Fußball ein allgemein beliebtes Spiel, das von Groß und Klein fast täglich gespielt wird."

Sollte der Verfasser wirklich der Meinung sein, daß das von ihm beschriebene „Fußball"-Spiel das englische „football" ist?

Subrektor am Gymnasium H. RAYDT in Ratzeburg.

Bibliographie:

ADLER, C. W. *Zum Wohle der Jugend*, Wien, 1888, 1 Taf. 8°.

ANDERSON, W. E. *The physical side of education.* Rep. Board of Health Wisconsin 1887. Madison, 1888, XI, 99—116, 1 tab.

ARMAINGAUD. *Sur l'oeuvre des hospices maritimes et sur les nouvelles fondations d'Arcachon et de Banyuls s. Mer pour les enfants débiles, lymphatiques, scrofuleux.* Rev. d'hyg., Paris, 1887, IX, 1049—1060.

ASHBY, K. [*Über die Dauer der Ansteckungsfähigkeit des Scharlachs.*] Brit. med. Journ., No. 1348.

[*Bericht, stenographischer, der Sitzungen der Kommission für Schulhygiene des pädagogischen Museums der Militärlehranstalten in der Frage über die Bedeutung der Filter.*] St. Petersburg, 1888.

Calisthenic exercises for girls. Brit. med. Journ., June 21, 1888, No. 1434, pag. 1347.

DORNBLÜTH, O. *Im Kampfe gegen die Überbürdung.* Nordwest, Bremen, 1888, Febr.-Hft., S. 31.

DUPESTEL, L. *Des maladies simulées chez les enfants,* Paris, 1888. 4°.

HARTELIUS, T. J. *Gymnastikens betydelse* [Wert der Gymnastik]. Helso- vännen, Gothenburg, 1887, II, 189—197.

LAGRANGE, F. *Physiologie des exercices du corps,* Paris, 1888, Alcan. 8°.

LANDSBERGER. *Das Wachstum im Alter der Schulpflicht.* Festschrift des naturwissenschaftlichen Vereins in Posen, 1887, 77.

LESSHAFT, P. [*Die Stellung der Anatomie zur physischen Erziehung und die Hauptaufgaben der physischen Erziehung in der Schule*], Moskau, E. GERBEK. 1888. 8°.

MAKUSCHIN, A. J. [*Allgemeine Charakteristik der Volksschulen der östlichen Hälfte des Irbitschen Kreises bezüglich der Schulhygiene*], 1888.

MANGENOT. *L'hygiène dans les écoles primaires de Vienne et de Buda-Pesth.* Rev. d'hyg., Paris, 1888, X, 228—242.

PELMAN, C. *Nervosität und Erziehung.* Zentr.-Bl. f. allgem. Gsdhtspflg., 1888, IV u. V, 129 f., VI, 207 f.

STAFFEL, F. *Eine neue Einrichtung ("Stirnrahmen") zu dem Zwecke, die Augen in bestimmter Entfernung von der Schrift zu halten.* Jahrb. f. Kinderh., Leipzig, 1887, n. F., XXVII, 25—27.

Bei der Redaktion eingegangene Schriften:

HUXHAGEN, E. *Übungsschule des Eiskunstlaufens.* Herausgegeben vom Braunschweiger Eisbahnverein, Braunschweig, 1888, Fa. WAGNER. 12°.

JANSSENS, E. *Hygiène des écoles.* Rapports faits au nom d'une commission du conseil supérieur d'hygiène publique. Première partie, Bruxelles 1877, E. GUYOT. 8°. Deuxième partie, Bruxelles 1882, E. GUYOT. 8°.

Monatsblatt für öffentliche Gesundheitspflege. Herausgegeben von dem Verein für öffentliche Gesundheitspflege im Herzogtum Braunschweig, Braunschweig, 1888, J. H. MEYER, Jahrg. XI, No. 1 ff.

MONIKA. Zeitschrift für häusliche Erziehung, Donauwörth, 1888, L. AUER, Jahrg. XX, No. 1 ff.

Schulzeitung, katholische. Zugleich Organ des katholischen Erziehungs-vereins in Bayern und des Lehrervereins für Osnabrück und Hessen, Donauwörth, 1888, L. AUER, Jahrg. XXI, No. 1 ff.

TISCHLER, J. F. *Das ländliche Volksschulhaus vom Standpunkte der öffentlichen Gesundheitspflege erörtert für Ärzte, Techniker und Schulaufsichtsorgane,* München u. Leipzig, 1887, R. Oldenbourg. 8°.

(Fortsetzung folgt in nächster Nummer).

Verlag von Leopold Voss in Hamburg und Leipzig.
Druck der Verlagsanstalt u. Druckerei Action-Gesellschaft (vorm. J.F.Richter), Hamburg.

Zeitschrift für Schulgesundheitspflege.

I. Jahrgang. 1888. No. 9.

Original-Abhandlungen.

Die ärztliche Inspektion der Schulen. Ihre Organisation, ihre Resultate.

Von

Dr. med. VICTOR DESGUIN,

Mitglied der Königl. belgischen Akademie der Medizin in Antwerpen.[1]

Die Berichte unsrer ausgezeichneten Kollegen, der Herren WASSERFUHR, COHN und NAPIAS, haben die wichtige Frage der ärztlichen Überwachung der Schulen von verschiedenen Gesichtspunkten aus geprüft. Herr NAPIAS hat in gedrängter Weise eine vollständige Darstellung des Zustandes der Schulhygiene in Frankreich gegeben, die Krankheiten der Schüler, die Art der Entwickelung dieser Krankheiten und der Mittel, sie zu vermeiden, dargestellt und die Organisation der Schul-

---

[1] Ich verdanke die Möglichkeit, den nachstehenden interessanten Bericht veröffentlichen zu können, der Liebenswürdigkeit des Herrn Dr. DESGUIN, welcher auf dem Wiener hygienischen Kongresse 1887 nur kurz sprach, aber einerseits Thesen vorlegte, enthaltend die Übersetzung der in Antwerpen bestehenden Einrichtungen in Forderungen, anderseits eine ausführliche Darstellung der bezüglichen Verhältnisse Antwerpens im Manuskript einlieferte. Von letzterem konnte ich Raummangels wegen in dem offiziellen Kongrefsbericht nur einen Auszug (in französischer Sprache) aufnehmen. Da Herr Dr. DESGUIN die Güte hatte, mir auf meine Bitte sein Manuskript zur Verfügung zu stellen, bin ich in der angenehmen Lage, die hier folgende wörtliche Übersetzung des ganzen DESGUINschen Referats zu bringen.

Prof. Dr. L. BURGERSTEIN, Wien.

aufsicht beschrieben; Herr COHN hat sich speziell mit der
Myopie befafst, deren Ursachen er sehr genau studiert hat;
Herr WASSERFUHR hat seinerseits die Sache vom allgemeinsten
Gesichtspunkt untersucht und Thesen aufgestellt, welche der
allgemeinen Zustimmung des Kongresses sicher sein dürfen.

Nach der Lektüre der drei vortrefflichen Berichte, welche
uns zugestellt wurden, nach den Diskussionen auf dem Genfer
Kongrefs 1882 und auf dem internationalen Kongrefs für
Unterricht zu Brüssel 1880, nach der Einrichtung der ärztlichen Schulaufsicht zu Paris 1879 und dem Bestehen dieses
Dienstes zu Brüssel seit 1874 wäre es ganz überflüssige Mühe,
noch einmal die Notwendigkeit nachzuweisen, welche für die
Verwaltungen vorliegt, diesen Dienst in einer vollständigen
Weise einzurichten und ihn kompetenten Männern anzuvertrauen. Im Prinzip sind wir über die Notwendigkeit der
ärztlichen Mitarbeit bei der Überwachung der Schulen
alle einig.

Mit Rücksicht auf den Punkt, bei dem die Frage nunmehr angelangt ist, ist es das Wichtigste, nach den durch die
ärztliche Schulinspektion erreichten Resultaten zu fragen und
darnach, wie sie organisiert sein sollte, um alle ihre eigentümlichen Wirkungen hervorzurufen, d. h. um die Schuljugend vor Krankheiten und Mifsbildungen zu bewahren, die
durch den Schulbesuch verursacht werden können. Diese Studie
wird die natürliche Ergänzung und die praktische Entwicklung
der wohlbedachten Vorschläge der Herren Berichterstatter
bilden.

Die belgische Regierung hat sich seit langer Zeit mit
der Notwendigkeit beschäftigt, die Schulen einer ernsten ärztlichen Aufsicht zu unterwerfen. Das allgemeine Reglement
für die Schulen vom 15. Oktober 1846 vertraut den Armenärzten die Aufgabe an, die Schulen vom hygienischen Gesichtspunkte aus zu untersuchen. Das neue Reglement vom
16. August 1879 hat diese Vorschrift beibehalten.

Unglücklicherweise hatte dieser sehr löbliche Versuch
der Regierung sehr wenig Erfolg. Er konnte übrigens nur

unzulängliche Resultate liefern. Die belgische Konstitution sichert die Freiheit des Unterrichts. Daraus ergibt sich die Existenz von zweierlei Schulen in Belgien: erstens der offiziellen, von den öffentlichen Gewalten geleiteten, zweitens der privaten, d. h. entweder von Einzelnen oder von Religionsgenossenschaften eingerichteten; blofs die offiziellen Schulen sind der staatlichen Überwachung unterworfen, dasselbe gilt von den Freischulen, welche die Zulassung erlangt haben; die übrigen Schulen sind nur von ihren Besitzern abhängig und entziehen sich jeder Inspektion. Dazu kommt, dafs das allgemeine Reglement, welches die ärztliche Überwachung vorschreibt, sich nur mit den Volksschulen beschäftigt, so dafs die Mittelschulen, selbst die öffentlichen, keiner hygienischen Inspektion unterworfen sind. Endlich hat man für die öffentlichen Volksschulen die ärztliche Inspektion den Armenärzten anvertraut; diese Ärzte aber, welche gewöhnlich schlecht bezahlt und zu täglicher, ermüdender Arbeit gezwungen sind, vermögen den Schulen nur sehr wenig Zeit zu widmen und besuchen dieselben nur selten; überdies hat man sich damit begnügt, ihnen diese Schulinspektion anzuvertrauen, ohne ihnen präzise Instruktionen über ihre Pflichten zu geben und ohne regelmäfsige Berichte von ihnen zu verlangen; diese Umstände haben die Mission, welche man ihnen aufgetragen hat, fast illusorisch gemacht.

Im Jahre 1874 schuf die Kommunalverwaltung von Brüssel, welche zu dieser Zeit von ihrem fähigen und intelligenten Bürgermeister, Herrn ANSPACH, geleitet wurde, indem sie die Bedeutung des Besitzes einer gut eingerichteten öffentlichen Gesundheitspflege für eine grofse Stadt würdigte, ihr Gesundheitsamt (Bureau d'hygiène), welches in der Folge den meisten andern Städten, die ein solches gründeten, zum Muster gedient hat, und dessen Einrichtung und Leitung einem Manne von aufsergewöhnlicher Fähigkeit, unserm hervorragenden Kollegen Dr. JANSSENS, anvertraut wurde. Die ärztliche Überwachung der Schulen war die natürliche Ergänzung dieser Einrichtung und wurde den Ärzten des Bureaus zugewiesen. Dieser Dienst besteht seit 1876 und hat seit seinen ersten Anfängen die besten Resultate geliefert.

Die Stadt Antwerpen, an deren Spitze sich Bürgermeister DE WAEL befindet, ein Mann, der sich dem Fortschritte in jeder Richtung widmet, beschloß 1882 in gleicher Weise eine ernste ärztliche Überwachung der Schulen zu schaffen. Der Entwurf der Organisation wurde der Kommission für öffentlichen Unterricht anvertraut, welche es für notwendig erklärte, diesen Dienst den Armenärzten, welche durch ihre laufenden Geschäfte hinlänglich beschäftigt sind, zu entziehen und damit ein besonderes ärztliches Personal unter bestimmter Abgrenzung seiner Befugnisse zu beauftragen. Die Kommunalverwaltung von Antwerpen hat bei der Einrichtung ihrer Inspektion die in Brüssel gemachten Erfahrungen ausgiebig benutzt und vielfache Anleihen bei dem Reglement gemacht, welches in Paris 1879 für die Inspektion der Schulen des Seine-Departements angenommen worden war. Nach den andern thätig, bemühte sich die Verwaltung Antwerpens ganz natürlich, dasjenige noch zu verbessern, was ihre Vorgänger gemacht hatten.

Wenn ich also etwas eingehender über die ärztliche Inspektion der Antwerpener Schulen berichte, so geschieht dies, weil sie mir die vollständigste von allen zu sein scheint, obgleich sie immerhin ihre Unvollkommenheiten haben mag und man in ihr Lücken finden könnte, welche mit der Zeit gewiß ausgefüllt werden.

Die größtmögliche Summe intellektueller Arbeit zu gewinnen, ohne daß die Arbeit der Gesundheit schade, so weit als möglich jene Unzuträglichkeiten zu vermeiden, welche eine Folge des Schulbesuches sind, die Gesundheit der Kinder unversehrt zu erhalten, ja sogar die Konstitution und den Gesundheitszustand vieler von ihnen zu verbessern: das sind die Ziele, welche man sich gesetzt hat; diese Ziele können nur durch das Zusammenwirken der Verwaltung, der Lehrerschaft und des schulärztlichen Dienstes erreicht werden.

Ich werde mich nicht mit den Einzelheiten hinsichtlich

der Pflichten der Beamten aufhalten, welchen der Bau, die Einrichtung der Räume, des Schulmobiliars u. s. w. obliegt, noch bei dem Lehrerpersonal, welches bei der Anwendung der Unterrichtsmethoden selbst immer mit offenem Auge eine Verletzung der Moral und Hygiene verhindert. Ohne mich mit einer Aufzählung und Beschreibung der Krankheiten und Zufälle, welche die Schuljugend treffen, zu versäumen, will ich dem Kongreſs bloſs mitteilen, wie die Überwachung unsrer Schulen vom hygienischen Gesichtspunkte organisiert ist.

Die Stadt Antwerpen besitzt Freischulen und Zahlschulen. Die Freischulen bestehen aus:

13 Mädchen-Volksschulen mit 6128 Kindern
15 Knaben- „ „ 6220 „
11 Kindergärten „ 3845 „
Zusammen 16 193 Kinder.

Die Zahlschulen, im ganzen 6, bestehen aus:

3 Mädchenschulen mit 970 Köpfen
2 Knabenschulen „ 778 „
1 Kindergarten „ 118 „
Zusammen 1 866 Köpfe.

Im ganzen 18 059 Schüler und Schülerinnen.

Die hygienische Überwachung dieser Schulen ist 4 ärztlichen Inspektoren anvertraut, welche unter denjenigen Ärzten gewählt werden, die bereits eine mehrjährige Praxis haben und hinsichtlich ihres Wissens und ihrer Ehrenhaftigkeit alle wünschenswerten Garantien bieten. Da es diesen Ärzten untersagt ist, andere ärztliche Ämter zu bekleiden (d'occuper d'autres fonctions médicales), und da die ihnen auferlegten Verpflichtungen sehr schwerwiegende sind, hat ihnen die Stadt anfangs ein Gehalt von 1500 Franks bewilligt, welches vor kurzem auf 1800 Franks erhöht wurde.

Sie sind verpflichtet, allwöchentlich an unbestimmten Tagen alle Klassenzimmer der Schulen ihres Bezirkes zu besuchen und wenden ihre Aufmerksamkeit auf die Beleuchtung, die Temperatur, die Ventilation, den Feuchtigkeitsgehalt der Schulzimmer, die Aborte, Pissoirs, Waschräume, die Reinlichkeit der Schulkinder und ihre Körperhaltung während des Unterrichtes. Sie verständigen den Leiter der Schule von den hygienischen Mängeln, welche sie bemerkt haben, und schreiben die gemachten Wahrnehmungen in einen Bericht nieder, der in der Schule verbleibt. Der Schulleiter führt ihnen bei jedem Besuch die neueingetretenen Schüler vor; der Arzt untersucht sie und notiert in einem Register den Gesundheitszustand jedes Einzelnen. Ebenso untersucht er die Schüler, welche wegen Krankheit gefehlt haben und nur auf Grund eines ärztlichen Zeugnisses wieder zugelassen werden dürfen, das für die Freischulen durch den Schularzt, für die Zahlschulen durch den behandelnden Arzt ausgestellt wird, und welches erklärt, daß der Wiederbesuch der Schule weder dem Krankgewesenen noch seinen Mitschülern zum Schaden gereichen könne. Datum und Dauer dieser Absenzen werden ebenso wie die Ursache gleichfalls im Schulregister verzeichnet.

Diese nach dem Reglement wöchentlichen Besuche müssen unter Umständen öfter wiederholt werden, so z. B. wenn eine epidemische Krankheit droht oder auftritt. Die Ärzte urteilen selbst über die Notwendigkeit, ihre Besuche häufiger zu wiederholen, und sind hierzu auch auf Aufforderung der städtischen Behörde verpflichtet, welcher sie sofort über Gefahren, die der Schuljugend drohen, Bericht zu erstatten haben. Sie treffen im Einverständnis mit dem Leiter der Schule die ersten Maßnahmen, um der Ausbreitung der Epidemie zu begegnen, und unterbreiten der städtischen Behörde ihre Vorschläge über die weiterhin zu ergreifenden Maßregeln. Sie schlagen ferner den zeitweiligen Schluß der Schule vor. Falls die Schließung angeordnet wurde, überwachen sie die Desinfektion, welche durch die hierzu bestimmten städtischen Beamten vorgenommen wird. Die Wiedereröffnung der Schule findet erst statt, wenn jede Gefahr der Weiterverbreitung der Epidemie verschwunden ist.

Die Schulärzte machen die Lehrer und Lehrerinnen mit jenen Anzeichen bekannt, welche den Krankheiten, besonders den ansteckenden, vorausgehen, und besprechen mit der Lehrerschaft öfter in ungezwungener Weise (des entretiens familiers) die Hygiene des Individuums und je nach Umständen die verschiedenen Punkte der Schulhygiene.

Am Ende jedes Monats erstatten die ärztlichen Schulinspektoren der Gemeindeverwaltung Bericht über den hygienischen Zustand jeder Schule, die beobachteten Krankheiten, die vorgekommenen Unfälle, die Veränderungen und Verbesserungen, welche sie für angezeigt halten. Ebenso melden sie alles, was im Schulleben, in der Unterrichtsmethode u. s. f. ihnen gesundheitsschädlich sein zu können scheint.

Ohne Impfzeugnis werden die Kinder in die städtischen Schulen nicht aufgenommen. Sobald sie das Alter von 10 Jahren erreicht haben, werden sie durch den Schularzt revacciniert. Diese Operation wird zweimal des Jahres, in den Monaten Mai und Oktober, mit tierischer Lymphe vollzogen, welche durch das staatliche Zentral-Lymph-Institut (Institut vaccinogène central de l'Etat) zu Brüssel unentgeltlich und in ausreichendem Maße geliefert wird. Die geschehene Revaccination und ihre Resultate werden gleichfalls im Register der Schule verzeichnet.

Endlich hat die Kommunalverwaltung von Antwerpen, dem Beispiele Brüssels folgend, in allen ihr unterstehenden Freischulen die präventive Medizin eingerichtet. In den Zahlschulen mußte man trotz der Nützlichkeit, die ein solches Vorgehen auch dort gehabt hätte, infolge des unvermeidlichen Widerstandes der Eltern, dem man begegnet wäre, davon absehen; die betreffenden Eltern sind übrigens in der Lage, ihren Kindern jene Fürsorge angedeihen zu lassen, deren sie bedürfen.[1]

Der präventiven Medizin sind jene Schulkinder unter-

---

[1] Immerhin würde es sich aber empfehlen, solche Eltern durch Schulärzte auf etwaige Fehler oder Krankheiten ihrer Kinder aufmerksam machen zu lassen, da der Besitz noch nicht die hygienische Fürsorge gewährleistet und letztere ebenso im öffentlichen Interesse liegt, wie die Fürsorge für die geistige Bildung.   Der Übersetzer.

worfen, welche, ohne eigentlich krank zu sein, d. h. ohne verhindert zu sein, dem Unterricht zu folgen, einen Gesundheitszustand besitzen, der gewisse Fürsorge erfordert; so die anämischen, die konstitutionell schwachen, die rhachitischen, die, welche Lymphdrüsenanschwellungen (engorgements ganglionnaires) aufweisen, die, welche gewisse Augen- und Ohrenleiden haben. Kein Kind mit einer ansteckenden Krankheit kann einer Behandlung in der Schule unterworfen werden; es muſs notwendig der Familie zugewiesen werden.

Die Kränklichen, welche ich aufzählte, werden häufig durch Unwohlsein, dem sie öfter als Kinder mit guter Gesundheit ausgesetzt sind, gezwungen, einen oder mehrere Tage zu Hause zu bleiben, ein Umstand, welcher sie in ihren Studien aufhält und eine Störung in der Fortführung des Unterrichtes im Gefolge hat. Die präventive Medizin hat zum Zweck, dies zu verhindern oder wenigstens die Zahl dieser Absenzen zu verringern, bei gleichzeitiger Verbesserung des Gesundheitszustandes der Kinder und indem sie in vielen Fällen die Entwicklung konstitutioneller Krankheiten, zu welchen jene Kinder hinneigen, ausschlieſst.

Die Art der bei dieser präventiven Medikation angewendeten Mittel ist der Wahl der Ärzte überlassen; sie werden durch das Wohlthätigkeitsamt (Bureau de bienfaisance) der Stadt beigestellt und dem Schulleiter oder der Schulleiterin in Verwahrung gegeben, denen der Aufsichtsarzt die notwendigen Anweisungen zum Gebrauche gibt. Die Medikamente werden so verabreicht, daſs dies keinerlei Störung im Gange der Schule mit sich bringt.

Hier muſs auch bemerkt werden, daſs die Gymnastik, das mächtigste Mittel der präventiven Medizin, in korrekter Weise in allen von der Stadt abhängigen Schulen gelehrt wird.

In jeder Schule besteht ein Register, in welchem neben dem Namen, dem Alter und dem Wohnort der Schulkinder das Datum des Eintrittes in die Schule, die besondere Ursache der präventiven Behandlung, die Daten des Beginns und des Aufhörens derselben und die erhaltenen Resultate verzeichet sind; letztere müssen mindestens alle 3 Monate eingetragen werden.

Während der ersten 14 Tage jeden Vierteljahres lassen die Inspektionsärzte der Administration einen eingehenden Bericht über die präventive Medizin in den Schulen zukommen.

Wie wir sehen, sind die von der Verwaltung den Inspektionsärzten auferlegten Pflichten zahlreich. Niemand wird in Abrede stellen, daſs deren gewissenhafte Erfüllung einen sehr groſsen Einfluſs auf die Gesundheit der Schulkinder und den günstigen Verlauf ihrer Studien ausüben muſs. Das Reglement, welches aufgestellt wurde und hier am Schlusse angefügt wird, weist noch gewisse Lücken auf, welche wir, gestützt auf die Erfahrung und angeregt durch die Diskussionen des Kongresses, uns auszufüllen bemühen werden. In seinem gegenwärtigen Zustand hat es aber schon groſse Dienste geleistet. Ein Reglement, auch das weiseste, kann jedoch nur dann gute Resultate geben, wenn es gut angewendet wird. Die Kommunalverwaltung von Antwerpen hat bei der Wahl ihrer Inspektionsärzte Glück gehabt, und wenn sie die Verbesserung in dem Gesundheitszustand der Kinder, deren Schicksal ihr anvertraut ist, bereits konstatieren konnte, so dankt sie dies dem Wissen und der Intelligenz, welche die DDr. MAYER, WEEWAUTERS, DESCAMPS und JANSSENS in der Ausübung dieser schwierigen Thätigkeit entwickelt haben. Die genannten Herren sind seit Anbeginn dieses Dienstes mit demselben betraut, und ich fühle mich glücklich, ihnen eine verdiente Huldigung öffentlich darbringen zu können.

Dies ist kein nichtssagendes Lob, sondern ein Beweis zur Unterstützung einer These, welche ich aufrecht halte, nämlich derjenigen, daſs die ärztliche Schulinspektion nicht einem beliebigen Arzt anvertraut werden darf, sondern bei dem Vertreter Eigenschaften voraussetzt, welche nicht ein jeder besitzt. Er muſs in der That sachverständig sein und die Hygiene zu seinem Spezialstudium gemacht haben; er muſs

u. a. hinreichende ärztliche Praxis hinter sich haben, um
jene Erfahrung und Sicherheit zu besitzen, welche ihm der
Lehrerschaft gegenüber die Autorität verleiht, ohne welche
die Ausübung seiner Thätigkeit illusorisch wäre; weiter muſs
er eifrig sein, exakt in der Abfassung seiner Berichte, pünkt-
lich, die Verwaltung von allem, was die Gesundheit der
Schulbevölkerung betrifft, zu verständigen. Will man also
einen wohlorganisierten Dienst, so kann man unmöglich zugeben, daſs jeder beliebige Arzt geeignet sei, das wichtige
Amt der hygienischen und medizinischen Schulaufsicht zu
versehen.

Um den Mitgliedern des Kongresses eine Vorstellung
davon zu geben, in welcher Art der Dienst aufgefaſst und
ausgeführt wurde, habe ich im Lesesaal zwei Bände aufgelegt,
welche alle Berichte enthalten, die seit Juni 1882 bis jetzt
durch die Ärzte gemacht wurden. Wer sie durchblättert,
wird sehen, wie mannigfaltig die Gegenstände sind, mit denen
sie sich befaſst haben. Ich will es, indem ich die Details
zusammenfasse, versuchen, einige der erhaltenen Resultate
mitzuteilen.

1. Gegenstände der Besprechungen mit dem
Lehrpersonal. Die Lehrer und Lehrerinnen erhielten eine
Broschüre, welche sie mit den ersten Anzeichen der übertragbaren Krankheiten bekannt macht. Überdies gaben ihnen
die Inspektionsärzte praktische Belehrungen über den gröſsten
Teil der schulhygienischen Fragen, so über Lüftung, Ventilation und Beleuchtung der Schulzimmer; über Körperhaltung
und körperliche Übungen; über Krankheiten im allgemeinen,
sowie die ersten Symptome der fieberhaften Ausschlagskrankheiten (fièvres éruptives) und deren Unterschiede von den nicht
ansteckenden Ausschlägen (erythèmes non contagieux); über
die Differentialdiagnose zwischen Krupp, einfacher Angina
—: Bronchitis, zwischen Krätze (gale) und Juckblattern
—, zwischen ägyptischer und einfacher Bindehautent-
(ophtalmie granuleuse — conjunctivite simple);
Sorge für Reinlichkeit überhaupt und besonders der

behaarten Haut, des Ohres und Auges; über die Lebensweise, den Genuſs der Nahrungsmittel, der Getränke, des Obstes; über die erste Hilfe bei Ohnmachten, Nervenzufällen (crises nerveuses), verschiedenen Blutungen (hémorrhagies diverses), Verwundungen (plaies), Verrenkungen, Knochenbrüchen und allen jenen Zufällen, welche im Schulhause vorkommen können; endlich über die spezielle Fürsorge, welche vom Gesichtspunkte des Schullebens alle jene Schulkinder erfordern, deren Gesundheitszustand nicht normal ist.

2. Epidemische Krankheiten. Jene, die man in den Schulen am häufigsten beobachtet, sind: der Keuchhusten, die Masern (rougeole), der Scharlach, die Diphtheritis, die Blattern, das typhoide Fieber (fièvre typhoide), die Grippe, der Mumps (les oreillons). Dank den ergriffenen hygienischen Maſsnahmen, der guten Einrichtung der Lokale, der Reinlichkeit der Schulen und ihrer Annexe ist das typhoide Fieber, welches in den privaten, der ärztlichen Inspektion nicht unterworfenen Schulen mehrmals verheerend auftrat, in den der städtischen Gewalt untergeordneten nicht aufgetreten. Die Blattern haben sich sehr selten gezeigt und nur bei Schulkindern, welche mit falschen Impfzeugnissen zur Schule gekommen waren. Trotz einer sehr heftigen Epidemie, welche in der Stadt geherrscht hat, sind in den Schulen infolge der Revaccination, von welcher ich später sprechen werde, nur ein paar vereinzelte Fälle vorgekommen. Ebenso waren die diphtheritischen Erkrankungen sehr selten, dank der Vorsicht, davon ergriffene Kinder sogleich zu entfernen; man hat die letzteren immer verhindert, Ansteckungsherde zu werden. Was die übrigen epidemischen Krankheiten anbelangt, so haben Masern (rougeole) und Keuchhusten (coqueluche) die gröſste Zahl der Fälle geliefert. Immerhin konnten diese Epidemien fast stets durch die hygienischen Maſsregeln, durch das Zuhausebleiben der Erkrankten bis zu ihrer vollständigen Genesung, durch die Kenntnisse, welche das Lehrpersonal bezüglich der Symptome dieser Krankheiten erworben hatte, eingeengt werden. Selten muſste eine Schule geschlossen werden, und

in diesem Falle hat man eine allgemeine Desinfektion der Lokale und des Mobiliars mit schwefliger Säure, sowie durch Abkratzen und Tünchen der Wände etc. vorgenommen.

3. Reinlichkeit der Schulkinder. Unsere Schulen haben in dieser Beziehung einen Grad der Vollkommenheit erreicht, welchen man hinsichtlich der Kinder, die gröfstenteils der Arbeiterklasse und dürftigen Familien angehören, nicht zu hoffen gewagt hatte. Die Ärzte haben sich in dieser Hinsicht sehr streng gezeigt. Nachdem sie die Lehrer und Lehrerinnen über die hygienische Bedeutung der Reinlichkeit ausreichend aufgeklärt hatten, waren sie anfangs gezwungen, schlecht gewaschene oder schmutzig gekleidete Kinder den Eltern zurückzuschicken. Indem sie vor den Schulkindern jene lobten, welche sich durch Reinlichkeit auszeichneten, regten sie zu einem Wetteifer an, welcher die besten Resultate zur Folge hatte.

4. Leiden der behaarten Haut. Diese Leiden waren beim Beginn der ärztlichen Inspektion so häufig, dafs einer unserer Ärzte in einer FRÖBELschen Schule mit 200 Kindern 36 Fälle verzeichnete. Gegenwärtig sind diese Krankheiten fast gänzlich verschwunden. Man empfiehlt den Eltern besonders, das Haar der Kinder sehr kurz zu halten. Die von Erbgrind (teigne faveuse) Befallenen werden immer ihren Eltern zurückgeschickt, sorgfältig behandelt und nicht wieder in die Schule zugelassen, ehe sie nicht vollständig geheilt sind. Man darf sagen, dafs der Grind (teigne) thatsächlich ganz aus unsern Schulen verschwunden ist. Man trifft ihn nur noch bei neu eintretenden Schulkindern, welche übrigens zurückgewiesen und erst nach vollständiger Heilung zugelassen werden. Was die Pelada (pelade), die Scheerenflechte (teigne tonsurante) und die Ekzeme der behaarten Haut betrifft, so gestattet man in diesen Fällen den Schulbesuch, da es sich hier um nicht kontagiöse Krankheiten handelt. Diese Leiden sind meistens die Folge eines lymphatischen Zustandes. Hygienische Fürsorge, die Anwendung von Leberthran, gröfster Reinlichkeit und einer passenden lokalen Behandlung lassen

sie in der Regel sehr rasch verschwinden; auch sind diese Fälle, obwohl noch immer in den Schulen vorkommend, dort weit seltener geworden als vor der ärztlichen Inspektion.

5. Krätze (gale) und andere Hautkrankheiten. Die Fürsorge für Reinlichkeit und das sofortige Wegschicken von Kindern, welche die Krätze hatten, haben auch diese Krankheit in unsern Schulen zum Verschwinden gebracht. Das Ekzem findet sich dagegen ziemlich häufig, besonders in den FröbeLschen Schulen, sei es, daß es von einer konstitutionellen Anlage, sei es, daß es von einer ungesunden Lebensweise abhängt. In diesen beiden Fällen nimmt man zur präventiven Medizin seine Zuflucht, von der weiter unten die Rede sein wird.

6. Granulöse Ophthalmie. Diese Krankheit war vor 5 Jahren so häufig, daß in einer Mädchenschule mehr als die Hälfte der Schülerinnen davon befallen war. In den andern Schulen war die Zahl nicht so hoch, aber trotzdem beträchtlich. Die Bekämpfung der Krankheit erwies sich besonders mit Rücksicht auf die absurden Vorurteile, welche die Eltern aus den niederen Klassen gegen jede an den Augen angewendete Medikation haben, sehr schwer. Die Ausschließung der Kinder, welche von Granulationen der Bindehaut befallen waren, vermochte diese Vorurteile nicht zu besiegen, und der Arzt mußte sich persönlich an die Eltern wenden und ihnen die Gefahren begreiflich machen, welche das Gesicht ihres Kindes lief, um sie dahin zu bringen, dasselbe einer rationellen Behandlung unterziehen zu lassen. In den Schulen, wo die Zahl der Granulösen nicht sehr bedeutend war, schickte man sie bis zur Heilung ihren Familien zurück. In jenen dagegen, wo dieselben einen großen Prozentsatz bildeten, wäre dies einer Unterbrechung der Schule gleichgekommen; in diesem Falle hat man denjenigen Schulkindern, welche den Nachweis erbrachten, daß sie durch einen Spezialisten behandelt würden, den Schulbesuch gestattet. Dank der hingebenden und verständigen Fürsorge dieser Herren, welche durch die hygienischen Vorschriften der

Schulärzte und die wachsam erhaltene Aufmerksamkeit des Lehrpersonales unterstützt wurden, findet man die Granulationen der Bindehaut kaum mehr in unsern Schulen; es gibt nur noch isolierte Fälle, die von außen kommen; ein epidemisches Auftreten findet nicht mehr statt.

7. Fehlerhafte Körperhaltungen, Skoliose etc. Alle Hygieniker haben die Häufigkeit und die traurigen Folgen der von den Schulkindern während des Unterrichtes angenommenen schlechten Haltungen betont. Dieselben Resultate kamen bei einer Untersuchung zu Tage, welche einer unsrer Ärzte am nackten Brustkorb von 23 Schülern vornahm, die sich nach Absolvierung der Volksschule an der Lehrerbildungsanstalt meldeten. Nur einer war normal gebaut, und mehr als die Hälfte hatte einen sehr ausgesprochenen Grad von Skoliose, rechtsseitiger oder linksseitiger, je nach der Art, wie sich die Betreffenden beim Schreiben hielten. Die Ursache dieser schlechten Haltungen liegt vor allem in der Fehlerhaftigkeit des Schulmobiliars, indem die Bank zu enge ist, um dem Schüler bequemes Sitzen zu gestatten, keine Lehne hat, um ihm ein Ausruhen während des Zuhörens zu ermöglichen, und die Entfernung des Sitzes von der Tischfläche nicht der Körpergröße des Schulkindes angepaßt ist; eine weitere Ursache ist unzulängliche und fehlerhafte Beleuchtung, welche die Schüler zwingt, entweder den Kopf dem Papier zu nahe zu bringen, oder eine schiefe Haltung einzunehmen, um die Schatten oder die Reflexe auf den Heften zu vermeiden; eine andre gleichfalls wichtige Ursache bildet die Nachlässigkeit der Lehrer und Lehrerinnen, welche in Unkenntnis über die schwerwiegende Bedeutung dieser schlechten Haltungen sich darum durchaus nicht kümmern, ja sogar ihre Schüler lehren, fehlerhafte Haltungen anzunehmen. Man weiß jetzt, welche Resultate dieses üble Vorgehen nach sich zieht: mehr oder weniger ausgesprochene Verbiegungen der Wirbelsäule, Verminderung des Brustumfanges mit allen ihren Folgen für die Gesundheit im allgemeinen, Lungenleiden und selbst Schwindsucht. Die allgemeine Ver-

besserung und fast vollständige Umgestaltung unsres Schulmobiliars, der vernünftige Bau und die vernünftige Einrichtung
aller unsrer neuen Schulen brachten die beiden ersten Ursachen,
welche die fehlerhaften Haltungen der Schulkinder bewirkten,
zum Verschwinden. Anderseits ist die Lehrerschaft über
die grofse Bedeutung, welche die schlechten Haltungen für
die Gesundheit der Kinder haben, belehrt worden. Die Aufmerksamkeit derselben wurde beständig auf diesen Punkt
gelenkt, aber nicht ohne grofse Schwierigkeiten ist man dahin
gekommen, die einmal angenommenen schlechten Gewohnheiten
zu beseitigen. Man kann sagen, dafs sich die Schulkinder
heute im allgemeinen gut halten und dies ist der Ausdauer
der Ärzte, der regen Aufmerksamkeit des Lehrpersonales, den
gymnastischen Übungen, welche regelmäfsig angestellt werden,
und auch der präventiven Medizin zu danken, welche bei
Kindern angewendet wurde, deren fehlerhafte Haltungen zum
Teil durch konstitutionelle Schwäche veranlafst waren; denn
diese liefs sie auf ihren Sitzen zusammensinken oder sich an
die Tische anlehnen. Auch die Skoliose wird seltener und
seltener. — Man hat als Ursache der schlechten Haltung die
schräge, sogenannte englische Schrift beschuldigt. Sicher ist,
dafs diese Art von Schrift den Schüler, wenn man ihn
zwingt, das Papier gerade vor sich zu legen, veranlafst, sich
auf den linken Arm zu stützen und infolgedessen den Körper
nach links zu neigen; man hat zur Verhinderung dieser
schlechten Haltung die Annahme der steilen (droite), sogenannten belgischen Schrift empfohlen, welche den Körper
gerade vor dem Papier zu halten erlaubt. Da aber die
belgische Schrift im Geschäftsverkehr (par les bureaux de
commerce) nicht zugelassen ist, so konnte man sie nicht annehmen; anderseits ist die englische Schrift nicht gerade ein
absolutes Hindernis für die normale Haltung des Rumpfes,
falls man das Papier etwas nach links neigt.

8. Mangelhaftigkeit des Gehörs. Die Hörschärfe
läfst öfter zu wünschen übrig, als man im allgemeinen an-
nimmt. Eine aufmerksame Prüfung liefs häufige Störungen

in dieser Richtung erkennen. Die Unvollkommenheit des Hörens kann von einem Mangel an Ausbildung des Gehörsinnes, von Unaufmerksamkeit des Schülers oder auch von Krankheiten des Gehörapparates abhängen. Diese Krankheiten sind katarrhalische Ohrenentzündungen (otites catarrhales) oder Ohrenflüsse (otorrhées), zuweilen fötider Art, oder Ekzeme des äußeren Gehörganges (pavillon de l'oreille). Die häufigsten dieser Leiden entspringen aus dem allgemeinen Zustand des Organismus und machen eine ärztliche Intervention notwendig, welche im Schullokal selbst vorgenommen wird, wobei die Eltern hinsichtlich der Fürsorge für Reinlichkeit, die zu Hause anzuwenden ist, verständigt werden. Hängt der größere oder geringere Grad der Taubheit von der schlechten Ausbildung des Gehörsinnes ab, so werden die Schüler so viel als möglich dem Lehrer genähert, welcher sich bemüht, möglichst deutlich zu sprechen und das Gesagte wiederholen läßt, um die Aufmerksamkeit der Schüler zu erzwingen und sie zu üben, die Laute gut wahrzunehmen. In den meisten Fällen hat dieses Vorgehen in kurzer Zeit eine große Verbesserung des Gehörs zuwege gebracht.

9. Fehler des Gesichtssinnes. Hier sind jene Leiden der Augen, welche nicht eine Folge des Schulbesuches sind, aber einen hohen Einfluß auf die Schulung ausüben, von der Myopie zu scheiden, welche, wie jedermann weiß, oft das Resultat des Schullebens ist oder mindestens durch dasselbe verschlimmert wird. Die ersteren Krankheiten, welche Anomalien des Gesichts bewirken, sind Hornhautflecke (taches cornéennes), zumeist chronisch verlaufende Hornhautentzündungen (kératites), Lidrandentzündungen (blépharites), Bindehautentzündungen (conjunctivites), abgesehen von den granulösen, von denen früher die Rede war.

Der größte Teil dieser Leiden ist die Folge eines schlechten konstitutionellen Zustandes und eines Mangels an Fürsorge in der Familie. Sie machen aus diesem Grunde das Eingreifen der präventiven Medizin notwendig, welche bestimmt ist, die Körperbeschaffenheit zu verbessern.

Es ist auch eine gewisse Zahl Fälle von Hypermetropie vorhanden.

Was die Myopie betrifft, so ist sie öfter angeboren; in andern Fällen bringen die Kinder bei der Geburt eine Prädisposition mit, welche sich im Schulalter entwickelt. Die Ursachen der Kurzsichtigkeit sind heute hinreichend bekannt, so daſs es nicht nötig ist, den Einfluſs zu betonen, welchen die Schule auf ihre Entstehung ausübt. Die verschiedenen oben angeführten Ursachen, welche die Abweichung der Wirbelsäule, die fehlerhaften Haltungen bedingen, sind zugleich Ursachen der Myopie; also mangelhafte Beleuchtung, schlechte Konstruktion des Schulmobiliars, zu kleiner Druck, karrierte Hefte, feine Arbeiten, welche angestrengtes Sehen erfordern, wie Flechtarbeiten etc., besonders in Kindergärten. Es ist nicht möglich, die Entstehung der Myopie besser zu studieren, als es Professor COHN in seinem ausgezeichneten Bericht gethan hat. Ebenso kann man dem, was die Herren JAVAL und GARIEL über diesen Gegenstand geschrieben haben, und wovon der Bericht des Herrn NAPIAS wichtige Citate enthält, nur zustimmen.

Ich wünschte jüngst einige Aufklärungen über die Häufigkeit der Myopie in unsern Schulen zu erhalten. Die Herren VAN SCHEVENSTEEN und CALLAERT, die Ärzte unsres ophthalmologischen Institus, hatten die Liebenswürdigkeit, mir dieselben zu verschaffen. Sie prüften die Augen der Schüler von drei Schulen der Stadt und fanden folgendes Ergebnis: in einer Freischule für Mädchen mit 880 Schülerinnen von 6 bis 14 Jahren waren 70 Myopen, aber bloſs bei 17 betrug die Myopie mehr als eine Dioptrie; in einer Knabenfreischule mit einer Bevölkerung von 693 Schülern waren 30 Myopen, davon 6 mit einer Kurzsichtigkeit von mehr als einer Dioptrie; in einer Knabenzahlschule mit 396 Schülern fanden sich 40 Myopen, davon 24 mit einer Myopie von mehr als einer Dioptrie. Nach Herrn COHN können Myopien, welche eine Dioptrie nicht übersteigen, bei der Zählung vernachlässigt werden. Es sind daher in den drei jüngst ge-

prüften Schulen mit 1969 Schulkindern nur 47 myopische,
d. h. 2¹/₃ %, ein überaus niedriger Prozentsatz.

Hinsichtlich des Alters verteilen sie sich, wie folgt:

Myopen von 6— 8 Jahren 2
„ „ 8—10 „ 5
„ „ 10—12 „ 17
„ „ 12—14 „ 23

Diese geringe Zahl scheint mir einzig der Sorgfalt beim
Bau der Schulen, der guten Verteilung der Beleuchtung, den
häufigen Erholungspausen, welche die Unterrichtsstunden
unterbrechen, und der beständigen Fürsorge der Schulärzte
und Lehrer hinsichtlich korrekter Körperhaltung der Schulkinder zuzuschreiben zu sein.

Eine einzige dieser Schulen bietet eine Beleuchtung,
die nicht ganz ausreichend erscheint, es ist die Zahlschule
für Knaben; diese war es, welche den stärksten Prozentsatz,
24 unter 396, d. h. 6 % Myopen lieferte.

Vergleicht man alle diese Ziffern mit jenen, welche die
Hygieniker mitteilen, die sich speziell mit dieser Frage befaßt haben, so gelangt man zu dem Schlusse, daß, wenn
erbliche Myopie vorliegt, diese durch die Schule verschlimmert
werden kann; ist ersteres nicht der Fall, so kann die Kurzsichtigkeit durch das Schulleben zur Entwickelung kommen;
in dem einen aber wie in dem andern Falle kann sie durch
ein geeignetes Vorgehen beim Unterricht und die ärztliche
Schulinspektion bemerkenswert herabgedrückt oder aber verhindert werden.

10. Präventive Medizin. Viele Kinder aus dem
Volke werden zu Hause unzureichend ernährt, nicht genügend
gepflegt und wohnen oft schlecht, indem sie an Luft und
Licht Mangel leiden. Daraus ergibt sich ein körperlich
elender Zustand, der sie zu den schwersten Krankheiten der
Anämie, der Skrofulose, der Tuberkulose prädisponiert, was
dann Drüsenanschwellungen (engorgements ganglionnaires),
Ekzeme, eiterige Ohrenentzündungen (otites purulentes), Stink-
nasen (ozènes), Lidrand- und Hornhautentzündungen (blepha-

rites, kératites) etc., die bei den Kindern des Volkes so häufig sind, verursacht; dieser körperlich elende Zustand macht sie gegen schädliche Einflüsse wehrlos, zu einer für die Aufnahme von Krankheitskeimen geeigneten Beute, zu einer wahren Quelle epidemischer Krankheiten. Derartige kränkliche, leidende Kinder besuchen die Schulen schlecht, sind jeden Augenblick von verschiedenen Unpäfslichkeiten betroffen und gezwungen auszubleiben; zuweilen sind sie für ihre Kameraden ein Gegenstand des Abscheues; diesen schlecht gepflegten Kindern von elender Körperbeschaffenheit wird das Schulleben verderblich, es begünstigt bei ihnen den Ausbruch von Krankheiten, zu denen sie von vornherein geneigt sind, während sie selbst den Schulen verderblich werden, in welche sie ansteckende Krankheiten mitbringen und dort verbreiten.

Die Gefahren des Schulbesuches zu unterdrücken und diese Periode des Schullebens zur Regeneration der Kinder des Volkes zu benutzen, ihnen gleichzeitig mit dem Unterricht eine gute Gesundheit zu geben, um sie später zu kräftigen und moralischen Menschen zu machen — das ist der Zweck, welchen die Kommunalverwaltung Antwerpens verfolgte, indem sie die präventive Medizin in allen Freischulen, von den Kindergärten angefangen, einrichtete.

Die ganze ärztliche Inspektion ist in der That ein Stück präventive Medizin. Wir begreifen aber unter diesem Namen im besonderen die Behandlung in der Schule selbst durch die Inspektionsärzte oder die unter ihrer Leitung stehenden Lehrer. Anfangs fühlten viele Eltern eine Abneigung, ihre Kinder derart behandeln zu lassen; sie reklamierten, widersetzten sich sogar der Fortsetzung der Kur; allmählich aber wurden die erhaltenen Resultate so deutlich, dafs aller Widerstand aufhörte; noch mehr: die Eltern kamen selbst und baten, ihre Kinder zu behandeln. Gegenwärtig hat sich die präventive Medizin in die Bräuche der Schule eingelebt und wir betrachten sie als eine unerläfsliche Ergänzung der ärztlichen Inspektion. Die Lehrerschaft erkennt durchweg ihre wohlthätige Wirkung an, sie bestätigt, wie sehr die Zahl der

Absenzen aus Krankheitsursachen abgenommen hat; sie bezeichnet Schulkinder, die früher die Hälfte des Jahres hindurch fehlten und jetzt vollkommen regelmäfsige Schulbesucher sind. Wir haben ebenso beobachtet, wie sehr die Opfer der epidemischen Krankheiten, mit der früheren Zahl verglichen, abnehmen.

Die bei der Behandlung angewendeten Mittel sind hauptsächlich blut- und knochenbildende Medikamente (empruntés à la médecine reconstituante): Leberthran, Jodeisensyrup, die phosphorsauren Salze des Kalkes (le lactophosphate et le chlorhydrophosphate de chaux), BLAUDsche und VALLETsche Pillen, das POLLIsche Nährmehl (poudre zootrophique de POLLI). Diese und einige örtlich angewendete Heilmittel werden benutzt.

Einer derartigen Behandlung wäre eine sehr nützliche Ergänzung hinzuzufügen, die Ferienkolonien. Die Schulkinder verlieren während der Ferien im Elternhause immer einen Teil der Wohlthat, welche sie durch die Medikation in der Schule empfangen haben. Es wäre wahrhaft nützlich, wenn man sie einige Wochen irgend wohin ans Meeresufer oder auf das Land schickte. Mit dem vollsten Recht besteht Herr NAPIAS auf den Vorteilen, welche diese Sommerpflegen in frischer Luft im Gefolge haben. Die Versuche, welche man in Brüssel machte, haben einen unleugbaren Erfolg gehabt. Leider ist die Verallgemeinerung dieser Praxis noch sehr schwierig und zu kostspielig.

Hier mufs auch der wohlthätige Einflufs der Kindergärten betont werden. Unsere Schulärzte sind in der Anerkennung derselben einstimmig. Der Besuch der FRÖBELschen Schulen gewöhnt nicht nur die Kinder von 3—6 Jahren an Ordnung, Disziplin, Reinlichkeit, sondern er macht sie auch widerstandsfähiger beim Eintritt in die Volksschule und zur Ausnutzung derselben geeigneter. .Ja noch mehr: die schwächlichen Kinder, welche dort einer kräftigenden Medikation (médication reconstituante) unterzogen werden, haben beim Eintritt in die Volksschule, deren intelligenteste und fleifsigste Zöglinge sie werden, eine vortreffliche Gesundheit; gerade unter diesen fordern Krankheiten überhaupt und epidemische im besonderen die wenigsten Opfer. Man muß daher die Einführung dieser nützlichen Einrichtung soviel als möglich empfehlen; besonders trägt sie ihre guten Früchte, wenn die Kindergärten unter intelligenter ärztlicher Überwachung stehen, welche immer ein offenes Auge für Anlagen zu jenen Krankheiten hat, die besonders während der ersten Kindheit entstehen, und wenn die ärztliche Inspektion mit passenden Mitteln zur Bekämpfung dieser Anlagen ausgerüstet ist.

11. Revaccination. Es ist nie in die belgischen Bräuche eingedrungen, die Impfung obligatorisch zu machen und noch weniger gilt dies bezüglich der Revaccination; nicht als ob die Ideen der Liga der Impfgegner dort zahlreiche Anhänger zählten, sondern weil jeder Zwang dem Freiheitsgefühle, welches unsere Bevölkerung durchdringt, widerstrebt. Immerhin wollten die Verwaltungen diese Lücke der Gesetzgebung möglichst ausfüllen; als die Hüter der öffentlichen Gesundheit erkannten sie, daß die Impfung zusammen mit hygienischen Maßregeln das einzige bekannte Mittel ist, der Blatternkrankheit vorzubeugen; sie hatten auch wahrgenommen, daß diese schreckliche Krankheit, welche so viele Todesfälle verursacht und einen Haufen Blinder und Elender, eine Menge Waisen hinter sich läßt, die der öffentlichen oder privaten Wohlthätigkeit zur Last fallen, ihre Opfer besonders dort findet, wo die Impfung vernachlässigt oder schlecht ausgeübt wird; die Verwaltung wollte daher die Impfung derart obligatorisch machen, daß sie das Impfzeugnis als Bedingung beim Eintritt in alle öffentlichen Schulen forderte. Aber diese Maßregel genügte noch nicht, denn es ist bekannt, daß die Impfung nach Verlauf einer gewissen Anzahl von Jahren ihre Wirksamkeit, wenigstens zum Teil, verloren hat. Anderseits konnten die Kinder auch ohne Erfolg geimpft worden sein und doch das Zeugnis beigebracht haben; endlich erschleicht ein Teil das Zeugnis, ohne jemals geimpft worden zu sein. Die Kommunalverwaltung von Antwerpen hat bei

der Einrichtung ihrer ärztlichen Schulinspektion beschlossen, alle Schulkinder, sobald sie das Alter von 10 Jahren erreicht haben, der Revaccination zu unterziehen. Wie bei der präventiven Medizin gab es auch hier anfangs Widerstand seitens gewisser Eltern; man hat ihre Bedenken jederzeit respektiert; gegenwärtig wird der Widerstand immer seltener und seltener.

Wie bemerkt, geschieht die Impfung mit tierischer Lymphe, welche vom Staats-Zentral-Institut für Erzeugung von Lymphe geliefert wird. Sie findet zweimal jährlich, im Mai und Oktober, statt, das heißt am Ende der Ferien, welche immer eine Anzahl neuer Schüler bringen. Die erste Serie im November 1882 umfaßte 2425 Kinder, alle solche, welche mehr als 10 Jahre alt waren; diese 2425 Kinder von 10 bis 14 Jahren gaben 1376 Erfolge, d. i. 55 %, ein beträchtlicher Prozentsatz, der sich jedoch daraus erklärte, daß gewisse von diesen Kindern mit falschen Impfzeugnissen zur Schule gekommen waren, oder daß die erste Impfung resultatlos gewesen war. Die anderen Serien waren etwas weniger günstig; 7235 Revaccinationen hatten 3435 Erfolge oder 47 %.

Keine dieser Revaccinationen war von üblen Folgen begleitet; wären solche vorgekommen, so würden sie unverweilt bekannt geworden sein, weil die Kinder gezwungen gewesen wären, von der Schule wegzubleiben, und man die Ursache ihrer Abwesenheit erfahren hätte.

Obwohl eine starke Blatternepidemie in Antwerpen und besonders unter der dürftigen Volksklasse, der die Mehrzahl unsrer Kommunalschulkinder angehört, gewütet hat, ergaben die Blattern von 1882 bis jetzt nur 42 Erkrankungen bei einer mittleren Schulbevölkerung von 12—13000 Kindern, ungerechnet den Umstand, daß sich diese Schulbevölkerung jedes Jahr größtenteils erneuert. Unter diesen 42 Erkrankungen sind nur 2 Todesfälle, wahrscheinlich von Kindern, die nie geimpft worden waren.

Man darf sonach sagen, daß die Revaccination in unsern Schulen obligatorisch geworden ist, und hinzufügen, daß,

Neigungen zu Krankheiten einengt, die Konstitutionen festigt, die Widerstandsfähigkeit vermehrt und die Kinder physisch und moralisch zum Kampfe stärkt, den sie im Leben durchzumachen haben werden.

Nach den Auseinandersetzungen, welche ich gegeben habe, glaube ich berechtigt zu sein, einige Vorschläge zu machen, welche ich dem Kongresse hinsichtlich der Organisation der medizinischen und hygienischen Inspektion der Schulen zu unterbreiten die Ehre habe:

1. Die Elementarschulen, Mittelschulen, niedere und höhere (Realschulen, Realgymnasien, Gymnasien), Kindergärten, Kinderasyle, Bewahrschulen müssen einer beständigen ärztlichen Aufsicht unterworfen werden.

2. Diese Aufsicht soll einem erfahrenen Arzte anvertraut werden, der entsprechend bezahlt und besonders mit diesem Amte beauftragt ist.

3. Die Aufsichtsärzte stehen in beständiger Verbindung mit den Regierungs-, Kanton-, Gemeinde- oder Privat-Vorständen, denen diese Schulen untergeordnet sind, und welche alles regeln, was den Bau, die Einrichtung, die Pläne und die Art des Unterrichts anbelangt. Die Aufsichtsärzte legen diesen Schulvorständen ihre Bemerkungen und Vorschläge betreffs Abänderungen vor, welche ihnen während des Besuches der Schulen als zweckmäßig erschienen sind.

4. Es ist wünschenswert, daß inmitten der Unterrichts-

kommissionen oder inmitten der Schulvorstände sich wenigstens ein Arzt befindet, der in dieser Eigenschaft die nötigen Kenntnisse besitzt, um über die Wichtigkeit der von den Aufsichtsärzten gemachten Vorschläge zu urteilen, und der in seiner Eigenschaft als Mitglied der verwaltenden Schulbehörde im stande ist, über die Ausführbarkeit der Vorschläge zu entscheiden.

5. Der Aufsichtsarzt besucht wöchentlich die Freischulen und einmal alle vierzehn Tage die zahlenden Schulen seines Bezirks. Bei jedem Besuche hinterläfst er im Schullokal eine Bescheinigung, aus welcher hervorgeht, dafs der Besuch stattgefunden hat, und welche das Resultat angibt. Aufsergewöhnliche Besuche haben jedesmal stattzufinden, wenn die Notwendigkeit derselben erwiesen ist, namentlich im Falle von Epidemien.

6. Neu eingeschriebene Schüler der Freischulen werden nicht endgültig zum Schulbesuche zugelassen, ehe sie von dem Aufsichtsarzt untersucht worden sind, welcher das Resultat seiner Untersuchung in ein eigenes Buch einträgt.

7. Die Aufsicht erstreckt sich hauptsächlich auf die Reinlichkeit der Schulräume und der damit zusammenhängenden Baulichkeiten, auf das Mobiliar, auf die Heizung, Beleuchtung und Ventilation, auf die Reinlichkeit der Schüler, auf das Vorhandensein von Schmarotzerkrankheiten der Haut oder des Haarbodens, auf Ausflüsse aus Nase oder Ohren, auf schlechte Haltung etc. Der Aufsichtsarzt hat Gelegenheit zu ergreifen, um sich mit den Lehrern und Lehrerinnen über die verschiedenen Punkte der Schulhygiene zu unterhalten.

8. Er hat alles anzuführen, was ihm im Schulregimente und in der Unterrichtsmethode als gesundheitswidrig erscheint.

9. Er hat dem Lehrpersonal die ersten Anzeichen ansteckender Krankheiten zu erklären und läfst Kinder, welche diese Anzeichen aufweisen, ihren Eltern zurückschicken. Diese Kinder werden nur gegen ein Zeugnis wieder zugelassen, dafs ihr Wiedereintritt weder ihnen noch ihren Mitschülern schäd-

lich sei. Dieselben werden dem Aufsichtsarzt bei seinem nächsten Besuche vorgeführt.

10. Jeden Monat hat dieser dem Schulvorstande einen Bericht über die Gesundheitsverhältnisse der Schulen seines Bezirks, die Krankheiten und Unglücksfälle, die er während des Monats beobachtet hat, und die Besserungsvorschläge, die er machen zu müssen glaubt, vorzulegen.

11. Die Zähne der Schüler sollen mindestens zweimal jährlich, die Augen einmal jährlich von Spezialärzten untersucht werden.

12. Wenn bei Schülern von Freischulen Krankheiten konstatiert werden, welche dieselben nicht verhindern, dem Unterricht zu folgen, z. B. Blutarmut, allgemeine Schwäche oder Anlage zu gewissen Krankheiten, so sind diese Schüler im Schullokal selbst einer vorbeugenden Behandlung zu unterwerfen, welche von dem Aufsichtsarzt angeordnet und seinen Vorschriften gemäß von dem Oberlehrer oder der Oberlehrerin geleitet wird, und zwar in der Weise, daß dadurch keine Störung des Unterrichts erfolgt. Ein spezielles Buch gibt die Namen dieser Schüler, die Gründe der Behandlung, die angewandten Mittel und die erzielten Erfolge an. Alle drei Monate hat der Aufsichtsarzt hierüber dem Schulvorstande einen Bericht einzuhändigen.

13. In den Freischulen hat der Aufsichtsarzt die zweite Impfung aller Schüler vorzunehmen, welche ihr zehntes Jahr erreicht haben und noch nicht zum zweiten Male geimpft worden sind.

Aus Versammlungen und Vereinen.

Schulhygienische Vorrichtungen und Apparate.

Wie die Berliner, so war auch die Wiesbadener Naturforscherversammlung mit einer Ausstellung wissenschaftlicher Instrumente, Apparate und Modelle verbunden. Wir heben daraus dasjenige hervor, was ein besonderes schulhygienisches Interesse darbietet.

LUDWIG BARON aus Breslau hatte eine Sammlung von Modellen zur Geschichte der Subsellien ausgestellt. Diese Modelle sind in der Größe von 1 : 10 teils nach Zeichnungen aus den einschlägigen Arbeiten von Professor Dr. H. COHN, Docent Dr. A. BAGINSKY etc., teils nach der Natur angefertigt und in allen wesentlichen Teilen genau dem Originale entsprechend. Ausgewählt sind 20 Modelle, welche die wichtigsten und interessantesten Schulbänke zur Anschauung bringen. Es sind dieselben, welche auch auf dem Wiener Kongresse für Hygiene und Demographie vertreten waren.[1] Ihr Preis beträgt 50 Mark.

Der Berliner Orthopäde, Dr. F. BEELY, legte ein orthopädisches Korsett für junge Mädchen mit Schiefwuchs vor. Dasselbe ist im wesentlichen eine Wiederholung des im Centralblatt für orthopädische Chirurgie und Mechanik, Jahrg. 1885, No. 1 beschriebenen Stützapparates für die Wirbelsäule. Nur in Bezug auf das verwandte Material, sowie auf die Form und Anordnung der Schienen sind einige Veränderungen getroffen. Die Verwendung von Fischbeinstäben ist möglichst eingeschränkt worden, weil durch dieselben das Gewicht des Apparates vermehrt wird, ohne daß sie in entsprechendem Grade zu größerer Haltbarkeit beitragen. Ebenso werden Filzeinlagen an der Innenseite des Korsetts, die zur Ausfüllung konkaver Stellen des Körpers dienen, nur noch in seltenen Fällen angebracht. Ferner ist der obere Rand der weich gepolsterten Armstützen nach außen hin umgebogen worden, so daß die Auflage für den Arm dadurch breiter wird. Eine nähere, durch Illustrationen veranschaulichte Beschreibung findet sich in dem genannten Centralblatte vom 1. Januar 1888.

Gleichfalls ein neustes Korsett für Skoliosen war von FR. DRÖLL in Mannheim ausgestellt. Dasselbe ist nach

---

[1] Vgl. diese Zeitschrift, 1888, No. 3, S. 93.

den Angaben des Professors der Chirurgie Dr. CZERNY in Heidelberg gefertigt.

CARL ELSÄSSER aus Schönau bei Heidelberg hatte verstellbare Schulbänke zur Verwendung in der Familie eingesandt. Die Abmessungen dieser nach drei Richtungen verstellbaren Subsellien entsprechen den Größenverhältnissen des Schülers vom 6. bis zum 18. Lebensjahre.

Von Dr. ERNST FISCHER zu Straßburg i. E. rührte ein Apparat zum Wiegen und Messen für Skoliotische her. Derselbe besteht aus einem Gestell, dessen Boden zwei gleich hohe Wagschalen zweier Dezimalwagen bilden, auf welche der zu Untersuchende gestellt, und durch welche der von dem rechten bezw. dem linken Beine getragene Teil des Körpergewichtes bestimmt wird. Zugleich ist ein Senkblei vorhanden, welches über den Wagschalen genau in der Mitte zwischen denselben von einem Ständer herunterhängt und den Zweck hat, zu zeigen, wie sich bei der Haltung des zu Untersuchenden die Längsachse des Körpers und die einzelnen Körperteile, z. B. die Wirbelsäule, die Schultern, der Brustkasten, das Becken u. s. w. zu dem Senklot verhalten. Der Apparat wird von Fabrikant DÜRR in Straßburg angefertigt.

Gleichfalls auf Skoliose bezieht sich ein Phantom von O. W. FLEISCHMANN in Nürnberg, welches ein aus Papiermasse nachgebildetes, durch eine enorme seitliche Ausbiegung der Wirbelsäule verkrümmtes Skelett mit dem skoliotisch-schräg-verengten Becken darstellt.

Ein Universal-Kinderschreibpult, für jede Größe verstellbar, war von MAX HERMANN in Berlin eingeschickt.

Dr. TH. KÖLLIKER in Leipzig stellte eine Maschine für Skoliotische aus. Sie bildet eine Kombination von Stützapparat mit elastischen Zügen. Außerdem wurde eine NYROPsche Skoliosenmaschine mit Charnier-Druckpelote sowie eine Bandage für Skoliotische von Dr. KÖLLIKER vorgelegt. Die letztere ist eine elastische Zugbandage und

---

[1] S. diese Zeitschrift, 1888, No. 5, S. 166.

zieht die Schultern nicht nach vorn und hinten wie die FISCHERsche Bandage, sondern nach innen und aufsen.

LORENZ PETRY in Wiesbaden hatte ein Pelotenkorsett mit abnehmbarer Kopfstange zum Geradehalten nach den Angaben B. VON LANGENBECKS eingeliefert. Während dieses für schwerere Fälle dienen soll, ist für leichtere Fälle ein anderes Korsett mit Geradehalter (Y-förmige Feder und Armschlingen) bestimmt.

Von H. REIM in Berlin rührte ein Stützapparat für seitliche Verkrümmungen der Wirbelsäule her.

Dem bekannten Dr. FELIX SCHENK in Bern verdankte die Ausstellung einen hygienischen Arbeitstisch für Schule und Haus. Letzterer hat bereits in dem Centralblatt für orthopädische Chirurgie, 1887, No. 12 und 1888, No. 2, sowie in dem Korrespondenzblatt für Schweizer Ärzte, 1887, No. 11[1] eine Beschreibung gefunden. Sitz und Rückenlehne sind so stark nach hinten geneigt, dafs der Oberkörper, seiner eigenen Schwere überlassen, nach hinten und nicht nach vorn übersinkt. So wird er dauernd aufrecht erhalten, ohne dafs die Rückenmuskeln angestrengt zu werden brauchen. Die Tischkonstruktion gestattet nun, dafs diese aufrechte, zurückgelehnte Körperhaltung auch während des Schreibens und Lesens auf der Tischplatte beibehalten werden kann, weil vermittels eines vollständig neuen Mechanismus zum Arbeiten eine Minusdistanz von 12 cm, dagegen zum Aufstehen, sowie zum Ein- und Austreten eine Plusdistanz von 18 cm geschaffen wird.

Bemerkenswert ist auch ein Retroflexions- und Stützapparat mit Spiral-Gummibandage für Skoliose von E. STORK in Wiesbaden. Die Anordnung ist diejenige für S-förmige Skoliose. Der Apparat erzielt durch eingebogene Rückenstange mit Armkrüken eine gute Rumpfstellung. Er nimmt der Wirbelsäule des Schultergürtels zum Teil ab und überträgt diese auf das Becken; der Beckengurt ist dafür mit zur Verhinderung des Abwärtsrutschens versehen. Die Spiralgummibandage übt einen redressierenden Zug resp. Druck auf die hervorstehenden Rippen aus. Die Rücken- stange ist durch Schlitz und Schraubenmutter in ihrer Stellung regulierbar, um den Bandagenzug kompensieren zu können.

Ebenfalls von Dr. F. STAFFEL ist endlich ein Kreuz- lehnstuhl nebst Schreibpültchen mit Stirnrahmen ausgestellt worden, worüber in dem Jahrbuche für Kinder- heilkunde, neue Folge, Bd. XXVII, Hft. 1, sowie in dem Cen- tralblatt für orthopädische Chirurgie und Mechanik, 1888, No. 1 bereits berichtet ist. Der Stirnrahmen, welcher die allzu grofse Annäherung der Augen an die Schrift oder son- stige Arbeit verhindern soll, besteht aus zwei senkrechten durchlöcherten Stäben von Eisen, welche sich an Pult, Tisch, Zeichenbrett u. s. w. anschrauben lassen. Dieselben sind um einen starken Nietbolzen drehbar, so dafs sie nach vorwärts und rückwärts gedreht werden können. Zwischen diese senkrechten Stützen wird ein Lineal in horizontaler Richtung so eingelegt, dafs der Arbeitende sich mit der Stirn an dasselbe anlehnen kann. Die erwähnten Löcher in den Stützen ermöglichen eine höhere oder tiefere Stellung des Lineals je nach der Gröfse des Arbeitenden.

Internationaler Kongrefs für Ferienkolonien und verwandte Bestrebungen der Kinderhygiene in Zürich
am 13. und 14. August 1888.
(Original Bericht.)

Die folgenden Zeilen wollen unsern Lesern nur einen kurzen Über- blick über den Verlauf des Kongresses geben, welcher viel Anregendes und Interessantes geboten hat. Ein offizieller, ausführlicher Bericht, auf Grundlage der von den einzelnen Rednern eingelieferten Manuskripte, von einem besondern Redaktionsausschufs bearbeitet, wird als Beilage einem der nächsten Hefte unsrer Zeitschrift beigegeben werden.

Die Teilnahme an dem Kongresse war eine sehr rege und in der Eröffnungssitzung konnte die Vertretung von sechs Ländern festgestellt werden; im Laufe des Kongresses fanden sich dann noch weitere aus- wärtige Mitglieder ein, so dafs schliefslich solche aus der Schweiz, aus Deutschland, Österreich-Ungarn, Frankreich, Belgien, Italien, Rufsland, Luxemburg und Spanien in die Mitgliederliste aufgenommen werden konnten. Die Versammlungen selbst erfreuten sich andauernd, trotz ihrer bisweilen recht beträchtlichen Länge und der wahrhaft tropischen Temperatur in jenen Tagen, eines sehr regen Besuches. Es mag die Zahl der Teilnehmer zwischen 100 und 150 geschwankt haben.

Am Sonntag den 12. August erfolgte von Nachmittags 4 Uhr an der Empfang der fremden Gäste und die Austeilung der Mitgliederkarten in einem Bureau des grofsartigen Zentralbahnhofes.

Am Abend desselben Tages fand eine zwanglose Zusammenkunft im Central-Hôtel statt. Eine lebhafte Unterhaltung in einzelnen Gruppen entwickelte sich dort bald; alte Bekannte freuten sich des Wiedersehens; Männer, die vielleicht schon lange in regem, brieflichem Verkehr gestanden, nutzten die nun gemachte persönliche Bekanntschaft zum mündlichen Austausch ihrer Erfahrungen und Anschauungen aus. Dank der liebenswürdigen Vermittlung der Züricher Herren knüpfte auch der Unbekannte leicht Bekanntschaften an, so dafs auch hier dann manche Frage des Kongresses schon eingehende Erörterung im behaglichen Gespräch beim Glase Wein oder Bier finden konnte.

Im Laufe des Abends begrüfste Herr Stadtrat KOLLER aus Zürich, welcher während des ganzen Kongresses in unermüdlicher, liebenswürdiger Weise für das Wohl der Gäste sorgte, in herzlichen Worten die Anwesenden; die Schweiz trenne mächtige Staaten durch ihre Lage, aber anderseits erkenne sie dadurch die Verpflichtung an, auf der idealen Seite eine Verbindung der Nationen herbeizuführen; so sei auch der jetzt tagende Kongrefs, der in hervorragender Weise idealen Zwecken, denen der allgemeinen Menschlichkeit und Wohlthätigkeit, sich zuwende, ein solches Bindeglied, und diesen idealen Zielen gelte sein Hoch, das aufs lebhafteste erwidert wurde.

Erste Sitzung.

Am Montag den 13. August vormittags 9¼ Uhr eröffnete der um den Kongrefs und die durch denselben zu fördernden edlen Ziele so hochverdiente Herr Pfarrer BION die erste Sitzung.

Derselbe gab einen historischen Rückblick über die Entstehung und Entwicklung der Ferienkolonien, wies auf die frühern Versammlungen in Deutschland hin und begrüfste sodann die Vertreter des hohen Bundesrates der Schweiz, sowie der Regierung der Stadt Zürich, diejenigen des französischen Unterrichtsministeriums, sowie zahlreicher Vereine und die übrigen Teilnehmer. Nachdem sodann aus den z. Zt. vertretenen sechs Ländern je ein Präsident erwählt worden war, und zwar für die Schweiz Herr BION, für Deutschland Herr RÖSTEL, für Österreich-Ungarn Herr STURM, für Frankreich Herr STEEG, für Italien Herr DE CRISTOFORIS, für Belgien Herr MACARD, gelangten einige Begrüfsungstelegramme zur Verlesung, unter denen dasjenige der Kaiserin-Königin FRIEDRICH besondre Freude hervorrief.

Es hält hierauf Herr Professor OSCAR WYSS - Zürich seinen Vortrag
über den Einfluß der Ferienkolonien in physischer Beziehung. Redner nimmt vor allem Bezug auf die sehr verschiedenartigen Wirkungen derselben bez. in der Gewichtszunahme, des Brustumfangs, auf die Schwankungen der Zahlen bei den Kraftmessungen mit
Dynamometern. Besonders interessant war die Mitteilung, daß einer der
Assistenten des Redners mikroskopische Blutuntersuchungen bei den
Kindern vor und nach dem Aufenthalt in den Ferienkolonien gemacht
habe. — Redner spricht sich entschieden für Beibehaltung der Messungen
vor und nach dem Besuch der Ferienkolonien aus. Es seien möglichst
genaue Spezifikationen der Wägungen zu erstreben, mit Notizen über
Wetter, Temperatur-Verhältnisse, Exkursionen etc.

Herr Dr. med. UNRUH - Dresden, Korreferent über dasselbe Thema,
hebt besonders hervor, daß die Gewichtsverhältnisse auch abhängig
seien von der Gleichartigkeit bez. Verschiedenartigkeit der Ernährung
zu Hause und in den Kolonien und warnt somit vor einseitiger Beurteilung der Ergebnisse der bez. statistischen Aufnahmen. Des weitern
warnt derselbe dringend vor dem Genuß ungekochter Milch an allen
Plätzen, wo nicht die Gesundheit der Tiere einer sachverständigen,
strengen Kontrolle unterliege.

Herr Schuldirektor Dr. VEITH - Frankfurt am Main bespricht die
pädagogisch-moralischen Erfolge der Ferienkolonien an
der Hand der im Programm aufgestellten Fragen in eingehender Weise
und wünscht vor allem auch eine zu große geistige Anregung der Kinder
vermieden, da sonst die gewünschten guten Erfolge, die erstrebte Erholung der Kinder unmöglich erzielt werden kann.

Herr Realschullehrer REDDERSEN - Bremen berichtet aus seinen
Erfahrungen über die Ferienkolonien, daß er gute Resultate mit Selbstbeköstigung gemacht habe, sowohl in pekuniärer Hinsicht, als auch mit
Rücksicht darauf, daß dadurch etw. individuellen Bedürfnissen entsprochen werden kann. Selbstbeköstigung lasse ein eigenes Sommer-
pflegehaus erstreben, in erster Linie als Genesungshaus nach Krankheiten, als Nachkurhaus nach dem Besuch eines See- oder Soolbades.
In sehr beherzigenswerter Weise hebt Redner dann hervor, daß die
Wohlthaten der Ferienkolonien u. dgl. nicht nur Armen als Almosen,
sondern auch weniger Bemittelten für, wenn auch geringste, Beiträge
sollten zu Teil werden. (An einigen Orten, z. B. in Hamburg, wird
schon so verfahren. Ref.)

In meisterhafter Weise resumiert nunmehr Herr JULES STEEG-
Paris in französischer Sprache die bisherigen Verhandlungen und
knüpft daran Mitteilungen über die entsprechenden Verhältnisse in
Frankreich. In verschiedenen Departements gibt es bereits „Colonies
de vacances". Mehrere Arrondissements von Paris haben im vorigen

Jahre Vereinigungen gegründet für Einrichtung von Ferienkolonien;
dieselben werden untergebracht in Seminargebäuden, Lyceen, überhaupt
Schulgebäuden, event. sogar in Gasthöfen guten Rufes. „Colonies sanitaires" gibt es in Bayonne, Bordeaux, Lyon und andern Orten. Die
erforderlichen Mittel werden auf verschiedene Art aufgebracht, so auch
durch Schülerbeiträge.

Herr Dr. EMIL GOUBERT-Paris verliest hierauf einen eingehenden
Bericht über das bisher in Frankreich auf diesen Gebieten Geleistete.

Herr DE CRISTOFORIS-Mailand plädiert in lebhafter Weise dafür, dafs
die Wohlthaten der Ferienkolonien nur gratis zu geben seien, und alle
Kinder prinzipiell ausgeschlossen werden müfsten, für welche Beiträge
bezahlt werden sollten. Auch dieser Redner, wie es schon vorher
namentlich Herr VEITH gethan, schildert in lebhaften Farben die, bisweilen geradezu grofsartigen Erfolge, welche erzielt werden. Redner
ist ein begeisterter Vertreter genauer statistischer Aufnahmen bez.
Wägungen, Messungen der Muskelkraft, des Brustumfangs etc. etc.
und will dafür einheitliche Methoden in allen Ländern eingeführt
wissen. Diesbez. Thesen, welche am Schlusse des Kongresses verlesen
werden, gelangen zur Kenntnisnahme, ohne dafs doch der Kongrefs
sich dieselben zu eigen machen will.

Herr Professor STURM-Budapest macht Mitteilung über die Verhältnisse in Ungarn, woselbst auch die erfreulichsten Erfahrungen
gemacht sind, wenn auch in mancher Beziehung die Einrichtungen von
den bisher geschilderten abweichen.

Herr Bürgermeister BAUSCH-Düsseldorf meint, die Hauptsache sei
die physische Seite, hinter welcher die erziehliche zurücktreten könne.

Herr Pfarrer MITTENDORF aus Genf führt, anknüpfend an die
Forderungen DE CRISTOFORIS', aus, dafs eine einheitliche Instruktion für
die Untersuchungen mit Austausch der Erfahrungen, die Errichtung
eines Zentralbureaus nach sich ziehe zur Verarbeitung der Eingänge
und zu deren regelmäfsiger Veröffentlichung.

Herr Stadtrat RÖSTEL-Berlin warnt eindringlich vor Überschätzung
der Wägungen. Gewichtszunahme und -abnahme hat nicht immer
dieselbe Bedeutung für alle Kinder; auch zu Hause bleibende Kinder
nahmen an Gewicht zu.

Zweite Sitzung.

Am Montag Nachmittag 3¼ Uhr eröffnete Herr JULES STEEG
die zweite Sitzung mit einigen einleitenden Worten und erteilte zunächst
Herrn Dr. KEREZ-Zürich das Wort zu einem längeren Vortrag über
Sanatorien, Seehospize für rhachitische und skrofulöse
Kinder. Der Redner gab zuvörderst einen historischen Überblick über
die Gründung von Seehospizen, welche zuerst in der Mitte des 18. Jahrhunderts in England vorkommen und von da ihren Weg nach Frankreich,

Deutschland, Österreich und Italien gemacht haben. Dreierlei Heilstätten sind zu unterscheiden: Seehospize, Soolbäder und Höhensanatorien. Eingehend verbreitet sich Redner namentlich über die Heilstätte für rhachitische und skrofulöse Kinder in Unterägeri.

Herr Pfarrer BERT-Genua erstattet sodann einen längern Bericht über die Heilstätten für rhachitische Kinder in Genua.

Nach dem Schluß der Sitzung fand eine Besichtigung der Schulspiele in der Platzpromenade unter Leitung des Herrn Sekundarlehrers SCHURTER statt. Diese Schulspiele sind in die Lehrpläne der Schulen aufgenommen und finden abteilungsweise unter Leitung von Lehrern statt. Es ist eine wahre Freude die Kinder bei den verschiedenen Spielen, Football, Ballspiel, Reifenwerfen, Armbrustschießen u. s. w. zu sehen und das liebevolle Eingehen der Lehrer auf die geisterfrischenden und körperkräftigenden Vergnügungen der Kinder zu beobachten.

Dritte Sitzung.

Am Dienstag Morgen eröffnete Herr RÖSTEL-Berlin die Sitzung und erteilt, nach einigen geschäftlichen Mitteilungen, Herrn Rat JUNG aus München das Wort zu seinem Vortrage über Kinderhorte. Nach einem historischen Rückblicke über die bisherigen Einrichtungen von Kinderhorten u. ähnl. gibt Redner eine eingehende Schilderung dessen, was diese Horte bezwecken sollen, was durch sie geleistet werden kann, indem er eine scharfe Trennung derselben von andern Bestrebungen durchgeführt wissen will. Aus seiner reichen Erfahrung gibt Redner viele Beispiele und Winke für richtige Beschäftigung und Anregungen der Kinder. Die Kinderhorte sollen kein Ersatz der Schulen sein, sondern nur nach Schluß dieser ihre Pforten öffnen. Als Leiter ist am besten ein kinderfreundlicher, tüchtiger Volksschullehrer. Redner regt die Errichtung von Lehrlingshorten an, verbunden mit Sommerausflügen, welche aus kleinsten wöchentlichen oder monatlichen Beiträgen der Teilnehmer bestritten werden.

Herr Lehrer PFISLER-Zürich, Leiter der Züricher Knabenhorte, berichtet in seinem eingehenden, außerordentlich lehrreichen Vortrag über die Entwickelung der Jugendhorte in der Schweiz. Derselbe ist gegen eine zu große Zahl von Kindern in den Kinderhorten, da sonst der erziehliche Einfluß unmöglich; auch gegen den Handfertigkeitsunterricht in den Knabenhorten wendet sich Redner, da derselbe nach der Schulzeit und nach den Schularbeiten von neuem geistige Anstrengung hervorruft.

Nach einem Resumé der bisherigen Vorträge in französischer Sprache durch Herrn STEEG spricht Herr Professor HAAB-Zürich über die schulhygienischen Bestrebungen in Zürich mit besonderer Berücksichtigung der Augenuntersuchungen. Redner nimmt nicht an, daß die Myopie lediglich der Schule zur Last gelegt werden könne, in den meisten Fällen ist nur ein zeitlicher, aber kein kausaler Zusammenhang vorhanden; doch ist diese Frage noch nicht spruchreif, das wird sie erst nach einer grofsen Reihe von jahrelang fortgesetzten Untersuchungen sein; unter den romanischen Analphabeten z. B. ist die Kurzsichtigkeit auch sehr verbreitet. — Durch die Augenuntersuchungen soll festgestellt werden einerseits die Sehschärfe und anderseits, wieviele Augen abnorm, d. h. kurz- oder weitsichtig sind. Die Kenntnis der Resultate erleichtert dem Lehrer den Verkehr mit den Schülern. Die sogen. Ungezogenheiten der Kinder, schlechtes Halten des Kopfes u. ähnl. beruhen in 90% der Fälle auf fehlerhafter Anlage der Augen oder sonstiger Organe. Redner sieht Myopie als ein sehr ernsthaftes Leiden an, das energisch zu bekämpfen ist.

Es folgt nun eine Diskussion über Kinderhorte, in welcher Herr REDDERSEN-Bremen auch seiner Ansicht dahin Ausdruck gibt, dafs Handfertigkeitsunterricht und Knabenhorte getrennt zu halten seien und drei Gesichtspunkte bei der Beschäftigung der Kinder in letztern im Auge zu behalten seien: das Unterhaltende, das Belehrende und das praktisch Nützliche.

Herr VEITH-Frankfurt a. M. erörtert die verschiedenen, am besten zu verwendenden Beschäftigungsarten und hebt namentlich hervor, dafs bei Einrichtung von Knabenhorten wie bei derjenigen von Ferienkolonien die lokalen Verhältnisse mafsgebend sein müssen, dafs aber die Kinderhorte nicht als ein Ersatz der Familie angesehen werden sollen, sondern als ein Schutz der dessen bedürftigen Kinder vor den Gefahren des Strafsenlebens.

Der Vorsitzende Herr RÖSTEL fafst das Gesagte noch einmal zusammen und fügt weiter hinzu, wie die Kinderhorte segensreich wirken können, denn, da ihr Material sich wesentlich aus denjenigen rekrutiert, aus welchen auch die Zwangs-Erziehungsanstalten ihre Zöglinge erhalten, die letztern aber gröfstenteils schlechte Erfolge aufzuweisen haben, so kann die Unterbringung der Kinder in Kinderhorten vielfach als Vorbeugungsmafsregel dienen.

Herr BION übernimmt den Vorsitz und macht einige geschäftliche Mitteilungen.

Herr VEITH appelliert an die Versammlung, die fürsorglichen Bestrebungen nicht nur den wirklich armen Kindern zu widmen, sondern namentlich auch denen, deren Familien nur in bescheidenem Mafse Ausgaben machen können, welche die notwendigen des täglichen Lebensunterhalts übersteigen. Möglichst ist aber die Fürsorge auszudehnen auf alle Schulkinder.

Es erhält zunächst noch das Wort Herr MANUEL B. COSSIO aus Madrid, welcher auch seinerseits den Kongrefs begrüfst und über das in Spanien bisher Erreichte kurz Mitteilungen macht.

Der Vorsitzende berichtet nunmehr über die Verhandlungen des Präsidentenausschusses bez. Gründung eines eigenen internationalen Organs. Es wird von einem solchen abgesehen und in erster Linie die „Zeitschrift für Schulgesundheitspfege" den Mitgliedern des Kongresses empfohlen, welche durch ihre in allen Ländern ansässigen Mitarbeiter und dadurch, daß sie Berichte über die einschlägigen Verhältnisse aller Nationen enthält, thatsächlich schon ein internationales Organ darstellt. Es werden ferner für kleinere populäre Mitteilungen noch die Zeitschriften „Nordwest" und „Volkswohl" empfohlen.

Der Präsidentenausschuß wird permanent erklärt; derselbe wird eine Art Zentralstelle der einschlägigen Bestrebungen bilden, an die dann auch alle bezüglichen Anfragen, Einsendungen etc. zu richten sind und zwar möglichst zu Händen des Herrn Pfarrer Bion in Zürich. Auch die Frage, wann und wo etwa ein weiterer internationaler Kongreß zu veranstalten sei, wird von dem genannten Ausschuß zu geeigneter Zeit in Erwägung gezogen werden.

Es gelangen die bereits vorher erwähnten Thesen des Herrn DE Christoforis zur Verlesung, und auf Anregung des Herrn Sturm wird allen Verkehrsanstalten, welche den Ferienkolonisten Erleichterung in den Beförderungskosten gewähren, der Dank ausgesprochen und daran die Hoffnung geknüpft, daß immer mehr Verwaltungen auf diesem Wege folgen werden.

Nachdem nunmehr Herr Steeg die letzten Verhandlungen wiederum kurz in französischer Sprache zusammengefaßt und Herr Göhrs-Straßburg unter lebhafter Zustimmung der Versammlung deren Dank und Anerkennung dem allverehrten und hochverdienten Herrn Pfarrer Bion ausgesprochen hat, wird die Versammlung und somit der Kongreß geschlossen.

Ein Festmahl vereinigte sodann die Kongreßmitglieder und ihre Damen in den Räumen des Hotel Bellevue. Manch' guter Trunk ward gethan, manch' gutes Wort geredet. Herr Pfarrer Bion brachte das erste Hoch auf die Schweiz aus. Herr Bundesrat Schenk aus Bern (der bekannte frühere Präsident der Schweiz) begrüßte die Vertreter der fremden Nationen, Herr Regierungsrat Grob aus Zürich feierte in längerer Rede die Bestrebungen des Kongresses. So knüpfte sich ein Toast an den andern, bis die Kette der Reden unterbrochen werden mußte, da ein Dampfschiff unserer harrte zur herrlichsten Rundfahrt auf dem Zürichsee. Es kann nicht Aufgabe des Kongreßberichterstatters sein, den vielen begeisterten Schilderungen Zürichs und seiner Umgebung noch eine weitere hinzufügen zu wollen. Offen gestanden, würden auch seine Kräfte dazu nicht ausreichen. An der Halbinsel Au wurde Halt gemacht, und auf der Höhe derselben bei einem von der

Stadt Zürich kredenzten Trunk ergossen sich von neuem die Fluten der Beredsamkeit, und in den herrlichen Abend hinaus erschollen traute Weisen in Solo- und Chorgesang. Bei der Rückkehr nach der Stadt erwartete unser ein märchenhafter Anblick, eine sogen. venetianische Nacht auf dem Zürichsee. Hunderte von kleinern und gröfsern Fahrzeugen, aufs reichste mit bunten Laternen geschmückt, fuhren unter den Klängen der auf Schiffen und am Lande befindlichen Musikkapellen in buntem Durcheinander am Ufer auf und ab. Ein klarer Himmel und herrliche Mondespracht begünstigte die Seefahrt, welche den arbeitsreichen Tagen einen erquickenden Abschlufs brachte.

Am Mittwoch Vormittag wurden in verschiedenen Gruppen die Sehenswürdigkeiten der Stadt besichtigt. Schreiber dieses hatte die Freude, eine eingehende Besichtigung des grofsartigen Polytechnikums vornehmen zu können, das mit seinen wertvollen Sammlungen eine wohlbegründete Ehrenstelle unter den Schwesteranstalten einnimmt. Für die sachverständige Führung durch das neue chemische Laboratorium, das allen neuen ähnlichen Instituten als Muster vorzüglicher Einrichtung dient, sind wir noch zu besonderm Dank verpflichtet. Besonders interessant war danach der Besuch in dem „Schwesternhaus zum roten Kreuz", einem wirklich musterhaft eingerichteten kleinen Krankenhaus, das wiederum seine Entstehung und segensreiche Wirkung dem unermüdlichen Pfarrer BION verdankt.

In sehr dankenswerter Weise war mit dem Kongrefs eine kleine litterarische Ausstellung verbunden, welche folgende Gruppen umschlofs: Ferienkolonien, Knabenhandarbeit, Ansteckende Krankheiten in der Schule, Gesundheitslehre in der Schule, Kinderhorte, Schulgärten, Speisung armer Schulkinder, Kindersoolbäder, Ländliche Sanatorien für Kinder, Institute für rhachitische Kinder. Ein näheres Verzeichnis werden unsre Leser später mit dem offiziellen, ausführlichen Kongrefsbericht erhalten.

MAASS.

Preisausschreiben zur Erlangung hygienischer Lesestücke für deutsche Volksschullesebücher.

Von dem Vorstande des niederrheinischen Vereins für öffentliche Gesundheitspflege geht uns das Folgende mit der Bitte um Veröffentlichung zu:

Preisausschreiben.

Der Niederrheinische Verein für öffentliche Gesundheitspflege wünscht auf dem Wege des Preisausschreibens eine gröfsere Zahl von Aufsätzen über Gegenstände der Gesundheitspflege zu erhalten, welche sich als Lesestücke für deutsche Volksschullesebücher eignen.

Diese Aufsätze müssen:

1. dem kindlichen Fassungsvermögen der Schulkinder im Lebensalter von 8—14 Jahren angepaßt und

2. kurz sein, d. h. den Umfang von 2, höchstens 3 Druckseiten
(Oktav — 10¹/₂ : 17 cm — bei deutlich großer Druckschrift) nicht übersteigen;

3. der Inhalt der Aufsätze soll sich auf die Gesundheitspflege des
einzelnen Menschen und des Hauses, sowie auch auf die öffentliche
Gesundheitspflege beziehen.

Es sollen bis zu 30 Aufsätze belohnt werden und zwar jeder Aufsatz mit 30 Mark.

Die Aufsätze sind bis zum 1. Januar 1889 an den Sekretär des
Vereins, Herrn Sanitätsrat Dr. LENT in Köln, kostenfrei einzusenden;
der Name des Verfassers ist in einem mit einem Zeichen oder Motto
versehenen verschlossenen Briefumschlage beizufügen; die Handschrift
muß das gleiche Zeichen oder Motto tragen.

Die von den Preisrichtern des Preises würdig erkannten Aufsätze
werden Eigentum des Vereins. Der Verein beabsichtigt, die preisge-
krönten Aufsätze im Druck zu veröffentlichen zu dem Zwecke, daß die
Herausgeber von Volksschullesebüchern diese Aufsätze kostenfrei, nur
mit Angabe der Quelle, benutzen können.

Das Preisrichteramt werden ausüben:

1. Herr Oberbürgermeister BECKER in Köln,
2. Herr Schulinspektor Dr. BOODSTEIN in Elberfeld,
3. Herr Geh. Sanitätsrat Dr. GRAF in Elberfeld,
4. Herr Sanitätsrat Dr. LENT in Köln,
5. Herr Regierungs- und Schulrat Dr. SCHÖNEN in Köln.

Die deutsche Tagespresse, die deutschen medizinischen, hygienischen
und pädagogischen Zeitschriften werden im Interesse des Zwecks um
kostenfreie Veröffentlichung dieses Preisausschreibens gebeten.

Preisfrage, betreffend die Überbürdung der Schulkinder. Die
medizinisch-chirurgische Gesellschaft des Kantons Bern hat folgende
Preisfrage gestellt: „Inwieweit sind die Vorwürfe wegen Überbürdung der Kinder in den Schulen eines bestimmten schweizerischen Territoriums vom ärztlichen Standpunkt aus gerechtfertigt?"

Es handelt sich vor allem um positive Beobachtungen in einem
örtlich begrenzten, aber verschiedene Arten von Schulen darbietenden
Beobachtungskreis, um die sichere ätiologische Durchführung dieser Beobachtungen auf zu hohe Ansprüche der Schule und um Untersuchungen
über die relative Frequenz solcher Fälle bei verschiedenen Schulen.
Bloß theoretische oder kompilatorische Arbeiten könnten nicht berücksichtigt werden.

Für die Prämiierung der eingehenden Arbeiten steht eine Summe
von Fr. 800 zur Verfügung. Die prämiierten Arbeiten werden Eigentum
der Gesellschaft; sie können jedoch gegen Einreichung einer kleinen
Zahl von Gratis-Exemplaren den Autoren zum Druck in ihrem eigenen
Nutzen überlassen werden. Falls die eingegangenen Arbeiten nicht genügen sollten, behält sich die Gesellschaft vor, eine zweite Ausschreibung
anzuordnen.

Die Bewerber haben ihre Arbeiten, in deutscher oder französischer
Sprache leserlich geschrieben, mit einem Motto versehen und von einem
mit dem gleichen Motto versehenen versiegelten Zettel begleitet, der
die Adresse des Autors trägt, bis zum 30. Juni 1889 an die Adresse
des unterzeichneten Präsidenten einzusenden.

Bern, 1. August 1888.

Namens der Gesellschaft:

Der Präsident: Prof. Dr. KOCHER.

Der Sekretär: Prof. Dr. SAHLI.

Kleinere Mitteilungen.

Zentralheizungen in den Schulen. Der städtische Gesundheitsrat
in Frankfurt a. M. hat bei dem dortigen Magistrate beantragt, für alle
grofsen, mit Zentralluftheizung versehenen Schulen hinfort besondere
Heizer anzustellen, um eine sachgemäfse Bedienung der Kaloriferen herbeizuführen. In der That wurde für den nächsten Haushaltsplan die
Anstellung eigener Heizer für 13 Schulen vorgesehen, von denen 11 Luft-,
2 Warmwasserheizung besitzen.

Kinderheime in Dresden. In Dresden besteht seit dem 25. Februar 1886 ein Verein „Kinderhort"; er verfolgt den Zweck, schulpflichtige Kinder, welche aus Mangel an häuslicher Aufsicht in Gefahr
sind, zu verwahrlosen, durch erziehliche Beschäftigung und anregende
Unterhaltung gegen diese Gefahr zu schützen und ihre geistige und
körperliche Entwickelung zu fördern. Die Mitgliederzahl betrug am
1. April 1888 fast 900, die Gesamteinnahme, zu der jedes Mitglied
jährlich mindestens 1 Mark beisteuert, 5152 Mark. Die Kinder
zahlen wöchentlich 30 Pfennige, doch gibt es auch halbe und ganze
Freistellen. Dafür erhalten dieselben Brot und Milch und werden täglich aufser Sonntags von 4 bis 7 Uhr durch Lehrer mit Schulaufgaben,
Handarbeiten, Gärtnerei, Spielen im Freien oder in den Zimmern, Lesen,
Singen, Erzählen u. drgl. beschäftigt. Bis jetzt hat der Verein 4 Knaben-
und 1 Mädchenheim gegründet und insgesamt 241 Zöglinge aufgenommen.

Das städtische Schulmuseum in Berlin, das am 10. Februar 1877 eröffnet wurde und der wissenschaftlichen und technischen Fortbildung der Lehrer und Lehrerinnen dienen will, besitzt auch eine Abteilung für Medizin und Hygiene.

Öffentliche Spielplätze für die Schuljugend in England. Spiel und Bewegung im Freien, so schreibt die „D. Turn-Zeitg.", werden bekanntlich in England in hervorragendster Weise gepflegt, und sind nicht nur die Lokal-Gesundheitsbehörden für die Leitung und Überwachung dieser so wichtigen Angelegenheit verpflichtet, sondern zwei große und wirksame Vereine, die „National health society" und die „Ladies sanitary association", verstehen es auch, unablässig die private Wohlthätigkeit zum Zwecke der Gründung von öffentlichen Spielplätzen wach zu halten. London besitzt jetzt 28 öffentliche Plätze, auf denen die Schuljugend unter Aufsicht der Lehrer ihre Turn-, Fecht-, Ball-, Lauf-, Spring- und Marschübungen, sowie Spiele betreibt. Bradford hat 7 große Spiel- und Erholungsplätze mit einem Kostenaufwand von 3,960,000 Mark hergerichtet; Birmingham hat deren 9, Leeds 5 und Manchester 11.

Teilnahme der russischen Landschaftsärzte an den Sitzungen der Kreisschulbehörden. Wie der „Med. Obsr. 7" mitteilt, wurde im November 1887 auf Ansuchen der Permschen Gouvernements-Landschaftsversammlung eine Allerhöchst bestätigte gesetzliche Bestimmung getroffen, um welche sich schon längere Zeit viele Landschaften bemüht hatten. Infolge eines Gutachtens des Ministers der Volksaufklärung hat das Ministerkomitee beschlossen, 1. Die Teilnahme der Landschaftsärzte an den Sitzungen der Kreisschulbehörden mit Stimmrecht in solchen Fragen zu gestatten, welche sich auf die sanitären Verhältnisse der Volksschulen beziehen; der betreffende Arzt soll durch den Vorsitzenden des Kreisschulrats zu der Sitzung eingeladen, sein Nichterscheinen aber nicht als Hindernis für das Zustandekommen derselben angesehen werden. 2. Dem Minister der Volksaufklärung anheimzustellen, ähnlichen Gesuchen der Landschaftsämter andrer Gouvernements zu willfahren.

Ansteckungsfähigkeit von **Hautkrankheiten der Pariser Volksschüler.** Der Gesundheitsrat des Seinedepartements hat auf Grund eines Berichtes des Sachverständigen, Herrn OLLIVIER, die Aufmerksamkeit der Schulärzte (médecins-inspecteurs des écoles) darauf gerichtet, daß Impetigo und Ekthyma, welche bei den die Volksschule besuchenden Kindern öfter vorkommen, möglicherweise ansteckend sind. Es wird daher darüber verhandelt, ob Kinder, welche an diesen Krankheiten leiden, vom Schulbesuche auszuschließen sind.

Revaccination der Schulkinder in Italien. In verschiedenen italienischen Städten, besonders in Mailand sind umfangreichere Pockenepidemien ausgebrochen. Da solche Epidemien öfter in Italien auftreten, so haben die Medizinalbehörden den Antrag gestellt, die Revaccination der Schuljugend gesetzlich einzuführen.

Befreiung vom Turnen in den Budapester Volksschulen. Im Schuljahre 1887/88 wurden von 8968 turnpflichtigen Kindern der Budapester Volksschulen 728, d. i. 8,1 % vom Turnen dispensiert. Als Ursachen der Befreiung figurierten, wie aus den Mitteilungen des hauptstädtischen statistischen Bureaus hervorgeht, die folgenden Krankheitsgruppen: allgemeine Körperschwäche 143 Fälle, Augenkrankheiten 102, Blutarmut 97, Rhachitis und Skrofulose 55, Knochenkrankheiten 54, Gelenkkrankheiten 53, Hernien 41, Herzfehler 39, Verkrümmungen der Wirbelsäule 34, Nervenkrankheiten 25, Erkrankungen der Respirationsorgane 22, Ohrenkrankheiten 16, verschiedene Krankheiten 47.

Die nachteiligen Wirkungen des Korsetts der Schülerinnen. Da viele Schülerinnen Korsetts tragen, so dürften die nachstehenden Mitteilungen DICKINSONS, die er in dem „New York med. journ." 1877, V, 507 ff. über „das Korsett, seinen Druck und die dadurch bedingten Lage- und Gestaltveränderungen der Organe" veröffentlicht hat, auch für die Leser unsrer Zeitschrift von Interesse sein. DICKINSON hat eine sinnreiche Methode erdacht, um den von einem Korsett ausgeübten Druck auf den Körper manometrisch zu messen. Mit Hilfe derselben hat er aufserordentlich hohe Zahlen gefunden: 20 k, 32, ja sogar 44 k. Ein fest geschnürtes Korsett übte den stärksten Druck in der Höhe der 6. bis 7. Rippe aus, und zwar betrug derselbe 0,812 k auf den Quadratzoll. Eine jede Bewegung der Korsettträgerin rief eine nicht unbedeutende Vermehrung dieses Druckes hervor. Die Zusammenschnürung der Brust durch das Korsett betrug im Mittel etwa 6 cm, die vitale Lungenkapazität wurde im Durchschnitt um 200 ccm verringert. Die grofsen Unterleibsdrüsen, namentlich die Leber (Schnürleber) erlitten eine Gestaltveränderung, und der ganze Beckenboden wurde doppelt so stark als bei der tiefsten Inspiration nach unten gedrängt. Verfasser ist der Meinung, dafs die kostale Atmung der Frauen zum gröfsten Teile vom Schnüren herrührt, da die nie geschnürten Indianerinnen den kosto-abdominalen Atemtypus des Mannes aufweisen. Dagegen läfst sich freilich einwenden, dafs bei uns die Frauen, welche nie ein Korsett anlegen, trotzdem den kostalen Atmungstypus zeigen.

Verbreitung von Krankheitskeimen durch Milch. Die Frage, ob Krankheitskeime durch Milch verbreitet werden können, ist auch für den Schulhygieniker insofern von Bedeutung, als in den Kinderhorten, sowie bei den Ferien- und Stadtkolonien die Ernährung mit Milch eine wichtige Rolle spielt. Namentlich in England ist diese Frage in den letzten Jahren bejahend beantwortet worden, da man bei verschiedenen Epidemien die Beobachtung gemacht hat, dafs die Milch zur Weiterverbreitung mancher Krankheiten beitragen kann. Infolgedessen besteht jetzt daselbst die Absicht, die Sanitätsgesetze durch eine Bestimmung zu erweitern, welche bald auch auf dem Festlande Nachahmung finden dürfte. Bei Ausbruch einer Epidemie sollen nämlich die Produzenten und Verkäufer von Milch verpflichtet sein, sofort der Sanitätsbehörde die Namen und Adressen ihrer Abnehmer anzugeben, sobald diese die Milch für verdächtig hält. Auf diese Weise hofft man rechtzeitig prophylaktische Mafsregeln treffen zu können. Ob freilich dieser Vorschlag im Parlamente zur Annahme gelangen wird, ist deswegen zweifelhaft, weil die Milchhändler darin eine Störung ihres Gewerbes erblicken und daher energisch gegen ein solches Gesetz ankämpfen.

Tagesgeschichtliches.

Förderung des Handfertigkeitsunterrichtes in Preufsen. Die Abgeordneten von SCHENCKENDORFF und von MINNIGERRODE haben, unterstützt von Mitgliedern aller Parteien, dem Unterrichtsminister, Herrn von GOSSLER, eine Eingabe überreicht, in welcher sie die Bitte aussprechen, zur weiteren Förderung des Arbeitsunterrichts in Preufsen besondere Mittel in den nächstjährigen Landesetat einstellen zu wollen. In der Motivierung heifst es nach der „Nationall. Korr." u. a.: „Der Arbeitsunterricht hat in den letzten Jahren wesentliche Fortschritte in seiner Gestaltung und Verbreitung gemacht. Mehr und mehr ist seine Bedeutung in erziehlicher, volkswirtschaftlicher und sozialer Hinsicht hervorgetreten, so dafs es gerechtfertigt erscheint, wenn auch die Allgemeinheit, welcher diese Bestrebungen dienen sollen, einen Anteil an den entstehenden Kosten wenigstens in denjenigen Fällen übernimmt, in welchen es sich um die Ausbildung von Lehrern und um die Einrichtung von Mafsregeln allgemeiner Natur zur Förderung dieses Unterrichtzweiges handelt." Dem Antrage ist eine ausführliche Denkschrift unsers Mitarbeiters, des Abgeordneten von SCHENCKENDORFF, beigefügt, in welcher die für die Befriedigung der dringendsten Bedürfnisse erforderlichen Mittel näher spezialisiert sind. Das Königreich Sachsen hat, wie die Denkschrift am Schlufs ausführt, unter einstimmiger Zustimmung der Landesvertretung schon seit mehreren Jahren 10,000 Mark im Kultusetat für diese Zwecke eingestellt. Schweden gewährt seit vielen Jahren eine laufende Unterstützung für die Erteilung dieses Unterrichts und verwendet im ganzen staatlicherseits etwa 80,000 Kronen

jährlich. In Frankreich ist der Arbeitsunterricht durch Gesetz vom
28. Mai 1882 für die Seminarien und Volksschulen obligatorisch eingeführt, doch ist das Gesetz noch nicht überall zur Durchführung gelangt.
Immerhin sind die staatlichen Beiträge erheblich. Wesentliche Beihilfen
gewähren in neuerer Zeit Dänemark und die Schweiz. In andern
Ländern, wie Belgien, Holland, Österreich, Italien und die russischen
Ostseeprovinzen, greift der Staat ebenfalls helfend ein. Die Anregung
zur Einstellung einer Position in den preußischen Etat für diese Zwecke
konnte bei der Etatsdebatte infolge des Todes des Kaisers Wilhelm nicht
zum Ausdruck gelangen. Unterstützt ist die Eingabe, die hiernach einen
privaten Charakter trägt, von den Abgeordneten von HOLTZ, von
RAUCHHAUPT, von ZEDLITZ-NEUKIRCH, Dr. WINDTHORST, von SCHORLEMER-
ALST, Dr. MOSLER, ZELLE, EBERTY, DRAWE, Dr. BRÜEL, von MEYER-
ARNSWALDE, von JAZDZEWSKI, von BENDA, von EYNERN, GÜNTHER, REIMERS,
SEER u. a. Diese vielseitige Unterstützung legt Zeugnis davon ab, welchen Wert man neuerdings auch in den Abgeordnetenkreisen der Arbeitsschulbewegung beimißt.

Die Ferienkolonien im Königreich Sachsen traten mit dem
Beginne der großen Schulferien am 21. Juli wieder ins Leben.
Dresden schickte dieses Jahr 406 Kinder, 157 Knaben und 249 Mädchen,
aufs Land, und zwar in 8 Gruppen nach 7 verschiedenen Orten. Von
Leipzig wurden 158 Knaben nach 6 und 188 Mädchen nach 7 Orten
gesandt; dabei kam auch das neue „Leipziger Kinderheim Grünheide"
zum ersten Mal zur Benutzung. Außerdem sind von Leipzig am 5. Juli
20 und am 15. Juli 26 Mädchen nach dem Soolbad Frankenhausen ab-
gegangen, während 21 Knaben um dieselbe Zeit im Soolbad Dürrenberg
weilten. Da ferner 175 Kinder in den sogenannten Stadtkolonien versorgt wurden, so gewährte Leipzig in diesem Jahre insgesamt 588 Kindern
den Genuß einer erfrischenden Sommerpflege.

Der Breslauer akademische Turnverein hat von dem Kultusminister, Herrn von GOSSLER, wiederum 600 Mk. zugewiesen erhalten;
450 Mk. sind davon zur Pflege des Turnens, 150 Mk. zur Förderung des
Buderns bestimmt.

Schulhygienisches aus Prag. Die Professoren Dr. JANOVSKY und
Dr. SOYKA, sowie Stadtphysikus Dr. ZÁHOR haben vor einiger Zeit Be-
richt über die Thätigkeit des Prager städtischen Gesundheitsrates in den
Jahren 1884—85 erstattet. In diesem Berichte wird unter andrem die
Einführung von elektrischer Beleuchtung in den Fortbildungsschulen
und die Einrichtung ärztlicher Untersuchungen der Schulkinder erörtert,
wobei die Debatten, die über diese Fragen stattfanden, beigefügt sind.
Was die ärztliche Schulaufsicht betrifft, so erfahren wir noch besonders,

dafs in Prag eine solche seit 1883 in den öffentlichen und privaten Volks- und Bürgerschulen, sowie in den Kinderbewahranstalten besteht. Der Bezirksarzt ist verpflichtet, beim Beginne eines jeden Schuljahres in den ihm zugewiesenen Schulen den Gesundheitszustand der Kinder bezüglich des Gesichts- und Gehörssinnes und der Tauglichkeit zum Turnen zu prüfen, ferner hat er wenigstens einmal im Monat jede Schule zu besuchen.

Ägyptische Augenkrankheit im Seminar zu Dramburg. In dem Lehrerseminar zu Dramburg in Hinterpommern ist unter den Zöglingen die ägyptische Augenkrankheit (Conjunctivitis granulosa) ausgebrochen. Auf Anordnung des Anstaltsarztes sind die am schwersten erkrankten Seminaristen, sowie die noch nicht von dem Leiden befallenen in ihre Heimat entlassen worden. Wahrscheinlich hat inzwischen die Anstalt auf einige Zeit völlig geschlossen werden müssen, da 55 junge Leute erkrankt sein sollen. Gegen die Entsendung der schwer Erkrankten in ihre Heimat läfst sich übrigens einwenden, dafs dadurch das Übel leicht weiter verbreitet wird; auch ist eine geeignete Behandlung der Kranken viel eher in einer Anstalt durchzuführen, als wenn sich dieselben zumeist in kleinen Städten oder Dörfern befinden, wo sachkundige Hilfe schwer zu erlangen ist.

Ein neuer Knaben- und Mädchenhort in München soll am 1. Oktober d. J. in der Schleifsheimerstrafse eröffnet werden. Derselbe wird von armen Franziskanerinnen von Mallersdorf geleitet und mit einer Suppenküche für arme Kinder verbunden werden.

Budapester erster Kindergartenverein. Der hauptstädtische Munizipalausschufs in Budapest bewilligte in seiner Generalversammlung vom 21. Juni d. J. dem Budapester ersten Kindergartenverein eine aufserordentliche Unterstützung von 1500 Gulden.

Ferienreisen der Schüler. Die Pariser Akademie der Medizin verhandelte in ihrer Sitzung vom 17. April d. J. über eine Denkschrift des Dr. BLAYAC, wonach Ferienreisen nur von den Schülern der höheren Schulen unternommen werden sollen, die Primärschüler dagegen in Ferienkolonien zu senden sind. Für jüngere Kinder brächten nämlich die täglich neuen Eindrücke, die sie auf einer Reise empfingen, eine geistige Überreizung (surexcitation intellectuelle) hervor, die nicht weniger schädlich als die Überbürdung wirke. Der Berichterstatter Dr. ROCHARD und Dr. LANGNEAU stimmten dieser Auffassung bei.

Erklärung der „Freien Vereinigung für Schulreform" in Dresden zu Gunsten der Körperpflege der Jugend. Der Verein „Freie Vereinigung für Schulreform" in Dresden hat nach der „Dtsch.

Turn-Zeit." in seiner letzten Versammlung folgenden Beschlufs gefafst:
Die Versammlung erklärt sich für Zusammenlegung des Tagesunterrichts;
es ist neben dem eigentlichen Turnunterricht für die Veranstaltung von
besonderen Turnspielen Sorge zu tragen; es wird empfohlen, Schulturn-
fahrten zu veranstalten und zu fördern; es wird dringend angeraten,
sowohl bei weiterer Ausgestaltung des städtischen Bebauungsplanes das
Freihalten von Wiesenflächen im Weichbilde der Stadt im Auge zu behalten, als auch bei der Gründung neuer Schulen gehörigen Platz zum
Spielen zu lassen; endlich wird die Gemeinde ersucht, den Schülern
möglichst billig Raum und Gelegenheit zum Schwimmen und Eislaufen
zu geben.

Einführung von Turnunterricht in die spanischen Schulen.
Der unter dem Vorsitz des Herrn José MANOSAS vom 5. bis 12. August
in Barcelona tagende Pädagogen-Kongrefs (Asociacion de maestros públicos
de la provincia de Barcelona) hat den Wunsch ausgesprochen, dafs in
sämtliche spanische Schulen Turnunterricht eingeführt werden möchte.

**Heilstätte für schwindsüchtige Kinder zu St. Andreasberg
im Harz.** Wie man Heilstätten für Lungenkranke in schwindsuchts-
freien Orten des Spessarts plant, so will man zu St. Andreasberg im
Oberharz vorerst die Unterbringung unbemittelter phthisischer Kinder
in Familien in die Hand nehmen und hofft später eine eigene Heilstätte
für dieselben gründen zu können. Nähere Auskunft erteilt Herr Pastor
EBELING in St. Andreasberg.

**Energische Mafsregeln gegen die Überhandnahme des Rau-
chens der Jugend.** Um dem immer mehr zunehmenden Tabakrauchen
der Jugend zu steuern, hat sich der Landesschulrat für Krain auf Anregung des Landessanitätsrates veranlafst gesehen, alle Direktoren der
Mittelschulen (Gymnasien und Realgymnasien), sowie der Volksschulen
zu beauftragen, sämtlichen Schülern die genaue Befolgung der Diszipli-
narvorschriften betreffs des Verbotes des Rauchens zur strengsten Pflicht
zu machen und gegen die Übertreter dieses Verbotes mit aller Strenge
vorzugehen. FR. SELBER.

Amtliche Verfügungen.

**Zirkularerlafs des Königlich preufsischen Ministers der geist-
lichen, Unterrichts- und Medizinal-Angelegenheiten, die Konstruktion der Schulbänke betreffend.**

Berlin, den 11. April 1888.

Im Anschlufs an meinen Zirkularerlafs vom 30. Januar 1885, betreffend die Konstruktion etc. der Schulbänke, lasse ich den beteiligten

Behörden meines Ressorts ein auf Grund weiterer Versuche abgegebenes
Gutachten vom 21. März l. J. hierneben in Abschrift zur Kenntnisnahme
und Erwägung bei Neuanschaffung von Schulbänken zugehen.

In Vertretung: LUCANUS.

Votum,
betreffend die Konstruktion der Schulbänke.

Infolge des hohen Zirkularerlasses vom 30. Januar 1885, betreffend
die Konstruktion etc. der Schulbänke, sind von den beteiligten Provin-
zialbehörden, obgleich der gröfsere Teil derselben im allgemeinen mit
den Ausführungen des ersteren sich einverstanden erklärte, doch so
mannigfache anderweite Vorschläge gemacht worden, dafs es wünschenswert erschien, noch weitergehende Versuche über diese Frage anzustellen.
Zu diesem Zwecke ist das Königliche Provinzialschulkollegium zu Kassel
durch Erlafs vom 20. Dezember 1886 beauftragt worden, über die Brauchbarkeit der für verschiedene Gymnasien seines Bezirks beschafften, den
Angaben des obigen Erlasses entsprechenden Schulbänke zu berichten.

Die dort und auch noch anderweit gemachten Beobachtungen
lassen folgende Anordnungen als zweckmäfsig erscheinen:

1. Für jede Klasse sind die Schulbänke in 2 bis 3 Gröfsen, der
Körpergröfse der Schüler entsprechend, zu fertigen.

2. In Volksschulen, sowie in den Vorschulen und den beiden unteren
Klassen der höheren Lehranstalten sind gewöhnlich 4 bis 6, höchstens
8 Schüler auf einem Subsellium unterzubringen. Die sämtlichen Sitze
eines Subselliums dieser Schulanstalten resp. Klassen werden in einer
durchgehenden Bank vereinigt, welche mit einer einfachen, sicheren
und dauerhaften Einrichtung zum Verändern der Distanz zwischen Tisch
und Bank zu versehen ist (System HIPPAUF oder ein ähnliches).

3. Für die übrigen Klassen der höheren Lehranstalten sind Subsellien für 2 bis 6 Schüler zu beschaffen, jeder der letzteren erhält einen
besonderen beweglichen Sitz, wenn die Subsellien für mehr als 2 Schüler
eingerichtet sind. Erlauben es die vorhandenen Mittel und der verfügbare Raum der Schulzimmer, so empfiehlt sich die Beschaffung von
zweisitzigen Bänken mit Zwischengängen. Bei dieser Anordnung sind
Bänke mit unveränderlicher Null- oder besser Minusdistanz anzuwenden,
weil die Schüler alsdann beim Aufstehen in die Zwischengänge hinaus-
treten können.

Bezüglich der Konstruktion der Bänke ist folgendes anzuführen:

a. Die Bänke ad 2 werden bis auf die Vorrichtung zum Bewegen
der Sitzbank aus Holz in einfacher Form, aber möglichst dauerhaft — wenn möglich ohne Fufsbrett der leichteren Reinigung
der Klassen wegen — hergestellt. Die Bankstollen (d. h. die
seitlichen aufrechten Begrenzungsbretter) sind für eine Sitzbank
und den nachfolgenden Tisch gemeinsam und fest verbunden

Turn-Ze...
Die Vers...
es ist n...
besonde...
fahrten
sowohl ...
Freihalt...
halten, ...
Spielen ...
möglichs...
zu gebe...

Ein...
Der unt...
in Barce...
de la pr...
sämtliche...

Heil
im Harz.
freien Or...
Oberharz
in Famili...
für diesel...
Ebeling i...

Ene...
chens der
der Jugen...
regung de...
Mittelschul...
zu beauftr...
narvorschl...
zu mache...
vorzugehe...

Zir...
lichen, ...
tion der

Im ...
treffend

... entweder einzeln auf dem ... durchgehenden, unter den ... befestigt. Erstere Art der ... Subsellien ad 3 empfiehlt sich ... Bankgestellen, welche ebenso ... sind. Auch hier ist das Ge- ... nachfolgenden Tisches fest zu ... Gestelle aus Gußeisen, so sind beide ... aus einem Stück zu gießen. ... liche, verschiebbare oder pendelnde ... so einfach als möglich zu halten, ... äußerst solide herzustellen, namentlich ... daß der Bewegungsmechanismus ... spricht und möglichst ohne Geräusch

... Reinigens der Klasse darf die Tischplatte ... klappen eingerichtet werden Dagegen ... zur Veränderung der Distanz durch Auf- ... der Tischplatte nicht empfehlenswert. ... ad 3 können sowohl in Holz als auch ... ausgeführt werden. Im übrigen ist bei ... Gesagte zu berücksichtigen. ... Schulbänke sind nach dem Schüler hin ... zu verlegen, nur ihr oberer Teil in etwa ... der Platte ist behufs Unterbringung der ... etc. horizontal zu gestalten. Die Tisch- ... der dem Schüler zugekehrten Kante nicht ... der Platte vortretenden Leisten ver-

... platte ist ein genügend breites Bücherbrett

... nicht in der Absicht liegen, unbedingt maß- ... alle Einzelheiten zu geben. Ortliche Verhält- ... auungen spielen in dieser wie in allen ähn- ... liche Rolle, als daß man hoffen dürfte, mit ... dingten Abschluß zu kommen. Es kann sich ... einige der wichtigsten Gesichtspunkte einen ... stimmung zu erzielen.

... der Schüleraugen. Von den Behörden in ... riften betreffend die so wichtigen Augenunter- ... ulen erlassen worden. Eine solche findet nach

den „Schwz. Blätt. f. Gsdhtspfl." jedesmal beim Eintritt in die Schule und beim Austritt aus der sechsten Klasse statt. Über ernstere, vom Arzte zu bezeichnende Fälle ist auch den Eltern der betreffenden Schüler Nachricht zu geben. Für Kinder, deren Augen nicht normal befunden werden, gelten folgende, von dem verstorbenen Augenarzte, Professor HORNER, verfaßte Gesundheitsvorschriften:

1. Übersichtige sind, ob ihnen die Konvexbrille zum beständigen Tragen empfohlen sei oder nicht, besonders zu schonen und schonend zu beurteilen, da sie auch beim besten Willen beim Zeichnen, Nähen, überhaupt bei jeder Arbeit von feiner Beschaffenheit Fehler begehen werden, die gesunde Kinder nicht machen.

2. Für Kurzsichtige ist das Verhalten besonders einzurichten je nach dem Grade des Übels.

a. Schwachkurzsichtige sollen in der Nähe der Tafel an helle Plätze gesetzt werden und bedürfen strengster Überwachung der Haltung. Sie sollen beim Lesen das Buch emporhalten und sich an große Schrift gewöhnen, wodurch ihnen allein eine gerade Haltung ermöglicht wird.

Überdies ist für sie namentlich wichtig, daß der Unterricht mehr auf Benutzung des Ohres als des Auges aufgebaut werde, ganz besonders, daß ein regelmäßiger Wechsel eintrete zwischen Schreiben, Lesen und Kopfrechnen, Aufsagen etc.

Jede Arbeit bei schlechter Beleuchtung an trüben Tagen ist zu unterlassen.

b. Auch die Starkkurzsichtigen können in der Schule bleiben, jedoch nur, wenn alle Vorsichtsmaßregeln hier mit der größten Sorgfalt Anwendung finden.

Insbesondere muß für die Haltung dieser mit Brillen versehenen Kinder durch spezielle Vorrichtungen (Gradhalter) Garantie geleistet werden.

Die Schule wird sich jeder Verantwortung entschlagen, wenn Musikunterricht und sonst verkehrte Behandlung zu Hause ihre sorgsamen Vorkehrungen unnütz macht.

Von den allgemeinen Vorschriften sind besonders hervorzuheben: Die Erfahrung hat gelehrt, daß viele Kinder während ihrer Schulzeit kurzsichtig geworden sind. Es wird sich deshalb empfehlen, den Unterricht für Alle so zu gestalten, daß dies möglichst verhütet werde, was um so leichter sein sollte, als der regelmäßige Wechsel von Inanspruchnahme des Gesichts und des Gehörs, von geistiger Thätigkeit und gymnastischer Übung sich auch aus pädagogischen Gesichtspunkten empfiehlt.

Weiter bestimmen die Gesundheitsvorschriften:

a. Die Wandtafeln sollen mit einem mattschwarzen, geschieferten

Überzug versehen und nach jedem Gebrauche sorgfältig gereinigt werden. Es ist nur weiche Kreide zum Schreiben zu
benutzen. Die Schrift selbst soll sich je nach der Größe des
Zimmers richten und immer so groß sein, daß sie bei mittlerer Sehschärfe vom entferntesten Platze aus ohne Anstrengung
gesehen werden kann.

b. An dunkeln Tagen, insbesondere in den Wintermonaten von
3—4 Uhr nachmittags, ist der Arbeitsunterricht auf Lismen
zu beschränken, Schreiben, Zeichnen, Lesen u. s. w. zu unterlassen.

Erlaß des preußischen Unterrichtsministers, betreffend das
Züchtigungsrecht der Lehrer. Der Unterrichtsminister, Herr von
Gossler, hat an sämtliche Regierungen die Anweisung ergehen lassen,
alle von ihnen erlassenen allgemeinen Verfügungen, welche das den
Lehrern zustehende Züchtigungsrecht hinsichtlich des Maßes oder der
Art seiner Ausübung in engere Grenzen schließen, als es die bestehenden
Gesetze thun, aufzuheben. Die Königliche Regierung zu Königsberg hat
deshalb unter dem 24. April l. J. die das Züchtigungsrecht betreffenden
Verordnungen vom 2. Juli 1845, 14. April 1860, 15. Oktober 1870 und
vom 29. Januar 1882 aufgehoben. Bezüglich der Strafbefugnis der Lehrer
gilt nunmehr nur die in § 10 der Schulordnung für die Elementarschulen der Provinz Preußen vom 11. Dezember 1845 gegebene Vorschrift, welche lautet: „Die Bestrafung der Schulkinder durch den Lehrer
darf die Grenzen einer mäßigen elterlichen Zucht nicht überschreiten.
Wo der Lehrer mittels derselben die Schuldisziplin nicht zu erhalten
vermag, hat er dem Pfarrer Anzeige zu machen, welcher allein oder in
schwierigeren Fällen in Gemeinschaft mit dem Schulvorstande die notwendigen Maßregeln trifft. Wegen Überschreitung des Züchtigungsrechts
bleibt der Schullehrer nach den gesetzlichen Bestimmungen verantwortlich." — Die Königliche Regierung ermahnt dann alle Lehrer nachdrücklich, von der ihnen gewährten Freiheit in der Ausübung der
Schulzucht den rechten Gebrauch zu machen und niemals zu vergessen,
daß die elterliche Zucht das Vorbild aller Schulzucht ist und bleiben
muß. Pädagogische Mißgriffe in dieser Hinsicht bleiben strenger disziplinarischer Ahndung seitens der Königlichen Regierung unterworfen.
An allen mehrklassigen Schulen ist die Handhabung der Zucht, namentlich auch in Hinsicht der körperlichen Strafen, von Zeit zu Zeit zum
Gegenstande der Beratung in der Lehrerkonferenz zu machen. Ebenso
hat der Ortsschulinspektor die zweckmäßigsten Maßregeln bezüglich der
Ausübung der Schulzucht mit den seiner Aufsicht unterstellten Lehrern
alljährlich von neuem zu beraten und zu gewissenhafter Beobachtung
einzuschärfen. In die über die Einführung eines in das Schulamt ein-

tretenden Lehrers abzufassende Verhandlung ist ausdrücklich der Vermerk aufzunehmen, daſs derselbe mit dem Inhalte obiger Verordnung bekannt gemacht worden ist.

Rundschreiben des Königlich ungarischen Unterrichtsministers von TREFORT. Herr von TREFORT hat an sämtliche Schulinspektoren, an die kirchlichen Oberbehörden und an die Verwaltungsausschüsse der Komitate folgendes Rundschreiben gerichtet:

„Aus den täglichen Berichten, aber auch aus Erfahrung weiſs ich, daſs im ganzen Lande fast sämtliche Schulen zu verschiedenen Jahreszeiten behördlich geschlossen werden und der Unterricht der Jugend eingestellt werden muſs, weil irgend eine herrschende, zumeist ansteckende Krankheit in der Gemeinde oder in der Schule selbst ausbricht und die Behörde der Verbreitung der Krankheit auf diese Weise ein Ziel zu setzen bestrebt ist; der Schutz gegen die Krankheiten dreht sich zumeist um diese Verfügung. In der ganzen zivilisierten Welt gibt es keine so groſse Sterblichkeit bei der Jugend, ja sogar bei den Erwachsenen als bei uns. Es ist noch nicht lange her, daſs die verheerenden Krankheiten im westlichen Europa ebenso wüteten wie heute bei uns, doch haben dort die guten Patrioten die Ursachen der Krankheiten mit ausdauernder Zähigkeit gefunden und sie haben nicht geruht, bis sie dieselben fanden und mit ihnen die Hauptursachen der Übelstände behoben. Diese Hauptursachen waren die schlechte Luft der menschlichen Wohnungen und das infizierte Trinkwasser. Sie entfernten diese beiden Übelstände, und seither haben die verheerenden Krankheiten nicht nur abgenommen, sondern allmählich ganz aufgehört. Davon, daſs auch bei uns die Quelle der verheerenden Krankheiten in der schlechten Luft der menschlichen Wohnungen und im verpesteten Trinkwasser zu suchen ist, kann sich jedermann mit gesunden Sinnesorganen überzeugen, wenn er ein Schullokal betritt, in welchem eine Anzahl Kinder nur einige Stunden lang beisammensitzt. Noch mehr wird sich jedermann von dieser schädlichen Luft überzeugen, wenn er die schlecht beleuchteten und nie oder nur selten gelüfteten Wohnungen des Landvolks betritt. Es ist evident, daſs die in einem von solcher Luft saturierten Schullokal sich aufhaltenden Kinder und die in solchen Häusern wohnenden Familienmitglieder der Verkümmerung und dem frühen Tode preisgegeben sind. Hierzu kommt noch, daſs das Volk sein Trinkwasser gewöhnlich aus solchen Brunnen schöpft, in deren Nähe tierischer Kehricht, ja sogar Exkremente abgelagert werden. Ich ersuche Sie daher, die Ihnen unterstehenden Lehrer zu belehren, anzuleiten, im Notfalle auch zu zwingen, die Schulluft durch öftere Ventilation beständig rein zu erhalten, ferner, daſs in der Nähe der Schulbrunnen kein Kehricht und keine Exkremente abgelagert werden; machen Sie es ihnen zur Pflicht, der Jugend in

336

der Gesundheitspflege Unterricht zu erteilen, sie bei jeder
Gelegenheit auf den schädlichen Einfluß der schlechten Luft und des
ungesunden Trinkwassers aufmerksam zu machen. Weisen Sie die Lehrer
und auch die Seelsorger an, das Volk zu unterweisen, ihre Zimmer und
ihre Brunnen rein zu halten. Ich ersuche Sie schließlich, mich über
den Erfolg Ihrer Verfügungen zu verständigen.

Budapest, 6. April 1888.   Trefort."

**Verbot des Verabfolgens geistiger Getränke an schulpflich-
tige Kinder.** Die Königliche Regierung zu Schleswig, Abteilung des
Innern, hat unter dem 21. Januar 1888 eine Polizeiverordnung betreffend
das Verschänken und das Verabfolgen geistiger Getränke erlassen. Der
§ 1 derselben lautet: „Mit Geldstrafe bis zu dreißig Mark, im Unver-
mögensfall mit entsprechender Haft wird bestraft, wer an schulpflichtige
Kinder ohne Begleitung Erwachsener oder an Armenhauspfleglinge
geistige Getränke verschänkt."

Personalien.

Zur Mitarbeit an unserer Zeitschrift haben sich weiter bereit erklärt
die Herren Dr. med. ANTONINO CARINI, Spezialarzt für Kinderkrankheiten
in Palermo, T. M. CLARK, Architekt in Boston, Dr. phil. ROHMEDER,
Stadtschulrat in München, und Dr. med. A. EUGEN TAUFFER, Professor
der Hygiene und Schularzt in Temesvár.

Unserm geschätzten Mitarbeiter, Herrn Professor der Medizin Dr.
L. VON SCHRÖTTER in Wien, ist vom Deutschen Kaiser der rote Adler-
orden 2. Klasse verliehen worden.

Die Universität Bologna hat bei Gelegenheit ihrer Jubelfeier die
Professoren der Hygiene, Geheimräte VON PETTENKOFER und R. KOCH,
zu Ehrendoktoren ernannt.

Unser Mitarbeiter, Herr Dr. NAPIAS, ist durch Verfügung des französischen Handelsministers vom 16. Juli d. J. zum Mitglied des Organi-
sationskomitees für den internationalen hygienischen Kongreß in Paris
gewählt worden.

Der österreichische Ministerpräsident hat den zu unsern Mitarbeitern
zählenden Herrn Professor F. VON GRUBER, Generalsekretär des VI. internationalen Kongresses für Hygiene und Demographie in Wien, zum
außerordentlichen Mitgliede des obersten Sanitätsrates ernannt.

Unser verehrter Mitarbeiter, Herr Professor Dr. L. BURGERSTEIN
in Wien, ist zum Korrespondenten des Bureau of education in Washington, sowie zum korrespondierenden Mitgliede der Société de médecine
publique et d'hygiène professionelle in Paris ernannt worden.

Die Doktoren Koloman Balogh (inzwischen verstorben), Johann Bókai, Julius Böke, Ladislaus Farkas, Ludwig Fejér, Edmund Frank, Johann Hegedüs, Ignatz Hirschler, Julius Janny, Theodor Kézmárszky, Karl Laufenauer, Samuel Löw, Emerich Navratil, Emerich Réczey, Wilhelm Schulek, Ernst Schwimmer, Andreas Takács, Ludwig Thanhoffer, Béla Tormay und Josef Török wurden zu auserordentlichen Ausschufsmitgliedern in der medizinischen Sektion des ungarischen Landesvereins für Hygiene gewählt.

Der auserordentliche Professor der Hygiene, Dr. K. B. Lehmann in Würzburg, hat den Ruf als ordentlicher Professor der Hygiene nach Giefsen abgelehnt, nachdem die Würzburger medizinische Fakultät die von ihm gewünschte Vergröfserung des hygienischen Instituts zugesagt hat.

Dr. E. van Ermengem wurde zum ordentlichen Professor der Hygiene und Bakteriologie in Gent ernannt.

Sanitätsrat Dr. Risel hat sich an der medizinischen Fakultät in Halle als Privatdozent für Hygiene habilitiert, Dr. M. F. Popow in gleicher Eigenschaft an der Universität Charkow.

Am 22. August starb in Pest der Kgl. ungarische Unterrichtsminister von Trefort. In ihm verliert die Schulhygiene einen ihrer eifrigsten Förderer.

Professor Dr. L. M. Politzer, einer der ältesten und angesehensten Kinderärzte Wiens, ist dort am 23. Mai im Alter von 74 Jahren gestorben.

Der verdiente Vorsitzende des Bonner Vereins für Körperpflege in Volk und Schule, Professor der Medizin Geheimrat Dr. Rühle, ist am 11. Juli d. J. in Bonn einer Brustfellentzündung erlegen.

Zu Rom verstarb im Irrenhause auf dem Janiculus der Präsident des Gesundheitsamtes in Neapel, Cesare Braico, der auch in dem politischen Leben seines Vaterlandes eine Rolle gespielt hat.

Litteratur.

Besprechungen.

Die Überbürdung der Schüler in den Mittelschulen. Separat-Abdruck aus den Mitteilungen des Wiener medizinischen Doktoren-Kollegiums, Bd. XIII, 1887.

I. Referat von Primararzt Dr. Josef Heim. S. 1—11.

II. „ „ Dr. Adolf Löffler, Stadtphysikus-Stellvertreter in Wien. S. 33—36.

V. „ „ Prof. Dr. Leopold Schrötter. S. 42—47.

Die Sektion für öffentliche Gesundheitspflege des Wiener medizinischen Doktoren-Kollegiums hat in ihrer Sitzung vom 4. November 1885 beschlossen, die Frage der Überbürdung in den Mittelschulen, und zwar vorzugsweise in den Gymnasien, einer eingehenden Erwägung zu unterziehen. Dies muß im Interesse des Wohles der Jugend mit Freuden begrüßt werden.

Freilich lassen die vorliegenden Ergebnisse der betreffenden Beratungen noch manches zu wünschen übrig.

Zunächst ist der Begriff der Überbürdung nicht klar ins Auge gefaßt. Statt sich auf die Untersuchung zu beschränken, ob die den Schülern zugemutete Gehirnarbeit dem Maße oder der Dauer nach zu groß sei, wird hier (I, S. 3) „Überbürdung in der Schule" ganz allgemein genannt, wenn die Bedingungen Benachteiligung erfahren, welche ärztlicherseits als zur gesunden Entwickelung unerläßlich anerkannt werden. Demgemäß werden Dinge, wie Heizung der Klassen, Anlage der Aborte, Lage der Direktorenwohnungen, in die Überbürdungsfrage hineingezogen, was weder sachlich gerechtfertigt, noch weise gehandelt ist; denn hieraus entsteht auch bei denjenigen Ausführungen, welche wirklich auf Überbürdung hinweisen, Mißtrauen hinsichtlich ihres Zutreffens.

Ferner lassen es die Verfasser insofern an Vorsicht des Urteils fehlen, als sie bestimmt behaupten (I, S. 7), daß ein großer Teil der sogenannten Schulkrankheiten ausschließlich auf „Überbürdung" zurückgeführt werden müsse, — während doch eingeräumt wird (I, S. 7), daß viele Krankheiten in den schlechten Lebensbedingungen ihren Grund haben, daß die Kinder häufig Krankheitsanlagen mit zur Schule bringen, welche unter allen Umständen zu pathologischen Prozessen führen, — sowie anderseits (V, S. 44), daß statistische Zusammenstellungen, auf Grund deren eine wissenschaftliche Entscheidung abgegeben werden könnte, noch vollständig fehlen. Mit welcher Zurückhaltung äußert sich in dieser Beziehung das Gutachten der K. Preußischen Wissenschaftlichen Deputation für das Medizinalwesen vom 19. Dezember 1883! Je vorsichtiger das Urteil, desto gewichtvoller. Man erwäge einfach (so I, S. 9), durch welche Maßregeln, auch seitens der Schule, jenen Krankheiten und Gefahren entgegenzuwirken ist; darauf kommt es an.

Wirklich zur Überbürdung sind die Klagen zu rechnen über karge Bemessung der Ferienzeit zu Weihnachten und zu Ostern, sowie über die Unsitte der Ferienarbeiten (I, S. 4), über unzureichende Erholungspausen zwischen den Unterrichtsstunden (I, S. 10; III, S. 35; V, S. 47), über die aus der Klassenüberfüllung (I, S. 8; V, S. 43 u. 47), sowie aus dem auch in den unteren Klassen herrschenden Fachlehrersystem (I, S. 6; V, S. 42 u. 46) für die individuelle Bethätigung und

Einheitlichkeit des Unterrichts erwachsende Erschwerung. — Gegen solche Übelstände ist der Kampf nachdrücklich weiter zu führen.

Ob aber dem für die österreichischen Gymnasien eingeführten neuen Lehrplane vom 26. Mai 1884 der Vorwurf, daß er die Schüler überbürde, mit Recht gemacht wird, bedarf einer mehr eingehenden Prüfung. Wohl mag es mehrfach vorkommen, daß Schüler 9 Stunden täglich durch die Anforderungen der Schule in Anspruch genommen werden (I, S. 3; V, S. 45), daß sie bis 9, 10 Uhr abends arbeiten (V, S. 42 f.). Aber die Frage ist, wodurch dies veranlaßt wird. Es braucht nicht der Lehrplan daran schuld zu sein; es kann auch entweder Übertreibung oder Bequemlichkeit einzelner Lehrer dahin führen (dagegen schützt kein Lehrplan, sondern nur Anzeige zuständigen Orts); namentlich kommen außerdem hinsichtlich der Schüler selbst in Betracht Mangel an geeigneter Arbeitsordnung, an Ruhe und Aufsicht im elterlichen Hause, Krankheitsversäumnisse, Mangel an geistiger Begabung, oder andererseits umgekehrt ehrgeizige Bestrebungen (sehr mit Unrecht V, S. 43 angeführt) u. ä.

Von dem erwähnten Lehrplan wird allerdings behauptet (V, S. 42), er verlange im ganzen zu viel, namentlich hinsichtlich der lateinischen und griechischen Grammatik (I, S. 5; V, S. 46). Besonders die dem Lehrplan beigegebenen „Instruktionen" sollen (I, S. 6) zur Häufung der häuslichen Arbeiten, zur Vielschreiberei drängen. Bestimmte Angaben zum Beweise werden nicht gemacht. Thatsächlich zeugen jene auch außerhalb Österreichs in hohem Ansehen stehenden Instruktionen von großer Einsicht und geben wertvolle Winke einer das Lernen der Schüler erleichternden Methodik. Schriftliche Hausarbeiten, gerade im Lateinischen z. B., werden in der untersten Klasse gar nicht angefertigt, in den drei folgenden Klassen alle 14 Tage eine, in den vier oberen Klassen nur monatlich eine. Es ist in der That nicht zu erkennen, weshalb mit solcher Entschiedenheit Reform des Lehrplans und Verbesserung der Unterrichtsmethode verlangt wird (I, S. 11; III, S. 36). Ganz seltsam klingt im Anschluß an die Forderung, „daß in präziser Weise das Minimum dessen festgestellt werde, das einen Schüler befähigt, in die höhere Klasse aufzusteigen", der Schlußsatz (V, S. 47): „Selbstverständlich müßte hierbei eine strenge Kontrolle des Lehrpersonals eintreten, damit nicht etwa von gut befähigten Schülern, die also mehr zu leisten imstande wären, nur das Minimum verlangt würde."

Auf dem die Überbürdung in Wahrheit nicht berührenden, vielmehr allgemein hygienischen Gebiete (I, S. 10) werden für die Schuleinrichtungen zweckmäßige Vorschläge gemacht (I, S. 10; III, S. 34 f.; V, S. 45 u. 47). Förderung des Turnbetriebs, Heranziehung von Schulärzten, ausreichende Raum-, Luft- und Lichtverhältnisse in den Klassen,

Bau der Schulbänke, Garderoben auf den Schulgängen, zweckmäßige Einrichtung der Aborte, Anlage von gedeckten Wandelbahnen, Isolierung der Direktorenwohnungen, — alles das sind Dinge, welche in gesundheitlicher Beziehung von wesentlichem Belang sind, für deren nachdrückliche Betonung man daher dem Wiener Doktoren-Kollegium nur dankbar sein kann.

Provinzialschulrat Dr. LAHMEYER in Kassel.

Dr. med. HANS ADLER, k. k. Primar-Augenarzt in Wien. **Die durch Überbürdung hervorgerufenen Augenkrankheiten der Mittelschüler.** Separatabdruck aus der „Wiener mediz. Presse" No. 34, 1887. (23 S. gr. 8°).

Aus der Feder des in okulistischen Kreisen rühmlichst bekannten Primar-Arztes Dr. HANS ADLER liegt uns eine kurze Abhandlung vor über den Einfluß, den die vielbesprochene und vielbestrittene Überbürdung der Schüler auf deren Sehorgane ausübt. Selber jedweder Übertreibung abhold, waren wir zunächst gespannt darauf, von einem gewiegten Fachmanne zu erfahren, welche Augenleiden durch die ja durchaus noch nicht widerspruchslos erwiesene Überbürdung unsrer heutigen Schuljugend entständen, und fanden uns aufs angenehmste enttäuscht, als wir aus der klaren, anschaulichen und von warmem Interesse für die Jugend durchwehten kleinen Abhandlung ersahen, daß die Anstrengung in der Schule nicht sowohl Augenkrankheiten — bis auf die Schulmyopie und einige Fälle von Skotomen, auf die wir später zurückkommen — hervorzurufen, als vielmehr vorhandene Dispositionen zu steigern und Heilungen zu verzögern vermag. Von vorneherein stimmen wir mit dem Herrn Verfasser überein, wenn er den Follikularkatarrh, die pustulöse Bindehaut- und Hornhauterkrankung, sowie die Lidrandentzündung unter dem Einfluß schlecht ventilierter Schul- und Wohnräume sich hat in die Länge ziehen und Schwäche der Augenmuskeln in wirkliche Insufficienz übergehen sehen, können uns indessen nicht verhehlen, daß wir allzuleicht über das Ziel hinausschießen würden, wollten wir lediglich der Schule resp. der supponierten Überbürdung der Schüler die Schuld an der Entstehung der verschiedensten Augenleiden und deren schwere Beseitigung aufbürden.

Indessen ist das, wie gesagt, auch kaum die Ansicht des Herrn Verfassers. Gestützt auf eine reiche Erfahrung, die an 65000 in 15 Jahren behandelten Augenkranken gewonnen wurde, bespricht er zunächst jene Formen von Augenleiden, die für das Alter der Mittelschüler charakteristisch seien und durch Überbürdung ganz oder zum Teil veranlaßt resp. verschlimmert würden. Er beschreibt in kurzer, doch anschaulicher Weise den Follikularkatarrh und gibt beherzigenswerte Winke für die Heilung desselben, er zeigt, daß die pustulöse Bindehaut- und

Hornhautentzündung nicht immer an skrofulösen, von Hause aus dazu disponierten Schülern zu beobachten sei, geht dann zur Betrachtung der allen Mitteln so häufig trotzenden und besonders gern mit Erkrankungen der Refraktion gepaarten Lidrandentzündung über, handelt das mit Übersichtigkeit (Hypermetropie) verbundene Einwärtsschielen, sowie das bei Kurzsichtigkeit (Myopie) vorkommende Auswärtsschielen, besonders die Schwäche der innern Augenmuskeln (Insufficientia mm. rect. int.) ab, zeigt, daß Retinalreizung bei überangestrengten Schülern sich selbst zu chronischer Netzhautentzündung steigern kann, bespricht das nervöse Blinzeln, die Hyperästhesie und Anästhesie der Netzhaut, bei der indessen nicht allein die übermäßige, sondern jede Augenarbeit sich von selbst verbietet, und führt endlich zwei interessante Fälle von zentralem positiven Skotom an, die beide zweifellos durch übermäßige Anstrengung entstanden und daher auch durch Enthaltung von jeder Arbeit vollkommen geheilt wurden. — In der zweiten umfangreicheren Hälfte seiner Abhandlung bespricht der Verfasser die Schülerkrankheit κατ᾽ ἐξοχήν, die Schulmyopie, die nicht, wie viele wähnen, lediglich einen optischen Fehler darstellt und durch eine passende Brille ausgeglichen werden kann, sondern nach ARLT auf einer Verlängerung der Augenaxe beruht und früher oder später die mannigfachsten und gefahrvollsten Zustände für das Sehvermögen herbeizuführen vermag. Nur selten sei die Myopie angeboren, im Gegenteil zeigen die Augen der Neugebornen, wie die der bisher untersuchten wilden Volksstämme hypermetropischen Bau; es müsse daher die Myopie, welche nach den Untersuchungen der Augenärzte mit den Schuljahren, sowie mit den Anforderungen der Schule zunähme (in den Dorfschulen fänden sich nur 1%, in den städtischen Elementarschulen bis 10%, in den Bürgerschulen bis 13%, in den Gymnasien bis 65% Kurzsichtige), als eine wirkliche Kulturkrankheit angesehen werden. Ließe sich auch Erblichkeit und Anlage zur Myopie nicht wegleugnen, so könnten beide doch nur als prädisponierende Momente angesehen werden, unter denen sich bei mangelhaften hygienischen Einrichtungen die Kurzsichtigkeit entwickele und notwendigerweise entwickeln müsse. Vor allem sei der Schule selbst mit ihren unzweckmäßigen Subsellien, ihrer schlechten Beleuchtung etc. die Schuld an der weiten Verbreitung der Myopie zuzuschreiben. Indessen sei man auch hierin zu weit gegangen; von kompetenten Augenärzten, wie JUST in Zittau, STEFFAN in Frankfurt a. M., v. HIPPEL in Gießen sei nachgewiesen, daß in jenen Schulpalästen, welche auf Anregung und nach Angabe von Ärzten und Hygienikern gebaut und vom Standpunkte der Gesundheitslehre gewiß tadellos seien, die Verhältnisse in Bezug auf die Kurzsichtigkeit sich schlechter gestaltet hätten, als in den früheren unzureichenden, vielfach geschmähten Schullokalitäten. Es müßten deshalb Eltern sowohl wie Erzieher darauf sehen, daß nicht allein in der Schule, sondern vor allem in der Familie, bei den häuslichen Beschäftigungen der Schüler die hygienisch als zweckmäßig befundenen Einrichtungen in Anwendung kämen. Endlich wäre es Aufgabe des Staates, dafür Sorge zu tragen, daß einerseits die körperliche Pflege der Schüler nicht vernachlässigt, anderseits das Schülerauge weder während des Unterrichts noch bei den häuslichen Arbeiten zu sehr angestrengt würde; durch anhaltende Akkommodation bei angestrengter Naharbeit entständen gar leicht Kongestionen nach den innern Teilen des Auges, welche bei vorhandener Prädisposition der Entwicklung der Kurzsichtigkeit Vorschub leisteten. Der Herr Verfasser gibt beherzigenswerte Winke, wie durch Übung der körperlichen Kräfte überhaupt auch die Leistungsfähigkeit des Auges gesteigert werde, wie durch die Art des Unterrichts, durch vernunftgemäße Verteilung des Lehrstoffs und passend eingerichtete Freistunden die anhaltende Akkommodation unterbrochen und der Kurzsichtigkeit vorgebeugt werden könne. Als wünschenswert bei allen diesen Anordnungen hält ADLER, wie auch viele andere Autoren, die thätige Mithilfe des Augen- resp. Schularztes, durch welchen im Verein mit den Pädagogen das richtige Maß des dem Schüler Aufzugebenden wohl leicht könne gefunden werden.

Vermögen wir auch nicht überall, zumal in der ersten Hälfte der Abhandlung, mit dem Herrn Verfasser übereinzustimmen, so können wir doch die inhaltsreiche, auch für den Nicht-Fachmann verständliche Broschüre aufs wärmste empfehlen; sie schildert in großen Zügen das wichtigste der vorliegenden Frage und ist mit einem warmen Herzen für die Jugend geschrieben. Niemand wird sie daher ohne Nutzen und ohne Befriedigung aus der Hand legen.

Augenarzt Dr. ALEXANDER in Aachen.

Vorschriften für den Heizungs- und Lüftungsbetrieb in den Schulen der Stadt Wien. (Mit 9 Illustr. i. Text). Wien, 1887. Verlag des Magistrats. (34 S. 8°).

Die kleine Schrift enthält die Erklärung und Gebrauchsanweisung für die verschiedenartigen diesbezüglichen Vorrichtungen in den Gebäuden der von der Stadt Wien unterhaltenen Schulen, und zwar Angaben über anzustrebende Temperaturen in den verschiedenen Räumen des Schulhauses, den Gebrauch der mannigfaltigen Ventilationsvorrichtungen (S. 6—21), die Bedienung der Heizapparate, ferner Bestimmungen über Luftfeuchtigkeit, Verpflichtungen des Lehrpersonals, der Heizer. Das Stadtbauamt bezw. die unterzeichneten Herren Herausgeber der Broschüre, Baudirektor F. BERGER, Baurat F. PAUL, Heiz- und Ventilations-Inspektor H. BERANECK, haben sich damit ein Verdienst um hygienischen Fortschritt in den städtischen Schulen Wiens erworben, da derart jedenfalls das, was unter den bestehenden Verhältnissen des

Schulhauses und des Schulbetriebes möglich ist, durch Verbreitung des Verständnisses besser geschehen kann und gründlicher geschehen wird als ehedem. Hinsichtlich der Bestimmungen über das Fensteröffnen mit Rücksicht auf Aufsentemperatur wäre das Vorhandensein eines Thermometers einfachster Konstruktion an der Aufsenseite eines Fensters in jedem Schulzimmer wünschenswert.

Referent kann nicht umhin, zu bedauern, dafs in der belehrenden und aufmunternden Schrift folgender Satz zu finden ist (S. 20): „In den Schulzimmern mit ausgiebigen Lüftungseinrichtungen (Gruppe A) ist eine Lüftung durch Öffnen der Fenster an jenen Tagen, wo thatsächlich geheizt wird, nicht notwendig und ist daher, da hier durch eine Brennstoffvergeudung entstehen würde, zu unterlassen; sowohl die äufsern als die innern Fenster und auch die Lüftungsflügel haben daher geschlossen zu bleiben". Abgesehen von den in einem neueren Schulbau der Gemeinde Wien (Oberrealschule im I. Bezirk) von Sipöcz gemachten Luftanalysen, zeigt die vorliegende Litteratur über den Kohlensäuregehalt der Luft in Schulen vollkommen ausreichend die Unzulänglichkeit der Ventilations-Mafsnahmen auch bei den meisten Arten neuer Anlagen und das regelmäfsig eintretende Überschreiten des Pettenkoferschen Maximums. Wie die Fensterseite des Schulzimmers so viel Glas als möglich haben soll, ebenso mufs für jene Seite, welche die Ventilationskanäle führt, soviel Querschnitt an letzteren und soviel ·Leistungsfähigkeit derselben als möglich für das Schulzimmer .gefordert werden. Auch von Luft kann nie zuviel geboten werden. Referent meint, diesen Gegenstand, der bereits eine ausgiebige Litteratur, auch hinsichtlich der Wirkung des „Zuges" bei angemessener Temperatur, besitzt, hier nicht näher behandeln zu sollen, verwahrt sich aber ganz entschieden dagegen, dafs jene „ausgiebigen" Lüftungseinrichtungen auch ausreichend seien, und erlaubt sich die Bitte zu stellen, es mögen in Schulen Versuche, womöglich von Analysen begleitet, in der Richtung gemacht werden, dafs in einer Unterrichtspause von 10 Minuten im strengen Winter die Schulkinder aus der Klasse auf die Gänge geschickt, und für wenige Minuten sämtliche Fenster im Zimmer geöffnet werden, um zu erproben, ob derart nicht eine sehr weit gehende Lufterneuerung, sowie während des längeren Restes der Pause ausreichende Erwärmung möglich sei. Bei höheren Aufsentemperaturen in der kühleren Jahreszeit (bis zum Minimum von ?° C.; die Grenzen wären erst zu statuieren!) und Heizung des Schulzimmers sollten selbstverständlich alle Fenster während der ganzen Pause geöffnet bleiben, und die Schüler auf den Gängen verweilen, wo diese Raum genug bieten. Es ist doch recht sonderbar, wie schwer die Thatsache voll gewürdigt wird, dafs ein Schulzimmer in verschiedener Rücksicht ganz andren Bedarf hat als ein Wohnzimmer.

344

Daſs die Luft, auch wenn die erlaubten Ressourcen funktionieren, nach zweistündigem Unterricht ausgiebig zu riechen pflegt, davon hat sich Referent sattsam überzeugt, und leider bestätigen bekanntlich die Analysen solcher Schulluft regelmäſsig die Wahrnehmungen einer brauchbaren Nase. Bedauerlicherweise haben wir vor zwei Unterrichtsstunden keine Pause, obwohl sie in schulhygienischer Hinsicht von vielseitiger groſser Bedeutung ist und daher auch nie strafweise entzogen werden sollte — ein eigenes Kapitel für sich. Da der Luftwechsel zwischen innen und auſsen sich um so rascher vollzieht, je gröſser die Temperaturdifferenz und der ventilierende Querschnitt (alle Fenster offen) ist, andrerseits aber Wände und Möbel warm sind und in wenigen Minuten nicht viel Wärme verlieren werden, auch die Heizung weiter wirkt, so wäre der obige Versuch denn doch zu machen, ehe man wie bisher die Kinder jahraus jahrein in der verdorbenen Luft sitzen läſst. Würde er sich aber hinsichtlich Luftwechsel und Temperatur bewähren, dann wäre dieser Modus allgemein anzuwenden. Es braucht bloſs die Lehrperson bezw. in höheren Schulklassen ein Schüler oder eine Schülerin, welche für wenige Augenblicke zurückbleiben, die sämtlichen Fenster bei Beginn der Erholungspausen zu öffnen und nach der als Optimum eruierten Zahl von Minuten auf ein kurzes Glockenzeichen wieder zu schlieſsen. Selbstverständlich soll ebenso eine Fensterlüftung, wenn auch von kurzer Dauer, nach und vor dem Unterricht während der Heizperiode stattfinden. Die Gründe hierfür sind in der bezüglichen Litteratur zu finden, ebenso dafür, daſs ein Öffnen der Thüren auf die Gänge während der Unterrichtspausen nahezu wertlos ist.

Professor Dr. L. BURGERSTEIN in Wien.

Dr. ALOIS EGGER R. v. MÖLLWALD, Direktor des k. k. Theresianischen Gymnasiums und Vizedirektor der k. k. Theresianischen Akademie. **Jahres-Bericht über das Gymnasium der k. k. Theresianischen Akademie in Wien für das Schuljahr 1887.** Wien, 1887, Theresianische Akademie (82 S. gr. 8°).

Die meisten Programme der deutschen und österreichischen Gymnasien pflegen nur eine kurze Mitteilung über den Gesundheitszustand der Schüler und die etwa unter ihnen vorgekommenen Todesfälle während des abgelaufenen Schuljahres zu bringen. Im Unterschiede hiervon zeichnet der jüngste Jahresbericht des k. k. Theresianischen Gymnasiums in Wien sich durch sehr ausführliche Angaben über die sanitären Verhältnisse sowohl der Anstalt selbst, als der sie besuchenden Schüler aus.

Danach steht die Ventilation, Beleuchtung und Heizung sämtlicher Räume unter ärztlicher Aufsicht. Für die bisherige Gasbeleuchtung wurden versuchsweise AUERsche Brenner mit Gasglühlicht, sowie elektrische Glühlampen von SIEMENS & HALSKE, letztere mit bestem Erfolge, eingeführt. Die allgemeine Verwendung elektrischen Lichtes hängt aber noch mit vielen andern für die Akademie sehr wichtigen Fragen zusammen, so daß eine endgültige Entscheidung erst später getroffen werden kann.

Sämtliche Zöglinge werden bei ihrem Eintritt von den Ärzten untersucht, alle 5 Jahre revacciniert, in regelmäßigen Intervallen gemessen und gewogen. Ebenso sind für sie die Beköstigung und Bekleidung, sowie die Bäder, körperlichen Übungen, Spaziergänge und Spiele im Freien ärztlich geregelt. Was die Erkrankungen anbetrifft, so kamen solche der Atmungsorgane, und unter diesen wieder Bronchialkatarrhe ziemlich häufig vor, von Infektionskrankheiten traten dagegen nur 2 mal Masern, 9 mal Varicellen und 10 mal Keuchhusten auf.

Während diese Allgemeinerkrankungen durch einen Chefarzt, zwei Sekundärärzte und einen supplierenden Hausarzt behandelt wurden, waren für die Augen und Zähne Spezialisten angestellt. Der Augenarzt hatte es meist nur mit leichten Krankheitsfällen zu thun. Um so mehr Aufmerksamkeit wandte er der hygienischen Überwachung der Augen zu, deren Brechkraft und Sehschärfe bei jedem Zögling instruktionsgemäß jährlich einmal untersucht ward. Beigefügte Tabellen geben denn auch über die Refraktionsverhältnisse in den einzelnen Klassen, insbesondere die Myopie und ihre Vererbung Aufschluß.

Aus dem zahnärztlichen Berichte heben wir hervor, daß 253 Plomben bei den Schülern eingesetzt wurden, wobei das Füllmaterial teils aus Gold, teils aus Staniol, Amalgam oder Cement bestand. Nach Art der Erkrankungen verteilten sich diese Plomben zumeist auf Caries und chronische Entzündungen der Pulpa. Ferner wurden 9 akute und 2 chronische Alveolarabscesse behandelt, und 43 Zähne, meistens Milchzähne, extrahiert. Bei bleibenden Zähnen kam dabei 3 mal die Narkose in Anwendung. In 38 Fällen fand die Entfernung von Zahnstein statt.

.   KOTELMANN.

Bibliographie:

ALBRECHT. *Über den anatomischen Grund der Wirbelsäulenskoliose.* Verhdlgn. d. deutsch. Gesellsch. f. Chirurg., 1887, I, 10.

BRAMERS. *Die Zähne unserer Kinder während des Heranwachsens.* Ein Ratgeber für Mütter, Berlin, 1888. 8°.

FINDE, FR. *Der Fünfkampf der alten Hellenen in neuer Gestalt.* Ein Beitrag zur Belebung der deutschen Turnfeste. Deutsch. Turn-Zeit., 1888. XXVI, 472—474.

FINZI, L. *Contribuzione allo studio della genesi della miopia.* Ann. di ottal, Pavia, 1887—88, XVI, 503—509.

STEVENSON, W. *Wachstumsverhältnisse der Kinder.* Deutsche med. Ztg., 1887, LXXXII.

STILLING. *Schädelbau und Kurzsichtigkeit,* Wiesbaden, 1888.

STÖBER, A. *De la myopie scolaire.* Rev. méd. de l'est, Nancy, 1888, XX, 205—244.

Technical education. The Brit. med. Journ., 1888, MCCCCXXXIX, 185—186.

VERRIER, E. *L'hygiène de l'adolescence,* Paris, 1887, F. Savy. 8°.

WILSON, H. *Something about students eyes.* Med. Counselor, Ann Arbor, Mich., 1888, XIII, 154—162.

Bei der Redaktion eingegangene Schriften:

ADAMS, HERB. B. *The study of history in American colleges and universities,* Washington, 1887, Government printing office. 8°.

Blätter für Knaben-Handarbeit. Organ des deutschen Vereins für Knaben-Handarbeit und des sächsischen Landesverbandes zur Förderung des Handfertigkeit-Unterrichts, Bremen, 1888, 1 ff.

Bureau of education. Proceedings of the department of superintendence of the national educational association at its meeting at Washington March 15—17, 1887, Washington, 1887, Government printing office. 8°.

CARINI, A. *La scuola e l'infanzia.* Studi d'igiene e malattie dei fanciulli nelle scuole, Palermo, 1887, Carini. 8°.

Centralblatt für allgemeine Gesundheitspflege. Organ des niederrheinischen Vereins für öffentliche Gesundheitspflege. Herausgeb. v. Dr. PINKELN-BURG, Dr. LENT, Dr. WOLFFBERG, Bonn, 1888, E. Strauß, VII, 1 ff.

Gesundheit. Zeitschrift für öffentliche und private Hygiene. Organ des internationalen Vereins gegen Verunreinigung der Flüsse, des Bodens und der Luft. Begründet v. Prof. Dr. C. REOLAM, herausgeb. v. Dr. J. RUFF, Frankfurt a. M., 1888. XIII, 1 ff.

Magazin, erstes österreichisch-ungarisches für Lehr- und Lernmittel. Organ der permanenten Lehrmittel-Ausstellung in Graz, Graz, 1888, 1 ff.

PACHE, OSK. *Gesetzeskunde und Volkswirtschaftslehre in der Fortbildungsschule.* 2. Teil: *Die Lehre von der Gesellschaft,* Leipzig, 1888. 8°.

Report, third annual of the State Board of Health of the state of Maine, for the fiscal year ending Dezember 31, 1887, Augusta, 1888.

ROSENTHAL, J. *Vorlesungen über die öffentliche und private Gesundheitspflege,* Erlangen, 1887. gr. 8°.

Über die ärztliche Beaufsichtigung der Schule. Sammlung — gischer Vorträge von W. MEYER-MARKAU, Bielefeld u. Leipzig.

Verlag von Leopold Voss in Hamburg (und Leipzig).
Anstalt u. Druckerei Actien-Gesellschaft (vorm. J.F. Richter), Hamburg.

Zeitschrift für Schulgesundheitspflege.

| I. Jahrgang. | 1888. | No. 10. |

Original-Abhandlungen.

Die Schulhygiene auf der Jubiläumsausstellung der Gesellschaft für Beförderung der Arbeitsamkeit in Moskau.

Von

Dr. Fr. Erismann,
Professor der Hygiene an der k. Universität in Moskau.

Die Gesellschaft für Beförderung der Arbeitsamkeit in Moskau hatte, um ihr fünfundzwanzigjähriges Bestehen in würdiger Weise zu feiern, beschlossen im Frühjahr 1888 eine Ausstellung zu veranstalten, deren Programm eine gewisse innere Verwandtschaft mit der Thätigkeit der Gesellschaft haben und die im allgemeinen die neuesten Fortschritte auf dem Gebiete der Erziehung und Schulbildung, sowie der Hülfeleistung bei Verwundungen, unheilbaren Krankheiten und Altersschwäche dem Publikum vorführen sollte. Dementsprechend sollte die Ausstellung in folgende Abteilungen zerfallen: I. Physische Erziehung und Kinderspiele; II. Schulhygiene (mit der Unterabteilung: Hygiene des Auges); III. Gymnastik; IV. Professionelle Schulen; V. Blindenanstalten; VI. Weibliche Handarbeiten; VII. Lehrgegenstände, Schulbücher, Schulbibliotheken; VIII. Unterstützung Unheilbarer und Altersschwacher; erste Hülfe bei Unglücksfällen; Hülfeleistung bei Verwundungen im Kriege.

Das Ausstellungskomitee bildeten, unter dem Vorsitze des Generalgouverneurs von Moskau, Fürsten Dolgoroukoff, einerseits diejenigen Personen, welchen die Besorgung der administrativen Angelegenheiten oblag, andrerseits die Präsi-

denten der einzelnen Abteilungen, deren Aufgabe in der Ausarbeitung der Programme, in der Auswahl der Gegenstände
für die Ausstellung und überhaupt in der Organisation der
Abteilungen bestand. In dieser Hinsicht wurde den Vorsitzenden vollständig freie Hand gelassen, weil nach der
Überzeugung des Komitees die Ausstellung nur dann eine
tiefere Bedeutung erlangen konnte, wenn unter möglichstem
Ausschlusse alles Zufälligen der Organisation jeder Abteilung
ein gewisser einheitlicher Plan zu Grunde gelegt und nur
solche Gegenstände ausgestellt wurden, deren Betrachtung
und Studium in der That belehrend für das Publikum sein
mußte. Der Schwerpunkt sollte also nicht in der Zahl der
Aussteller und der ausgestellten Gegenstände liegen, sondern
in der möglichst zweckmäßigen, sorgfältigen und durch-
dachten Auswahl der Ausstellungsobjekte von seiten
der Vorsitzenden, welche zu diesem Zwecke die Vollmacht
erhielten nach ihrem Gutdünken nur diejenigen Firmen oder
Privatpersonen zur Teilnahme an der Ausstellung einzuladen,
von denen zweckentsprechende Leistungen wirklich erwartet
werden konnten, und alle Ausstellungsgegenstände zurückzuweisen, die nach ihrer Ansicht nichts Belehrendes und der
Idee der Ausstellung Angemessenes boten; es waren also alle
Ausstellungsobjekte einer gewissen Zensur von seiten der
Vorsitzenden unterworfen. Außerdem erhielt jeder Vorsitzende
einen gewissen Kredit, der ihm gestattete, Gegenstände, deren
Anwesenheit er für wünschenswert hielt, für die Ausstellung
zu beschaffen.

Auf diese Weise sollte, wie man sieht, der Ausstellung
ein bestimmter Charakter gewahrt werden, und dementsprechend
mußte sich auch die Thätigkeit der Vorsitzenden ganz anders
gestalten d. h. eine viel aktivere und zugleich verantwort-
lichere sein, als dies gewöhnlich bei Ausstellungen der
Fall ist.

Wenn unter diesen Verhältnissen das wirklich Erreichte
in mancher Hinsicht hinter den Wünschen der Vorsitzenden
zurückblieb, so muß dies teilweise dem Umstande zugeschrieben

werden, dafs die ersten Schritte zur Organisation der Ausstellung erst ungefähr zwei Monate vor Eröffnung derselben gethan wurden; zweitens lag die Schuld daran, dafs es nicht selten gewisse Schwierigkeiten bot, Aussteller, deren Teilnahme an der Ausstellung wünschenswert war, für die Idee derselben zu gewinnen. Diese Umstände dürfen nicht aufser acht gelassen werden bei Beurteilung desjenigen, was die Ausstellung und im besondern die Abteilung für Schulhygiene, deren Organisation dem Schreiber dieser Zeilen anvertraut wurde, bot.

In das Programm der Abteilung waren im grofsen und ganzen alle Gegenstände und Fragen aufgenommen worden, die irgendwelche Beziehung zum Einflufs der Schule auf das körperliche oder geistige Wohl der Kinder haben, wenn sie auch kein spezifisches Attribut der Schule bilden. Zur Orientierung des Lesers lasse ich dieses Programm hier folgen:

I. Das Schulgebäude und seine Einrichtung.

a. Bauplan: Zeichnungen und Modelle vorhandener oder projektierter Schulgebäude verschiedener Typen (Dorfschulen mit und ohne Vorrichtungen zum Übernachten der Kinder; städtische Elementarschulen, Mittelschulen, Erziehungsinstitute).

b. Baumaterialien für Wände, Fufsböden etc. (in den Klassenzimmern, auf den Korridoren, Treppen, in Schlafsälen u. s. w.).

c. Das Schulzimmer: Zeichnungen und Modelle; Musterschulzimmer. — Natürliche und künstliche Beleuchtung; Gröfse, Einrichtung und Verteilung der Fenster; Instrumente zur Bestimmung der Tageshelle und der Intensität künstlicher Lichtquellen; Fenstervorhänge. — Vorrichtungen zur natürlichen und künstlichen Ventilation der Schulräume (Zeichnungen, Modelle). Resultate von Untersuchungen der Luftqualität in Schulräumen; diesem Zwecke dienende Instrumente.

d. Schultische rationeller Konstruktion, mit Angabe der Körpergröfse, für welche sie bestimmt sind; Tische für die Arbeit zu Hause mit Vorkehrungen zur Einstellung für Kinder verschiedener Größe.

e. Schulutensilien: Schul- oder Lesebücher, Atlanten u. s. w. mit mustergültigem Drucke. — Papier, Tinte, Tintenfässer, Federn. — Wandtafeln (Material und Konstruktion). — Schreibmaschinen.

f. Abtritte: Verschiedene Einrichtungen, die einerseits erlauben die Luft und den Boden rein zu erhalten, andrerseits aber auch die nötigen Bequemlichkeiten bieten. Luft-, Wasser- und Torfklosette.

g. Wasserversorgung: Wasserleitungsröhren, Filter, Waschtische.

h. Schlafsäle in Pensionen und Instituten. Allgemeines und spezielle Vorkehrungen; Bettgestelle und Bettzeug.

II. Hygienische-Lebensbedingungen und Gesundheits-zustand der Schulkinder.

a. Resultate anthropometrischer Untersuchungen über die physische Entwicklung der Schulkinder: Körperlänge, Brustumfang, Körpergewicht, Muskelkraft, spirometrische Beobachtungen u. s. w. (statistische Tabellen, Diagramme).

b. Registrierung der Gesundheitsverhältnisse der Schulkinder; individuelle Gesundheitskarten u. dgl.

c. Instruktionen, Gesetze und Vorschläge über die Organisation der gesundheitlichen Überwachung der Schulen und Erziehungsanstalten überhaupt.

d. Resultate von Untersuchungen auf dem Gebiete der sogenannten „Schulkrankheiten"; allgemeine Ernährungsstörungen; Verkrümmungen der Wirbelsäule und des Beckens; Kurzsichtigkeit und Herabsetzung der Sehschärfe; Störungen im Gebiete des Nervensystems und Folgen der geistigen Überbürdung etc. — Instrumente zur Ausführung der genannten Untersuchungen.

e. Tabellen und Diagramme über die Erkrankungshäufigkeit und die Art der vorwiegenden Erkrankungen in Schulen.

f. Untersuchungen über die Ernährung der Kinder in Pensionaten u. dergl.

III. Hygiene des Unterrichtes.

Lehrpläne mit Verteilung der Gegenstände auf die einzelnen Tagesstunden in verschiedenen Unterrichtsanstalten; Vergleichung der der körperlichen Ausbildung gewidmeten Stunden. Besondere Vorkehrungen und Mittel zur Erleichterung des Unterrichtes. Statistisches über die Hausaufgaben für Schüler verschiedenen Alters.

IV. Litteratur der Schulhygiene.

Bücher, Broschüren und Journalaufsätze über alle möglichen Fragen der Schulhygiene. —

Die auch nur teilweise Verwirklichung dieses Programmes bot nun aus den angeführten Gründen nicht geringe Schwierigkeiten dar, deren Überwindung dem Vorsitzenden nur durch die thätige Unterstützung von seiten der Assistenten des hygienischen Universitätslaboratoriums und mehrerer in demselben arbeitenden Ärzte, sowie durch die rege Teilnahme einiger Pädagogen (namentlich des Vorstandes der KOMISSAROFFschen technischen Schule) an der Organisation der Abteilung möglich wurde. Die Aufgabe war um so schwieriger, als wir beinahe ausschließlich auf Ausstellungsobjekte beschränkt waren, die sich in Moskau selbst beschaffen ließen, und von außen sehr wenig Unterstützung erhielten; selbst St. Petersburg war nur durch zwei Firmen, deren Spezialität der Vertrieb von Lehrmaterialien ist, vertreten. Es kann dies nur als Beweis dafür gelten, daß bei uns das Interesse für Fragen der Schulhygiene im allgemeinen noch sehr gering und wenig verbreitet ist.

Die Ausstellung wurde am 22. März a. St. feierlich eröffnet und dauerte bis zum 10. Mai. Während dieser ganzen Zeit wurden in der Abteilung für Schulhygiene die Ausstellungsgegenstände täglich mehrere Stunden hindurch vom Vorsitzenden persönlich oder von einigen Kollegen, die sich mit grofser Aufopferung dieser nicht leichten Aufgabe unterzogen, den Besuchern demonstriert. Wir hielten derart systematisch organisierte Erklärungen für unbedingt notwendig, wenn der Zweck unsrer Ausstellung — das Interesse für die Fragen der Schulhygiene bei den Ärzten, dem Lehrpersonale und auch in weiteren Kreisen zu wecken — auch nur halb-wegs erreicht werden sollte. Dem nämlichen Wunsche ent-sprang auch eine demonstrative Vorlesung über Subsellien und über künstliche Beleuchtung der Schulzimmer, die im Ausstellungslokale vom Vorsitzenden der Abteilung speziell für Lehrer und Lehrerinnen gehalten wurde. —

Indem ich nun zur Beschreibung der Ausstellung selbst übergehe, will ich bemerken, dafs ich mich nur bei denjenigen Objekten aufhalten werde, die von gröfserer, prinzipieller oder praktischer Bedeutung sind oder aber als Resultate spezieller Untersuchungen einen gewissen wissenschaftlichen Wert besitzen. Diese Untersuchungen, die uns durch die Liebenswürdigkeit des Kurators des Lehrbezirks Moskau, Grafen KAPNIST, ermöglicht wurden, betrafen, wie wir sehen werden, hauptsächlich die sanitären Zustände der Moskauer Mittelschulen.

Diejenigen Ausstellungsgegenstände, welche am häufigsten die Aufmerksamkeit der Besucher in Anspruch nahmen und wohl in der That auch am meisten der Beachtung würdig waren, betrafen einerseits das Schulzimmer und seine Ein-richtung — die Mafse des Zimmers, die Konstruktion der Subsellien für Schule und Haus, die natürliche und künstliche Beleuchtung der Klassen- und Arbeitszimmer, sowie die Resultate der chemischen und bakteriologischen Luftunter-suchung in Schulgebäuden — andrerseits die graphischen Darstellungen der in russischen Lehranstalten vorgenommenen Untersuchungen über die physische Entwicklung der Schul-kinder, die Morbidität derselben im allgemeinen und das Vor-kommen der sogenannten Schulkrankheiten im besonderen.

Wenden wir uns nun in erster Linie dem Schulzimmer

zu. In dieser Hinsicht bietet uns die Ausstellung das Modell eines Musterschulzimmers in ¹/₆ natürlicher Größe
aus Holz. Dasselbe ist geschmackvoll und elegant ausgeführt,
von der KOMISSAROFFschen technischen Schule in Moskau
ausgestellt und in den Werkstätten dieser Schule nach den
Angaben des Schreibers dieser Zeilen gefertigt worden. Es
realisiert diejenigen hygienischen Forderungen, welche wir,
einerseits den Bedürfnissen des jugendlichen Organismus,
andrerseits der speziellen Bestimmung des Lokales entsprechend,
aufstellen müssen — ohne Rücksicht darauf, ob wir es mit
einer Volksschule, einer städtischen Elementarschule oder einer
Mittelschule zu thun haben; dem praktischen Leben bleibt es
ja unbenommen, die von der Wissenschaft ausgearbeiteten
Prinzipien dem gegebenen Falle gemäß in dieser oder jener
Weise anzuwenden. — Das Zimmer ist für 36 Schüler bestimmt und enthält 18 zweisitzige Subsellien, die in 3 Reihen
mit Durchgängen von je 70 cm Breite aufgestellt sind. Die
Länge des Zimmers ist derart berechnet, daß auch die auf
der hintersten Bank sitzenden Schüler vollkommen deutlich
(unter einem Winkel von wenigstens 10 Minuten) Buchstaben
erkennen können, die auf der Wandtafel in einer Größe von
3—4 cm geschrieben sind. — Bei der Bestimmung der
Tiefe des Zimmers war darauf Rücksicht genommen, daß,
ausschließlich linksseitige Lage und zweckmäßige Konstruktion der Fenster vorausgesetzt, auch die in der Nähe der
inneren Wand sitzenden Kinder hinlänglich Licht bekommen
müssen.

Der obengenannten Schülerzahl und dem soeben Gesagten
entsprechend, erhielt das Zimmer eine Länge von 8,5 Meter
und eine Tiefe von 6,4 Meter (Verhältnis 4 : 3). Der Flächeninhalt beträgt also 53,4 Quadratmeter, und auf 1 Schüler
kommt 1,5 Quadratmeter Bodenfläche. Die Zimmerhöhe ist
gleich 4,25 Meter, so daß wir einen Kubikinhalt von 227 Kubikmetern und auf jeden Schüler 6,3 Kubikmeter erhalten.
Hierbei gestaltet sich die Aufstellung der Schultische folgendermaßen.

a. Nach der Länge des Zimmers:

Freier Platz vor der ersten Subsellienreihe . . . . 2,8 Meter

6 Schultische (je 0,80 Meter) . . . . 4,8　„

Durchgang hinter der letzten Reihe . . . . 0,9　„

Summa 8,5 Meter.

b. Nach der Tiefe des Zimmers:

Entfernung der Subsellien von der äufseren Wand 0,7 Meter

3 Reihen von Subsellien (je 1,20 Meter im Mittel) 3,6　„

2 Durchgänge . . . . 1,4　„

Entfernung der Subsellien von der inneren Wand . 0,7　„

Summa 6,4 Meter.

Bei Anordnung der Fenster war darauf Rücksicht
genommen einerseits eine möglichst grofse Menge von Licht,
andrerseits eine möglichst günstige Verteilung desselben zu
erhalten. Dies wird dadurch erzielt, dafs an der linksseitigen
Wand zwei sehr grofse Fenster angebracht sind, zwischen
denen sich nur ein sehr schmaler Pfeiler (0,7 Meter auf der
Innenseite) befindet. Die Fensterrahmen haben je 2,85 Meter
Höhe und sind von quadratischer Form. Jedes Fenster ist
durch eine hölzerne Kolonne in zwei Hälften geteilt, und
jede dieser Hälften besteht wieder aus drei gleichen Teilen,
von denen der mittlere (in Berücksichtigung unserer klimatischen Verhältnisse) nicht geöffnet werden kann, während die
beiden Seitenflügel mit Vorrichtungen zum Öffnen versehen
sind. Die Fenster sind überall doppelt. Das obere Drittel
des mittleren unbeweglichen Teiles in jeder der vier Fenster-
abteilungen ist um seine horizontale Achse drehbar, kann
also geöffnet werden und vermittelt die Lüftung des Zimmers
zu einer Zeit, wo die Fensterflügel geschlossen bleiben müssen;
mit Hülfe einer einfachen Vorrichtung öffnen sich hier die
inneren und äufseren Fensterrahmen gleichzeitig, und zwar
die äufsere Scheibe nach aufsen und unten, die innere dagegen
nach innen und oben, wodurch der ins Zimmer dringende
Luftstrom eine Richtung von aufsen und unten nach innen
und oben erhält. Die Anordnung der Fenster wird durch
folgende Zahlen charakterisiert.

a. Nach der Länge der Wand:

Fensterpfeiler in der vorderen Zimmerecke . .0,7 Meter

Fensteröffnung . . . . .3,1 „

Mittelpfeiler . . . . .0,7 „

Fensteröffnung . . . . .3,1 „

Fensterpfeiler in der hinteren Zimmerecke . . .0,9 „

Summa 8,5 Meter.

b. Nach der Höhe des Zimmers:

Höhe der Fensterbrüstung über dem Fußboden . . .0,90 Meter

Höhe des Fensters . . . . .2,85 „

Entfernung des oberen Fensterrandes von der Zimmer-

decke . . . . .0,50 „

Summa 4,25 Meter.

Wenn man von der Fensteroberfläche ¼ auf die Rahmen rechnet, so erhält man im ganzen eine Glasfläche von 12 Quadratmetern, welche sich zum Flächeninhalt des Bodens verhält wie 1 : 4,5.

Der Boden des Zimmers ist ein eichener Parketboden. — Die Wände sind stuckiert und mit einer leicht graublauen Farbe getüncht. Der untere Teil derselben, bis auf 1,5 Meter Höhe, ist mit dunkler, graublauer Ölfarbe angestrichen. Die Decke und der oberste Teil der Wände (1 Meter) sind mattweiß getüncht. — Die Zimmerecken, sowie die Berührungsstellen der Wände mit der Zimmerdecke sind abgerundet behufs leichterer Reinigung.

Die Heizung ist eine Warmwasserheizung. Die Röhren verlaufen längs der äußeren Wand, über dem Fußboden; unter den Fensterbrüstungen befinden sich Batterien mit in großen Abständen von einander angebrachten Rippen. Jede Batterie besitzt eine Vorkehrung zur Regulierung und kann für sich abgeschlossen werden. — Die Ventilation ist von der Heizung unabhängig. Die auf 20° C. erwärmte Ventilationsluft strömt durch eine unter der Decke angebrachte Öffnung von entsprechender Größe (0,7 Meter im Quadrate) ins Zimmer; die Abzugsöffnung für die Winterventilation befindet sich an der gegenüberliegenden Wand, unmittelbar über dem Fußboden; außerdem hat aber der Abzugskanal noch eine Öffnung unter der Decke. Wie man aus einer vom Vorsitzenden der Abteilung verfaßten Broschüre sieht, soll die Abzugsventilation zentralisiert sein. Auf jeden Schüler sollen in der Stunde 20 Kubikmeter Ventilationsluft kommen.

Einige Besonderheiten bietet die künstliche Beleuchtung dieses Musterschulzimmers. Es ist bekannt, daß eine den hygienischen Forderungen entsprechende künstliche Beleuchtung von Klassenzimmern oder überhaupt von Lokalen, in denen abends Schulkinder arbeiten, sehr viele Schwierigkeiten bietet und ein in der That bis jetzt ungelöstes Thema darstellt. Die Sache ist deshalb so schwierig, weil es hier nicht nur darauf ankommt, dem Zimmer eine hinreichende Lichtmenge zu geben, sondern auch das vorhandene Licht richtig zu verteilen und hierdurch die so unliebsamen und vom hygienischen Standpunkte aus geradezu gefährlichen Schatten zu vermeiden. Bei der gewöhnlichen Art der Einrichtung und Verteilung der Lampen bekommt die Mehrzahl der Schüler beim Schreiben einen äußerst hinderlichen Schatten, der von der rechten Hand des Schreibenden oder von der Schreibfeder auf das Papier geworfen wird und davon herrührt, daß fast alle Schüler eine oder mehrere Lampen zur rechten Seite oder hinter sich haben. Und vor diesen Schatten rettet bei der gewöhnlichen Art der Beleuchtung auch die größtmögliche Zahl von Lampen und die größtmögliche Lichtintensität nicht; sie werden auch durch keine Reflektoren entfernt, dieselben mögen noch so groß und noch so künstlich konstruiert sein. Auch Kontre-Abaschure [1], die wohl das Licht dämpfen, aber die Verteilung desselben nicht wesentlich ändern, helfen hier nichts. Es würde auch schwerlich besser, wenn man, im Bestreben das für die Tagesbeleuchtung gültige

[1] Unter „Kontre-Abaschuren" sind die meist aus Milchglas gefertigten, trichterförmigen Schirme zu verstehen, welche man über die Flamme setzt, damit diese nicht gesehen werden kann.

D. Red.

Prinzip hier durchzuführen, alle Lichtquellen auf der linken Seite der Schüler konzentrieren und somit alles Licht von links auf die Schultische werfen würde; auch hierbei müfste eine mehr oder weniger bedeutende Zahl der Schreibenden wenigstens teilweise Licht von hinten und links bekommen, wodurch wiederum Anlafs zur Bildung von Schatten gegeben wäre. Wir gelangen also zu dem unabwendbaren Schlusse, dafs bei der gewöhnlichen Art der künstlichen Beleuchtung eine richtige Verteilung des Lichtes im Raume und somit eine Vermeidung der Schattenbildung unmöglich ist.

Es gibt, wie uns scheint, nur einen Ausweg aus dieser fatalen Lage; — derselbe besteht im Ersatz des direkten Lichtes durch indirektes, zerstreutes, der diffusen Tagesbeleuchtung ähnliches Licht. Eine derartige Beleuchtung kann dadurch erzielt werden, dafs man die Lichtquellen dem Auge entzieht vermittelst undurchsichtiger Schirme, welche unterhalb der Lampen angebracht sind und alles Licht nach der Decke und dem oberen Teile der Wände werfen, so dafs diese grofsen beleuchteten Flächen dann ihrerseits als Lichtquelle dienen. Hierdurch wird eine vollkommen gleichmäfsige Beleuchtung erzielt, die an keiner Stelle des Zimmers, also auch auf keinem Schultische, einen unliebsamen Schatten gibt; aufserdem werden hierbei die Augen der Schüler vor grellen Lichtkontrasten in zufriedenstellender Weise geschützt. Nur für eines hat man unter diesen Umständen zu sorgen — für hinreichende Beleuchtung; weiter unten nämlich bei Besprechung der photometrischen Beobachtungen, die auf der Ausstellung selbst vorgenommen wurden, werden wir sehen, dafs bei Ausschlufs des direkten Lichtes ein grofser Teil des Lichtes überhaupt für den Schreibenden verloren geht; zugleich aber werden wir uns davon überzeugen, dafs ohne erhebliche Mehrkosten (im Vergleich zur gewöhnlichen Beleuchtung) hierbei hinreichendes Licht unschwer erreicht werden kann.

Das Modell unseres Musterschulzimmers ist nun in der soeben angegebenen Weise beleuchtet: im Abstande von

1. Meter von der Decke sind in gleichmäfsiger Verteilung
9 Lampen aufgehängt, und direkt unterhalb der Lampen
befinden sich undurchsichtige, nach oben reflektierende Schirme
mit grofsem Öffnungswinkel. Die Lampen sind deshalb in so
geringem Abstande von der Decke befestigt, weil sonst allzu-
viel Licht im Raume verloren geht. Wir verstehen nun auch,
warum nicht nur die Decke, sondern auch der obere Teil der
Wände mattweifs angestrichen ist, — diese Flächen dienen
zur Erzeugung des diffusen Lichtes.

Alles hier über das ausgestellte Modell Gesagte ist vom
Schreiber dieser Zeilen in einer kleinen Broschüre dargelegt
worden, welche denjenigen Besuchern der Ausstellung, die sich
für die Einrichtung von Schulzimmern besonders interessierten,
unentgeltlich eingehändigt wurde. — Über die Schultische,
mit denen das Modell in der entsprechenden Zahl versehen
war, will ich hier nur sagen, dafs sie in betreff der Konstruktion demjenigen Typus entsprachen, der weiter unten
eingehender beschrieben werden soll. In technischer Beziehung
ist das Modell musterhaft ausgeführt und, so viel uns bekannt,
bereits von einem der in Moskau vorhandenen Museen an-
gekauft worden.

Um die soeben besprochene Beleuchtungsweise mit
zerstreutem Lichte zu realisieren und zugleich einen
Vergleich mit der gewöhnlichen Beleuchtungsart anzustellen,
waren in dem für die Abteilung der Schulhygiene angewiesenen
Saale auf Veranlassung des Schreibers dieser Zeilen zwei
vollkommen dunkle Zimmerchen eingerichtet worden, deren
Höhe der gewöhnlichen Höhe der Klassenzimmer entsprach,
während die übrigen Mafse notwendig kleiner ausfallen mufsten.
Übrigens waren beide Zimmerchen von gleicher Gröfse,
quadratisch und hatten 4,5 Meter Seitenlänge. Das eine derselben wurde durch 3 Lampen mit sogenannten belgischen
Brennern, deren jeder im Maximum 40 Kerzen Lichtstärke
besafs, beleuchtet. Die Lampen waren in gewöhnlicher Höhe
über den Schultischen angebracht (ungefähr 1 Meter). Sie

waren mit grofsen, unten weifs angestrichenen Reflektoren aus
Blech und mit hellblauen Kontre-Abaschuren aus mattem
Glase versehen; das Licht der Lampen sollte ausschliefslich
durch diese Kontre-Abaschure auf die Tische geworfen werden,
um den Lichtkontrast für das Auge möglichst zu mildern;
es stellte sich aber sofort heraus, dafs durch diese Vorrichtung
die Beleuchtung allzusehr geschwächt wird, und wir entfernten
deshalb den Kontre-Abaschur von einer der Lampen. Gerne
hätten wir durchsichtige Kontre-Abaschure von bläulichem
oder gelblichem Glase benutzt, aber die Firma KOKS (früher
KUMBERG), welche uns die Lampen zur Verfügung gestellt
hatte, war nicht im stande derartige Abaschure in der kurzen
Zeit zu beschaffen. Die Wände dieses Zimmerchens waren
mit hellgrauer, die Decke mit weifser Farbe angestrichen.

Das zweite Zimmerchen erhielt 6 Lampen besonderer
Konstruktion, die uns von der Firma FENOULT in St. Petersburg zugeschickt worden waren, nachdem sie einige Monate
früher auf einer Ausstellung für Beleuchtungsgegenstände in
St. Petersburg (unseres Wissens zum erstenmale in dieser
Anwendung) figuriert hatten. Diese Lampen sind mit sogenannten Kreuzbrennern nach KOBOSEFF versehen, bei denen
vier je 6 Linien breite Dochte derart gestellt sind, dafs sie
ein im Zentrum unterbrochenes Kreuz bilden. Auf diese
Weise wird offenbar ein relativ grofser Lichteffekt erzielt, da
die vier Flammen, die man hier erhält, acht freie, leuchtende
Flächen darbieten. Dies ist wohl auch der Grund, weshalb
die Firma FENOULT derartige Brenner für die diffuse Beleuchtung ausgewählt hat; es würde wohl schwer sein, eine
Anordnung der Dochte zu finden, bei welcher die Flammen-
oberflächen besser ausgenutzt werden. Die Lampen sind
derart eingerichtet, dass sie von unten in einen Ring des
reflektierenden Schirmes eingeschoben und mittels Bajonett-
verschlufs in demselben befestigt werden können. Der Schirm
hat einen Durchmesser von etwa 55 cm, besitzt einen sehr
grofsen Öffnungswinkel nach oben und ist auf beiden Seiten
mit weifser Ölfarbe angestrichen; vermittelst dreier Ketten,

360

die schließlich in eine einzige zusammenlaufen, wird er an
der Zimmerdecke befestigt. — In dem hierfür bestimmten
Zimmerchen wurden 6 solcher Lampen aufgehängt, da nach
vorläufigen Beobachtungen bei den gegebenen Verhältnissen
diese Zahl uns gerade hinreichend erschien. Auf diese Zahl
von Lampen beziehen sich auch die weiter unten folgenden
photometrischen Messungen. Leider war es uns unmöglich,
Zahl und Anordnung der Lampen zu variieren, da während
der Ausstellung, die täglich von 10 Uhr morgens bis 5 Uhr
abends geöffnet war, dies kaum anging und nach Schluß derselben die Ausstellungslokale sofort geräumt werden mußten.
Die Lampen selbst befanden sich in einer Höhe von 2,75 Metern über dem Fußboden d. h. 1,5 Meter unterhalb der Decke.
Gerne hätten wir, um einen erhöhten Lichteffekt zu erzielen,
die Lampen noch um 0,5 Meter gehoben, aber wir wagten
dies nicht aus Besorgnis, es möchte trotz der Schutzvorrichtungen die aus dünnem Gewebe bestehende Zimmerdecke
anbrennen. Die Decke, sowie der obere Teil der Wände
(1,5 Meter) waren zuerst weiß getüncht worden; da sich aber
unter dem Einflusse der im oberen Teile des Zimmers ziemlich
hohen Temperatur der Anstrich bald abzuschilfern begann,
so wurden später alle diejenigen Flächen, die das Licht
reflektieren sollten, mit weißen, matten Tapeten beklebt. Der
mittlere Teil der Wände war in einem leicht hellgrauen Tone
gehalten, der untere (bis 1,2 Meter über dem Boden) war
dunkelgrau angestrichen.

Was nun den Effekt dieser Beleuchtung anbetrifft, so
will ich in erster Linie mit einigen Worten des subjektiven
Eindruckes gedenken, den dieselbe im allgemeinen hervor-
brachte. Die Mehrzahl der Besucher bemerkte sofort den
Unterschied im Charakter der Beleuchtung der beiden Lokale
und fand die indirekte Beleuchtung sehr angenehm, äußerst
wohlthuend für das Auge, gleichmäßig und mild, aber etwas
schwach. Dieser letztere Eindruck verschwand aber bei den
Meisten nach kurzer Anwesenheit im Zimmer, besonders wenn
man sie ersuchte gewöhnliche Druckschrift zu lesen, was unter

den gegebenen Umständen ohne jegliche Anstrengung der Augen möglich war. Überhaupt wurde bei längerem Aufenthalte im Zimmer der Eindruck, welchen die indirekte Beleuchtung machte, zunehmend günstiger. Sehr angenehm wurde es empfunden, daſs die Lichtquellen unsichtbar waren und die Schatten fehlten. In der That, man mochte sich in diesem Zimmerchen stellen oder setzen wie man wollte, ein irgendwie störender Schatten zeigte sich nirgends; auch beim Schreiben blieb das Heft überall gut beleuchtet. Um in dieser Beziehung den Unterschied zwischen der direkten und indirekten Beleuchtung schärfer hervortreten zu lassen, war in jedem Zimmer eine Kartonpuppe von natürlicher Gröſse, einen etwa zwölfjährigen Knaben darstellend, ausgestellt. Der eine dieser Knaben saſs in krummer Schreib-Haltung, den Kopf nach links geneigt, den ganzen Oberkörper nach vorn gebeugt, die Brust an den Tischrand angelehnt, die rechte Schulter gehoben, die Füſse in der Luft baumelnd, mit ausgesprochener und charakteristischer Krümmung der Wirbelsäule an einem alten, schlecht konstruierten Schultische mit zu groſser Distanz und Differenz, mit zu hoher Sitzbank und mit unzweckmäſsiger Rückenlehne; dieser Knabe befand sich in dem auf gewöhnliche Weise durch direktes Licht beleuchteten Zimmerchen, und der Tisch, an welchem er saſs, war derart aufgestellt, daſs die rechts hängende Lampe einen dunkeln Schatten von der Schreibfeder auf das Papier warf. Der andre Knabe saſs in korrekter Schreibhaltung an einem richtig konstruierten und der Gröſse des Schülers angepaſsten Tische und hatte seinen Platz in dem mit zerstreutem Lichte beleuchteten Zimmerchen erhalten. Hierdurch gelang es, den störenden Schatten und seinen schädlichen Einfluſs auf die Schreibhaltung im ersten Falle und die Abwesenheit jeglichen Schattens im zweiten Falle sehr deutlich und überzeugend zu demonstrieren.

Eine Bemerkung, die wir in betreff der indirekten Beleuchtung öfters zu hören bekamen, bezog sich auf die verhältnismäſsig groſse Zahl von Lampen in dem kleinen Raume.

In der That mußte es in die Augen fallen, daß in diesem Zimmerchen 6 Lampen aufgehängt waren, während in dem mit direktem Lichte beleuchteten Raume 3 Lampen als genügend befunden wurden, und dieser Umstand konnte zweierlei Bedenken hervorrufen: erstens konnte man erhöhte Ausgaben für Beleuchtungsmaterial erwarten, und zweitens mußte der Verdacht entstehen, daß leicht ein allzugroßes Steigen der Temperatur stattfinden könnte. Es war aber, wie wir gleich sehen werden, nicht schwer, diese Besorgnisse als unberechtigt zurückzuweisen, da der Verbrauch von Petroleum in den 6 Koboseff-Lampen nur unbedeutend größer war als in den 3 Lampen mit belgischen Brennern. Somit konnte also weder Kostenaufwand noch Wärmeentwicklung im ersten Falle erheblich größer sein als im letztern. In bezug auf Erhöhung der Lufttemperatur und strahlende Wärme stellt sich die indirekte Beleuchtung sogar günstiger, insofern als hierbei die Lampen bedeutend höher hängen und sich somit in größerer Entfernung von den Köpfen der Schüler befinden als bei der gewöhnlichen, direkten Beleuchtung.

Bevor ich zur Schilderung der bei den photometrischen Untersuchungen erhaltenen Resultate übergehe, will ich noch eines Versuches erwähnen, der uns darüber Aufschluß geben sollte, ob die indirekte Beleuchtung für Schulen, in denen weibliche Handarbeiten gelehrt werden, passend sei oder nicht. Zu diesem Zwecke setzten sich mehrere Mädchen mit ihrer Lehrerin und verschiedenen Handarbeiten in das Zimmerchen mit diffusem Lichte, und es stellte sich heraus, daß bei der gegebenen Beleuchtung alle Arbeiten, mit Ausnahme des Nähens schwarzer Zeuge, sehr gut von statten gingen. Im allgemeinen fanden die Mädchen das Licht sehr angenehm und äußerten sich günstig über die Abwesenheit greller Lichtkontraste.

Die photometrischen Beobachtungen wurden vom ersten Assistenten des hygienischen Laboratoriums der kais. Universität in Moskau, Dr. S. Boubnoff, ausgeführt. Derselbe bediente sich hierzu des von dem genannten Laboratorium ausgestellten WEBERschen Photometers (aus der Werkstätte von SCHMIDT & HANSCH in Berlin). Es ist natürlich hier nicht der Ort, über die Ausführung dieser Untersuchungen von der technischen Seite zu sprechen, und wir begnügen uns damit, einige der jedenfalls nicht uninteressanten Resultate wiederzugeben, die hierbei erhalten wurden. Ich bemerke noch, daſs sich die Untersuchungen hauptsächlich auf den Grad der Gleichmäſsigkeit der Beleuchtung des Bodens, der Wände und der Subsellien in beiden Zimmern bezogen. Was die Genauigkeit der Beobachtungen anbetrifft, so muſs zugestanden werden, daſs das WEBERsche Instrument einen gewissen subjektiven Spielraum in der Feststellung des Endresultates zuläſst und daſs nicht selten die Ablesung durch die verschiedenen Nüancen im Beleuchtungstone der beiden Gesichtsfelder etwas erschwert wird; doch kann der hierdurch entstehende Fehler bei einiger Übung auf ein Minimum reduziert werden, besonders wenn man seine Ablesungen von einem zweiten Beobachter kontrollieren läſst, was bei den in Rede stehenden Untersuchungen in der That jedesmal geschah.

I. Versuch.

A. Diffuse Beleuchtung. Im Laufe von $4\frac{1}{2}$ Stunden in 6 Lampen im ganzen 1385 Gramm Petroleum verbraucht (in der Lampenstunde 51,3 Gramm); die Lichtstärke aller Lampen zusammen ist gleich 76 Normalkerzen (die einzelnen Lampen geben 12—13,6 Normalkerzen). Beleuchtungsintensität in der Mitte aller vier Wände, in der Höhe von 1,5 Metern über dem Boden:

1. Wand 6,1 Meterkerzen [1]
2. „ 6,1
3. „ 6,1
4. „ 6,1

Eine gröſsere Gleichmäſsigkeit ist offenbar unmöglich.

---

[1] Der Ausdruck „Meterkerze" bedeutet, wie bekannt, die Lichtintensität, mit welcher ein weiſses Blatt Papier von einer Normalkerze beleuchtet wird, die in der Entfernung von 1 Meter von demselben aufgestellt ist.

Beleuchtungsintensität in der Mitte der
    Zimmerdecke .... 31,0 Meterkerzen
Beleuchtungsintensität in der Mitte des
    Zimmerbodens 6,7
Beleuchtungsintensität auf der Tisch-
    platte des höchsten Subselliums .. 12,2   „ .

    B. Direkte Beleuchtung. Die Kontre-Abaschure sind von allen 3 Lampen entfernt. Im Laufe von 4¹/₂ Stunden in 3 Lampen im ganzen 1171 Gramm Petroleum verbraucht (in der Lampenstunde 86,7 Gramm); die Lichtstärke aller Lampen zusammen ist gleich 75 Normalkerzen (die einzelnen Lampen geben 22—27,5 Normalkerzen). Beleuchtungsintensität der Wände in der Höhe von 1,5 Metern:

    1. Wand, Mitte, zwischen 2 Lampen ... 9,7 Meterkerzen
    2. „   am einen Ende 9,5   „
    2. „   am andern Ende 3,8   „
    3. „   8,0   „ .

    Hier ist also die Beleuchtungsintensität an verschiedenen Stellen der Wände eine sehr verschiedene und hängt offenbar von der Anordnung der Lampen ab. — Der Boden, in der Mitte des Zimmers, ist mit einer Intensität von 3,8 Meterkerzen beleuchtet.

II. Versuch.

    A. Diffuse Beleuchtung. Im Laufe von 6 Stunden in 6 Lampen im ganzen 2052 Gramm Petroleum verbraucht (in der Lampenstunde 57 Gramm). Die Lichtstärke aller Lampen zusammen ist gleich 109,5 Normalkerzen (bei den einzelnen Lampen erhält man 16,3—18,9 Normalkerzen). Die Beleuchtungsintensität der vier Wände, in der Höhe von 1,5 Metern über dem Boden, war in der Mitte der Wände folgende:

    1. Wand 9,2 Meterkerzen
    2. „   9,2   „
    3. „   9,0   „
    4. „   8,8   „ .

    Die Gleichmäßigkeit der Beleuchtung ist auch in diesem Falle, wie man sieht, eine ungemein große, ungeachtet des

Umstandes, daſs die einzelnen Lampen mit etwas ungleicher Lichtstärke brannten.

Beleuchtungsintensität der Zimmer-
decke in der Mitte.............   64,8 Meterkerzen
Beleuchtungsintensität des Zimmer-
bodens in der Mitte........   7,2
Beleuchtungsintensität des Zimmer-
bodens in den Ecken.......6,1—6,8
Beleuchtungsintensität des höchsten,
in einer Ecke stehenden Sub-
selliums.................   13,7   „   .

B. Direkte Beleuchtung. Im Laufe von 6 Stunden in 3 Lampen im ganzen 1811 Gramm Petroleum verbraucht (in der Lampenstunde 100,6 Gramm). Die Lichtstärke aller Lampen zusammen ist gleich 80 Normalkerzen (schwankt bei den einzelnen Lampen zwischen 20,5 und 30,9 Normal-kerzen). Beleuchtungsintensität der Wände in der Höhe von 1,5 Metern:

1. Wand, Mitte, zwischen 2 Lampen .. 18,3 Meterkerzen
2.   „   am einen Ende............ 11,8   „
2.   „   am andern Ende 6,1   „
3.   „   9,0   „   .

Wiederum sehen wir hier eine ganz ungleiche Beleuch-tungsintensität an den einzelnen Wänden und sogar an ver-schiedenen Stellen einer und derselben Wand. — Als Intensität, mit welcher der Boden beleuchtet war, ergab sich:

in der Mitte................... 6,4 Meterkerzen
am einen Ende (in der Nähe zweier
Lampen)................. 11,1
am entgegengesetzten Ende 4,8

Weitere Versuche, in derselben Weise fortgesetzt, be-stätigten die soeben beigebrachten Resultate. — Noch interes-santer sind übrigens folgende Beobachtungen, die uns einerseits zeigen, welchen Einfluſs bei indirekter Beleuchtung die Höhe der Subsellien auf die Beleuchtungsintensität der Tischplatte

27*

ausübt, und andrerseits uns darüber belehren, wie bei direktem Lichte die Beleuchtung des auf der Tischplatte liegenden Heftes durch den Schatten der schreibenden Hand oder des Kopfes abgeschwächt wird.

Was den ersten Punkt, den Einfluß der Tischhöhe auf die Beleuchtungsintensität der Tischplatte bei zerstreutem Lichte, anbelangt, so ergab der entsprechende Versuch folgende Resultate:

Tisch-nummer	Höhe des hinteren Tischrandes über dem Boden (in cm)	Beleuchtungs-intensität in Meterkerzen
I	48,5	8,8
II	54,0	9,2
III	59,5	9,6
IV	65,0	11,0
V	70,5	11,6
VI	76,0	9,4
VII	82,0	11,0.

Ich muß hierzu bemerken, daß behufs der photometrischen Beobachtungen die einzelnen Tische jeweilen in die Mitte des Zimmers gestellt wurden. Man sieht aus den erhaltenen Resultaten, was übrigens nach dem Vorausgehenden zu erwarten war, daß im allgemeinen die Beleuchtungsintensität mit der Höhe der Tische zunimmt; bis zu No. VI ist diese Zunahme eine sehr regelmäßige; von da an aber beginnen unbedeutende Schwankungen, die wir uns allerdings nicht erklären können, die aber der Gesetzmäßigkeit der Erscheinung kaum einen Abbruch thun; vermutlich hängt der Sprung bei No. VI mit einem Beobachtungsfehler zusammen. Im allgemeinen übertraf in diesem Versuche bei den höheren Subsellien die Intensität der Beleuchtung das von Cohn angenommene Minimum von 10 Meterkerzen.

Was den zweiten Punkt, die Abschwächung der Beleuchtungsintensität der Tischplatte oder eines auf derselben liegenden Heftes durch den Schatten

der schreibenden Hand oder des Kopfes bei direktem
Lichte, anbetrifft, so ergab die Beobachtung folgendes:

Beleuchtungsintensität des Heftes ohne
Schatten . . . . 8,2 Meterkerzen

Beleuchtungsintensität des Heftes im
Halbschatten der schreibenden
Hand . . . . 2,6 „

Beleuchtungsintensität des Heftes im
vollen Schatten der schreibenden
Hand . . . . 1,5 „

Beleuchtungsintensität des Heftes im
Schatten des Kopfes . . . . 4,6 „ .

Also beinahe um die Hälfte wird die Beleuchtung abgeschwächt durch den Kopf des Schreibenden, und bis
auf ein Fünftel kann sie reduziert werden durch
den Schatten der schreibenden Hand! Solche Zustände sind nur bei der direkten Beleuchtung möglich, beim
zerstreuten Lichte kommen sie nicht vor. In bezug auf die
Beurteilung des letzteren vom sanitären Standpunkte aus
müssen wir also sagen, daſs die Resultate der objektiven,
wissenschaftlichen Untersuchung mit dem subjektiven
Eindrucke, den diese Beleuchtung hervorbringt, vollkommen zusammenfallen. Sie gibt wirklich ein gleich-
mäſsiges Licht und schlieſst die störenden Schatten
aus, was bei direktem Lichte unmöglich ist. Ich glaube deshalb wohl behaupten zu dürfen, daſs in der Verwirklichung
des Prinzipes der indirekten Beleuchtung durch zerstreutes
Licht die Lösung der Frage über die künstliche Beleuchtung
der Klassenzimmer zu suchen ist. Die angeführten Versuche
beseitigen auch das obenerwähnte Bedenken über den gröſseren
Verbrauch von Beleuchtungsmaterial und über die gröſsere
Wärmeentwickelung bei dieser Art der Beleuchtung; offenbar
ist es aber in dieser Hinsicht wichtig, Lampenbrenner zu
verwenden, welche das Licht der Flamme gut exploitieren. —
Es versteht sich von selbst, daſs weitere Beobachtungen über
die relative Zahl der Lampen, die Konstruktion derselben,

ihre günstigste Entfernung von der Zimmerdecke u. s. w. angestellt werden müssen; ebenso ist klar, dafs das Prinzip des zerstreuten Lichtes auch bei Gasbeleuchtung. oder elektrischem Lichte durchgeführt werden kann. —

Nächst den schon besprochenen Ausstellungsobjekten wurde die Aufmerksamkeit der Besucher in hohem Mafse durch die ausgestellten Subsellien gefesselt. Dem in der Einleitung erwähnten Prinzipe der Ausstellung entsprechend, waren im allgemeinen nur .solche Schultische. exponiert, die wirklich vom hygienischen Standpunkte aus dem Lehrpersonal und dem Publikum überhaupt empfohlen werden, oder aber in irgend einer Weise zum Vergleiche dienen konnten. Es handelte sich ja nicht um eine Ausstellung beliebiger, von dieser oder jener Firma nach ihrem Gutdünken konstruierter und auf den Markt gebrachter Subsellien, sondern um belehrende Demonstrationen für Leute, denen diese Sache am Herzen gelegen sein mufs.

Aus diesem Grunde .waren zwar des Vergleichs halber einige nach verschiedenen Systemen konstruierte Schultische ausgestellt, aber der Schwerpunkt dieses Teiles unserer Abteilung lag in sieben für verschiedene Körpergröfsen berechneten Tischnummern, welche von der oben erwähnten KOMISSAROFFschen technischen Schule nach den Angaben des Schreibers dieser Zeilen gefertigt worden waren. Diese Ausstellungsgegenstände waren deshalb von nicht zu unterschätzender Bedeutung, weil hiermit unsres Wissens in Rufsland zum ersten Male dem Publikum eine ganze Serie streng systematisch konstruierter Subsellien mit Angabe desjenigen Wuchses, dem sie angepafst und für den sie bestimmt sind, vorgeführt wurde. Selbst die beständige und im allgemeinen reichhaltige Ausstellung des pädagogischen Museums in St. Petersburg, das dem Erziehungsdepartement des Kriegsministeriums gehört und bei Gelegenheit der hygienischen Ausstellung in Brüssel im Jahre 1876 mit Recht die Aufmerksamkeit des Publikums und der Behörden erregt hatte, besitzt zwar Subsellien verschiedener Konstruktion, verfügt aber nicht über eine vollständige Reihe hach einem gewissen Systeme gebauter und für die verschiedenen Körpergröfsen bestimmter Tische. Und doch wäre dies für die Zwecke der Propaganda unstreitig von grofser Wichtigkeit. Denn in der Praxis begegnet man, wenigstens bei uns, nicht selten der Erscheinung, dafs von dieser oder jener Unterrichtsanstalt an und für sich mehr oder weniger richtig konstruierte Subsellien eingeführt sind, aber hierbei nicht die gehörige Rücksicht darauf genommen wird, dafs die Schulbank in jedem einzelnen Falle auch dem Wuchse des Schülers entspreche. Und dieser Übelstand rührt lediglich davon her, dafs weder diejenigen Firmen, welche Schultische verkaufen, noch diejenigen Schulbehörden und Lehrer, welche dieselben verwenden, einen richtigen Begriff von dem den hygienischen Bedingungen entsprechenden Verhältnisse zwischen der Körperlänge der Kinder und den Mafsen der Subsellien, welche ihnen angewiesen werden, besitzen. Dieser Punkt verdient deshalb die höchste Aufmerksamkeit, weil der Mangel einer richtigen Einsicht in die erwähnten Verhältnisse den Nutzen auch der besten Subselliensysteme vollkommen paralysieren kann. Es ist also äufserst wichtig, dafs an jedem Subsellium, das zum Verkaufe angeboten wird, diejenige Körpergröfse angegeben sei, für welche dasselbe bestimmt ist. Die Bedeutung dieser Forderung dem Publikum klar zu machen war unsere Absicht, wenn wir dafür Sorge trugen, dafs, wie oben gesagt, eine vollständige Serie von nach einem bestimmten Systeme konstruierten und den verschiedenen Körpergröfsen angepafsten Subsellien auf der Ausstellung vorhanden war.

Was nun die Konstruktion dieser Subsellien anbelangt, so kann ich mich hierüber kurz fassen, da sie eine sehr einfache, den von deutschen Fachmännern ausgearbeiteten Prinzipien im allgemeinen entsprechende ist. Sie läfst sich in folgender Weise charakterisieren: 1. Die „Differenz" ist gleich 16 % der Körperlänge; 2. die „Distanz" ist eine Minusdistanz von 5 cm; 3. die Höhe der Sitzbank entspricht

28 % der Körperlänge für die kleineren und 29 % derselben für die hochgewachsenen Schüler; 4. die · Lehne ist eine Lendenlehne, deren Höhe und Entfernung vom hinteren Tischrande der „Differenz" entsprechen; sie hat die Form einer horizontalen, auf der dem Rücken des Schülers zugekehrten Seite etwas abgerundeten Leiste; 5. die Tische sind zweisitzig; 6. die Tischplatte besteht aus einem horizontalen, 10 cm breiten und einem unter einem Winkel von 14° geneigten, 40—45 cm breiten Teile; das dem Schüler zugekehrte Drittel des letzteren kann zurückgeklappt werden; die Scharniere sind flach, nicht über die Oberfläche der Tischplatte hervorragend; 7. die Stufen der Körperlänge, denen die Tische angepafst sind, umfassen je 11 cm. — Zur Erläuterung der Details dient die beigefügte Zeichnung, welche das Profil der

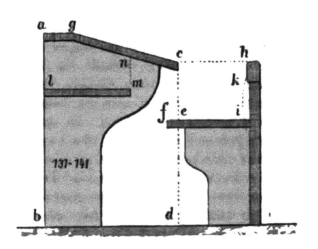

ab =	Höhe des vorderen Tischrandes. :	67,5 cm	hi =	Höhe der Lehne über der Bank	21,5 cm
cd =	Höhe des hinteren Tischrandes	59,5 „	hc =	Entfernung d. Lehne vom hinteren Rande der Tischplatte. . . .	21,5 „
ce =	Differenz	21,5 „			
ef =	Distanz (negativ) . .	5,0 „	hh =	Breite der Lehne .	8,0 „
cg =	Breite des geneigten Teiles d. Tischplatte	40,0 „	fi =	Breite der Sitzbank	30,0 „
			lm =	do. d. Bücherbrettes	30,0 „
ag =	Breite d. horizontalen Teiles d. Tischplatte	10,0 „	mn =	Entfernung d. Bücherbrettes von der Tischplatte	12,0 „
cd =	Höhe der Sitzbank über dem Boden . .	38,0 „			

III. Tischnummer darstellt, sowie die folgende Maßtabelle, in der die Maße der einzelnen Nummern in cm angegeben sind:

| Tischnummer | Körpergröße der Schüler. | Tischhöhe | | Differenz | Höhe der Sitzbank | Breite des geneigten Teiles der Tischplatte | Distanz | Höhe der Lehne über der Bank | Entfernung der Lehne vom hinteren Tischrande | Breite der Lehne | Breite des Bücherbrettes |
		Vorderer Rand	Hinterer Rand								
I	109—119	56,5	48,5	18,5	30	40	—5	18,5	18,5	7	25
II	120—130	62,0	54,0	20,0	34	40	—5	20,0	20,0	7	25
III	131—141	67,5	59,5	21,5	38	40	—5	21,5	21,5	8	30
IV	142—152	73,0	65,0	23,0	42	40	—5	23,0	23,0	8	30
V	153—163	78,5	70,5	24,5	46	40	—5	24,5	24,5	8	30
VI	164—174	85,0	76,0	26,0	50	45	—5	26,0	26,0	8	35
VII	175 u. mehr	91,0	82,0	28,0	54	45	—5	28,0	28,0	8	35

Nach den hier angeführten Prinzipien sind auch zwei Subsellien konstruiert, die von der KOMISSAROFFschen technischen Schule zum häuslichen Gebrauche hergestellt wurden und deren einzelne Teile in der Weise beweglich sind, daß sie für Kinder vom allerverschiedensten Wuchse dienen können. Der Mechanismus, der die Einstellung des Tisches für diese oder jene Körperlänge vermittelt, war vom Inspektor der Schule, Herrn A. KRYLOFF, in sehr sinnreicher Weise erdacht worden und besitzt, wie wir gleich sehen werden, einige Eigentümlichkeiten, die ihm einen besonderen Wert verleihen. Es leiden nämlich alle uns bis jetzt bekannten, zum Hausgebrauche bestimmten Subsellien an dem verhängnisvollen Umstande, daß die einzelnen Teile unabhängig von einander verstellt werden können, so daß es von der Aufmerksamkeit und dem guten Willen der Eltern oder der Kinder selbst abhängt den Tisch so einzustellen, daß wirklich alle einzelnen Maße desselben dem gegebenen Wuchse entsprechen. Es ist um so weniger zu erwarten, daß dies in richtiger Weise geschehe, als die Zahl der Teile, deren gegenseitige Lage gewechselt werden muß, wenn man das Subsellium

einem andern Wuchse anpassen will, ziemlich zahlreich ist
(Höhe der Sitzbank, Differenz, Lage der Lehne in horizontaler
und senkrechter Richtung, Lage des Fußsbrettes). Bei der
in Rede stehenden Konstruktion KRYLOFFS ist nun dieser
Mangel fast gänzlich beseitigt; bei diesem Subsellium nämlich,
das mit einer unbeweglichen Tischplatte versehen ist, geschieht
die Einstellung der Differenz und Bankhöhe dadurch, daß die
Bank und das Fußsbrett, je nachdem man den Tisch einem
kleinen oder größern Schüler anpassen will, gehoben oder
gesenkt werden, wobei gleichzeitig und automatisch auch
die Lehne die entsprechende Lage einnimmt. Es sind also
behufs Einstellung des Subselliums für eine bestimmte Körpergröße nur zwei Veränderungen an demselben vorzunehmen,
das übrige macht sich von selbst. Um eine richtige Einstellung der Sitzbank möglich zu machen, sind an entsprechender Stelle mit Nummern versehene Einschnitte angebracht,
von denen jeder der für eine gewisse Körpergröße erforderlichen Lage der Sitzbank entspricht. Das Fußsbrett läßt sich
trotz seiner Größe, vermöge welcher es gleichsam einen
zweiten Fußsboden bildet, sehr leicht in Falzen, die in der
entsprechenden Höhe angebracht sind und ebenfalls Nummern
tragen, hin und her bewegen. Jedenfalls ist also durch diese
Konstruktion die Aufgabe des richtigen Einstellens der Subsellien wesentlich vereinfacht und erleichtert. Da außerdem
die technische Ausführung der Tische, die Genauigkeit, mit
welcher sie gearbeitet und mit welcher überall die erforderlichen Maße eingehalten sind, eine mustergültige genannt
werden muß, so ist es begreiflich, daß diese beiden Subsellien
in hohem Maße die Aufmerksamkeit sowohl der Sachverständigen, als auch des Publikums auf sich lenkten. In Anbetracht ihrer Vorzüge ist der Preis der Tische, welcher den
Preis der zu demselben Zwecke bestimmten und mit den
soeben genannten Mängeln behafteten Subsellien anderer
Firmen nicht übersteigt, ein sehr billiger zu nennen. Tische
der letzteren Art waren mehrere ausgestellt; da sie aber in
ihrer Konstruktion nichts Besonderes bieten, will ich mich

nicht bei ihrer Schilderung aufhalten. Der Vergleich derselben mit den ausführlich beschriebenen Subsellien der KOMISSAROFF- schen Schule war für das Publikum sehr lehrreich.

Ich habe schon früher erwähnt, daß neben den Muster- subsellien mit Absicht auch Tische älterer, untauglicher Kon- struktion ausgestellt waren und daß ein solcher Tisch dazu benutzt wurde, an einer Puppe, die einen Knaben von etwa 12 Jahren darstellte, zu zeigen, welch ungünstigen Einfluß auf die Körperhaltung derartige Schulbänke ausüben.

Um endlich auch den sich für die historische Entwickelung der Schulbankfrage interessierenden Besuchern der Ausstellung etwas zu bieten, war vom Vorsitzenden für die Beschaffung der Modellsammlung des Herrn Lehrers LUDWIG BARON in Breslau gesorgt worden. Diese Sammlung war unsres Wissens zum ersten Male auf der vorjährigen Ausstellung des VI. internationalen Kongresses für Hygiene und Demo- graphie in Wien dem Publikum bekannt geworden, und muß es jedenfalls als ein Verdienst des Herrn BARON bezeichnet werden, daß er eine solche, sozusagen genetische Reihe von Schulbankmodellen zusammengestellt hat. Doch wäre es zu wünschen, daß die Sammlung in einigen Richtungen ver- vollständigt würde, während einzelne der in derselben vor- handenen Modelle von Subsellien, die niemals eine praktische Bedeutung erlangt haben, weggelassen werden könnten, ohne daß hierdurch dem Wert der Sammlung Abbruch gethan würde.

(Fortsetzung und Schluß in No. 11.)

Kleinere Mitteilungen.

Über den schädlichen Einfluß zu angestrengter geistiger Thätigkeit auf die Zähne der Kinder veröffentlicht der berühmte Zahnarzt Dr. EVANS in Paris einen längeren Aufsatz. Er behauptet, daß derartig überbürdete Kinder frühzeitig ihre Zähne verlieren, daß man daher mit dem Unterricht nicht zu früh beginnen, sondern den Körper erst möglichst ausreifen lassen solle. Je größer die späteren

Schulanforderungen, um so widerstandsfähiger müsse der Schüler sein.
Die .allgemeine Schulpflicht sollte darum erst. mit dem 7. Lebensjahre
beginnen, wie in der Schweiz, nicht mit dem 6. Jahre, wie in Deutschland und Österreich. „Der gesamte Phosphor und Kalk", so fährt
Dr. EVANS fort, „den die Zähne zum ordentlichen Wachstum nötig
haben, wird im Gehirn verbraucht, welches sich anstrengen muß, um
die Worte der Lehrer sich einzuprägen." So hat Kronprinz RUDOLF
VON ÖSTERREICH kaum einen Zahn, der nicht schon plombiert gewesen
wäre, ehe der Prinz halb erwachsen war. Die Backenzähne des unglücklichen Prinzen LOUIS NAPOLEON waren ebenfalls mit Gold überfüllt, da
seine Hofmeister MONIER und FELON ihn außerordentlich angestrengt
hatten. So interessant die EVANSsche Theorie ist, so liegt doch der
Einwurf nahe, warum nur die Zähne und nicht auch die Knochen bei
geistiger Überanstrengung an Phosphor und Kalk verarmen sollen.

FR. SELBER.

Fußwanderungen der Schüler in Plauen i. V. „Der Verein
für Körperpflege" in Plauen i. V. hat veranlaßt, daß die Schüler
während der Ferien unter Leitung eines Lehrers regelmäßige Fußtouren
machen. Dieselben währen zuerst nur einige Stunden, dehnen sich aber
allmählich bis auf den ganzen Tag aus. Kosten sind damit nicht verbunden, da die Kinder unterwegs von ihrem Mundvorrate leben. Unabweisliche kleine Ausgaben werden von dem Lehrer ausgelegt. Eine
ähnliche Einrichtung ist für Chemnitz geplant.

Ferienkolonien für Londoner Schulkinder. Ein gutes Werk
ist von „The Children's Country Holidays Fund" (10, Buckingham Street,
Strand) in London ausgeführt worden. Die Gesellschaft hat im letzten
Jahre 14 048 Kinder nach 366 Orten aufs Land geschickt. Die Kosten
betrugen £ 9178, wozu die Eltern £ 2819 beisteuerten. In der Regel
betrug der Landaufenthalt 14 Tage, doch blieben einzelne Kinder auch
3 Wochen. Lokalkomitees wählten die Knaben und Mädchen in der
Stadt aus und nahmen deren Beiträge in Empfang, während Freunde
auf dem Lande für ihr Wohlergehen in den einzelnen Familien sorgten.
Unglücksfälle oder ansteckende Krankheiten kamen nicht vor.

**Transportable Baracken für scharlachkranke Kinder in
Paris.** In seiner Sitzung vom 20. Juli d. J. hat der Pariser Gemeinderat
die Errichtung zweier Isolierbaracken für achtzig Scharlachkranke genehmigt, von denen die eine im Kinderhospital aufgeschlagen werden
soll. Dieselben werden so hergestellt, daß sie leicht abzubrechen und
sofort an einer andern Stelle wieder aufzubauen sind.

Zuhilfenahme der Schule gegen das Anwachsen der Blindheit in den Vereinigten Staaten. Die Blindheit hat in den Vereinigten Staaten bedeutend an Ausdehnung gewonnen. Denn während die Bevölkerung in dem Zeitraum von 1870—1880 um 4 Prozent zunahm, stieg die Blindheit in derselben Zeit um mehr als 140 Prozent an. Sie vermehrt sich in einem fast regelmäßigen Verhältnis von Norden nach Süden und ebenso von Osten nach Westen. Die Kosten, diese große Zahl von Blinden zu unterhalten, beliefen sich im Jahre 1880 auf 16 Millionen, im Jahre 1887 dagegen auf 25 Millionen Dollars. Da unter den Ursachen ansteckende Augenkrankheiten eine Hauptrolle spielen, so strebt ein besonderes Komitee zur Verhütung weiteren Anwachsens der Blindheit unter andrem die Isolierung verdächtiger Fälle in Schulen und Instituten an; auch sollen die Direktoren der höheren und niederen Unterrichtsanstalten gebeten werden, das Komitee in seinen Bemühungen nach Kräften zu unterstützen, namentlich durch Belehrung der Jugend über die Ansteckungsgefahr mancher Augenkrankheiten.

Kinderhorte in Deutschland, Österreich und der Schweiz. Wie weite Verbreitung die Kinderhorte gefunden haben, kann man aus der großen Zahl der Städte ersehen, in welchen sich solche befinden. Wir nennen nur Auszersihl bei Zürich, Berlin, Bremen, Breslau, Dresden, Frankfurt a. M., Hamburg, Hernals bei Wien, Kassel, Köln, München, Offenbach a. M., Potsdam, Prag, Rainhausen bei Regensburg, Reichenberg in Böhmen, Sachsenhausen bei Frankfurt a. M., Stettin, Stuttgart, Wandsbeck, Wiener Neustadt, Wien, Würzburg und Zürich.

Schülerexkursionen in Lausanne. Die wohlhabenderen Schüler von Lausanne haben in diesem Sommer ein Konzert veranstaltet, dessen Reinertrag dazu bestimmt war, für ihre ärmeren Mitschüler eine Ausfahrt zu ermöglichen. Der Erfolg war so günstig, dafs 80 unbemittelte Schüler einen weiteren Schulausflug nach Thun, Kanderthal, Gemmi und ins Leukerthal unternehmen konnten.

Schul-Apotheken in Frankreich. Da bei den Schulkindern bisweilen Unglücksfälle eintreten, so hat man in Frankreich besondere Schul-Apotheken einzurichten begonnen. Dieselben enthalten alles, was zur ersten Hilfeleistung erforderlich ist. Demgemäfs sind in einem hölzernen Kasten Kampferspiritus, Arnika, Karbollösungen, Ammoniak, Verbandzeug, Kompressen, Charpie, Watte u. dergl. vereinigt. Die Lieferung dieser Gegenstände hat die Hospital-Zentralapotheke in Paris übernommen.

Torfmull zur Desodorierung der Schul-Aborte wird neuerdings vielfach empfohlen, zumal derselbe, namentlich in gröfseren Mengen bezogen, sehr wohlfeil ist. Im Herzogtum Braunschweig ist die Anwendung von Torfstreu für die Gasthaus-Aborte polizeilich vorgeschrieben und hat sich durchaus bewährt.

Die Gefährlichkeit gefärbter Kreide wird von Professor Jungfleisch in „Druggist's Circ." hervorgehoben. In vielen Schulen benutzt man dieselbe, um Zeichnungen an der Wandtafel durch verschiedene Farben verständlicher zu machen. Da letztere mit Hilfe von Bleiglätte, Mennige, Chromgelb und selbst Quecksilbersulfid hergestellt sind und die farbigen Kreidelinien oft mit einem trockenen Schwamme fortgewischt werden, so entsteht die Gefahr einer Vergiftung durch Blei-, Chrom- oder Quecksilberstaub. Die Fabrikanten sollten daher bei Herstellung farbiger Kreide nur ungiftige Farben verwenden.

Tagesgeschichtliches.

Der VIII. österreichische Ärztevereinstag in Wiener-Neustadt hat auf Antrag des Referenten Dr. Adler unter andrem folgende Thesen aufgestellt:

Zur Heranbildung tüchtiger Gesundheitsbeamten sind an allen Universitäten hygienische Institute und an den technischen Hochschulen ein theoretischer und praktischer Unterricht in der Gesundheitstechnik einzurichten.

Die Gesundheitsverwaltung kann ohne verständnisvolle Mitwirkung der ganzen Bevölkerung ihrer Aufgabe nicht gerecht werden; der Unterricht in der Hygiene an den Volks-, Mittel- und Fachschulen ist daher eine unbedingte Notwendigkeit.

Petition des Berliner Lehrervereins an den preußischen Eisenbahnminister. Der Vorstand des Berliner Lehrervereins hat zu Gunsten der Sommerausflüge der Gemeindeschüler eine Bittschrift an den Eisenbahnminister von Maybach gerichtet. Er ersucht darin, für sämtliche Volksschulkinder bei Ausflügen ohne Rücksicht auf das Alter und für Berlin mit Einschluß der Stadt- und Ringbahn und der Vorortzüge größere Fahrpreisermäßigungen eintreten zu lassen und diese auch auf die Ferien auszudehnen. Gegenwärtig werden Schüler, wenn deren wenigstens 10 sind, nach den Sätzen für Militärbillets befördert und außerdem von Kindern unter 10 Jahren 2 auf eine Fahrkarte gerechnet. Diese letztere Bestimmung ist aber für Klassen, in denen sich Schüler über und unter 10 Jahren befinden, wegen der ungleichen Bezahlung sehr lästig. Außerdem würden viel mehr Kinder an Ausflügen teilnehmen, wenn der Preis der Fahrkarten noch weiter herabgesetzt würde. Der Kultusminister von GOSSLER ist um Befürwortung der Petition gebeten worden.

Die Pariser Hygieneausstellung ist am 20. Juli im Industriepalast eröffnet worden. Zu den Mitgliedern des Komitees gehören unter andern BERTHELOT, DUJARDIN-BEAUMETZ und MORIN.

Schulhygienische Untersuchungen in Bern. Die Polizeidirektion in Bern hat eine in vier Sektionen geteilte Spezialkommission eingesetzt, welche die Berner Stadtschulen in gesundheitlicher Beziehung zu untersuchen hat. Besondere Berücksichtigung soll dabei aufser der Einrichtung der Schulgebäude eine etwaige Überbürdung der Schüler, die Statistik der Schulkrankheiten und der Einfluſs des Elternhauses auf die Gesundheit der Kinder erfahren.

Über die Kurzsichtigkeit in den Primärschulen von Bukarest sprach Dr. M. CRAISICEAU auf dem am 8. August d. J. eröffneten internationalen Ophthalmologenkongresse zu Heidelberg. Auch in Bukarest steigt die Zahl der Kurzsichtigen von Klasse zu Klasse an. Der Vortragende wünschte, dafs der Kongrefs eine übereinstimmende Untersuchungsmethode der Schüleraugen festsetze.

Der ungarische Landesverein für Hygiene hat durch seinen Ausschufs einen Aufruf erlassen, über jene im Volke verbreiteten Sitten und Gebräuche Daten mitzuteilen, welche sich auf die Pflege der Kinder beziehen. Die eingelaufenen Mitteilungen werden von dem Vereine gesammelt und bearbeitet werden.

Gegen die obligatorische Einführung des Handfertigkeits-unterrichts in Schulen hat sich kürzlich die pommersche Provinzial-Lehrerversammlung und vorher schon eine Anzahl einzelner pommerscher Lehrervereine ausgesprochen. Mit Recht bemerken die Anhänger dieses Unterrichtszweiges, dafs eine objektive Beleuchtung der Frage auch vom gegnerischen Standpunkte aus nur willkommen sein kann. Die Auffassung der pommerschen Provinzial-Lehrerversammlung aber dürfte kaum noch objektiv zu nennen sein. Denn niemand denkt daran, den Handfertigkeitsunterricht zum obligatorischen Lehrgegenstand zu machen; vielmehr wird die Arbeitsschule nur neben der Schule und höchstens als fakultativer Unterricht angestrebt. Auch will es uns nicht gerechtfertigt erscheinen, einen Mann zum Referenten in dieser Sache zu bestellen, der in einer von ihm verfafsten Broschüre: „Die Volksschule und der Handfertigkeitsunterricht" folgenden in seiner zweiten Hälfte kaum noch ernst zu nehmenden Satz aufstellt: „Die Handfertigkeit kann also leicht dazu führen, daß ernste Berufsarbeit durch sie vernachlässigt wird, und in den ärmeren Volksklassen verleitet sie unbedingt zum **Diebstahl** und **zur Sonntagsentheiligung**."

Kinderheilstätten an der See. Wie im Kanton Tessin, so pflegt man auch im Kanton Genf arme kränkliche Kinder ans Meer zu schicken. Am 1. Juni d. J. kamen 16 Kinder aus Cannes zurück, wo sie ihre Gesundheit völlig wiedererlangt hatten. Drei Wochen später aber gingen abermals 38 Kinder mit zwei Begleiterinnen von Genf an die See ab.

Die orthopädische Gesellschaft Amerikas hielt vom 18. bis 20. September ihre Jahresversammlung in Washington ab. Unter der großen Zahl der Vorträge hatte derjenige des Dr. SAMUEL KETCH aus New York für den Schulhygieniker besonderes Interesse. Er sprach über seitliche Verkrümmungen der Wirbelsäule und ihre frühe Behandlung.

Typhusepidemie in der höheren Töchterschule zu Oppeln. Der kgl. Kreisphysikus Dr. KLOSS in Oppeln berichtet, daß nach den Meldungen bei der Polizei nicht 35, sondern nur 8 Typhusfälle in der dortigen höheren Töchterschule vorgekommen sind. Bei 2 Erkrankungen war eine Infektion außerhalb der Schule mit Sicherheit nachzuweisen. Von den übrigen Fällen ist ein Teil auf einen in derselben bestehenden Infektionsherd zurückzuführen. Der Brunnen der höheren Töchterschule war nämlich durch ein Versehen verunreinigt worden. Selbstverständlich ist derselbe sofort geschlossen und die Gefahr einer abermaligen Verunreinigung beseitigt worden.

Isolierhaus für infektionskranke Kinder in Wien. Nathanael Freiherr VON ROTHSCHILD hat dem St. Joseph-Kinderspitale in Wien 50 000 fl. zur Erbauung und Erhaltung eines Isoliertraktes für solche Kinder überwiesen, welche an infektiösen Krankheiten leiden.

Amtliche Verfügungen.

Schreiben des Ministers von Gossler an den Bonner Verein für Körperpflege in Volk und Schule. Bekanntlich hat der preußische Kultusminister, Herr VON GOSSLER, schon zu verschiedenen Malen sein reges Interesse für die körperliche Ausbildung der Schuljugend an den Tag gelegt. Wir erinnern nur an seinen berühmt gewordenen Erlaſs. vom 27. Oktober 1882, welcher die Jugendspiele allen Schulen aufs wärmste empfiehlt. Von der gleichen Fürsorge für das leibliche Wohl der Jugend legt auch ein Brief Zeugnis ab, welchen Herr vox Gossler vor einiger Zeit an den Schriftführer des Bonner Vereins für Körperpflege in Volk und Schule, Herrn Dr. med. F. A. Schmidt, gerichtet hat. Derselbe lautet folgendermaſsen:

„Berlin, den 13. März 1888.

Ew. Hochwohlgeboren danke ich verbindlichst für die Übersendung des Separatabdrucks Ihres in dem Centralblatt für allgemeine Gesundheitspflege befindlichen Aufsatzes, betreffend den Verein für Körperpflege in Volk und Schule zu Bonn.

Ich habe mich an der von diesem Verein entwickelten Thätigkeit sehr erfreut. Er hat es sich angelegen sein lassen, neben volkstümlicher Belehrung in Wort und Schrift über hygienische Grundsätze für die Verbreitung körperlicher Übungen, sei es in methodischer Form, wie Turnen, Fechten, Schwimmen, sei es in Form von gemeinsamen Spielen und Vergnügungen, Ballspielen, Eislauf, Bergfahrten und Märschen, zu sorgen. Wozu in meinem Erlaſs vom 27. Oktober 1882 Anregung gegeben, und was als notwendig oder doch als wünschenswert bezeichnet war, das ist dort vielfach bereits erreicht, wie auch in andern gröſseren Städten in ähnlicher Weise dankenswerte Erfolge erzielt worden sind. Allerdings bedarf es zur immer völligeren Durchführung der angestrebten Ziele der thätigen Mitwirkung breiterer Volksschichten. Schule und Haus können allein die Aufgabe nicht lösen, welche ihnen in der Körperpflege, diesem überaus wichtigen Teile der Erziehung, zugefallen ist. Hier hat die Opferwilligkeit der Gemeinde und die freie Vereinsthätigkeit helfend und fördernd einzutreten.

Es handelt sich in erster Linie um die Beschaffung geeigneter Spielplätze. Das ist auch das Erste, was der Verein in Bonn in Angriff genommen und durchgeführt hat. In kleinen Städten ist die Einrichtung und der Unterhalt eines besonderen Spielplatzes selten notwendig. Da findet die spiellustige Jugend meist in der Nähe ein braches Feld, eine abgemähte Wiese, eine Halde, eine Lehde, eine Sandgrube, ein Stück in Wald und Busch zum Tummelplatz geeignet.

Aber in groſsen Städten befinden sich diese Ersatzmittel selten in erreichbarer Nähe. In wenigen Fällen liegen die Turn- und Spielplätze neben dem Schulhause so, daſs auf die Stunden im Lehrzimmer die Bewegung und die körperliche Bethätigung im Freien folgen kann. Meist muſs die Jugend nach den Lernstunden erst durch lange Straſsen weit hinausziehen, um nur die bestimmten Plätze zu erreichen. Dabei wird oft schon ein erheblicher Teil der verfügbaren Zeit verbraucht.

Ich verkenne nicht die Schwierigkeiten, die es verursacht, wenn man
innerhalb der Stadt und möglichst in der Nähe der Schulanstalten die
verloren gegangenen Plätze für die spielende Jugend wieder gewinnen
will. Aber möglich dürfte es doch sein für vereinte Kräfte solche
Plätze inmitten der Stadt auszusparen. Wenn unbebaute öde Stätten
zu Schmuckplätzen umgewandelt werden, was ja nach einer andren Seite
hin dankbar anzuerkennen ist, so wird sich doch hin und wieder auch
ein Spielplatz zum besten der heranwachsenden Jugend herrichten lassen.
Gelingt dies auch nur allmählich und nicht ohne erhebliche Geldopfer,
so erweisen sich diese Aufwendungen doch als produktiv, indem sie
unsern Kindern zum frischen, fröhlichen Gedeihen an Leib und Seele
helfen und einen Gewinn schaffen für das ganze Leben. Arbeit und
Spiel, wie sie sich auf den Turn- und Spielplätzen im Freien gestalten,
stärken und stählen die Kräfte in körperlicher wie geistiger Hinsicht
und machen die Jugend auch für die späteren Jahre leistungs- und widerstandsfähiger. Wenn im Vaterland jetzt die Dienstpflicht weiter ausgedehnt wird, als dies früher der Fall war, und wenn Männer auch in
höheren Jahren noch bereit und fähig sein sollen für unsre höchsten
Güter in Wehr und Waffen einzutreten, so ist jedes Unternehmen freudig
zu begrüßen, durch welches schon in der Jugend die Thatkraft unsres
Volkes erhöht und das Erbe von Geschlecht zu Geschlecht sicher gestellt wird, wie es uns die Väter erworben und hinterlassen haben.
Möge die Zeit nicht fern sein, wo die Gelegenheit hierzu überall gegeben ist.

In diesem Sinne begrüße ich den Verein für Körperpflege in Volk
und Schule zu Bonn, an welchem Ew. Hochwohlgeboren in so hervorragender Weise mit Wort und That beteiligt sind, indem ich ihm und
allen ähnlichen Bestrebungen ein weiteres kräftiges Gedeihen wünsche zur
Freude der Jugend und zum Heile unsres Volkes.

(Gez.) GOSSLER."

**Erlaß des Königl. Bayerischen Staatsministeriums des Innern,
das Verbot des Rechtslegens des Schreibheftes in den Schulen,
sowie die Beiziehung der Ortsärzte zu den Beratungen der Lokalschulkommission betreffend.**

„Mittelfranken.

1. Auf den Antrag, die Erlassung eines Verbotes des Rechtslegens
des Schreibheftes in den Schulen betreffend, ist der Ärztekammer zu
eröffnen, daß die vorgelegte Abhandlung von Dr. WILHELM MAYER in
Fürth: „Die Lage des Heftes beim Schreiben" in Heft 2 des Jahrganges
1888 der FRIEDREICHschen Blätter für gerichtliche Medizin und Sanitäts-
polizei veröffentlicht und in mehreren Abdrücken dem Kgl. Staatsministerium des Innern für Kirchen- und Schulangelegenheiten mit dem

Ersuchen übergeben wurde, die Frage der Steil-Schrägschrift durch aus-
übende Volksschullehrer prüfen zu lassen. Das Ergebnis dieser Prüfung,
welche dermalen stattfindet, wird seiner Zeit zur Kenntnis gebracht
werden.

2. Hinsichtlich des Antrages auf obligatorische Beiziehung der
Ortsärzte zu den Beratungen der Lokalschulkommission ist zu bemerken,
daß ein Anlaß zur Abänderung der Entschließung des Kgl. Staatsministeriums des Innern an die Kgl. Regierung von Mittelfranken,
K. des Innern, vom 10. August 1881, die Verhandlungen der Ärztekammern für das Jahr 1880 betreffend, aus den bisherigen Erfahrungen
nicht entnommen werden kann."

**Ärztliche Revision der Volksschulen im Regierungsbezirk
Düsseldorf.** Von der Kgl. Regierung in Düsseldorf, deren treffliche
hygienische Verordnungen wir schon öfter zu erwähnen Gelegenheit
hatten, sind bereits vor 12 Jahren regelmäßige ärztliche Inspektionen
der Volksschulen ihres Bezirkes eingerichtet worden. In der Regel ist
die Revision in die Hände der Kreisphysici gelegt, doch sind bisweilen
auch Armenärzte oder Privatärzte, welche honoriert werden, damit
betraut. Worauf sich die Thätigkeit der ärztlichen Schulrevisionen bezieht, ist aus dem folgenden Berichtsformulare ersichtlich:

Bericht
über die

ärztliche Revision der .... Schule zu ....

pro .... Semester 18...........

A. Gesundheitszustand der Kinder.

a. **Allgemeiner Eindruck**
   (Gesichtsfarbe, Haltung, Reinlichkeit)[1]:
b. **Ansteckende Krankheiten**
   1. Hautkrankheiten
      (Ekzem, Krätze, Kopfgrind u. s. w.):
   2. Ansteckende Augenkrankheiten:
   3. Infektionskrankheiten
      (Diphtheritis, Keuchhusten, Tuberkulose u. s. w.:
   4. Sonstige Krankheiten:

---

[1] Das in Klammern Eingeschlossene soll nur einen Anhalt bei der
Revision bieten, ohne Bemerkungen über sonstige Befunde auszuschließen.

B. Gesundheitsverhältnisse der Schule.

1. **Lage:**
2. **Gebäude**
   (ob massiv oder in Fachwerk, Dach, ob unterkellert; Wohnungen
   im Schulgebäude, ob Eingang zur Schule und Wohnung getrennt?):
3. **Treppen**
   (hölzerne, steinerne; Geländer, ob überhaupt gefahrlos?):
4. **Schulzimmer:**
   a. Größe
      (Höhe, Länge, Breite; Zahl der Kinder, es waren wegen
      Krankheit abwesend; Bodenfläche für jedes Kind):
   b. Fußboden
      (ob dicht und gestrichen):
   c. Wände und Decken
      (Anstrich):
   d. Reinlichkeit im allgemeinen:
   e. Fenster
      (Größe, Zahl und Lage, Verhältnis der Fläche der Fenster-
      öffnungen zur Bodenfläche; Schutz vor direkten oder re-
      flektierten Sonnenstrahlen):
   f. Schultische, Bänke
      (ob solid, zweckmäßig, Sitzraum):
   g. Lichtverhältnis im allgemeinen:
   h. Heizung
      (Art derselben; Öfen; ob genügender Schutz gegen Ver-
      brennung und Wärmestrahlung; Temperatur, Thermo-
      meter):
   i. Ventilation
      (Einrichtung der Oberlichter der Fenster; Klappscheiben,
      Glasjalousien? centrale Ventilation u. s. w.):
   k. Stand des Katheders und der Wandtafel:
5. **Abtrittsanlagen**
   (Lage, ob in genügender Entfernung vom Schulgebäude; Ausdünstung, Reinlichkeit der Sitze, Anzahl derselben im Verhältnis
   zur Kinderzahl):
6. **Spiel- und Turnplatz**
   (Größe, Lage; ob Turngeräte solid und ungefährlich; ob der
   Boden unter Barren und Reck fest oder mit Sägemehl bedeckt u. s. w.?):
7. **Wasserversorgung**
   (Trinkgefäß; Entfernung der Brunnen von den Abtritten):

8. Sonstige Bemerkungen:

Düsseldorf, den .... 18......………

Der Arzt:

....

Was ist zur Beseitigung der erwähnten Mängel angeordnet worden?

Der Bürgermeister:

....

Perſonalien.

Zur Mitwirkung an unsrer Zeitschrift haben sich weiter bereit
erklärt die Herren Dr. med. NAKAHAMA, Mitglied des kais. Japanischen
Ministeriums des Innern in Tokio, Dr. med. REIMANN, königl. Kreisphysikus in Neumünster, Dr. med. GASPAR SENTIÑON, prakt. Arzt in
Barcelona, und Dr. med. C. STRÖHMBERG, Kreisarzt in Dorpat.

Unserm Mitarbeiter, Herrn Dr. JOSEPH HEIM, Chefarzt der k. k.
Theresianischen Akademie und Primararzt des St. Joseph-Kinderspitales
in Wien, wurde das Ritterkreuz des Franz-Joseph-Ordens verliehen.

Die gleiche Auszeichnung ist unsrem Mitarbeiter, Herrn Oberreal-
schuldirektor Regierungsrat Dr. EDUARD WALSER in Wien aus Anlaſs
seiner Versetzung in den bleibenden Ruhestand zu teil geworden.

Herr Professor Dr. H. REICHSRITTER VON HÖPFLINGEN UND BERGEN- .
DORF in Troppau, der an unsrer Zeitschrift mitwirkt, siedelt als Gym-
nasialprofessor nach Prag über.

Die Doktoren BLATIN, BOUCHARD, BROUARDEL, DUJARDIN-BEAUMETZ,
LAGNEAU, PERRIN, PROUST und ROCHARD sind von dem französischen
Unterrichtsminister zu Mitgliedern einer Kommission ernannt worden,
welche hygienische Verbesserungen in die Sekundärschulen einführen soll.

Regierungsrat Dr. GAFFKY, Mitglied des kaiserl. Gesundheitsamtes
in Berlin, hat einen Ruf als Professor der Hygiene nach Giessen angenommen.

Der Professor der Hygiene Dr. FRANZ HOFMANN in Leipzig wurde
zum Rektor der Universität für das Studienjahr 1888/89 gewählt.

Dem Dozenten, Stabsarzt Dr. FLORIAN KRATSCHMER in Wien,
Generalsekretär des dortigen hygienischen Kongresses, ist der Titel
eines aufserordentlichen Professors der Hygiene verliehen worden.

In Spanien sind soeben drei Lehrstühle für Kinderkrankheiten
und Kinderhygiene begründet worden; für Barcelona ist Dr. IRANZO‹

für Valencia Dr. Gomez Ferrer, für Granada Dr. Martinez Vargas in Aussicht genommen.

Bei dem hygienischen Laboratorium der medizinischen Akademie in St. Petersburg ist Dr. P. L. Maljtschewsky, Assistent an der hygieni schen Lehrkanzel, mit der Leitung der neubegründeten analytischen Station betraut worden.

Zu Königsberg i. Pr. verschied der Professor der Kinderheilkunde Dr. Heinrich Bohn, der sich um die Lehre von der Vaccination hervorragende Verdienste erworben hat.

Der Arzt am Gymnasium in Kaluga, wirklicher Staatsrat Julius Gerchen aus Livland, ist gestorben.

August von Trefort †.

Am 22. August ist in Budapest, wohin er erst vor wenigen Tagen aus Ischl zurückgekehrt war, der königlich ungarische Minister für Kultus und Unterricht und Präsident der ungarischen Akademie der Wissenschaften, August von Trefort, im Alter von 72 Jahren gestorben.

Sechszehn Jahre hindurch hat er das ihm anvertraute Ministerium mit sicherer und zielbewußter Hand geleitet, und unter den Verdiensten, die er während dieser Zeit sich erworben hat, sind diejenigen um die Schulhygiene nicht die geringsten.

Früh schon war man in Ungarn von der Wichtigkeit der Schulgesundheitspflege überzeugt, wie dieses aus den seiner Zeit ausgegebenen Verordnungen hervorgeht, die es den Amtsärzten zur Pflicht machten, sich zeitweise über die jeweiligen sanitären Zustände der Schulen und Schüler zu informieren. Minister von Trefort fand jedoch diese Verfügungen der Wichtigkeit des Gegenstandes nicht entsprechend und betonte die Notwendigkeit der Einführung der ärztlichen Überwachung der Schulen.

Unter Mitwirkung des Ministerialrates Morkusovsky und des Professors der Hygiene, Dr. Josef von Fodor, schuf er auch alsbald diese so wichtige Institution.

Er eröffnete zu diesem Zwecke im Jahre 1884 an den Universitäten Budapest und Klausenburg je einen Lehrkurs für Schulärzte und Hygiene-Professoren, in denen jährlich 40 junge Ärzte ihre diesbezügliche Ausbildung und nach bestandener Prüfung ihre Diplome erlangten.

Im vorigen Schuljahre 1887/88 wurden auch bereits an den hauptstädtischen und Provinzial-Mittelschulen Schulärzte und Hygiene-Professoren ernannt, die laut Ministerialverordnung zwei Stunden wöchentlich Gesundheitslehre in der 7. oder 8. Klasse als außerordentlichen Unterrichtsgegenstand vorzutragen haben.

Zwölf junge Ärzte bemühen sich schon derzeit ihrer schwierigen Aufgabe gerecht zu werden. Minister von Trefort führte ferner die

Gesundheitslehre in allen Abstufungen in den Unterricht ein; so wird
dieselbe bereits in den Volksschulen, dem Auffassungsvermögen der
Schüler und dem Bedürfnisse der niederen Volksklassen angepaßt,
ferner an den juristischen, philosophischen und theologischen Universi-
täts-Fakultäten, den technischen Hochschulen und Lehrerbildungsanstalten,
den höheren Mädchenschulen u. s. w. gelehrt.

In solcher Weise war der Verstorbene bestrebt, den segensreichen
Prinzipien der Hygiene in allen Schichten der Gesellschaft Eingang zu
verschaffen, um so, neben andern großen Schöpfungen, auch durch
diese die künftige Größe seines Vaterlandes zu heben. —

Diese hervorragenden Verdienste von TRÉFORTS wurden aber nicht
nur in seiner engeren Heimat gewürdigt, sondern verschafften ihm auch
im Auslande berechtigte Anerkennung. Seine schulärztliche Institution
wurde allenthalben als ein wichtiger kultureller Fortschritt begrüßt.
So hat Schweden, uns in der Ausführung zuvorkommend, schon im
Jahre 1886 eigene Schulärzte angestellt.

Auch persönliche Auszeichnung wurde von TRÉFORT im Auslande
zu teil, indem ihn die königl. belgische Gesellschaft für Hygiene mit
Rücksicht auf seine großen Verdienste auf dem Gebiete der öffentlichen
Gesundheitspflege zum Ehrenmitgliede erwählte.

Sein Andenken wird durch alle Zeiten in seinem Vaterlande in
Ehren gehalten werden.

Dr. med. EUG. TAUFFER, Professor der Hygiene in Temesvár.

Litteratur.

Besprechungen.

Dr. CHRISTIAN STRÖHMBERG. **Das Dorpater Gymnasium in gesundheitlicher Beziehung.** Dorpat, 1888, C. MATTIESEN. (Mit Tabell.
Plän. u. Kurv. 156 S. gr. 8°.)

Verfasser bezeichnet im Untertitel sein Buch als einen „Beitrag
zur Schulhygiene für Lehrer, Eltern und Ärzte"; Referent freut sich,
hinzufügen zu können, daß es ein sehr wertvoller und dankenswerter Beitrag zu der genannten wichtigen Disziplin ist.

Verfasser hat die hygienisch wichtigsten Punkte des Dorpater
Gymnasiallebens: Schullokal, Klassenluft, Beleuchtung und Subsellien
einerseits, Augen und physische Entwicklung der Schüler andrerseits,
einer eingehenden und gewissenhaften Prüfung unterzogen; die einzelnen
Daten, sowie die Ergebnisse dieser Prüfung werden in allen Punkten
genau mitgeteilt und durch Pläne, Tabellen und Kurven anschaulich
gemacht.

Von den Ergebnissen mögen folgende hier hervorgehoben werden.

Trotz der Abwesenheit jedweder künstlichen Ventilationsvorrichtungen ist die Klassenluft eine verhältnismäßig gute; das Maximum des Kohlensäuregehaltes betrug nur 2,8 ‰. Verfasser schreibt dies der konsequenten Lüftung innerhalb der reichlich bemessenen Zwischenpausen (10 bis 40 Minuten) zu. Störend wirkt hierbei, daß Verfasser wiederholt von der natürlichen Lüftung durch die „porösen Wände" spricht, während es auf Grund neuerer Untersuchungen doch feststeht, daß von einer solchen Ventilation durch die Wände keine Rede sein kann. Sehr beachtenswert ist der Hinweis auf die drei Faktoren zur Erreichung guter Luftverhältnisse bei mangelnden Ventilationsvorrichtungen; genügender Luftkubus, lange Zwischenpausen und streng durchgeführte Lüftung während derselben durch Öffnen der Fenster.

Die Akkommodations- und Refraktionsverhältnisse der Schülerungen erwiesen sich als ungünstige; die Myopen stiegen bis auf 50 % in der Prima.

Der Aufenthalt in der Schule schien das Längenwachstum der Schüler zu begünstigen und dagegen ein Zurückbleiben der Entwicklung des Brustkorbes zu bedingen.

Die vom Verfasser auf Grund der Ergebnisse seiner Prüfung gemachten Vorschläge zur Abstellung der nachgewiesenen Übelstände sind sehr beherzigenswert, auch außerhalb Dorpats. In den weitaus meisten Städten liegen die Verhältnisse ebenso, wie in Dorpat, d. h. die größten Übelstände schreiben sich daher, daß die Schulgebäude ursprünglich nicht zu Schulzwecken bestimmt waren oder einer Zeit entstammen, da man die hygienischen Anforderungen nicht kannte oder nicht berücksichtigte; deshalb werden die Vorschläge des Verfassers mit geringen Lokalabweichungen überall anwendbar sein. Dem Vorschlag 22 zur Hebung des Turnens möchte Referent noch hinzufügen, daß die Anerkennung des Turnens als Prüfungsgegenstand und die Beurteilung der Turnleistung in dem Gesamtzeugnis einen stärkeren Sporn zur Pflege der körperlichen Übungen abzugeben geeignet sind, als irgend welche andre Vorschriften.

Verfasser hat sich absichtlich auf die oben genannten Punkte beschränkt und die geistige Seite der Schulhygiene, die Unterrichtshygiene, ganz unberücksichtigt gelassen, — doch aber wenigstens auf deren Wichtigkeit in These 36 hingewiesen. Zu wünschen wäre es, daß Verfasser bei einer nächsten Gelegenheit auch diese Seite der Frage in Betracht zöge und zum Gegenstande einer ebenso gewissenhaften Arbeit wie die vorliegende machte; gerade das Dorpater Gymnasium mit seinem, hygienisch kaum zu rechtfertigenden sechs aufeinanderfolgenden Unterrichtsstunden (von 8 bis 2 Uhr) dürfte für Untersuchungen nach Art der angezogenen ein besonders geeignetes Feld abgeben.

Professor der Hygiene Dr. W. Loewenthal in Lausanne.

Dr. Ignaz Ferdinand Tischler, prakt. und Bahnarzt in Frontenhausen.
Das ländliche Volksschulhaus vom Standpunkte der öffentlichen Gesundheitspflege, erörtert für Ärzte, Techniker und Schulaufsichtsorgane. München und Leipzig, 1887. R. Oldenbourg. (64 S. gr. 8°.)

In vielen vorzüglichen Schriften und Aufsätzen sind die Gesichtspunkte und Grundsätze ausführlich erörtert worden, welche bei dem Bau und der Einrichtung von Schulgebäuden berücksichtigt werden sollen. Diese Abhandlungen haben jedoch in der Regel umfangreichere Bauanlagen für Schulen zum Gegenstande, wie solche im gröfsern Gemeinwesen erforderlich sind. Es ist daher als eine sehr dankenswerte Aufgabe zu bezeichnen, welcher sich der Verfasser der vorliegenden Schrift unterzogen hat, indem derselbe in knapper und klarer Weise die Grundsätze bespricht, welche in Hinsicht auf die Anforderungen der Hygiene bei dem Baue des kleinen, in der Regel ein- bis zweiklassigen ländlichen Volksschulhauses beachtet werden sollen.

Der Verfasser erwähnt im I. Abschnitte seines Buches die gesetzlichen Bestimmungen, welche sich auf die Staatsaufsicht über Schulhäuser und Schuleinrichtungen in Bayern beziehen, nnd bespricht sodann im II. Abschnitt die Anforderungen der Hygiene an das ländliche Volksschulhaus. In diesem Abschnitte ist zunächst in wohlmotivierter Weise entwickelt, welche Rücksichten bei Wahl des Baugrundes mit Bedachtnahme auf die Beschaffenheit, Lage und Gröfse desselben mafsgebend sein sollen, und gibt der Verfasser hierbei für die betreffenden Persönlichkeiten, welche in die Lage kommen, bei Lösung dieser für den Schulhausbau besonders wichtigen Vorfragen mitzuwirken, sehr wertvolle Anhaltspunkte.

Desgleichen entwickelt der Autor die Grundzüge für die Bauart selbst; er weist das Raumerfordernis nach und schildert die zweckmäfsigste Art der Anlage der Gänge, Treppen, Unterkellerung u. s. w. Auch der in manchen Fällen empfehlenswerte Barackenbau wird ausführlich besprochen und des Vorteiles gedacht, dafs bei dem Barackenbau der Lehrzimmer eine Trennung zwischen Schule und Lehrerwohnung eintritt, was namentlich dann von Wichtigkeit ist, wenn eine ansteckende Krankheit die Familie des Lehrers heimsucht.

In besonders ausführlicher Weise wird das Schulzimmer behandelt und werden alle Mafsnahmen erörtert, welche in Hinsicht auf Gröfse und Form, Beleuchtung, Ventilation und Beheizung bei einer zweckmäfsigen Bauanlage zu treffen sind. Die hierbei zum Ausdruck gebrachten Forderungen der Hygiene tragen der Leistungsfähigkeit der Gemeinde volle Rechnung, und es mufs ausgesprochen werden, dafs der Verfasser diesen Umstand nie aufser Augen läfst, also nie unmögliches verlangt, jedoch durch zweckmäßige Anordnungen hygienisch richtig angelegte Schulräume zu schaffen ermöglicht.

Dem Abschitte über die Schulbank wird eine ausführliche Darstellung der zu verschiedenen Zeiten von berufenen Fachmännern gemachten Angaben und Anforderungen vorausgeschickt, und werden hieran die für die vorliegenden Fälle passenden Vorschläge geknüpft. Hierbei ist auch die Kostenfrage nicht übersehen worden.

Im weiteren bespricht der Verfasser die Anforderungen der Hygiene hinsichtlich der übrigen Schuleinrichtungen, der Abtritt- und Pissoiranlagen, der Spiel- und Turnplätze und der Versorgung mit gutem Trinkwasser. —

Der Autor hat sich endlich der Mühe unterzogen, bei bestehenden zehn ländlichen Schulhausbauten zu untersuchen, ob und wie weit bei diesen Gebäuden samt Einrichtung den in der vorliegenden Schrift aufgestellten hygienischen Grundsätzen entsprochen worden ist, und sind die Resultate dieser Erhebungen in einem Anhange dem Buche beigefügt.

Die Durchsicht dieser Resultate läßt erkennen, daß die Verbreitung richtiger Grundsätze für Bau und Einrichtung ländlicher Schulgebäude ein dringendes Bedürfnis ist und daß auf diesem Gebiete nicht genug Belehrung geboten werden kann. Die einfachsten und zugleich wichtigsten Forderungen der Hygiene werden nach den gegebenen Beispielen in den seltensten Fällen erfüllt. Man konstatierte die Anlage von Bauten, wo grelles Licht das Haus belästigt oder Verdunkelung durch die Umgebung besteht, sogar störende Betriebe in der Nachbarschaft vorhanden sind. Ebenso wurden erhebliche Übelstände hinsichtlich der Beschaffenheit der Schulbänke und der sonstigen Schuleinrichtungen gefunden.

Sehr vernachlässigt fand man die Abortanlagen; bei fünf Schulhäusern mangelte jeglicher freie Platz für Spiel- und Turnswecke; auch in betreff des Trinkwassers ergaben sich erhebliche Anstände.

Ohne wesentliche Kostenvermehrung hätte man gewiß in den meisten Fällen hygienisch richtige Schulgebäude aufführen können, wenn das gehörige Verständnis vorhanden gewesen oder passende Ratschläge erteilt worden wären.

Dies geschieht durch das vorliegende Buch im vollsten Maße, weshalb wir dasselbe bestens empfehlen können.

Baudirektor F. Berger in Wien.

J. Morgenthaler, Lehrer an der kantonalen landwirtschaftlichen Schule Strickhof in Zürich. Der Schulgarten. Mit besonderer Berücksichtigung der schweizerischen Verhältnisse. Zürich, 1888. Schröter & Meyer. (24 S. 8°.)

Der Verf. gibt in dem Schriftchen, einem erweiterten Vortrage, zunächst einen geschichtlichen Überblick über die Entstehung von Schulgärten: Erst allmählich breche sich die Anschauung Bahn, daſs solche Gärten nicht bloſs für die Hochschulen, sondern auch für andre Schulen ein Erfordernis seien. Schweden sei mit solchen Schulgärten vorangegangen, indessen aus dem Gesichtspunkte der Förderung der Landwirtschaft. Von höherem und allgemeinerem Standpunkte aus habe Österreich das Schulgartenwesen behandelt: es sollte der naturwissenschaftliche Unterricht sich an einen zeit- und ortsgemäſs eingerichteten Schulgarten anschlieſsen. Niederösterreich besonders sei reich versehen mit Schulgärten; sie beständen auch in den dortigen Seminaren. Preuſsen hat nach dem Verf. in dieser Sache noch wenig gethan; indessen ist zu seinen Anführungen nachzutragen, daſs Berlin jetzt bereits zwei groſse Schulgärten besitzt, daſs nun auch Magdeburg und Görlitz solche Gärten angelegt haben, während Stettin und Breslau das System kleinerer, bei jeder Schule befindlicher Gärtchen durchgeführt haben und die leſztere Stadt nunmehr daneben noch einen groſsen, allgemeinen Schulgarten schaffen will. An Rührigkeit auf diesem Gebiete fehlt es also nicht. Die Bestimmung der pädagogischen Aufgaben des Schulgartens knüpft Verf. an die zwei Forderungen der neueren Zeit, daſs die Schule das Leben und dessen Bedürfnisse mehr als bis „anhin" berücksichtigen und daſs sie der körperlichen Ausbildung und der Gesundheitspflege der Jugend mehr Rechnung tragen müsse. Sonach wird dem Schulgarten eine stattliche Reihe von Aufgaben gestellt; denn er soll nicht bloſs das lebendige Unterrichtsmaterial liefern, nicht bloſs den Sinn für Naturbetrachtung pflanzen und pflegen, er kann und soll auch Gelegenheit geben zu körperlicher Thätigkeit, zur Erwerbung von allerlei praktischen Fertigkeiten, er soll zur Selbständigkeit erziehen, er kann Gegenstand sein für Übungen in der deutschen Sprache, im Rechnen, in Geometrie und Zeichnen! — Dargestellt wird sodann, wie der Schulgarten für die einzelnen Arten von Schulen, die Primar- und die Sekundarschule, das Gymnasium, die Industrie- oder Realschule, das Seminar, die höhere Töchterschule beschaffen sein soll. Für letztere sei er besonders wichtig, im Hinblick auf den Frauenberuf und die körperliche Gesundheit: Die Mädchen müſsten während des Sommers mindestens ein Dritteil der Schulzeit im Schulgarten zubringen. Mit dieser wie manch andrer Forderung schieſst Verfasser über das Ziel; er findet eine gewisse Entschuldigung als Landwirtschaftslehrer von Beruf, der stets die Bedürfnisse einer bloſs landwirtschaftlichen Bevölkerung im Auge hat. Zwar soll auch nach ihm das pädagogische Interesse überwiegen, jedoch die Möglichkeit nicht ausgeschlossen sein, daſs die Schulgärten der Landwirtschaft auch direkten Nutzen bringen.

Wir sind der Meinung, der Schulgarten habe seinen Zweck erfüllt, wenn er in ausgiebiger Fülle das allervollkommenste Anschauungs- und Lehrmittel, die lebendige Pflanze, für den Unterricht liefere, wenn er dem Fachlehrer Gelegenheit biete, von Zeit zu Zeit mit den Schulkindern seine Anlage und seinen reichen Inhalt zu betrachten und an Ort und Stelle Belehrungen anzuknüpfen. Was darüber hinausgeht, was besonders auf Förderung praktischer, volkswirtschaftlicher Bestrebungen zielt, liegt außerhalb des allgemeinen Bildungszweckes der Schule und fällt als besondere Aufgabe der fortbildenden Fachschule zu.

Der Verfasser hat mit Wärme und in einfacher, klarer Sprache geschrieben; mundartlich sind das oben erwähnte „anhin" und das mehrfach wiederkehrende Hauptwort: „die Erstellung", Herstellung, Einrichtung.

Stadtschulrat Dr. Pfundtner in Breslau.

Forster, Eduard, Inhaber einer Privatanstalt für geistig Zurückgebliebene in Blasewitz bei Dresden. Der geistig Zurückgebliebene und seine Pflege in den ersten Lebensjahren. Allgemeinverständliche Anleitung für Eltern. Dresden-Blasewitz, 1888. Selbstverlag. (gr. 8°.)

Der Verfasser entledigt sich seiner Aufgabe besonders im zweiten Teil seiner Schrift: „Der Idiot im Elternhause." Er bespricht darin die körperliche und geistige Pflege des zurückgebliebenen Kindes, zeigt, wie man es zum Sehen, Hören, Riechen, Schmecken, Fühlen, zur Reinlichkeit, zum Gehorsam erziehen soll, behandelt die ersten Sprechversuche und für Fortgeschrittenere, indem er die Wohnstube, den menschlichen Körper, die Küche und einzelne Tiere zum Gegenstande nimmt, den ersten Anschauungsunterricht, erörtert auch, wie man das Gedächtnis üben und das Kind beschäftigen soll. Im zehnten Jahr will er es einer Anstalt übergeben wissen, deren in Deutschland einige dreißig mit etwa 4300 Zöglingen seien. Die Zahl derer, die so eine geeignete Erziehung erhalten, erklärt er aber für eine sehr geringe, denn es gebe wohl an 60000 solcher zurückgebliebenen Kinder. Der Staat habe die Sorge für Blinde, Taubstumme und Geisteskranke übernommen, er müsse sich auch dieser Unglücklichen annehmen.

Der Verfasser warnt mit Recht davor, dieselben ihrer Schwäche zu überlassen; je mehr man die geistige Unthätigkeit unterhalte, desto mehr beschleunige man die gänzliche Zerrüttung des Gehirns; meist könne durch rechtzeitiges, sachkundiges Eingreifen viel gebessert werden, in vielen Fällen sei die Ausbildung zu brauchbaren Menschen möglich.

Die Behandlungsweise des Gegenstands erweckt Vertrauen zur Persönlichkeit des Verfassers. Er spricht aus langjähriger Erfahrung, vor allem aus liebevollster, innerster Teilnahme für die schuldlosen und darum um so beklagenswerteren Opfer unheilbarer Gesellschaftszustände. Seine Schrift verdient deshalb von den Eltern und Lehrern solcher unglücklichen Kinder, sowie von allen, welche sich für die Idiotensache interessieren, gelesen zu werden.

Oberlehrer am Realgymnasium Dr. MEHMEL in Altona.

Bibliographie:

BARON, L. *Zum Kapitel „Jugendhorte"*. Kath. Schulztg., 1888, XXIV bis XXVI.

BÜRGEL, F. W. *Handarbeitsunterricht, geschichtliche Übersicht über die Entwicklung desselben.* Rhein.-westfäl. Schulztg., 1888, XIX.

DROUINEAU, G. Lesur menage intellectuel. Rev. san. de Bordeaux, 1887, LXXXIX—LXXXX.

FÉRÉ. *Le surmenage scolaire*, Paris, 1888, Lecrosnier et Babé. 8°.

FOSSEK, W. *Bestimmung des Kohlensäuregehaltes der Luft, speciell in Schulzimmern.* Zeitsch. f. Nahrgsmitt.-Unterschg. u. Hygiene, 1888, VII, 113—114.

FÜRTH, L. *Psychische Alienationen im Kindesalter.* Internat. klin. Bundsch., Wien, 1888, XXXI—XXXII, 1263 ff.

GANZ, H. *Turnsaal und Exercierplatz.* Eine Untersuchung über die Verschiedenheit militärischer und turnerischer Ausbildung als ein Beitrag zur Methodik des Turnunterrichts, Hof, 1888. gr. 4°.

HELLING, Al. *Die erste Hülfe für das erkrankte Kind, für Eltern und Erzieher populär dargestellt*, Hamburg, 1888.

HOLM, J. C. *Die Technik des Badens*, Wiesbaden, 1887. 8°.

IGNATJEW, W. [*Einige Daten zur sanitären Abschätzung der Luft in Schulräumen in bakteriologischer Beziehung*]. Shor. rab. Gig. Cab. Mosk. un. II, Moskau, 1888.

JUNG, L. *Hort und Heim armer Knaben.* Zur Bildung von Erziehungsvereinen und Errichtung von Knabenanstalten, München und Leipzig, 1888, G. Franz (J. Roth). 8°.

Krankheiten, ansteckende, Hintanhaltung der Weiterverbreitung derselben — durch die Schulen. Verordnung des k. k. Landesschulrates in Kärntne vom 22. Februar 1888, Klagenfurt, 1888, v. Kleinmayr. gr. 8°.

LANGE, O. *Zur Schulgesundheitspflege.* Mntsbl. f. öfftl. Gsdhtspfl, Braunschweig, 1888, VIII—IX, 127 ff.

LAYET, M. A. *De l'enseignement de l'hygiène dans les écoles élementaires, secondaires, professionelles etc., son opportunité et ses limites.* Rev. san. de Bordeaux, 1887, LXXXVIII.

LESSER, L. v. *Experimentelles und Klinisches über Skoliose.* R. VIRCHOWs Arch. f. pathol. Anat. u. Physiol. u. f. klin. Mediz., Berlin, 1888, CXIII, 1, 10—46.

LION, J. C. *Bemerkungen über Turnunterricht in Knabenschulen und Mädchenschulen*, Leipzig, 1888, Ed. Strauch. 8°.

LÖWENTHAL, W. *Die Aufgaben der Medizin in der Schule*. Deutsche Zeit- und Streitfragen, herausgegeben von FR. v. HOLTZENDORFF, Hft. 33, Hamburg, 1888, J. F. Richter. 8°.

MAUL, A. *Die Turnübungen der Mädchen, III. Teil. Die Übungen im Gehen, Laufen und Hüpfen auf den drei obern Turnstufen, in Verbindung mit Ordnungs-, Frei-, Stab- und Hantelübungen*, Karlsruhe, 1888. 8°.

MONEY, ANGEL. *The health of children*, London, 1888. 8°.

NUSSBAUM, VON. *Körperliche und geistige Arbeit im Gleichgewicht*. Tägl. Rundschau, 1888.

Ofensetzarbeiten bei dem Neubau eines Schulgebäudes in der Dammervorstadt in Frankfurt a. O. Thonindustr.-Ztg., Berlin, 1888, XII, 20, 236—287.

PESENTI, PIETRO. *Gli ospizi marini*. Conferenza tenuta in Alzano maggiore 24 aprile 1887, Bergamo, 1887. 12°.

Physical education. The Brit. med. Journ., 1888, MCCCCXXXV, 1896 bis 1397.

REED, C. A. L. *The effects of present educational methods on the health of women*. The med. Bullet., Philadelphia, 1888, X, 6, 171—173.

ROSSI, E. DE. *La scrofola, il bacillo del Koch e gli ospizi marini italiani*. Sperimentale, 1888, V, 486—502.

ROSEMANN. *Internationaler Kongress für Hygiene und Demographie zu Wien 1887. Hygienischer Unterricht an Volksschulen, Mittelschulen, Mädchenschulen, Lehrerbildungsanstalten, Gymnasien, technischen und gelehrten Hochschulen*. Monatsbl. f. öffl. Gsdhtspfl., Braunschweig, 1888, XI, 5.

RUIZ et KOENIG. *Pathogénie et traitement de la myopie progressive*. Recueil d'ophtalm. 1888, IV, 224.

SALTINI. *Sulla miopia nella scuole di Parma*. Ann. di ottal., Pavia, 1887—88, XVI, 471—473.

SCHMIDT, H. *Etwas über volkstümliche Übungen*. Beilg. zu No. 28 d. Deutsch. Turn-Zeitg., Leipzig, 1888, 509—510.

SCHMIDT-RIMPLER, H. *Schule und Auge*. Nord und Süd, Juli 1888.

Schulgesundheitspflege, Förderung der. Schweiz. Blätt. f. Gsdhtspfl. 1888, XV, 206—207.

Schulhygiene, Beitrag zur. Wien. med. Wochschr., Wien, 1888, XXV, 875—878; XXVI, 910—911; XXVII, 940—942; XXVIII, 969—970.

SEVESTRE. *Über Inkubationsdauer und Ansteckungsfähigkeit der Masern*. Rev. mens. des maladies de l'enfance, Juli 1886.

Verlag von Leopold Voss in Hamburg (und Leipzig).
Druck der Verlagsanstalt u. Druckerei Actien-Gesellschaft (vorm. J. F. Richter), Hamburg.

Zeitschrift für Schulgesundheitspflege.

| I. Jahrgang. | 1888. | No. 11. |

Original-Abhandlungen.

Die Schulhygiene auf der Jubiläumsausstellung der Gesellschaft für Beförderung der Arbeitsamkeit in Moskau.

Von

Dr. Fr. Erismann,

Professor der Hygiene an der k. Universität in Moskau.

(Fortsetzung und Schluſs.)

Sehr natürlich ist der Übergang von den Subsellien zu den Schulwandtafeln. Auf diesen Gegenstand sollte in Ruſsland die Aufmerksamkeit der Ärzte und Pädagogen um so mehr gelenkt werden, als beinahe alle unsere Schulen bis auf den heutigen Tag sehr schlecht konstruierte, in frischem Zustande glänzende und sodann meist rasch ihre schwarze Farbe verlierende Wandtafeln besitzen. So erklärt es sich auch, daſs dieser wichtige Gegenstand auf der Ausstellung nur in einem Exemplare vertreten war, welches die Firma Erschemsky und Kanaeff („Werkstätte für Schulutensilien und Kinderspiele") in St. Petersburg ausgestellt hatte. Diese Tafel entspricht den hygienischen Anforderungen insofern, als sie eine matte, tiefschwarze, allerdings für die erste Zeit etwas rauhe Oberfläche besitzt. Nach den gemachten Erfahrungen soll der Anstrich dieser Tafel, der unter anderm feines Eisenpulver enthält, ziemlich dauerhaft sein.

Was allgemein sanitäre Einrichtungen betrifft, die unter Umständen eine nützliche Verwendung in Schulgebäuden finden können, so erwähne ich in erster Linie die in mehreren Exemplaren ausgestellten Torfklosetts, deren Bedeutung für

Schulen, welche über keine Wasserleitung verfügen oder aus irgend welchen Gründen keine Waterklosetts einrichten wollen, nicht zu unterschätzen ist. Wir wissen zwar schon aus den Arbeiten von KERNER,[1] GAFFKY,[2] BEKAREWITSCH,[3] SOYKA[4] u. a., daß dem Torfe desinfizierende Eigenschaften im eigentlichen Sinne des Wortes nicht zukommen und daß auch seine Fähigkeit, organischen Stickstoff zu nitrifizieren, eine sehr beschränkte ist; aber dieselben Arbeiten belehren uns darüber, daß gut zubereiteter Torf sehr große Mengen von Flüssigkeiten und Gasen absorbiert und als ein ausgezeichnetes Desodorisationsmittel betrachtet werden muß. Nur ist notwendig, daß bei der Verwendung des Torfes für Klosetts derselbe als feines, trockenes Pulver durch eine automatische Vorrichtung den Exkrementen in der nötigen Menge beigemischt werde und in regelmäßiger Verteilung die ganze Oberfläche derselben bedecke. Dieser Forderung entsprechen nun in der That die ausgestellten Klosetts, in deren Deckel der selbstthätige Mechanismus angebracht ist, so daß beim Schließen des Deckels das Torfpulver sich in hinlänglich dicker, gleichmäßiger Schicht auf dem Boden des untergestellten Gefäßes ausbreitet. — Um den Nutzen dieser Verwendung des Torfes zu veranschaulichen, waren in offenen Gläsern Proben von unverarbeitetem Torfe, von reinem Torfpulver und von mit Exkrementen gemischtem Torfe ausgestellt; diese letztere Probe blieb während der ganzen Dauer der Ausstellung vollkommen geruchlos. — Ich will hinzufügen, daß die Torfklosetts in Rußland gegenwärtig schon einer wohlverdienten Anerkennung sich erfreuen und eine bedeutende Verbreitung erlangt haben. Ihre Verwendung für Schulen in den oben bezeichneten Fällen könnte vom hygie-

---

[1] Siehe VARRENTRAPP, Über Entwässerung der Städte. Anlage III. pag. 201—204.

[2] Ref. in VIRCHOW und HIRSCHS Jahresbericht für d. Jahr 1882. pag. 258.

[3] Arbeiten aus dem hygienischen Laboratorium der Moskauer Universität. I. 1886. (russ.).

[4] Archiv f. Hygiene. II. 1884.

nischen Standpunkte aus nur mit Freuden begrüfst werden und wäre auch ökonomisch vielerorts gewifs nicht belastend, da man nach den vorliegenden Erfahrungen mit etwa 16 Kilogramm Torfpulver im Jahre für einen erwachsenen Menschen ausreicht.

In dasselbe Kapitel, wie das Torfklosett, gehören auch die von der Firma S. G. REICHSELIGMANN in St. Petersburg ausgestellten Modelle eines aus Asphalt gefertigten Luftklosetts für Schulen und einer ebenfalls aus Asphalt bestehenden Abtrittgrube. Das mit vier kreisförmig um das centrale Abtrittrohr angeordneten Sitzen versehene Luftklosett bietet natürlich an und für sich nichts Besonderes; neu ist nur die Verwendung des Asphaltes zu diesem Zwecke. Das Gleiche mufs auch von dem Modelle der Abtrittgrube gesagt werden; übrigens ist gewifs die Konstruktion ganzer Abtrittgruben aus Asphalt nicht nur in hygienischer Beziehung (der undurchdringlichen Wände halber), sondern auch in technischer Hinsicht einiger Beachtung würdig. Das von REICHSELIGMANN ausgestellte Modell war mit einer einfachen, aus einer durchlöcherten senkrechten Scheidewand bestehenden Vorrichtung zur Trennung der flüssigen Exkremente von den festen Bestandteilen versehen.

Das von dem Ingenieurobersten WORONZOFF-WELJAMINOFF ausgestellte Linoleum erwähne ich nur deshalb, weil unseres Wissens die genannte Firma bis jetzt in Rufsland die einzige ist, die einheimisches Linoleum auf den Markt bringt und zwar zu einem den ausländischen Produkten gegenüber weit billigeren Preise. Allerdings sind wir vor der Hand aufser stande, über die Qualität dieses russischen Linoleums etwas auszusagen, auf uns machte es den Eindruck, als ob dasselbe nicht schmiegsam genug und allzu brüchig wäre; auf Holz, Asphalt oder Cement befestigt, mag es allerdings eine hinlängliche Dauerhaftigkeit besitzen und dürfte unter Umständen auch für gewisse Schulräume zu empfehlen sein.

Grofse Bedeutung für Rufsland können die glasierten und unglasierten Thonröhren erlangen, die von der TSCHERN-JÄTINschen Majolikafabrik (Gouvernement Twer) ausgestellt·

waren. Das Material, aus welchem dieselben bestehen, ist weit besser, als alles, was man bis jetzt in Rußland in dieser Art gehabt hat, und die Röhren sind von einer Qualität, die ihnen die Konkurrenz mit ausländischen Produkten, welche in Rußland des hohen Eingangszolles wegen sehr teuer zu stehen kommen, wesentlich erleichtern wird. Verfasser dieser Zeilen war Augenzeuge einer Probe, bei welcher Thonröhren der genannten Firma einem Drucke von 20 Atmosphären und mehr erfolgreichen Widerstand geleistet haben. — Vom Besitzer der Fabrik, Dr. BJELIN, war auch eine gegen Säuren und Alkalien sehr widerstandsfähige Masse als Verbindungsmittel für diese Röhren ausgestellt und, wie es scheint, kann durch dieselbe eine auch bei höherem Drucke wasserdicht bleibende Verbindung der Röhren erreicht werden; doch ist diese Erfindung bis jetzt noch nicht über das Stadium der Versuche herausgetreten.

Die von derselben Fabrik ausgestellten Filter-Vasen sind kaum gut und praktisch zu nennen, weil das filtrierende Material (Kohle) mit Ausnahme eines centralen, durch einen Schwamm verstopften Loches derart mit einem Cementguß verschlossen ist, daß eine Reinigung desselben ohne vorausgegangene Zerstörung dieses Cementgusses unmöglich wird.

Weit empfehlenswerter sind jedenfalls, wenn man über eine Wasserleitung im Hause verfügt und aus diesem oder jenem Grunde das Wasser filtrieren will, die von der Firma PHILIPP WINTERHALTER in Moskau ausgestellten Kohlenfilter (gepreßte Kohle), die, wie man sich leicht überzeugen kann, die mechanische Reinigung des Wassers von fremden Bestandteilen, selbst den feinsten Lehmpartikelchen gegenüber, ausgezeichnet besorgen.

Um die mechanische Leistung dieser und anderer Filter den Besuchern der Ausstelluug anschaulich zu machen, war von uns folgende Vorkehrung getroffen worden: Im Ausstellungsraume selber waren zwei Wasserbehälter angebracht — der eine auf dem Fußboden des Zimmers, der andere unter der Decke, in einer Höhe von etwa 5½ Metern; beide Reservoire waren durch ein Bleirohr verbunden, so daſs vermittelst einer Handpumpe das Wasser aus dem unteren Behälter in den oberen heraufbefördert werden konnte. Aus dem Centrum des letzteren führte sodann ein weites guſseisernes Rohr, das aber in seinem unteren Teile durch eine Glasröhre ersetzt war, nach unten, wo es sich in der Höhe von etwa 1 Meter über dem Fuſsboden des Zimmers gabelförmig teilte. An diesen seitlichen Ausläufern nun waren verschiedene Filter angebracht, denen durch Öffnung der über denselben befindlichen Hähne das Wasser zugeführt werden konnte; das von den Filtern abflieſsende Wasser wurde durch eine entsprechende Vorrichtung dem unteren Reservoire zugeleitet. Zur Veranschaulichung der Filterwirkung wurde das Wasser mit feinem Lehme verunreinigt, oder mit Fuchsin, übermangansaurem Kali u. dgl. gefärbt, und das Glasrohr diente dazu, die Verunreinigung den Besuchern der Ausstellung sichtbar zu machen. — Auſser dem oben erwähnten Filter WINTERHALTERS waren an der beschriebenen Vorrichtung folgende Filtrier - Apparate angebracht: 1. die PASTEUR-CHAMBERLANDsche Kerze, 2. das PIEFKEsche (Firma SCHIRMER) Filter mit Einlage verschiedener Papiere (einschlieſslich Asbestpapier) und 3. ein von Herrn ZYLOFF in St. Petersburg konstruiertes Filter, in welchem ebenfalls Kohle das hauptsächlichste filtrierende Element ist.

Dank dieser Vorrichtung konnte sich das Publikum sehr gut von der verschiedenen Wirkung der erwähnten Filter überzeugen: es zeigte sich z. B., daſs nur das WINTERHALTERsche Kohlenfilter unter allen Umständen ein von suspendierten Bestandteilen freies und farbloses Wasser in genügender Quantität lieferte, während die CHAMBERLANDsche Kerze zwar Thonpartikelchen sehr gut zurückhielt, aber bei dem vorhandenen Drucke äuſserst wenig (nur tropfenweise) Wasser gab und das letztere von der Färbung mit Fuchsin oder übermangansaurem Kali nicht vollständig zu befreien vermochte, obgleich sich auf der Oberfläche des Thonzylinders der Farbstoff in groſser Menge niederschlug; auch die Filter von PIEFKE und ZYLOFF lieferten mehr oder weniger gefärbtes Wasser;

sogar das Asbestpapier liefs gewisse Mengen von **Farbstoff** durchtreten, — hiervon konnte man sich auch an einem Breyerschen Mikromembranfilter überzeugen, das bei Verunreinigung des Wassers mit Thon ein krystallhelles Filtrat gab, aber Fuchsin und übermangansaures Kali ebenfalls nicht vollständig zurückhielt.

Ich will hier noch eine Vorrichtung erwähnen, die wir im Laufe der Ausstellung infolge häufiger Nachfragen von seiten des Publikums nach einem einfachen und bei Abwesenheit einer Wasserleitung brauchbaren Filter konstruieren liefsen. Dieselbe bestand in einem cylindrischen, etwa 12 Liter fassenden Gefäfse von Zinkblech, dessen Boden im Centrum durchbohrt und an dieser Stelle mit einem Ablaufrohre versehen war; das eine Ende dieses Rohres ragte etwa 1 cm in das Gefäfs hinein und trug ein Gewinde, vermittelst dessen an dieses Ende ein kleines (etwa 15 cm hohes), ebenfalls cylindrisches Gefäfs mit konisch zulaufendem Boden angeschraubt werden konnte. Dieser Cylinder nun wurde mit gut ausgewaschenem, aber nicht sehr feinem Sande gefüllt; über den Sand kam sodann ein Leinwandläppchen und oben darauf ein durchlöcherter Blechdeckel; das Abschwemmen des Sandes durch den Wasserstrom wurde ebenfalls durch eine Zwischenlage von feiner Leinwand verhindert. So hatten wir ein Filter von äufserst einfacher Konstruktion, und die Erfahrung zeigte, dafs die mechanische Wirkung desselben eine ausgezeichnete war, da nicht nur feine Thonpartikelchen, sondern auch Anilinfarben von dem Sande vollkommen zurückgehalten wurden.

Ich gehe nun zu einigen Gegenständen der Ausstellung über, welche den Besuchern derselben einen Begriff geben sollten von den Eigenschaften der Luft, welche die Kinder in unsren Schulen einatmen, sowie auch von der Luftmenge, die dem einzelnen Schüler zur Verfügung steht. Zu diesem Zwecke waren in erster Linie Rauminhalt und Schülerzahl aller Mittelschulen und einiger Stadtschulen in Moskau und hieraus der mittlere Luftkubus für einen Schüler sowohl in den einzelnen Klassen als auch für ganze Lehranstalten berechnet worden. Um .sodann die gewonnenen Gröſsen in eine anschauliche Form zu kleiden, wurden aus Pappdeckeln Würfel von ¹/₁₀₀₀ natürlicher Gröſse (kub.) dargestellt, von denen jeder dem mittleren Luftkubus irgend einer Schule oder Klasse entsprach; als Norm wurde ein Luftkubus von 7 Kubikmetern angenommen und ein diesem Maſse entsprechender Würfel ebenfalls hergestellt. So erhielt man dann unter einander vergleichbare Objekte, die in sehr anschaulicher Weise ein Bild von der relativen Gröſse, resp. Überfüllung der Schulräume gaben. Die Übersicht wurde dadurch erleichtert, daſs die Würfel in Form von Pyramiden aufgestellt waren, deren · Basis die Anstalten mit dem gröſsten Luftkubus bildeten, während die Spitzen denjenigen Schullokalen entsprachen, die dem einzelnen Schüler am wenigsten Luft gewähren. Es ergab sich, daſs in Moskau die meisten Mittelschulen in Bezug auf den Luftkubus der Norm sehr nahe kommen (wobei aber nicht zu vergessen ist, daſs die Norm von 7 Kubikmetern auſserdem eine wirksame Ventilation voraussetzt, während in unsren Schulen dieselbe durchweg vollständig fehlt), daſs es aber auch solche gibt, die bedeutend hinter derselben zurückbleiben und daſs Klassenzimmer vorkommen, in welchen auf ein Kind nicht mehr als 2,5 bis 3 Kubikmeter Luftraum entfallen. Die Stadtschulen, auch die besten derselben, erwiesen sich als überfüllt; doch ist bei Beurteilung dieser Thatsache zu berücksichtigen, daſs auch theoretisch wegen der gröſseren Jugend der Elementarschüler der normale Luftkubus für dieselben etwas niedriger bemessen werden kann als für die Schüler der Mittelschulen.

Die die Qualität unsrer Schulluft darstellenden Entwürfe bezogen sich auf die chemische und die bakteriologische Beschaffenheit derselben. Die betreffenden Untersuchungen waren speziell für die Ausstellung von den beiden Assistenten des hygienischen Universitätslaboratoriums, den Doktoren BOUBNOFF und IGNATJEFF, ausgeführt worden. Von BOUBNOFF war ein Diagramm ausgestellt, welches die Zunahme des Kohlensäuregehaltes im Laufe der Unter-

richtsstunden und die Abnahme der Kohlensäure
während der Unterrichtspausen in sehr übersichtlicher Weise darstellte. Ich lasse hier die dem Diagramme
zu Grunde liegenden, durch Untersuchung in mehreren Klassen-
räumen verschiedener Unterrichtsanstalten gewonnenen Zahlen
folgen und will nur zur Erläuterung noch bemerken, daſs in
unseren Gymnasien zwischen der dritten und vierten Unterrichtsstunde eine Pause von einer halben Stunde eingeschoben wird,
während welcher die Schüler meistenteils die Klassenzimmer
verlassen, um sich in den Korridoren oder im sogenannten
Rekreationssaale herumzutummeln.

Es ist hier nicht der Ort auf eine nähere Analyse dieser
Zahlenreihen einzugehen. Ich will nur erwähnen, daſs die
auf Grund derselben konstruierten Diagramme vollkommen
geeignet waren, dem sich hierfür interessierenden Besucher ein
klares und anschauliches Bild der in unsren Schulzimmern
herrschenden Luftverderbnis zu geben. Auffallend ist nicht
nur die absolute Gröſse des Kohlensäuregehaltes der Schulluft,
sondern auch die Raschheit, mit welcher die Kohlensäure (und somit auch die Luftverderbnis) im Laufe der ersten
Unterrichtsstunde schon zunimmt. Erwähnenswert und
bezeichnend für die Ventilationsverhältnisse in unsren Lehranstalten ist auch der Umstand, daſs sogar früh morgens noch vor
Beginn des Unterrichtes, die Luft nirgends in einem Zustande
gefunden wurde, den man mit gutem Gewissen als Reinheit
bezeichnen könnte; überall ist schon zu dieser Zeit die im allgemeinen von der Hygiene geduldete Maximalgrenze des Kohlensäuregehaltes überschritten. Wie wohlthätig schon ein kurzes
Öffnen eines Fensters wirkt, kann man am Beispiele der Stadtschule in Ssokolniki sehen, wo das während einer halben Stunde
offene Fenster den Kohlensäuregehalt der Zimmerluft geradezu
um die Hälfte heruntersetzte und die Temperatur des Raumes
um 7,5 ° C. verminderte, — ein deutlicher Beweis, wieviel
man auch unter den gegenwärtigen Verhältnissen,
ohne alle kostspieligen Vorrichtungen für künstliche
Ventilation, durch einfaches, verständiges Benutzen

gewöhnlicher, überall zur Verfügung stehender Mittel erreichen kann! Zugleich auch ein untrügliches Zeichen dafür, wie sehr sich an unserer Jugend diejenigen versündigen, in deren Macht es läge, diese einfachen Mittel zu benutzen und die, ohne hierfür einen stichhaltigen Grund zu haben, aus Unkenntnis oder bloſser Gewohnheit dies doch nicht thun. — In den Schlafsälen einiger Lehranstalten wurden Kohlensäuregehalte von 3 bis 5 %o gefunden.

Physikalische und chemische Beschaffenheit der Luft in Schulzimmern.

I. Gymnasium.

	Temperatur nach Cels.	Rel. Feuchtigkeit	Kohlensäure pro mille
Morgens 8 Uhr, vor Beginn des Unterrichts	16,0	38	1,16
Am Ende der ersten Stunde.....................	17,7	45	4,51
„ „ „ zweiten „	18,3	46	5,59
„ „ „ dritten „	19,4	50	6,12
Am Ende der groſsen Pause (1 Fensterflügel geöffnet)	15,1	49	2,82
„ „ „ vierten Stunde...	18,6	46	4,35
„ „ „ fünften „	20,1	52	5,74

V. Gymnasium.

Vor Beginn des Unterrichts (8 Uhr morgens).......	14,5	44,0	0,92
Vor der groſsen Pause (12 Uhr mittags)...........	21,5	55,5	7,60
Am Ende der groſsen Pause (12 Uhr 25 Min. mittags)	19,0	52,5	4,39
„ „ „ fünften Stunde (2 Uhr 25 Min. nachm.)	22,7	60,0	7,68

KOMISSAROFFsche technische Schule.

Morgens vor Beginn des Unterrichtes (5 Uhr)......	15,0	53,5	1,10
Am Ende der dritten Stunde (12 Uhr 30 Min. mittags)	19,6	70,0	8,40
„ „ „ groſsen Pause (2 Uhr nachmittags)...	17,0	61,5	3,16
Abends nach der Repetition (8 Uhr)	20,2	61,5	6,62

Stadtschule in Ssokolniki.

Morgens vor Beginn des Unterrichts (8 Uhr 55 Min.)	13,6	38	1,46
Am Ende der ersten Stunde.....................	17,9	42	3,84
„ „ „ zweiten „	19,3	40	3,37
„ „ „ groſsen Pause (11 Uhr 40 Min; Fenster geöffnet)	11,8	37	1.69
„ „ „ dritten Stunde (12 Uhr 40 Min.)	18,9	41	3,71
„ „ „ vierten „	19,2	41	3,99
„ „ „ fünften „	18,5	43	4,12

Um den Besuchern der Ausstellung eine Vorstellung von dem Gehalte der Schulluft an Mikroorganismen zu geben, waren mehrere, teils gerade (HESSE), teils zickzackartig gebogene (PAWLOWSKY), mit Fleischpeptongelatine ausgekleidete Glasröhren ausgestellt, durch welche in 1 Stunde je 2 Liter Luft aus Schulräumen durchgeleitet worden waren. In diesen Röhren sah man nun ein buntes Gemenge von Kolonien verschiedener niedriger Organismen: Schimmelpilze mannigfaltiger Art, viele chromogene (farbige) Bakterien (meistens gelbe Sarcine), sodann weiße Bakterienkolonien und endlich solche Kolonien, welche mehr oder weniger rasch die Gelatine verflüssigen. So oft es nötig war, wurden diejenigen Röhren, in denen die Verflüssigung der Gelatine einen höheren Grad erreicht hatte, durch frische Präparate ersetzt. Außerdem war dem Publikum Gelegenheit geboten, Reinkulturen einiger aus der Schulluft gewonnenen Schimmelpilze (Aspergillus niger, Aspergillus flavescens, Penicillium glaucum etc.) und Sarcinen (Sarcina lutea, aurantiaca) auf Kortoffelschnitten zu sehen und deren Wachstum zu verfolgen.

Ich will auch hier die Gelegenheit benutzen, um einige Resultate der von Dr. JGNATJEFF in dieser Richtung in unseren Schulen vorgenommenen Untersuchungen mitzuteilen. [1] Die Zahlen der folgenden Tabelle bedeuten die Menge der betreffenden Kolonien in 2 Liter Luft, die während 1 Stunde durch die Gelatineröhren aspiriert wurden.

Die Analyse der folgenden Zahlen zeigt, daß dieselben uns allerdings noch keine ganz bestimmte Vorstellung von der Verteilung der Mikroorganismen in der Schulluft während der verschiedenen Perioden des Unterrichtes geben, daß aber trotzdem einige nicht unwichtige Schlüsse daraus resultieren. So z. B. sehen wir, daß schon am frühen Morgen, vor dem Beginne des Unterrichts, in der Luft der leeren Schulzimmer sich eine relativ große Zahl von Keimen befindet, was vermut-

---

[1] Arbeiten aus dem hygienischen Laboratorium der Moskauer Universität. II. 1888 (russ.)

lich davon herrührt, daſs zu dieser Zeit die Subsellien von den
Schuldienern abgestäubt werden, wobei jedenfalls viele Staubteilchen und mit ihnen auch Mikroorganismen in die Luft übergehen. Sodann erlaubt uns der Umstand, daſs vor der groſsen
Pause die Luft verhältnismäſsig wenig Keime enthält, darauf
zu schlieſsen, daſs während des Unterrichtes selbst, wo es in
der Klasse ziemlich ruhig ist, ein groſser Teil der Keime sich
wieder aus der Luft abscheidet und auf den Möbeln, an den
Wänden u. s. w. niederläſst. Endlich sehen wir, daſs zu der
Zeit, wo die Schüler sich von ihren Sitzen erheben und das
Lokal verlassen, die Zahl der Mikroorganismen in der Luft
wiederum zunimmt; offenbar werden sie bei dieser Gelegenheit
vom Boden, den Subsellien u. dgl. abermals aufgewirbelt. —

Ort der Beobachtung	Zeit der Beobachtung	Schimmelpilze	Chromogene Bakterien	Weiſse Bakterien-Kolonien	Verflüssigende Bakterien-Kolonien	Im ganzen
V. Gymnasium	Morgens, vor Beginn des Unterrichts .	13	1	22	2	38
	Vor der groſsen Pause	6	—	—	—	6
	Nach „ „ „	5	23	33	17	78
	Vor dem Verlassen der Schule durch die Kinder..................	7	—	1	—	8
KOMISSAROFFsche technische Schule	Morgens, vor Beginn des Unterrichts .	1	29	10	3	43
	Vor der groſsen Pause und teilweise während derselben...........	—	4	1	—	5
	Während die Kinder das Schulzimmer verlassen..................	6	18	12	18	54
l. Gymnasium	Morgens, vor Beginn des Unterrichts .	9	35	8	2	54
	Vor der groſsen Pause	6	4	—	1	11
	Während die Kinder das Zimmer verlassen	4	13	5	—	22

Daſs überhaupt die Zahl der Kolonien, die man jeweilig aus
einer gewissen Luftmenge erhält, durchaus nicht nur von der
absoluten Menge der Keime in dem betreffenden Raume ab-

404

hängt, sondern wesentlich durch Umstände bedingt wird, welche auf die Verteilung der Mikroorganismen in der Luft des Raumes von Einfluß sind, geht auch daraus hervor, daß Dr. IGNATJEFF in den Schlafsälen einiger Lehranstalten vor dem Betreten derselben durch die Schüler viel weniger Luftkeime fand als morgens beim Aufstehen der Knaben, wo natürlich alles, was sich während der Nacht auf Bettdecken, Kissen etc. abgesetzt hat, wiederum aufgewirbelt wird. Wenn dem aber so ist, so wäre es jedenfalls gewagt, die Zahl der gefundenen Luftkeime, wie dies von einigen Seiten bereits geschieht, ohne weiteres als Maßstab für die Reinheit der betreffenden Luft anzusehen. Die Verteilung der Keime in der Luft ist gewiß eine zu ungleiche, zufällige oder, besser gesagt, von zu vielen und im gegebenen Falle nicht immer leicht zu bestimmenden Umständen abhängige, als daß man dies thun dürfte, und jedenfalls verdient in dieser Beziehung die althergebrachte Praxis, wonach man in Räumen, deren Luft hauptsächlich durch die Ausdünstungen von Menschen verunreinigt wird, die Kohlensäure als Maßstab der Luftreinheit betrachtet, unbedingt den Vorzug, um so mehr als es ja bewiesen ist, daß unter den genannten Verhältnissen sich die Kohlensäure erstaunlich gleichmäßig in geschlossenen Räumen verteilt.

Was die absolute Menge der gefundenen Keime, auf 1 Kubikmeter Luft berechnet, betrifft, so betrug dieselbe im Mittel:

im V. Gymnasium   16 250
„ I.   „   14 833
in der KOMISSAROFFschen Schule 20 625.

Diese Zahlen reichen sehr nahe an diejenigen heran, welche HESSE [1] bei der bakteriologischen Untersuchung der Luft in den Berliner Schulen erhielt (im Mittel 14 990 Keime in 1 Kubikmeter Luft).

Auf Grundlage dieser Zahlen berechnet sich die Keimmenge,

[1] Mitteilungen aus dem kais. Gesundheitsamte. II. 1884. pag. 207.

welche ein Schüler während seines 5stündigen Aufenthaltes im Klassenzimmer täglich einatmet:

im V. Gymnasium auf 44 655

„ I. „ „ 40 961

in der KOMISSAROFFschen Schule „ 56 678.

Ich gehe nun zur Schilderung einiger Ausstellungsobjekte über, welche sich auf spezielle Untersuchungen über die physische Entwicklung der Schüler, sowie über die Häufigkeit und den Charakter einiger sogenannter „Schulkrankheiten" beziehen.

Auf diesem Gebiete begegnen wir zuerst einer Reihe von Diagrammen, die von Dr. MICHAILOFF, einem Sanitätsarzte der Moskauer Landschaft, ausgestellt sind. Dieselben betreffen die körperliche Entwicklung unserer Schulkinder und umfassen alle diejenigen (zur Verwertung geeigneten) Untersuchungen über Körperlänge, Brustumfang und Körpergewicht, die überhaupt an russischen Schulkindern, sowohl in den Städten als auf dem Lande, bis jetzt vorgenommen worden sind. Hierbei unterscheidet der Verfasser zwei Kategorien von Schulen: Stadtschulen (und zwar Elementar- und Mittelschulen) und Dorfschulen; zum Vergleiche zieht er sodann die bei der sanitären Untersuchung der Fabriken in der Moskauer Landschaft an Fabrikkindern gewonnenen Resultate herbei.[1]

Da es nicht möglich ist, an dieser Stelle die ausgestellten Diagramme zu reproduzieren, während andrerseits die Untersuchungen selbst, und wäre es auch nur zum künftigen Vergleiche mit gleichartigen Beobachtungen in andren Ländern, einen nicht unbedeutenden Wert besitzen, so bringe ich hier die Zahlen, auf Grund derer die betreffenden Diagramme konstruiert sind und die ich der Liebenswürdigkeit meines Kollegen MICHAILOFF verdanke.

---

[1] Siehe unsren Aufsatz über die physische Entwicklung der Fabrikarbeiter in Centralrußland im Archiv für Statistik und sociale Gesetzgebung. I. 1888.

A. Körperlänge.

Lebens-jahre	Städtische Schulen				Dorfschulen				Fabrikkinder			
	Knaben		Mädchen		Knaben		Mädchen		Knaben		Mädchen	
	Zahl der Fälle	cm	Zahl der Fälle	cm	Zahl der Fälle	cm	Zahl der Fälle	cm	Zahl der Fälle	cm	Zahl der Fälle	cm
7	36	112,1	138	111,6	106	114,0	46	113,2	—	—	—	—
8	115	117,8	242	116,4	462	117,7	97	117,6	36	120,1	18	118,8
9	172	122,8	323	119,6	926	121,0	193	121,6	109	122,4	97	123,0
10	238	130,9	289	125,0	1048	126,6	180	125,1	411	126,3	268	129,5
11	426	135,6	221	129,7	825	129,6	115	128,5	770	129,9	564	131,0
12	453	140,1	126	132,9	587	133,9	72	133,1	1398	134,4	947	135,5
13	490	145,4	49	138,3	273	137,9	25	137,8	1673	137,7	1212	139,9
14	441	150,2	29	145,8	92	140,9	—	—	2299	141,2	1778	143,4
15	405	156,4	22	146,4	22	144,5	—	—	2559	146,7	2401	148,2
16	309	161,4	19	150,3	—	—	—	—	2537	153,2	2597	151,0
17	107	164,0	—	—	—	—	—	—	2525	156,6	2384	152,4
18	20	165,3	—	—	—	—	—	—	2671	161,8	2116	152,8
	3212		1458		4341		728		16988		14382	

Diese Zahlen erlauben vorderhand nur den allgemeinen, übrigens dem bisher in dieser Richtung Bekannten nicht widersprechenden Schluß, daß bei uns das Längenwachstum der Kinder in den Städten im allgemeinen rascher vor sich geht als auf dem Lande; auffallend ist nur der niedrige Wuchs der Mädchen in den Stadtschulen, den ich nicht zu erklären im stande bin, und der hier das allgemeine Gesetz, nach welchem im Alter von 9 oder 10 bis 14 Jahren die Mädchen nicht nur ebenso groß, sondern größer sind als die Knaben, nicht zum Ausdrucke kommen läßt. Das Längenwachstum der Fabrikkinder zeigt keine wesentlichen Unterschiede von demjenigen der Dorfschüler:

Wir sehen, daß bis zum 11. Jahre der absolute Brustumfang der Stadtschüler hinter demjenigen der Dorfschüler und der Fabrikkinder zurückbleibt. Später allerdings übertreffen die ersteren in Bezug auf die absolute Größe des Brustumfanges sowohl die Kinder in den Landschulen als auch die Fabrikkinder; aber

B. Brustumfang.

Lebens-jahre	Städtische Schulen				Dorfschulen				Fabrikkinder			
	Knaben		Mädchen		Knaben		Mädchen		Knaben		Mädchen	
	Zahl der Fälle	cm	Zahl der Fälle	cm	Zahl der Fälle	cm	Zahl der Fälle	cm	Zahl der Fälle	cm	Zahl der Fälle	cm
7	36	57,4	138	55,2	106	59,1	46	55,4	—	—	—	..
8	115	59,3	247	56,5	462	60,4	97	57,5	36	62,1	18	59,8
9	172	61,0	328	58,3	926	62,2	193	59,0	109	62,0	97	59,9
10	357	61,9	293	59,5	1047	63,4	180	59,8	411	63,2	268	61,6
11	529	63,9	225	61,5	825	64,3	115	61,2	770	64,6	564	62,9
12	522	66,0	116	64,1	587	65,0	72	63,8	1398	66,2	947	64,9
13	542	68,9	41	68,0	273	67,6	23	65,6	1673	67,5	1212	67,3
14	398	71,2	17	69,7	92	68,5	—	—	2299	69,2	1778	70,3
15	409	75,3	—	—	22	68,7	—	—	2559	71,9	2401	73,7
16	288	78,5	—	—	—	—	—	—	2537	75,1	2597	76,9
17	126	79,9	—	—	—	—	—	—	2525	78,6	2384	78,7
18	20	80,8	—	—	—	—	—	—	2671	81,3	2116	79,8
	3514		1405		4340		726		16988		14382	

C. Differenz zwischen Brustumfang und halber Körperlänge.

Lebens-alter	Stadtschüler		Dorfschüler		Fabrikkinder	
	Knaben	Mädchen	Knaben	Mädchen	Knaben	Mädchen
7	+ 1,35	— 0,59	+ 2,07	— 1,23	—	—
8	+ 0,42	— 1,67	+ 1,55	— 1,30	+ 2,07	+ 0,43
9	— 0,44	— 1,53	+ 1,72	— 1,79	+ 0,76	— 1,65
10	— 3,59	— 2,63	— 1,01	— 2,77	+ 0,03	— 3,09
11	— 3,90	— 3,34	— 0,51	— 3,02	— 0,39	— 2,58
12	— 4,08	— 2,32	— 1,96	— 2,77	— 1,01	— 2,82
13	— 3,82	— 1,17	— 1,35	— 3,29	— 1,41	— 2,62
14	— 3,96	— 3,20	— 1,92	—	— 1,39	— 1,60
15	— 2,89	—	— 3,54	—	— 1,46	— 0,36
16	— 2,18	—	—	—	— 1,52	+ 1,42
17	— 2,09	—	—	—	— 0,73	+ 2,56
18	— 1,92	—	—	—	+ 0,38	+ 3,38

wenn wir berücksichtigen, daß die Stadtschüler weit größer
an Wuchs sind als ihre Altersgenossen im Dorfe und in den
Fabriken, wenn wir also das Verhältnis von Brustumfang und
Körperlänge zur Grundlage der Beurteilung der physischen Entwicklung machen, so ist es unschwer sich zu überzeugen, daß
Dorfkinder, auch wenn sie in Fabriken arbeiten,
sich im allgemeinen günstiger entwickeln als die
Stadtjugend. Dies erhellt in der That aus folgenden Zahlen,
welche aus den obigen abgeleitet sind und angeben, um wieviel
der Brustumfang hinter der halben Körperlänge zurücksteht
oder dieselbe übertrifft (die Zahlen bedeuten Centimeter).

Diese Zusammenstellung zeigt mit großer Deutlichkeit,
daß in Bezug auf harmonische Entwicklung des Körpers die Stadtschüler sowohl hinter den Dorfschülern
als auch hinter den Fabrikkindern zurückstehen, da
sich bei ihnen während der ganzen Schulzeit die Brust im Verhältnis zur Körperlänge wesentlich schlechter entwickelt als
bei den übrigen zwei Kinderkategorien.

Wie aus den Zahlen in Tabelle D hervorgeht, übertreffen die
Stadtschüler in Bezug auf das absolute Körpergewicht ihre
Altersgenossen in den Dorfschulen und in den Fabriken. Um aber
zu beurteilen, ob sie wirklich besser genährt sind als die letzteren, müßte man das Gewicht mit den übrigen Wachstumsverhältnissen zusammenstellen, d. h. man müßte z. B. in
Erfahrung bringen, ob auf 1 Meter Körperlänge bei ihnen
mehr Körpergewicht kommt als bei den andren Kindern.
Doch dürfte das vorhandene Material noch nicht groß genug
sein, um in dieser Hinsicht bestimmte Schlüsse zu erlauben,
und es wäre äußerst wünschenswert, daß in Bezug auf die
physische Entwicklung unsrer Schuljugend unter verschiedenen
Verhältnissen weitere systematische Forschungen angestellt
würden. Solche Untersuchungen anzuregen war der Haupt-
zweck, der mit der Ausstellung der MICHAILOFFschen Diagramme
verfolgt wurde.

Sehen wir nun noch, was uns die Diagramme MICHAILOFFS

über das Körpergewicht der Kinder aussagen. Dasselbe ist im Folgenden in Kilogrammen angegeben:

D. Körpergewicht.

Lebens-jahre	Stadtschüler				Dorfschüler				Fabrikkinder			
	Knaben		Mädchen		Knaben		Mädchen		Knaben		Mädchen	
	Zahl der Fälle	kg	Zahl der Fälle	kg	Zahl der Fälle	kg	Zahl der Fälle	kg	Zahl der Fälle	kg	Zahl der Fälle	kg
7	36	20,03	138	19,36	50	20,52	29	19,10	—	—	—	—
8	115	22,01	247	21,32	181	22,24	67	21,33	—	—	—	—
9	137	24,13	328	21,99	295	23,37	129	23,17	—	—	—	—
10	247	27,69	293	25,60	288	25,91	132	24,99	27	27,98	—	—
11	365	30,46	231	27,35	234	28,26	87	27,12	58	29,34	—	—
12	389	33,27	122	30,28	162	29,85	44	28,95	122	31,06	—	—
13	339	37,57	56	36,53	67	31,62	20	31,88	147	32,51	—	—
14	302	41,48	32	40,46	—	—	—	—	216	35,69	—	—
15	257	46,57	20	42,75	—	—	—	—	258	39,87	—	—
16	215	53,03	16	45,29	—	—	—	—	233	44,53	—	—
17	61	57,35	12	45,81	—	—	—	—	263	49,87	—	—
18	20	60,05	—	—	—	—	—	—	261	54,63	—	—
	2433		1495		1277		508		1585			

Ausstellungsgegenstände, welche die Resultate statistischer Untersuchungen. über einige der sogenannten „Schulkrankheiten" betrafen, rührten von Dr. Nesteroff und vom Verfasser dieser Zeilen her.

Als Schularzt bei einem der Moskauer Gymnasien, das eine ziemlich bedeutende Anzahl von Internen besitzt, hatte Dr. Nesteroff Gelegenheit im Laufe mehrerer Jahre systematische und detaillierte Beobachtungen über die bei den ihm anvertrauten Schülern vorkommenden Gesundheitsstörungen anzustellen, und die von ihm ausgestellten Diagramme stellen einen Teil der von ihm hierbei erhaltenen, äufserst interessanten Untersuchungsresultate dar. Der Kürze halber will ich mich übrigens hier nur bei denjenigen Beobachtungen Nesteroffs aufhalten, welche sich auf die Störungen im Gebiete des Nervensystemes beziehen, und ich fühle mich hierzu um so mehr berechtigt, als gerade diese Beobachtungen mit der brennenden Tagesfrage der Überbürdung unserer Schuljugend zusammenhängen. Ich bringe auch hier die den betreffenden Diagrammen zu Grunde liegenden Zahlen[1]). Die erste derartige Untersuchung, die 216 Zöglinge betraf, zeigte, daß das Nervensystem in 32% der Fälle nicht normal war und daß die relative Menge der an Störungen im Gebiete des Nervensystemes leidenden Knaben von Klasse zu Klasse mit ziemlicher Raschheit und Beständigkeit zunahm, wie aus folgenden Zahlen ersichtlich ist:

Die Vorbereitungsklasse hatte 8% nervenkranker Schüler

„	I. Klasse	„	15	„	„	„
„	II.	„	„	22	„	
„	III.	„	„	28	„	
„	IV.	„	„	44	„	
„	V.	„	„	27	„	
„	VI.	„	„	58	„	„	„
„	VII.	„	„	64	„	
„	VIII.	„	„	69	„	„	„

Über den Charakter dieser Störungen spricht sich Dr. NESTEROFF an der citierten Stelle folgendermaßen aus: „Ich sah nicht einen einzigen Fall einer bestimmt entwickelten, abgeschlossenen Form von Nervenkrankheit; ...... aber eine sorgfältige Anamnese und genaue Untersuchung der Schüler zeigte, daß eine sehr große Zahl derselben an „allgemeinen Störungen im Gebiete des Nervensystemes" litt und zwar in der Form von Neurasthenie, die sich unter dem Einflusse dieser oder jener Gelegenheitsursache zeitweilig durch erhöhte Empfindlichkeit oder Reizbarkeit kundgab, z. B. als Kopfschmerzen, mannigfaltige peripherische Neuralgien (meistens Zwischenrippenneuralgien), Neurosen des Herzens (Herzklopfen) und bei den Schülern der höheren Klassen Neurosen in der Geschlechtssphäre (im Zusammenhange mit häufigen Pollutionen), erhöhte physische Reizbarkeit u. s. w."

---

[1] Bericht über den II. Kongreß der PIROGOFFschen Gesellschaft russischer Ärzte. Moskau. 1887. I. (ruß.).

Die soeben angeführten Untersuchungen hatten sich nur auf
das Jahr 1882 bezogen, und Dr. NESTEROFF schreibt den gewonnenen Zahlen durchaus keine absolute Bedeutung zu; aber
dieselben waren interessant genug, um ihn zu weiteren Beobachtungen auf diesem Gebiete zu veranlassen, und eines seiner
Diagramme zeigt uns die Resultate, die durch aufmerksame,
im Laufe von vier weiteren Jahren ausschließlich an den Internen des Gymnasiums fortgesetzte Untersuchungen erhalten
wurden. Dasselbe stellt die Prozentzahl der „nervösen" Schüler
in den verschiedenen Lebensaltern dar, wobei als „nervös"
diejenigen Zöglinge bezeichnet wurden, bei denen sich als
subjektive Erscheinungen Kopfschmerz (besonders gegen Ende
des Unterrichts), Schlaflosigkeit, Gastralgie, Empfindungsstörun-
gen, rasch auftretende körperliche und geistige Ermüdung und
erhöhte psychische Reizbarkeit geltend machten, oder bei denen
die objektive Untersuchung Störungen im Gebiete des vaso-
motorischen Nervensystems, erhöhte Reizbarkeit des Herzens
u. dgl. ergab. Die Zahlen, auf welche sich das betreffende
Diagramm stützt, sind folgende:

Lebens-alter	Zahl der untersuchten Schüler	Zahl der als „nervös" Befundenen	Prozentzahl der „Nervösen"
9	20	0	· 0,0%
10	48	4	8,3 „
11	100	20	20,0 „
12	72	12	16,7 „
13	60	12	20,0 „
14	48	12	25,0 „
15	44	4	9,1 „
16	48	16	33,3 „
17	48	32	66,7 „
18	36	20	55,6 „
19	36	28	77,8 „
20	28	12	42,9 „
	588	172	19,3%.

Wir sehen also, daß beinahe 30% der Schüler an diesen
oder jenen Erscheinungen von Neurasthenie leiden und daß

im allgemeinen die Prozentzahl der Neurastheniker
mit den Altersjahren zunimmt. Es ist dies um so mehr
zu berücksichtigen, als dasselbe Diagramm uns zeigt, daſs der
allgemeine Erkrankungskoeffizient bei denselben Zöglingen mit
den Altersjahren nicht zunimmt, sondern sich, einige offenbar
zufällige Schwankungen abgerechnet, vom 9. bis zum 20. Jahre
sehr annähernd auf derselben Höhe erhält.

Es ist hier nicht der Ort auf die Frage über die Ursachen
dieser neurasthenischen Erscheinungen bei unsrer Schuljugend
einzugehen, aber ich kann wohl sagen, daſs die bezüglichen
Diagramme NESTEROFFS, die von vielen Besuchern der Ausstellung mit groſsem Interesse studiert wurden, manchem von
ihnen die Frage auf die Zunge drängten: „Was ist es denn
eigentlich, das unsre Jugend so „nervös“ macht? Welchen
Anteil haben an dieser bedenklichen Erscheinung die Schule
und das herrschende Erziehungssystem, und — muſs es denn
so sein? Läſst sich in der That eine hinreichende Schulbildung
nicht gewinnen, ohne daſs man die Neurasthenie mit in den
Kauf nimmt, ohne daſs der Organismus der Kinder in dieser
Weise erschüttert wird? . . . .“

Die vom Verfasser dieser Zeilen ausgestellten Diagramme
und Zeichnungen beziehen sich auf die Kurzsichtigkeit
unter den Schulkindern und beruhen gröſstenteils auf
eigenen Untersuchungen, denen nur zum Vergleiche die graphische Darstellung der von einigen andern Forschern in
diesem Gebiete erhaltenen Resultate beigefügt ist. Die Beobachtungen, um die es sich hier handelt, waren in den Jahren
1870 und 1876 in den St. Petersburger Gymnasien des Ministeriums der Volksaufklärung und des Kriegsministeriums, in
einigen groſsen deutschen Schulen mit Gymnasial- und Real-
abteilungen und in einem Mädchengymnasium ausgeführt worden
und umfassen im ganzen 6005 Knaben und 1077 Mädchen.
Alle diese Individuen waren von mir persönlich untersucht worden,
und, ich darf es wohl sagen, wir haben hier ein Material vor
uns, welches nicht nur geeignet ist, ein getreues Bild der Verbreitung der Myopie in unsern Schulen zu geben, sondern

wohl auch einige bindende Schlüsse über die Ursachen ihrer Entwicklung zuläfst. — Es handelte sich übrigens nicht nur darum, den Besuchern der Ausstellung die Art der Verbreitung der Myopie in den Schulen als vollendete Thatsache in geeigneter Weise zur Anschauung zu bringen, sondern es sollte auch gezeigt werden, worin die Abweichungen von der Norm, welche das myopische Auge zeigt, bestehen und in welcher Weise dieselben zu stande kommen. Aus diesem Grunde fügten wir den Diagrammen, welche die Prozentzahlen der Myopen, Emmetropen und Hypermetropen in den einzelnen Klassen der untersuchten Schulen darstellten, noch Zeichnungen bei, welche in schematischer Darstellung den Bau und die optischen Eigenschaften des emmetropischen, myopischen und hypermetropischen Auges, sowie auch diejenigen physiologischen Veränderungen zeigten, welche das Auge im Akkommodationszustande darbietet. Aufserdem hatte Herr Dr. MAKLAKOFF die Güte, zur Vervollständigung des Ganzen einige von ihm selbst verfertigte Bilder auszustellen, welche einerseits diejenigen krankhaften Erscheinungen illustrierten, die im Augenhintergrunde bei sich entwickelnder und bei schon weit gediehener Myopie sichtbar werden, andrerseits Durchschnitte durch den Sehnerv und seine Scheiden, an der Eintrittsstelle desselben in den Augapfel, wo sich im myopischen Auge das Staphyloma posticum entwickelt, darstellten. Auf Grund dieser Zeichnungen konnte nun den Besuchern der Ausstellung, wenigstens in grofsen Zügen, die Entstehungsweise der Myopie unter den beim Lernen sowohl in der Schule als zu Hause vorkommenden ungünstigen Verhältnissen (allzu andauernde Anstrengung der Augen überhaupt, schlechte Beleuchtung, ungeeignete Subsellien, allzukleine Schrift der Lehrbücher etc.) geschildert werden.

Es ist an dieser Stelle natürlich unmöglich, den gesamten Inhalt der von uns ausgestellten Diagramme wiederzugeben, aber es scheint mir immerhin notwendig, wenigstens die wesentlichsten denselben zu Grunde liegenden Zahlen anzuführen. Der Kürze halber lasse ich die absoluten Gröfsen beiseite und bringe nur die Prozentsätze.

A. Sämtliche von uns untersuchten Knaben (6005).

Vorberei-tungsklasse	I.	II.	III.	IV.	V.	VI.	VII.	VIII.	Sa.
Myopen......12,3	18,4	27,2	33,4	39,2	41,3	45,2	45,3	60,9	31,9
Emmetropen ..29,9	30,3	27,8	29,4	28,8	26,5	27,5	30,0	23,5	28,7
Hypermetropen 56,6	50,7	44,4	36,8	31,6	31,6	26,9	24,4	15,6	38,9
Amblyopen [1]... 1,2	0,6	0,6	0,4	0,4	0,6	0,4	0,3	—	0,5
100	100	100	100	100	100	100	100	100	100

B. Sämtliche von uns untersuchten Mädchen (1077).

	I.	II.	III.	IV.	V.	VI.	VII.	VIII.	Sa.
Myopen....... —	12,3	12,9	25,1	36,3	37,7	37,7	41,3	41,7	27,6
Emmetropen .. —	25,8	30,1	24,1	26,3	21,0	20,7	17,5	18,3	24,3
Hypermetropen —	61,3	57,0	49,7	35,7	41,3	40,6	41,2	40,0	47,4
Amblyopen.... —	0,6	—	1,1	1,7	—	1,0	—	—	0,7
—	100	100	100	100	100	100	100	·100	100

C. Die Schüler der klassischen Gymnasien des Ministeriums der Volksaufklärung (4000 Knaben).

	I.	II.	III.	IV.	V.	VI.	VII.	VIII.	Sa.
Myopen......13,5	21,0	30,1	38,0	44,6	48,6	50,7	53,3	60,9	35,2
Emmetropen ..33,6	30,4	27,7	29,3	28,3	25,6	25,5	26,4	23,4	28,5
Hypermetropen 51,3	48,1	41,4	32,3	26,9	24,8	23,1	19,8	15,6	35,7
Amblyopen.... 1,6	0,5	0,8	0,4	0,2	1,0	0,7	0,5	—	0,6
100	100	100	100	100	100	100	100	100	100

D. Die Schüler der deutschen Schulen (1223 Knaben).

	I.	II.	III.	IV.	V.	VI.	VII.	VIII.	Sa.
Myopen....... 8,0	10,4	18,0	21,6	29,9	34,9	39,8	37,0	—	22,7
Emmetropen ..17,3	29,1	25,9	28,6	28,0	24,7	23,5	20,4	—	26,2
Hypermetropen 74,7	59,3	55,7	49,8	42,1	40,4	36,7	42,6	—	50,8
Amblyopen.... —	1,2	0,4	—	—	—	—	—	—	0,3
100	100	100	100	100	100	100	100	—	100

E. Die Zöglinge der Militärgymnasien (782 Knaben).

	I.	II.	III.	IV.	V.	VI.	VII.	VIII.	Sa.
Myopen....... —	14,5	25,8	28,5	30,0	23,9	36,3	35,6	—	28,8
Emmetropen .. —	33,9	31,7	31,6	31,5	32,1	35,5	41,3	—	33,7
Hypermetropen —	51,6	42,5	39,1	36,9	44,0	28,2	23,1	—	37,1
Amblyopen.... —	—	—	0,8	1,6	—	—	—	—	0,4
—	100	100	100	100	100	100	100	—	100

[1] Diese Kategorie umfaßt diejenigen Individuen, welche durch Hornhauttrübungen u. dgl. das Sehvermögen teilweise eingebüßt hatten, und bei welchen durch Gläser keine Korrektion erzielt werden konnte.

F. Die Zöglinge deutscher Gymnasien in Dorpat[1] und Königsberg[2] (1916 Knaben).

Myopen.......	4,4	10,1	9,8	18,6	19,8	35,6	39,1	53,8	—	*23,9*
Emmetropen ..25,2	26,9	29,7	26,2	34,2	31,1	26,4	22,6	—	*28,6*
Hypermetropen 70,4	61,1	58,5	53,2	44,0	33,3	33,3	23,3	—	*46,3*
Amblyopen.... —	1,9	2,0	2,0	2,0	—	1,2	0,3	—	*1,2*
	100	100	100	100	100	100	100	100	—	*100*

Aus den mit Zugrundelegung dieser Zahlen konstruierten Diagrammen konnten sich die Besucher der Ausstellung jedenfalls von folgenden Thatsachen überzeugen:

1. Daſs die Zunahme der Myopenzahl von Klasse zu Klasse eine allgemeine Erscheinung ist, die in mehr oder weniger ausgesprochener Weise überall zu Tage tritt.

2. Daſs der Prozentsatz der Kurzsichtigen in den obersten Klassen unter Umständen ein enormer sein kann (50 bis 60 % und mehr), daſs aber in dieser Hinsicht zwischen den einzelnen Kategorien von Lehranstalten nicht unerhebliche Unterschiede existieren, welche darauf hinweisen, daſs nicht überall die Verhältnisse in gleicher Weise ungünstig für das Sehorgan der Kinder sind. Weitaus am gröſsten ist die Verbreitung der Kurzsichtigkeit und die Zunahme der Myopenzahl in den klassischen Gymnasien des Ministeriums der Volksaufklärung; günstiger gestalten sich die Verhältnisse in den deutschen Schulen und in den Militärgymnasien.

3. Daſs eine gewisse Anzahl von Kindern schon mit Myopie behaftet in die Mittelschule eintritt,

---

[1] O. KOPPE, Ophthalmoskopisch-ophthalmologische Untersuchungen aus dem Dorpater Gymnasium und seiner Vorschule. Inaug.-Diss. Dorpat. 1876.

[2] M. CONRAD, Die Refraktion von 3036 Augen von Schulkindern mit Rücksicht auf den Übergang der Hypermetropie in Myopie. Inaug.-Diss. Königsberg. 1875.

dafs aber der Prozentsatz dieser Kinder sehr gering ist.

Wenn man nun, wofür auf der Ausstellung ebenfalls die Beweise vorlagen, berücksichtigt, dafs von Klasse zu Klasse die Zahl der mit stärkeren Myopiegraden behafteten Kinder zunimmt, so wird man wohl begreifen, dafs die Besucher der Ausstellung zu der Überzeugung gelangen mufsten, dafs ungünstige Verhältnisse in Schule und Haus die Entstehung von Kurzsichtigkeit und die Zunahme der schon bestehenden begünstigen und dafs den Schulbehörden die Pflicht obliegt, alles, was in ihren Kräften liegt, zu thun, um die krankhafte Veränderung des Sehorganes im jugendlichen Alter möglichst zu verhindern und zu beschränken.

Zum Schlusse will ich noch eines Ausstellungsobjektes erwähnen, welches für das sachverständige Publikum von nicht geringem Interesse war, — es ist dies eine von Dr. MICHAILOFF verfafste Broschüre, die ein detailliertes Programm zur sanitären Untersuchung von Dorfschulen enthält. Diese Broschüre, die den Besuchern der Ausstellung auf Wunsch gratis abgegeben wurde, erschien deshalb so zeitgemäfs, weil die Notwendigkeit einer systematischen sanitären Überwachung der Schulen sich auch bei uns immer mehr und mehr fühlbar macht und unsere Ärzte (namentlich unsere Landschaftsärzte) sich vielerorts damit beschäftigen, für diesen Gedanken Propaganda zu machen und entsprechende Programme auszuarbeiten.

Ohne hier auf die Details des von MICHAILOFF ausgestellten Programmes einzugehen, will ich nur die Hauptabschnitte angeben, in welche dasselbe zerfällt.

I. Mediko-topographische Beschreibung der Örtlichkeit, in welcher sich die Schule befindet.

II. Das Schulgebäude und seine Einrichtung.

III. Der Wirkungskreis der Schule.

IV. Die Subsellien und Schulutensilien.

V. Die Schulzeit und der Lehrplan.

VI. Untersuchung der körperlichen Entwicklung der Schulkinder.

VII. Das Lehrpersonal.

VIII. Die Organisation der sanitären Überwachung der Schule.

IX. Berichte der Lehrer und Lehrerinnen über die Fähigkeiten, Fortschritte und etwaige Erkrankungen der
Kinder.

Als Leitfaden bei der Untersuchung der Schüler soll,
nach dem Vorschlage Michailoffs, ein Gesundheitsbogen
dienen, den ich hier in extenso mitteile:

Gesundheitsbogen für Schulkinder.

.... Schule.

Jahr: 188.. Monat:................... Tag: .... der Untersuchung.

Vor- und Familienname des Schülers: .. ..

Lebensalter: ....

Wohnort:...................

Stand und Beschäftigung der Eltern: ....

Hat der Schüler vor dem Eintritt in die Schule Unterricht genossen? ....

Wo?.................. . ... Welchen? .... Wie lange?...............

Zeit des Eintritts in die Schule: ....

Ist der Schüler vacciniert?..... .....

Allgemeines ⎞ Zustand der Haut: ....
über   ⎟   „   des Unterhautfettgewebes: . ...
die körperliche ⎬   „   der Muskulatur: ....
Entwicklung ⎠   „   der Lymphdrüsen: ....

Entwicklungsanomalien: . ...

Lage der Wirbelsäule: . . .

Lage der Schultern und Schulterblätter: ... .

Farbe der Haare:. ....

Refraktionszustand der Augen:...... . . .   Sehschärfe: ....

Farbe der Iris: . . ..

Schärfe des Gehörs:. . ...

Zustand der Zähne: Form und Farbe derselben: . . . .

Zahl der verdorbenen:.............. der fehlenden: .   .. . .

	188..		188..		188..	
	Anfgs.	Ende	Anfgs.	Ende	Anfgs.	Ende
Körpergewicht in Kilogramm:	.....	.....	.....	.....	.....	.....
Körperlänge in Metern:.....	.....	.....	.....	.....	.....	.....
Brustumfang in Metern:.....	.....	.....	.....	.....	.....	.....

Zahl der versäumten Tage im Jahre: ....

Fortschritte: ....

Charakter: ....

Fähigkeiten: ....

Etwaige Krankheiten: ....

Besondere Bemerkungen: ....

Ohne nun behaupten zu wollen, daſs die von Dr. MI-
CHAILOFF vorgeschlagene Form des Gesundheitsbogens ohne
weiteres zur praktischen Durchführung zu empfehlen sei,
möchte ich doch bei dieser Gelegenheit betonen, daſs es in der
That äuſserst erwünscht wäre, wenn jedes Kind beim Eintritt in die Schule einen besonderen Gesundheitsbogen[1] bekäme, auf welchem dann im Laufe der Schulzeit
alles notiert würde, was für die Beurteilung seiner körperlichen
und geistigen Frische und Gesundheit von Wert ist. Das
Studium und die statistische Verarbeitung solcher Gesundheitsbögen würden uns mit der Zeit über manche verwickelte
Fragen der Schulhygiene Auskunft geben und über manchen
dunkeln Punkt auf diesem interessanten Gebiete das gewünschte
Licht verbreiten.

Aus dem vorliegenden Berichte über unsre Ausstellung
sieht der Leser, daſs dieselbe durchaus keinen Anspruch auf
Vollkommenheit machen konnte, — dazu fehlten uns viele
nötige Vorbedingungen. Wir haben es im Gegenteile mit
einem allerdings, soweit dies möglich war, systematisch angelegten Versuche zu thun, dem Besucher zu zeigen, wie viele
und wichtige Fragen das Gebiet der Schulhygiene umschlieſst,
und Eltern und Lehrpersonal, sowie die in diesen Dingen
maſsgebenden Schulbehörden für diese Frage zu interessieren.
Wir wünschten Propaganda zu machen auf einem bei uns bis
jetzt sehr wenig bebauten Felde und suchten diese schwierige
Aufgabe zu lösen, soweit es in unsren Kräften lag. Über

[1] Solche Gesundheitsbögen werden an der städtischen Handelsschule in München geführt.   D. Red.

den Erfolg geben wir uns natürlich keiner Täuschung hin; Eines aber ist gewifs, — dafs das Gesehene in manchem Familienvater und manchem Lehrer oder Schulvorsteher Gedanken hervorgerufen hat, die ihm bis dahin fern lagen.

Aus Versammlungen und Vereinen.

VIII. deutscher Kongrefs für erziehliche Knaben-Handarbeit in München
am 21., 22., 23. September 1888.
Von
K. WERNER.
Lehrer in München.

Es war entschieden ein glücklicher Gedanke des Münchener Lokalkomitees, den 8. Kongrefs für erziehliche Knabenhandarbeit mit einem Begrüfsungsabend, der sich ungemein herzlich gestaltete, einzuleiten. Im herrlichen Saale des Kunstgewerbevereins eröffnete der Vorstand des Lokalkomitees, Stadtchulrat Dr. W. ROHMEDER - München, die Versammlung. Redner hiefs die Gäste der Stadt München herzlich willkommen und fügte den Wunsch bei, dafs die Beratungen des Kongresses segensreich und erspriefslich für die Bestrebungen auf dem Gebiete der erziehlichen Handarbeit sein möchten. Zugleich gab er bekannt, dafs die königl. Regierung und die Gemeindebehörden heim Kongrefs vertreten sein würden.

Der I. Direktor des Kunstgewerbemuseums in Berlin, C. GRUNOW, dankte für den freundlichen Empfang und erklärte die Entwicklung der Bestrebungen für die Knabenhandarbeit. Es wurde ein Zusatz in der Erziehung des Volkes geschaffen, der auch in Süddeutschland bereits Anerkennung errungen hat. Redner dankte der Regierung, der Stadtvertretung und dem Lokalkomitee.

Die freundliche Aufnahme der Kongrefsteilnehmer wird allen unvergefslich sein. Die Männerchöre des Lehrergesangvereins, sowie Einzelvorträge einiger Vereinsmitglieder gewährten musikalische, mit Beifall aufgenommene Genüsse. Herr LAMMERS-Bremen toastierte daher auf den Lehrergesangverein und sprach die Erwartung aus, dafs auch die Männer des Kongresses auf die Gäste durch das Ohr einzuwirken vermöchten.

Lehrer FINK-München betonte, dafs die Münchener Lehrerschaft den schönen Bestrebungen des Vereins sympathisch gegenüber stehe und brachte den Gästen ein dreifaches Hoch aus.

Herr KUNATH-Dresden drückte seine Freude darüber aus, daß der Verein bei den Kollegen im Lehrerstande mehr und mehr zur Geltung gelange.

Die Präsenzliste wies eine stattliche Zahl Kongreßteilnehmer auf.

Dem Begrüßungsabend wohnten auch Obermedizinalrat Dr. von KERSCHENSTEINER und I. Bürgermeister Dr. von WIDEMAYER bei. Die Gemeinde München war durch die Magistratsräte HERGL und RASP und die Gemeindebeamten Dr. KLEITNER und FRIEDRICH vertreten.

I. Vereinstag: Samstag, den 22. September, Vormittags 9 Uhr.

Schulrat Dr. ROHMEDER-München begrüßt die Versammlung im Namen und im Auftrage des Lokalkomitees mit dem Ausdrucke des Dankes dafür, daß der deutsche Verein für erziehliche Knabenhandarbeit unsere süddeutsche Metropole für Kunst und Wissenschaft zum Orte seiner diesjährigen Beratungen gewählt habe. Ebenso dankte er für die Bereitwilligkeit, mit welcher die Teilnehmer nicht nur aus allen Teilen Deutschlands, sondern auch aus Österreich, Ungarn, der Schweiz, dem germanischen Norden, selbst aus Rußland dem Rufe zur gemeinsamen Arbeit gefolgt sind. Er wünscht, daß die Arbeit eine erfolgreiche sein möge und giebt die Versicherung, daß das Lokalkomitee es an nichts fehlen lassen, was geeignet erschienen sei, die Zwecke des Vereins für Knabenhandarbeit zu fördern. Die Saat werde hier sicher nicht auf unvorbereiteten Boden fallen, denn wenn München auch nicht umfangreiche Thätigkeit und große Erfolge auf dem Gebiete des Handfertigkeits-Unterrichtes aufweisen könne, so erfreue es sich doch eines schönen entwicklungsfähigen Anfangs in dieser Beziehung.

Unser in mehr als einer Beziehung reformbedürftiges Erziehungswesen werde aus der weiteren Entwicklung der Bestrebungen des Vereins für Knabenhandarbeit manche fruchtbare Anregung empfangen. Redner betont besonders, daß der Verein der Schule nicht einen neuen Unterrichtsgegenstand aufdrängen, sondern sie im Gegenteil von der Pflege der einseitigen Verstandesrichtung entlasten wolle. Ebensowenig wolle der Knabenhandarbeits-Unterricht dem Gewerbe in das Handwerk pfuschen. Der Arbeitsunterricht solle vielmehr die dem Leben vielfach entfremdete Schule diesem wieder näher bringen durch systematische Entwicklung von Anlagen und Kräften, welche unser heutiges Erziehungswesen in den Kindern unentwickelt lasse.

Es sei ein wesentliches Verdienst der Männer, welche die Stadt München heute zu begrüßen die Ehre habe, der ursprünglich deutschen Idee der erziehlichen Handarbeit diese allgemeine Richtung gegeben zu haben. Mit dem Wunsche, daß auch die Verhandlungen des 8. Kongresses dazu beitragen möchten, die Idee weiter zu entwickeln, begrüßte der Schulrat Dr. ROHMEDER-München nochmals die Versammlung und

bat den Vorstand des Vereins für erziehliche Knabenhandarbeit den
Vereinstag zu eröffnen. (Lebhafter Beifall.)

Der Vorsitzende, Herr LAMMERS-Bremen, führt aus, daſs der Verein
schon vor zwei Jahren bei seiner Gründung in Stuttgart die Überzeugung
gewonnen habe, daſs sich Süddeutschland nicht lange der Bewegung werde
entziehen können. Nun locke München den inzwischen festgegründeten
Verein zum zweiten Male durch einen tüchtigen Anfang mit seinem Lehr-
verfahren und durch seine heurigen groſsartigen Ausstellungen unwider-
stehlich an. Redner nimmt an, daſs München, das sich durch Kunstsinn
und Bürgerfleiſs jederzeit in rühmlicher Weise hervorgethan habe, auch
dieser groſsen vaterländischen und menschlichen Sache das wärmste
Interesse entgegen bringen werde.

Bürgermeister Dr. von WIDENMAYER-München sprach seinen Dank
im Namen der Stadt München dafür aus, daſs die Vertreter einer so
hervorragenden neuen Kulturarbeit des deutschen Volkes auf ihrem
Arbeits- und Siegeswege München ausgewählt hätten, um sich zu neuen
Thaten zu stählen. Auf dem Stuttgarter Kongresse seien den Restre-
bungen des Vereins für erziehliche Knabenhandarbeit die Thore in München
geöffnet worden, nur habe es der Münchener Magistrat für wichtig gehalten, in dem ersten Vorgehen den Münchener Volksbildungsverein
voranschreiten zu lassen, einmal weil dieser Verein auf dem Gebiete
weiblicher Handarbeit seit vierzehn Jahren groſse, ja sogar bahnbrechende
Erfolge nicht nur praktischer, sondern auch erziehlicher Art zu verzeichnen habe, sodann aber auch, weil ein tüchtiger Verein sich auf
einer neuen Bahn mit gröſserer Freiheit bewegen könne. Die Gemeindevertretung beschütze die Bestrebungen des Vereins durch unentgeltliche
Überlassung groſser schöner Räumlichkeiten. Derselbe habe drei hiesige
Lehrer nach Leipzig geschickt, um sich über den Gang und die Vorteile
des Handfertigkeits-Unterrichtes Klarheit zu verschaffen und, nachdem er
vor einem Jahre die ersten Anfänge in diesem Unterrichte und zwar mit
gutem Erfolge gemacht, daraus die Überzeugung gewonnen, daſs es sich
um eine hochwichtige, wesentliche Ergänzung der nationalen Erziehung
handle. Redner gibt der Überzeugung Ausdruck, daſs der Kongreſs neuen
Samen ausstreuen, Bedenken und Schwierigkeiten beseitigen und neue
Priester für die Sache gewinnen werde zum Segen der Stadt München
und auch zum Segen des deutschen Volkes. (Lebhafter Beifall.)

Der Vorsitzende LAMMERS-Bremen dankte für die herzliche Be-
grüſsung, gab die verschiedenen Vertretungen, namentlich die des Ministeriums des Innern durch Obermedizinalrat von KERSCHENSTEINER und
die des Ministeriums des Äuſsern durch Oberregierungsrat von AUER,
bekannt und verlas ein Danktelegramm an den deutschen Reichskanzler:

„An den Reichskanzler Fürst BISMARCK, Friedrichsruh:
Euer Durchlaucht gestattet sich der hier im Rathaussaal tagende

deutsche Verein für Knabenhandarbeit den aufrichtigsten Dank
für die ihm gewährte bedeutungsvolle Unterstützung auszusprechen
und zugleich ehrerbietigen Gruß darzubringen. Wir unterbreiten
Euer Durchlaucht die Bitte, den auf Ergänzung der Ausbildung
und Arbeitsfähigkeit der deutschen Jugend gerichteten Bestrebungen
des Vereins auch ferner wohlwollende Berücksichtigung zuzuwenden.
Damit würden dieselben in ihrer Entwicklung und in ihren Erfolgen uns gesichert erscheinen.

Der Vorstand.

LAMMERS. VON SCHENCKENDORFF. GRUNOW.

Dr. GÖTZE. NOGGERATH."

Es wurde nun in die Tagesordnung eingetreten, und erhielt Lehrer
GROPPLER-Berlin, Vorsteher der Schülerwerkstätte im dortigen Lessing-
Gymnasium, das Wort zu seinem Vortrage: Lehrgang und Lehrart
des Arbeitsunterrichtes.

Die heute maßgebende Richtung in der Arbeitsschulbewegung, so
führte Redner aus, stellt die erziehliche Seite in den Vordergrund und
läßt sich bei der näheren Ausführung nur von pädagogischen Grundsätzen leiten. Der Lehrgang beginnt daher mit ganz einfachen, der
Herstellung wenig Schwierigkeiten darbietenden, den Körper- und
Geisteskräften des Kindes angepaßten Gegenständen, steigt jedoch
allmählich zu schwierigeren, immer mehr zusammengesetzten Arbeiten
auf. Indem der nächstfolgende Gegenstand immer einen kleinen Fortschritt gegen den vorigen aufweist, wird die Kraft des Knaben durch
die allmähliche Steigerung der Anforderung an seine Leistungsfähigkeit
so erhöht, daß ihm schließlich eine Sache gelingt, die dem Unvorbereiteten
sehr schwierig erscheinen muß. Ferner wird bei den anzufertigenden
Gegenständen darauf geachtet, daß sie nicht zu umfangreich sind, und
eine praktische Verwendung zulassen. Auch ist jede unschöne Form, jede
geschmacklose Farbenzusammenstellung dabei verpönt, um so zur Veredelung des Geschmackes beizutragen. Die Art der näheren Ausführung
dieses Lehrganges hängt hauptsächlich von der Person des Lehrers ab.
Aber von jedem anzufertigenden Gegenstande muß der Knabe schon
vorher eine klare Anschauung erhalten, weshalb nach Modellen und
Zeichnungen zu unterrichten ist. Doch dürfen theoretische Regeln und
Besprechungen nicht auf Kosten der praktischen Selbstthätigkeit des
Kindes eintreten, denn das Selbsterfahrene, das Selbsterlebte hat man
gelernt für immer. Die Selbstthätigkeit führt zur Selbständigkeit und
zur Befriedigung über das eigene Werk. Mit der Befriedigung aber
wächst das Interesse an der Arbeit, und dieses Interesse führt zum Fleiße,
der besonders bei dem gemeinsamen, dem Klassenunterrichte, gepflegt
werden kann. Es folgen darauf Andeutungen, wie ein solcher Klassen-
unterricht für die Dauer zu ermöglichen ist, auch wird ausgeführt, wie

sich Schul- und Werkstattsarbeit gegenseitig unterstützen und ergänzen können. Das Hauptaugenmerk ist immer auf die richtige gute Arbeit des Schülers zu richten. „Was du thust, thu' gut, thu' ganz“ — das muſs jedem in Fleisch und Blut übergehen, das bringt später zugleich Festigkeit in die ganze Lebensführung. Der passend geleitete Arbeits-unterricht erzieht auch. zur Sparsamkeit, indem er anleitet, die Kraft richtig auszunutzen, die Zeit gut auszukaufen und mit dem Material haushälterisch umzugehen, nicht minder gewöhnt er die Knaben an strenge Ordnung.

Ein solcher nach pädagogischen Gesichtspunkten von technisch vor-gebildeten Lehrern erteilter Handfertigkeitsunterricht ist endlich wohl geeignet, auf die innere Entwicklung des Kindes günstig einzuwirken und die harmonische Ausbildung des Menschen wohlthuend zu beeinflussen. Die Zöglinge der Schulwerkstatt werden mit einer derartigen, schon früh vermittelten Bildung der Hand zugleich eine Bereicherung ihres geistigen Lebens erfahren, sie werden, wenn sie hinaus müssen ins feindliche Leben, jede ihnen gestellte Aufgabe mit offenem Auge, mit klarem Kopf und mit mehr Selbstvertrauen in Angriff nehmen, zu ihrem eigenen Besten und zum Wohle der Allgemeinheit. (Beifall.)

II. Vortrag: Berichterstattung über den Stand der Arbeits-schulbewegung in den einzelnen Ländern.

Landtagsabgeordneter Riss-Wien giebt eine kürzere Darlegung über den Stand der Arbeitsschulbewegung in Österreich. Derselben ist zu entnehmen, daſs dort die Bewegung schon mit dem Jahre 1878 begann und daſs jetzt sieben Schulen daselbst bestehen. Zu denselben wird seitens des Staats- und der Kommünen ein namhafter Beitrag geliefert Gegründet sind sie alle von dem unter dem Protektorate des Erzherzogs RAINER stehenden Vereine zur Gründung und Erhaltung unentgeltlicher Knabenbeschäftigung. Zur Heranbildung von Lehrkräften für diese Schulen wurden Kurse eingerichtet und im Ganzen 110 Lehrer in der-selben unterwiesen. Die Anmeldungen hierzu sind so zahlreich, ins-besondere aus den nördlichsten Provinzen Cisleithaniens eingelaufen, daſs sie nicht alle berücksichtigt werden konnten.

Gleich günstige Erfahrungen berichtet Direktor ST. HILAIRE-Peters-burg aus Russland.

Herr VON SCHENCKENDORFF-Görlitz giebt hierauf einen Überblick über die Entwicklung der diesbezüglichen Bestrebungen in Deutschland. Schon im Jahre 1851 hat Professor BIEDERMANN-Leipzig eine Broschüre über den Gegenstand geschrieben. Damals stellte man einfach die Forderung: „Der Arbeitsunterricht soll eingeführt werden“. Heute treibt man die Sache gründlicher: man arbeitet und sagt, daſs die Versammlungen allein die praktischen Ausführungen nicht machen. So hat man 1876 mit der

Veranstaltung von Lehrerkursen begonnen. Im Jahre 1881 wurde das Zentralkomitee und vor zwei Jahren der Deutsche Verein gegründet. Nächstdem ist in Leipzig ein Seminar errichtet worden, zu welchem der Staat erhebliche Zuschüsse zahlt. So hat das sächsische Unterrichtsministerium bereits 10000 M. dafür beigesteuert. Das System betreffend betont Redner, daß es nicht das Bestreben des Vereins sei, den Gegenstand zu einem obligatorischen Unterrichtszweig zu machen. Es wolle nur der Idee Boden, Achtung und Anerkennung verschaffen, und die Sache solle sich ohne Zwang entwickeln.

An diesen Bericht über die Entwicklung des Arbeitsunterrichtes in Deutschland knüpft Redner noch in Kürze einen Generalbericht über die Stellung, welche die einzelnen Faktoren zu der Sache einnehmen, sowie über das Lehrsystem und die Ausdehnung des Handfertigkeits-Unterrichtes. Staat und Behörden schenken der Bewegung von Jahr zu Jahr mehr Aufmerksamkeit. Auch die öffentliche Meinung neigt sich derselben immer mehr zu; ganz besonderer Dank gebührt aber der Presse Deutschlands, welche die Sache so warm unterstützt. (Beifall.) Die Stellung der Lehrer zu der Angelegenheit wird günstiger und von den Handwerkern ist mit der Zeit das Gleiche zu erwarten. Bezüglich des Lehrsystems betont Redner, daß die von ihm erwähnten Länder alle auf pädagogischem Standpunkte stehen.

Große Anerkennung müsse er den Lehrgängen der Herren MIKKELSEN in Kopenhagen und SALOMON in Nääs zollen, weil diese einheitlichen logischen Aufbau hätten. Die Verpflichtung zur Teilnahme an dem Arbeitsunterrichte sei in den verschiedenen Ländern verschieden. Obligatorisch sei derselbe in Frankreich, Dänemark, Gothenburg, sonst sei er überall fakultativ. Die Seminare besäßen vielfach eine weite Verbreitung, z. B. in Schweden, Dänemark, Frankreich; in Deutschland werde allerdings erst der Anfang damit gemacht, wie in Sachsen, Freiburg, Osnabrück. In Betreff der Anzahl der errichteten Schulen sei Schweden allen übrigen Staaten voraus, dann folge Frankreich und die anderen Länder. Redner schließt sein umfangreiches Referat mit dem Wunsche, daß die Bewegung nicht nur in München, sondern im ganzen Vaterlande tiefe Wurzeln schlagen möge. (Lebhafter Beifall.)

Bei der hierauf folgenden Neuwahl des Ausschusses werden die auszuscheidenden Mitglieder wieder gewählt. Neu hierzu gewählt wird Stadtschulrat W. ROHMEDER-München.

Es tritt nun eine Pause von zehn Minuten ein, nach welcher Oberrealschul-Direktor NOGGERATH aus Hirschberg in Schlesien Bericht erstattet über die wirtschaftliche Lage des Vereins.

Die Rechnungsstellungen werden von Direktor GRUNOW-Berlin revidiert, für richtig erklärt und zur Entlastung unterbreitet. Dieselbe wird ausgesprochen. Am Schluß stellt Referent den Antrag, daß auch

in Zukunft die Revisions durch die Verwaltung des Königl. Gewerbe-
museums in Berlin erfolgen solle, welcher Antrag einstimmig Annahme
findet. Unter der Lehrhand wurde von Dr. Mauk...
Berichterstatter Mösgoraha wirft noch einen Blick in die Zukunft.
Die Verhältnisse der Kasse seien günstig, indem der Herr Reichskanzler
Fürst Bismarck dem Vereine eine Summe von 5000 Mk. bewilligt habe,
doch sei das Gewinnen neuer Mitglieder und Gönner sehr wünschenswert,
da die gesteigerten Anforderungen, welche in Zukunft an die Verwaltung
des Vereins naturgemäß herantreten würden, eine größere Einnahme
desselben erheischen.

Stadtschulrat von Fürstenau-Berlin erklärt, unter Beifall, daß daselbst demnächst eine vierte Arbeitsschule errichtet werde, wofür Herr
von Schenckendorff den besten Dank des Vereins ausspricht.

Die Versammlung wird durch den Vorsitzenden um 1 Uhr 15 Minuten
geschlossen.

Bei dem Festmahle, welches nunmehr im obern Saale des Insel-
Restaurants der Kunstgewerbeausstellung stattfand, brachte der Vereins-
vorsitzende Lammers-Bremen ein warm empfundenes Hoch auf den Prinz-
regenten Luitpold, Bürgermeister Dr. von Widemayer-München, gleich
begeistert das Hoch auf Kaiser Wilhelm aus.

Es folgte eine bewunderungsvolle Lobrede auf München, von dem
Berliner Stadtschulrat von Fürstenau, ein herzlicher Toast auf das Wohl
der Gäste, von Stadtschulrat Dr. Rohmeder-München, eine dankende
Antwort durch den Regierungs- und Schulrat Brandi-Osnabrück, ein
sehr beifällig aufgenommener Trinkspruch von Obermedizinalrat Dr. von
Kerschensteiner, welcher das Interesse der Ärzte an der Jugendhand-
arbeit betonte, und noch manches gute Wort.

Schluß des I. Vereinstages.
(Fortsetzung und Schluß in Nr. 12.)

Der II. Kongreß
der „Associazioni d'Igiene confederate" in Brescia.
Von
Dr. med. Antonio Carini,
Spezialarzt für Kinderkrankheiten in Palermo.

Vom 1. bis 4. September fand in Brescia der zweite Kongreß der
„Vereinigten Hygiene-Gesellschaften" Italiens statt. Derselbe war von
Ärzten, Veterinären, Hygienikern und Ingenieuren zahlreich besucht, wie
denn auch alle hygienischen Vereine Italiens und viele des Auslandes
Vertreter abgesandt hatten.

Aus dem Italienischen. Die Redaktion.

Das wichtigste Thema, welches sich auf Schul- und Kinder Hygiene bezog: „Die Hygiene der Kinder und der Jugend in Bezug auf den Unterricht und die Lehrpläne" wurde von Dr. Maraglio mit grofsem Geschicke behandelt, und der Kongrefs beschlofs nach lebhafter Diskussion über den Gegenstand die folgende Tagesordnung:

1. Möge die Regierung festsetzen, dafs in möglichst kurzer Zeit in allen Gemeinden Italiens gute und eigene, den Verhältnissen der betreffenden Gemeinden angemessene Schulhäuser eingerichtet werden, und nicht einzelne Schulsäle, wenn diese auch den Vorschriften der Hygiene entsprechen.

2. Möge ferner bestimmt werden, wie das Gesetz es verlangt, dafs die Pläne der Schulen von einer technischen Kommission unter Mitwirkung eines hygienisch gebildeten Arztes entworfen werden; zugleich sollen diese Pläne nur dann gut geheifsen werden, wenn sie durchaus den hygienischen Anforderungen genügen.

3. Sollen ärztliche Inspektoren angestellt werden, welche die Schulen mindestens alle vierzehn Tage besuchen, die einzelnen Schüler untersuchen und sich genau überzeugen, dafs alle zum Schutz der Gesundheit getroffenen Vorkehrungen sorgfältig befolgt werden, um den Behörden darüber regelmäfsig jeden Monat Bericht zu erstatten.

4. Suche man die Kindergärten genau nach Fröbelschem System möglichst zu verbreiten, wobei jeder andere Unterricht zu verbannen ist. Die Kinder unter vier Jahren sollen in gewöhnlichen Kleinkinderbewahranstalten untergebracht werden, welche mit den Kindergärten in Verbindung stehen.

5. Die unteren Klassen der Elementarschule seien, der natürlichen Methode entsprechend, nur eine Fortsetzung des Kindergartens, dem Alter und dem Bedürfnis der ersten Anfänge der Erziehung und des Unterrichts angemessen.

6. Das Schuljahr werde durch häufige Ferien unterbrochen, die nicht weniger als 8 Tage zu Weihnachten und in der Karnevalszeit und nicht unter 14 Tagen zu Ostern betragen sollen, was durch Verkürzung der Herbstferien um 2 bis 3 Wochen wieder eingebracht werden mufs.

7. Die täglichen Lektionen seien von kurzer Dauer und jedesmal durch ungefähr 10 Minuten Pause unterbrochen, während welcher Zeit dem Schüler eine gewisse Freiheit an einem passenden Erholungsorte zu gewähren ist. Der Stundenplan, besonders in Landgemeinden, soll von der Giunta, dem Schulinspektor und dem Arzte gemeinsam festgestellt werden, und die Zahl der Schulstunden dem Alter entsprechen. Er umfasse im Sommer nur die Morgenstunden, von ungefähr ³/₄ Stunde Pause unterbrochen. Keine Schulaufgaben in den unteren Klassen der Elementarschulen und geringe und einfache in den übrigen.

8. Das Turnen in den Schulen selbst und der Gesang sind zu

Anfang und zum Schlusse der täglichen Schulstunden anzusetzen; die Turnübungen auf dem Turnplatz sollen zweimal die Woche stattfinden mit möglichster Vereinfachung der Methode und der Programme, in gehöriger Ordnung, aber nicht zu lange und nicht durchaus militärisch, was den Schüler ermüdet und den Nutzen der körperlichen Erziehung in gewisser Weise beeinträchtigt.

9. Mindestens alle 14 Tage belehrende Turnfahrten sowohl für die Schüler der Elementar-, als der Mittelschulen, dem Alter und dem erteilten Unterricht angepaßt.

10. Den lateinischen und griechischen Unterricht in den klassischen Schulen schiebe man möglichst hinaus. Den Unterricht in allen übrigen Lehrgegenständen und in sämtlichen Schulen passe man den physischen Kräften des Schülers und dem natürlichen Wissenstrieb an.

11. In die höheren Schulen werde ein regelrechter Unterricht in der Hygiene, besonders in der Kinderhygiene eingeführt, den ein hygienisch gebildeter Arzt erteile.

12. Man beschränke die Prüfungen und verteile sie auf einen längeren Zeitraum, um die daraus entstehenden Schäden wenigstens einigermaßen zu verringern.

Außer Dr. Maraglio sprach noch Dr. Ernst Albini, Augenarzt in Modena, „über die Hygiene der Augen in den Schulen." Der Vortrag wird voraussichtlich in dieser Zeitschrift vollständig mitgeteilt werden.

Hygienische Versammlung in Kopenhagen.

Von

Axel Hertel,
kommunaler Kreisarzt in Kopenhagen.

Vom 27. bis 29. August fand in Kopenhagen ein hygienischer Kongreß statt, der von ungefähr 500 skandinavischen Ärzten besucht war. Es wurden hier nur wenige Vorträge und gar keine Diskussionen gehalten, dagegen zahlreiche Demonstrationen durch Sachverständige ausgeführt, und zwar sowohl in der hygienischen Abteilung der großen nordischen Ausstellung, als auch in den verschiedenen Instituten der Stadt, welche ein hygienisches Interesse darbieten. Für den Schulhygieniker kamen besonders die Milchversorgungsanstalt, die Einrichtungen für animale Vaccination, die verschiedenen Schulen und der Turnunterricht für junge Mädchen in Betracht, wobei überall eine eingehende Erklärung gegeben wurde. Die ganze Anordnung erwies sich als außerordentlich praktisch und von großem Nutzen, insbesondere für die Ärzte, die in den Provinzen praktizieren und hier nur selten hygienische Einrichtungen zu sehen Ge-

gegenheit haben. Ähnliche Maßnahmen dürften sich daher auch für
spätere Kongresse empfehlen, da Vorträge durch den Druck zugänglich
zu machen sind, die persönliche Anschauung aber durch nichts ersetzt
werden kann, aber nicht zu lang und nicht durch zahlreichen

Kleinere Mitteilungen.

Zur Frage nach der Verbreitung der Bakterien durch Bücher.
In dem Doppelhefte No. 1 und 2 unserer Zeitschrift teilten wir einen
Fall von Übertragung des Scharlach durch ein geliehenes Buch mit. Da
derartige Übertragungen mehrfach beobachtet sind, so hat die Dresdener
Medizinalpolizeibehörde sich veranlaßt gesehen, über diesen Gegenstand
eine eingehende Untersuchung anzustellen. Zu diesem Zwecke wurden
aus einer Leihbibliothek eine Anzahl alter Bücher entnommen, die man
ihrer großen Unsauberkeit wegen als Infektionsträger glaubte ansehen
zu dürfen. Die damit vorgenommenen bakteriologischen Untersuchungen
ergaben folgendes Resultat. Klopfte man den Staub aus den Büchern,
so wies derselbe zahlreiche Pilzkeime der verschiedensten Art auf, die
sich aber von den gewöhnlichen Mikroorganismen des Wohnungsstaubes
nicht unterschieden. Insbesondere ließen sich Keime, welche Infektionskrankheiten erregen, darin nicht auffinden. Schlug man die Blätter der
Bücher mit trockenen Fingern um, so blieben an denselben fast gar keine
Pilzkeime haften, vermutlich weil sie zu fest an dem schmutzigen Papiere
klebten. Wendete man dagegen dieselben Blätter mit feuchtem Finger
um, so zeigte sich derselbe mit zahlreichen Pilzkeimen bedeckt. Doch
waren auch diese nicht infektiöser Natur und namentlich ließen sich
keine Tuberkelbacillen konstatieren. Die Medizinalpolizeibehörde schließt
hieraus, daß die Gefahr der Verbreitung ansteckender Krankheiten durch
das Ausleihen von Büchern sehr gering sei, ein Schluß, der uns nicht
völlig gerechtfertigt erscheint. Nach unserem Dafürhalten hätte man als
Untersuchungsobjekte nicht bloß alte schmutzige Bücher, sondern unter
diesen zugleich solche auswählen müssen, welche notorisch von infektiösen
Kranken längere Zeit benutzt worden waren. Vielleicht hätten sich dann
doch in einzelnen Fällen Tuberkel-, Typhus- und andere gleich gefährliche Bacillen gefunden. Wichtiger erscheint uns, daß es sich nach den
angestellten Untersuchungen empfiehlt, die Seiten eines Buches jedenfalls
mit trockenem Finger umzuwenden, niemals aber die Fingerspitzen zu
diesem Zwecke mit Speichel zu benetzen. Auch ist bemerkenswert, daß
ein zweitägiges Einlegen der erwähnten Bücher in 90grädigen Alkohol,
welchem 10 Prozent reine Karbolsäure zugesetzt waren, ausreichte, um
die vorhandenen Pilzkeime völlig zu vernichten, ohne daß die Bücher
dadurch Schaden genommen hätten.

Ventilation der Schulzimmer. Walter stellte Versuche mit verschiedenen Ventilationsvorrichtungen in Schulzimmern an. Für Räume,
welche jeder Ventilation entbehren, ergab sich, dass die Kohlensäure
auf 10000 Teile Luft betrug, bei Ventilation vermittels Röhren stellte
sich das Verhältnis wie 18 : 10000; bei Anwendung der jüngst empfohlenen durchlöcherten Glasscheiben wie 20 : 10000. Kamen gleichzeitig
Ventilationsröhren und durchlöchertes Glas zur Verwendung, so sank der
Kohlensäuregehalt der Luft bis auf 15 : 10000. Hiernach ist also die
Lüftung durch Ventilationsröhren derjenigen vermittels durchlöcherten
Glases vorzuziehen, eine Vereinigung beider Methoden aber am vorteil-
haftesten. Bessere Gesundheitspflege der Schulkinder als ein Mittel
gegen Schulversäumnis. Es giebt wohl kein Land, in welchem die

Über den Einfluss der gelehrten Berufsarten der Väter auf
die geistige Befähigung der Kinder hat Galton nach der Geburt sehr merkwürdige Thatsachen gefunden. Derselbe stellte Nach-
forschungen über die Nachkommen der Mitglieder einiger bedeutender
wissenschaftlicher Londoner Gesellschaften an und fand dabei, dass die
Juristen die begabtesten Kinder und die wenigsten Idioten erzeugen.
Dann folgen die Ärzte mit ihrer Nachkommenschaft und endlich die
Geistlichen, welche am meisten Idioten und Schwachköpfe und am wenigsten Talente produzieren, so dass von Geistlichen sechsmal soviel Idioten
als von Rechtsgelehrten abstammen. Das Turnen der Schweizer Studenten

Zur Geschichte des Schulturnens. Das Archiv des Gymnasiums
zu Prenzlau verwahrt, wie die „Mntsschr." mitteilt, zwei Briefe des Turn-
vaters Fr. L. Jahn, welche Direktor Dr. Arnoldt in dem diesjährigen
Osterprogramm der Anstalt veröffentlicht hat. Zum besseren Verständnis
derselben führt Dr. Arnoldt folgendes an: Angeregt vom Magistrat der
Stadt, der in seinem Schreiben vom 29. Januar 1817 den Rektor des
Gymnasiums, Dr. Ludwig Kannegiesser, zur Mitteilung seiner Ideen
in dieser Hinsicht aufforderte, betrieb letzterer die Einrichtung des Turnübungen, die Beschaffung eines geeigneten Platzes, der nötigen Turngeräte
und Lehrer mit grossem Eifer. Er fand beim Magistrat bereitwilliges
Entgegenkommen; im Lehrerkollegium unterstützte ihn besonders der
Prorektor Dr. Eman Nixau, den bereits 1812 unter dem Rektor Dr. Gaas
soviel turnen begonnen hatte. Als aber Nixe im Frühjahr, Gaason
im Herbst 1813 ins Feld zogen, um am Befreiungskampf teilzunehmen,
und alle Primaner bis auf einen und ein grosser Teil der Sekundaner zu
demselben Zwecke die Schule verliessen und so vorläufig das Turnen wieder
lief. Im Frühjahr 1817 wandte sich nun Rektor Kannegiesser in Berlin
wegen eines Turnlehrers. Dieser empfahl ihm den erwähnten
Briefe den siebenzehnjährigen, mit der Entwicklung des Turnwesens aus Erfahrung bekannten Untersekundaner des Friedrich-Werder-

schen Gymnasiums, KARL LANGE, welcher gegen Gewährung freier Schule, freien Tisches und einer jährlichen Unterstützung von 40 Thalern die Leitung der Turnübungen übernahm. In den Empfehlungsbriefen ist besonders interessant der Wunsch JAHNS, dafs LANGE „sich recht gründlich mit den Quellen durch die Alten bekannt mache", da die meisten „Geschichtsleute immer den andern nachschwatzen, was die gewöhnlichen Handbücher wiederkäuen." Man sieht hieraus, dafs JAHN keineswegs, wie man öfter behauptet hat, ein Verächter aller gelehrten Bildung gewesen ist.

Bessere Gesundheitspflege der Schulkinder als ein Mittel gegen Schulversäumnis. Es giebt wohl kein Land, in welchem die Volksschullehrer nicht zu gewissen Zeiten über schlechten Schulbesuch klagen. Dabei aber werden die ungünstigen hygienischen Verhältnisse der Schulkinder nicht immer genügend gewürdigt. Schlecht genährt und mangelhaft bekleidet, sind sie nicht im stande, der rauhen Witterung während eines langen Schulweges Trotz zu bieten. In den „Schwz. Blätt. f. Gsdhtspfl." wird deshalb mit Recht darauf hingewiesen, dafs Verabreichung von Mahlzeiten und warmen Kleidern an arme Kinder ein geeignetes Mittel sei, einen fleifsigeren Schulbesuch namentlich im Winter herbeizuführen.

Das Turnen der Schweizer Studenten scheint leider an Boden verloren zu haben. Wenigstens beteiligten sich bei dem letzten eidgenössischen Turnfest in Luzern aufser den Wettinger Seminaristen nur 51 Studenten, Polytechniker und Akademiker am Wettkampf.

Jugendspiele in Görlitz. Der Verein zur Förderung von Handfertigkeit und Jugendspiel zu Görlitz, an dessen Spitze unser geschätzter Mitarbeiter, Herr Abgeordneter von SCHENCKENDORFF, steht, setzt seine segensreiche Thätigkeit erfolgreich fort. Was die Jugendspiele betrifft, so beteiligten sich aus den unteren Gymnasialklassen etwa 180 Schüler daran, aus den oberen 50 bis 60, aus den Volksschulen 140 bis 160. Die Primaner, welche früher durch falschen Stolz von dem „kindlichen" Spiel zurückgehalten wurden, sind jetzt gleichfalls mit Lust und Liebe dabei. Sehr erfreulich ist auch, dafs, wie man überall auf den Strafsen von Görlitz beobachten kann, die Jugend das für die Gesundheit so förderliche Spielen verstehen und lieben gelernt hat.

Über den Einflufs der Schule auf die physische Entwicklung hat ALBITZKI im „Wratsch" eine interessante Arbeit veröffentlicht. Auf Grund sehr fleifsiger und ausgedehnter Untersuchungen kommt er zu folgenden Schlüssen: Die physische Entwicklung der Schüler vollzieht sich vorherrschend in den schulfreien Sommermonaten. Der Besuch der

Schule äufsert einen besonders nachteiligen Einfluſs auf den Brustumfang und die Lungenkapacität, deren Entwicklung während der Schuldauer fast stillsteht. Am ausgesprochensten ist dieser Einfluſs im Herbstvierteljahr.

Über das Turnen der Blinden hielt Herr ZENZ aus Wien auf dem Kongreſs der Blindenlehrer zu Köln im August d. J. einen anziehenden Vortrag. Er vertrat im Gegensatz zu andern die Ansicht, daſs namentlich in den von jugendlichen Personen besuchten Blindenanstalten neben den Freiübungen auch das Gerätturnen gepflegt werden müsse, wobei die Freiübungen zunächst einen vorbereitenden Charakter haben, später aber neben dem Gerätturnen einhergehen sollen. Ein von ihm in Gemeinschaft mit verschiedenen andern Ausschuſsmitgliedern ausgearbeiteter Normallehrplan für den Turnunterricht Blinder wird auf Beschluſs der Versammlung in den Anstalten praktisch geprüft und über die dabei gesammelten Erfahrungen auf einem späteren Kongresse Mitteilung gemacht werden.

Der Verein „Knabenhort" zu Halle a. d. S. hat am 22. Oktober 1884 seine ersten beiden Anstalten eröffnet, ein Jahr später eine dritte und wird dieser im laufenden Jahre noch eine vierte hinzufügen. Die Zahl der Zöglinge in den drei Horten betrug am 1. April 1888 109. Eigentümlich ist dem Verein, daſs er die Knaben wöchentlich einmal von Schneidermeistern im Nähen und Flicken unterrichten läſst. Besonderes Gewicht wird auf Gartenarbeit gelegt; jeder Knabe erhält ein Beet; die geschickteren sollen das Pfropfen und Okulieren erlernen.

Kindergärten in Japan sind zu Tokio nach deutschem Muster eingerichtet worden. Der dortige japanisch-deutsche Frauenverein ist dabei behilflich gewesen.

Suppenanstalten für arme Schulkinder in München. In einer Sitzung der Lokalschulkommission in München teilte unser Mitarbeiter, Herr Stadtschulrat Dr. ROHMEDER, mit, daſs nach einer von ihm angestellten Berechnung 1577 Kinder der dortigen Schulen während der Mittagsstunden sich selbst überlassen sind. Von diesen kommen nur 832 in Suppenanstalten, 175 sind ohne Mittagbrot. Es wurde angeregt, einen Privatverein zu gründen, damit Suppenbillets, namentlich auch an nicht heimatsberechtigte Schulkinder, verschenkt werden könnten.

Zur Statistik der Kinder-Morbidität nach den Altersperioden. Unter diesem Titel hat Dr. A. BUSSOW zu St. Petersburg in dem „Jahrb. f. Kdrhlkde." einen Aufsatz veröffentlicht, der sich auf die Beobachtung von 85500 Krankheitsfällen im Kinderhospital des Prinzen von Oldenburg beziehen. Diese Krankheitsfälle verteilten sich folgendermaßen

	Zahl der kranken Kinder	Prozent der Morbidität
1	30498	35,69
2	18668	21,84
3	3930	4,60
4	3689	4,62
5	3155	3,69
6	2457	2,87
7	2274	2,66
8—10	3649	4,26
10—12	2779	3,25
12—15	2542	2,97
	Summa: 85500	Summa: 100,00

Wie aus der Tabelle ersichtlich, entfällt die stärkste Morbidität auf das erste Lebensjahr, nächst dem auf das zweite und dritte und nimmt von da bis zum zehnten regelmäfsig ab. In der Zeit vom zehnten bis zum zwölften Jahre ist ein Anwachsen der Erkrankungen bemerkbar, die zwar bis zum fünfzehnten Jahre wiederum abnehmen, aber trotzdem nicht so selten wie in der Periode vom siebenten bis zum zehnten Lebensjahre werden. Sollten die Anforderungen der Schule an die Kinder, die in den ersten Schuljahren am geringsten und später gröfser sind, von Einfluss hierbei sein?

Plötzlicher Tod eines 13jährigen Mädchens nach Züchtigung durch den Lehrer. In der „Berl. klin. Wochschr." vom 20. August d. J. teilt Dr. Jasinski in Lemberg folgenden Fall mit. In einer dortigen Volksschule, welche von Knaben und Mädchen gemeinschaftlich besucht wird, hatte der jähzornige Lehrer die etwa 13jährige Schülerin Marie F. dafür, dafs sie unruhig gewesen, aus der Bank hervorgeholt und ihr in einer zugleich das Schamgefühl verletzenden Weise mit einem spanischen Rohre eine Anzahl Hiebe erteilt. Kaum war die Geschlagene auf ihren Sitz zurückgekehrt, so sank sie plötzlich zu Boden und war tot. Dr. Jasinski sieht hierin einen jener nicht seltenen Fälle, wo heftige Gemütsbewegung, zumal Angst, Schrecken, Zorn den Tod herbeiführt.

Tagesgeschichtliches.

Das preußische Kultusministerium und die Schulhygiene. Herr von Gossler hat die Regierungsbehörden, wie der Berliner Korrespondent der Allg. Wien. med. Ztg. mitteilt, neuerdings aufgefordert sich darüber gutachtlich zu äußern, ob die Einführung hygienischen Unterrichts in die Schulen zu empfehlen sei. Was die Einrichtung der ärztlichen Schulaufsicht anbetrifft, so sind die Verhandlungen im Schoße des Kultusministeriums selbst so weit gediehen, daß die Frage nach der Zweckmäßigkeit der Anstellung besonderer Schulärzte verneint werden ist, weil eine noch größere Belastung des Etats und das Organisation der Schule nicht angängig und ein Überwiegen des ärztlichen Einflusses über die pädagogischen Interessen (?! D. Red.) zu befürchten sei. Indessen soll trotzdem der Hygiene in der Schule mehr Sorgfalt als bisher zugewendet werden, und es seien dazu folgende Maßnahmen in Aussicht genommen: Die Pläne zu neuen Schulbauten, Umbauten etc werden von hygienisch erfahrenen Medizinalbeamten, den Regierungs-Medizinalräten, geprüft und nötigenfalls abgeändert. Ferner sollen periodische Schulrevisionen stattfinden, welche sich auf den Gesundheitszustand der Schüler die Ventilation der Klassenräume u. s. w. zu erstrecken haben. Mit diesen Revisionen sollen die Kreisphysici betraut werden, deren Funktion dadurch eine erhebliche Erweiterung erfahren würde. In jeder Schulaufsichtsbehörde soll möglichst ein Arzt Sitz und Stimme haben, und endlich sollen die Lehrer eine allgemeine Vorbildung in der Hygiene erhalten, um selbst ein ungefähres Urteil sich in Fragen der Schulhygiene bilden zu können. Wie seiner Zeit sämtliche Medizinalbeamte des Deutschen Reiches in einzelnen Gruppen bakteriologische Kurse im Reichs-Gesundheitsamte durchmachten, so sollen auch für die Lehrer während der Schulferien hygienische Informationskurse eingerichtet werden. Zunächst hat die Regierung derartige Kurse im hygienischen Institute der Universität Berlin in Aussicht genommen und den Direktor desselben, Geheimrat Dr. Rob. Koch, zu einer gutachtlichen Äußerung und zu Vorschlägen aufgefordert. Dem Vernehmen nach ist auch den Ärztekammern eine Mitwirkung bei der Gesundheitspflege in der Schule zugedacht.

Übungszeit nehmen sie an Kraft und dadurch an Körpergewicht ab u s w

Eine nordische Reise im Dienste des Handfertigkeits-Unterrichts ist von unserem Mitarbeiter, Herrn Landtagsabgeordneten von Schenckendorff, vom 19. Juli bis 5. August unternommen worden. Derselbe besuchte nach einander Kopenhagen, Gothenburg und Näääs in Schweden. Als Ergebnis seiner Studienreise giebt er an, daß er zu der Überzeugung bestärkt worden sei, daß der deutsche Verein für Handfertigkeits-Unterricht sich mit seiner pädagogischen Auffassung der Sache und der von ihm befolgten Lehrart im den richtigen Bahnen bewege. Ebenso seien neue Belege dafür gewonnen, daß der Arbeits-Unterricht von einem Lehrer und nicht von einem Handwerksmeister erteilt werden müsse. Näher zu prüfen beabsichtigt er den Lehrgang des Herrn Mikkelsen in Kopenhagen und die von diesem eingeführten Übungsarbeiten, Werkzeuge und Hobelbank-Einrichtungen. Mikkelsen ist mit...

schließlich von ihm betriebenen Tischler-Slöjd ein Werkzeug nach dem anderen in Gebrauch und übt dies in gemeinsamem Unterrichte mit 30 bis 40 Schülern zugleich ein. Die Werkzeuge sind kleiner als die im Handwerk gebräuchlichen, weil für Kinder bestimmt, und die eigentümlichen Hobelbänke zeichnen sich ebenso sehr durch Raumersparnis, wie durch Billigkeit aus. Auch die Lehrmethode des Herrn O. SALOMON in Nääs wird der Beachtung empfohlen, zumal dieselbe jetzt Eingang in England gefunden hat. Jeder Teil des Systems ist auf das gründlichste überlegt und der logische Aufbau der SALOMONschen Modellreihen und die daraus sich ergebende Reihenfolge der Arbeiten und benutzten Werkzeuge steht bis jetzt unerreicht da.

Beiträge zur Physiologie maximaler Muskelarbeit, besonders des modernen Sports sind kürzlich von GEORGE KOLB, einem Mediziner, der zugleich Sportsman ist, veröffentlicht worden. Besonders eingehend wird der Rudersport untersucht. Die beim Wettrudern übliche Länge der Bahn beträgt 2000 bis 2500 m, und da das Boot 4,5 m in der Sekunde zurücklegt, so ist die Mannschaft 7 bis 9 Minuten lang außerordentlich angestrengt. Während dieser Zeit sind außer den Muskeln der Arme auch die Streckmuskeln der unteren Extremitäten, da die Füße gegen ein Widerlager angestemmt werden, sowie die Strecker der Wirbelsäule in Thätigkeit; auch die Antagonisten werden, wenn auch in geringerem Maße beansprucht. Eigentümlich ist, daß sich am Ende der zweiten Minute eine vorübergehende, hochgradige Ermattung und Atemnot einstellt, deren Ursache noch nicht hinreichend aufgeklärt ist. Eine ausführliche Besprechung wird auch dem „Training" gewidmet. Die zu trainierenden jungen Leute haben sich methodischen Muskelübungen zu unterziehen und sich gut zu ernähren, wobei sie die Kohlenhydrate vorziehen und sich des Alkohols und Tabaks enthalten. Während dieser Übungszeit nehmen sie an Fett und dadurch an Körpergewicht ab, an Muskelkraft und Ausdauer dagegen zu. Besonders wird die Atemthätigkeit erhöht. Die schon ohnehin beträchtliche vitale Lungenkapazität der Rennruderer nimmt während des Trainings noch zu; die Atemzüge erfolgen zwar seltener als in der Norm (10 gegen 12), werden aber dafür um so tiefer, so daß der Gasaustausch ansteigt; nach angestellten Analysen ist derselbe während der Rennfahrt wohl um das Zwanzigfache vermehrt. Die Prüfung des Kreislaufs geschah wesentlich durch Aufnahme von Pulskurven. Eigentümlich ist die geringe Pulsfrequenz, welche sich als Folge des Trainings in den Morgenstunden einstellt: durchschnittlich wurden 63 Schläge statt 69 in der Minute gezählt, doch waren selbst 45 Schläge in der Minute nicht selten. Nach der Hauptmahlzeit steigt bei den Rennruderern die Frequenz auf 80 bis 85, fällt dann während des Nachmittags bis auf 70, bleibt nach dem Rennen einige Stunden über 90 und sinkt in der Nacht allmählich wieder auf 63. Auch die Temperatur wird nach dem Rennen höher, sinkt aber sofort und ist morgens nach dem Aufstehen am niedrigsten. Sehr interessant sind die mitgeteilten Willenskurven, welche den Einfluß der Ermüdung und der Willenskraft zeigen. Durch sinnreiche Apparate wird die Geschwindigkeit, mit der das Boot nach jedem Ruderschlage dahinschießt, aufgezeichnet und eine ganze Wettfahrt in dieser Weise graphisch dargestellt. Die übrigen Zweige des Sports, wie Wettlaufen, Gewichtheben, Tanzen, Radfahren, Schwimmen, sind gleichfalls von KOLB untersucht, wobei vornehmlich ihre Wirkung auf Herz und Lunge festgestellt ist. Im allgemeinen wird der Sport dem Turnen gegenüber wohl allzu sehr verherrlicht, und man hat, nach Professor GRÜTZNER, allzu häufig die Empfindung, den meisten aller Sportsleute ein μηδὲν ἄγαν zuzurufen, denn, ohne Maß betrieben, wäre der Sport schließlich nur noch in einer Beziehung gut, indem er, mit dem unsterblichen BASIO zu reden, zeigte, was die menschliche Kreatur alles aushält.

Untersuchungen über den Musiksinn idiotischer Kinder. Auf der VIII. Jahresversammlung des Vereins deutscher Irrenärzte, welche vom 16. bis 17. September in Bonn stattfand, berichtete Herr Dr. WILDERMUTH aus Stetten über den Musiksinn idiotischer Kinder. Bei 180 jungen Idioten aller Grade hat er sowohl den Harmoniesinn als das Musikgedächtnis geprüft. Die schwachsinnigen Kinder wurden sodann mit 85 normalen Kindern in musikalischer Hinsicht verglichen und hierbei ergab sich, wenn I einen guten Musiksinn bezeichnet, II und III die Mittelstufen und IV das Fehlen des Musiksinnes, das Folgende:

Schwachsinnige Kinder.	Gesunde Kinder.
I = 27 Prozent.	I = 60 Prozent.
II = 36 "	II = 27 "
III = 26 "	III = 11 "
IV = 11 "	IV = 2 "

Die idiotischen Kinder besitzen also einen verhältnismäßig ziemlich guten Musiksinn.

Vorlesungen über die erste Hilfeleistung bei plötzlichen Unglücksfällen sollen nach dem Wunsche des preußischen Abgeordnetenhauses hinfort auf den höheren und niederen technischen Unterrichtsanstalten, sowie in den Lehrerseminaren gehalten werden. Das Parlament hat nämlich auf Antrag des Abgeordneten Graf DOUGLAS in seiner Sitzung vom 2. Mai d. J. ein dahin gehendes Ersuchen an die Kgl. Staatsregierung gerichtet. Bei dem großen Anklang, welchen der Antrag nicht nur im Hause, sondern auch bei den zuständigen Ministern fand, steht die Einrichtung solcher Vorlesungen bald zu erwarten. Zum Teil sind dieselben auf Lehrerseminaren übrigens bereits früher eingeführt.

Weibliche Schulärzte in Rußland. Durch Regierungsbeschluß sind an den Töchtergymnasien in Moskau zwei Schulärztinnen-Stellen geschaffen worden, die mit Ärztinnen, deren es bereits ziemlich viele gibt, besetzt werden sollen. Dieselben haben die Pflichten und Rechte, welche mit dem Amte eines Schularztes verbunden sind. Die russische Presse spricht sich anerkennend über diesen Beschluß aus, er zeichnet sich durch große hygienischer und rechtlicher Bedeutung aus.

Neue Seehospize für skrofulöse Kinder in Frankreich. Die Stadt Lyon hat beschlossen, ein Seehospiz für skrofulöse Kinder zu errichten, nachdem mit dem Hospiz in Berk-sur-Mer überraschend günstige Erfolge erzielt worden sind. Ein solches Seehospiz würde sich, wie Verneuil in der Pariser Société de Chirurgie hervorhob, bei gewissen Operationen (Resektion des Knies bei örtlicher Tuberkulose und Skrofulose) sehr vortheilhaft erweisen, da der Aufenthalt am Meere die Heilung befördert. Ein neues Seehospiz für skrofulöse Kinder soll ferner bei Pen Bron, einer Landzunge dem beliebten Badeorte Croisic gegenüber, angelegt werden. Die Mittel dazu hat Frau FURTADO-HEINE gewährt. Einstweilen sind 60, später gegen 100 Betten in Aussicht genommen. Ein Arzt wird im Hospiz wohnen und die Pflege von Ordensschwestern übernommen werden.

Pockenepidemie in einer englischen Schule. In der St. Josephs Industrieschule zu Manchester ist eine Pockenepidemie ausgebrochen, die durch ein eben genesenes Kind eingeschleppt worden war. Von 150 Schülerinnen im Alter von 9 bis 15 Jahren, 9 Schwestern und 6 Wärterinnen erkrankten 67 Personen. Von diesen waren 7 ungeimpft, 60 mehr oder weniger erfolgreich geimpft, 2 wiedergeimpft. Die ungeimpften wurden sämtlich befallen, die wiedergeimpften nicht, ebenso nicht ein neunjähriges Mädchen, das kurz zuvor zum erstenmale geimpft worden war. Die Epidemie beweist wieder, daß nur eine zweimalige Impfung sicheren Schutz gegen die Pocken gewährt.

Ausstellung von Unterrichtsgegenständen in Melbourne. Das von dem Minister PEARSON geleitete Departement für öffentlichen Unterricht zu Victoria beabsichtigt, die hundertjährige Ausstellung in Melbourne zu einem Vergleiche der Schuleinrichtungen der verschiedenen Länder zu benutzen. Zu diesem Zwecke sollen alle auf die Schule bezüglichen Ausstellungsgegenstände, nicht nur der australischen Kolonien, sondern auch des Auslandes, namentlich Deutschlands, Frankreichs und der Vereinigten Staaten, in geeignete Gruppen zusammengestellt werden. Besonders erwünscht werden Ausstellungsartikel der technischen Unterrichtsanstalten in Holz- und Eisenarbeit, Proben von Vorlagen, nach Thunlichkeit möglich, das Modell einer Schülerwerkstätte sein.

Ferienkolonien in Glasgow. Nach „The Brit. med. Journ." hat das Komitee für Ferienkolonien in Glasgow während dieses Sommers 2286 Schulkinder, 1099 ... und 1187 Mädchen, aufs Land geschickt. Davon blieben 96 drei Wochen, 25 vier Wochen, 14 fünf Wochen und die übrigen ... Tage dort. Die Mittel wurden von Woche zu Woche durch Subskriptionen beschafft.

Unterricht für stotternde Volksschüler in Hamburg. Der Verein zur Heilung stotternder Volksschüler in Hamburg hat durch seinen Vorstand mit Genehmigung der Oberschulbehörde bei sämtlichen Hauptlehrern der Volksschulen mittels Fragebögen Erkundigungen über die Zahl der etwa vorhandenen Stotterer und die Geneigtheit der Eltern, dieselben unterrichten zu lassen, eingezogen. Die Anmeldungen sind so zahlreich eingegangen, dafs der Unterricht nunmehr am 17. September in einem Volksschulhause seinen Anfang genommen hat. Derselbe steht unter Leitung des Direktors der Taubstummen-Anstalt, Herrn SÖDER.

Fürsorge für die körperliche Ausbildung der Jugend in Dresden. Der unter Vorsitz des Bürgermeisters BÖNISCH stehende Dresdener gemeinnützige Verein hat soeben seinen Rechenschaftsbericht für die 13. Generalversammlung veröffentlicht. Danach konnten im letzten Jahre 260 Mädchen und 140 Knaben in 20 Ferienkolonien ausgesendet werden; aulserdem wurden 420 Kinder unter Aufsicht von Lehrern während der Ferien täglich ins Freie geführt und mit guter Milch versehen. Beim Handfertigkeitsunterricht ist die Zahl der Kurse auf 17 mit 267 Schülern gestiegen. Was die öffentlichen Jugendspiele anbetrifft, so haben sich 2288 Mädchen und 4829 Knaben unter Leitung von Turnlehrern an denselben beteiligt.

Epidemische Augenentzündung in den Schulen der Provinz Posen. Nachdem die Landwirtschaftsschule und bald darauf die Töchterschule in Samter wegen granulöser Augenentzündung des gröfsten Teiles der Zöglinge geschlossen worden waren, mufste nach vorhergegangener Revision seitens des Kreisphysikus Dr. SCHWRZ dasselbe mit sämtlichen Elementarschulen der Stadt bis auf weiteres geschehen. Es sollen in diesen Schulen 60 % der Schüler mit dem Augenübel behaftet sein. Wie die „Pos. Ztg." berichtet, greift dasselbe leider immer weiter um sich. Aufser in Samter sind nun auch die Schulen in Wronke, Freithal, Bo... und Stoponovo aus gleichem Anlafs geschlossen worden.

Amtliche Verfügungen.

Entwürfe für einfache ländliche Schulgebäude nebst dazu gehörigen Erläuterungen von Geh. Ober-Regierungsrat Spiecker, vortragendem Rat im Königl. preußischen Kultusministerium, mitgeteilt den Königl. Regierungen durch Zirkular-Erlass des Ministers der geistlichen etc. Angelegenheiten vom 24. Januar 1888 (gez. in Vertr. Lucanus) und vom 7. Juli 1888 (gez. i. A. Greiff).

I. Allgemeines.

1. **Baustelle:** Bei der Wahl eines für eine Schulanlage in Aussicht zu nehmenden Grundstücks kommen vorzugsweise folgende Rücksichten in Betracht:

Die Lage des Grundstücks soll möglichst in der Mitte des Schulbezirks angenommen werden, damit von allen entferntesten Punkten desselben annähernd gleiche Wege entstehen. Sie muß gesunden, trockenen und technisch möglichst günstigen Baugrund aufweisen, frei von störender und gesundheitsschädlicher Nachbarschaft sein und die Anlage eines Brunnens mit gutem Trinkwasser gestatten. Eine leicht geneigte, die Abwässerung befördernde Gestaltung der Oberfläche ist einer ganz ebenen Bodenlage meistens vorzuziehen.

Zum Schutze gegen rauhe Winde und Sonnenhitze ist eine mit Bäumen und Sträuchern bestandene Baustelle oft erwünscht, doch darf die Bepflanzung dem Schulgebäude nicht Licht und Luft verkümmern oder die Lage dumpf und feucht machen.

2. **Bei Anordnung der Gebäude auf der Baustelle** sind alle mit Fenstern versehenen Wände von den Nachbargrenzen, auch wenn diese zur Zeit noch nicht bebaut sind, soweit entfernt anzulegen, daß keine künftige Bebauung oder Bepflanzung des Nachbargrundstücks diesen Fenstern Licht- und Luftzuführung entziehen oder auch nur schmälern kann. Ganz besonders gilt dies von solchen Wänden, deren Fenster zur Beleuchtung eines Schulzimmers dienen. Für diese ist die Lage, wenn irgend möglich, so zu wählen, daß reines Himmelslicht unmittelbar bis zu den von der Fensterwand am weitesten entfernten Schülersitzen einfallen und die Tischplatte treffen kann.

In der Regel sind Schulzimmer und Lehrerwohnungen in demselben Gebäude zusammenzufassen. Dagegen empfiehlt es sich, die erforderlichen Wirtschaftsgebäude (Stallung, Scheune pp.), sowie die Abtritte nicht nur von dem Schulhause räumlich zu trennen, sondern sie auch in einem solchen Abstande von demselben zu errichten, daß sie keine schädlichen oder belästigenden Einflüsse auf dasselbe ausüben können. Die Abtrittsanlage ist oft zweckmäßig mit dem Stallgebäude zu verbinden oder an dasselbe anzulehnen. Ebenso werden besondere Scheunengebäude nur in dem selteneren Falle eines gröfseren Umfangs der Schulländereien nötig sein, während in den meisten Fällen die Anlage von Stall und Scheune unter einem Dach vorteilhafter erscheint. Selbstverständlich ist der Umfang aller dieser Wirtschaftsräume von dem nach der Gröfse des dem Lehrer zugewiesenen Landes nachzuweisenden Raumbedarf abhängig.

Bei Bestimmungen der den einzelnen Gebäuden auf dem Grundstück anzureihenden Stallung ist auf möglichste Übersichtlichkeit der Gesamtanlage Bedacht zu nehmen. Namentlich aber mufs der nach der Zahl der Schulkinder zu bemessende Platz, welcher diesen zum Bewegen und Spielen in den Unterrichtspausen dient, sowie der Zugang zu den Abtritten von der Lehrerwohnung oder dem Schulzimmer aus sich bequem übersehen lassen.

Die Abtrittanlage wird, den ländlichen Verhältnissen entsprechend, gewöhnlich wohl eine möglichst dicht herzustellende Grube erhalten, wobei jedoch die bekannten vollkommeneren, die Reinheit des Untergrundes besser sichernden Einrichtungen für die Beseitigung der Auswurfstoffe nicht ausgeschlossen, und bei dichterer, mehr den städtischen Verhältnissen sich annähernder Bebauung sogar zu fordern sind. Jedenfalls mufs aber darauf geachtet werden, dafs Tiefbrunnen für Trinkwasser von Abtritts- und Düngergruben soweit als möglich entfernt angelegt werden, wobei auch die Strömungsrichtung des den Brunnen speisenden Grundwassers in Betracht kommen, überhaupt jede Vorsicht angewendet werden mufs, um eine Verunreinigung des Brunnenwassers zu verhüten.

Über die Himmelslage der Baulichkeiten, namentlich der Schulzimmer, lassen sich schwer allgemein gültige Bestimmungen treffen, einmal weil örtliche Verhältnisse oft in zwingender Weise die Anordnung auch in dieser Hinsicht beeinflussen, sodann aber auch, weil die verschiedenen hier geltend zu machenden Forderungen nicht selten mit einander in Widerspruch stehen. So wird einerseits zwar mit Recht eine sonnige Lage als gesundheitlich vorteilhaft angesehen, während doch andrerseits nicht zu leugnen ist, dafs unmittelbare Sonnenbestrahlung der Fenster eines Schulzimmers während der Unterrichtszeit in mehr als einer Hinsicht störend und nachteilig wirken kann. Ist man in der Lage, die Himmelsrichtung für die Fensterwand des Schulzimmers frei zu bestimmen, so wird man daher wohl am besten die Anordnung so treffen, dafs der Raum zwar in der Zeit vor oder nach dem Unterricht von der Sonne bestrahlt wird, soweit möglich aber nicht auch während der Unterrichtszeit. Kann man jedoch eine sonnige Lage wegen sonstiger örtlicher Verhältnisse nicht vermeiden, so ist durch passende Vorkehrungen an den Fenstern dafür zu sorgen, dafs die wesentlichsten Nachteile des unmittelbaren Sonnenscheins — starke Erhitzung und zu grelle Beleuchtung — nach Möglichkeit abgedämpft werden. Von den der Sonne zugewendeten

Dagegen wird … Die … Schulhäuser … noch am wenigsten jenen
Belästigungen ausgesetzt … weil im Sommer die Strahlen der Mittag-
sonne unter so steilen Winkel einfallen, daß sie nicht tief in das Innere
der Räume eindringen und daher weniger störend wirken, als die nach
einfallenden Strahlen der Morgen- … und besonders der Abendsonne.
Letztere ist jedoch für ländliche Schulen deshalb weniger lästig, weil in
diesen der Unterricht doch mit in den früheren Nachmittagsstunden
aufhört … auf möglichste Übersichtlichkeit der …
… nahe Bedacht; … nach der Zahl

II. Das Schulhaus.

1. Schulzimmer. Hinsichtlich der einem Schulzimmer zu gebenden
Abmessungen gilt zunächst die Regel, daß mehr als 80 Kinder nicht
in einer Klasse zu gemeinschaftlichem Unterricht vereinigt werden
sollen und nur in seltenen Ausnahmefällen aus besonderen Rücksichten
eine etwas größere Zahl, bis zu höchstens 100 Schüler, zugelassen werden
kann.

a) Grundmaß für die Bestimmung des Flächenraumes.
Lange Zeit galt der Einheitssatz von 0,50 qm für jeden Schüler als
Grundmaß für Flächen-Berechnung des Schulzimmers, so daß z. B. für
eine Klasse von 80 Schülern das Zimmer etwa 8,00 Meter lang und 5,00

Betreffs der Bauart wird bei den Erläuterungen der einzelnen
Entwürfe gesagt: Den Entwürfen liegt durchweg die Annahme des
Massivbaues zu Grunde, mit gewöhnlichem Backstein für das lauf-
gehende Mauerwerk, welches in seinen Außenflächen ohne Mörtelputz
nur in sauberer Fügung hergestellt werden soll. Diese Ausführungsweise
empfiehlt sich überall da, wo genügend feste und wetterbeständige Steine
zu haben sind, wobei es gar nicht etwa auf die Verwendung besonders
sauberer „Blendziegel" abgesehen ist; die ausgesuchte gewöhnliche Steine
von festem Brand dem Bedürfnis völlig entsprechen. Ebenso ist auf die
Verwendung besonderer Formsteine nicht gerechnet.

Das Dach ist in Ziegeln (Pfannen oder Bieberschwänze) gedeckt
angenommen. In einigen der Entwürfe ist dasselbe mit mäßigem Über-
hang durch Vorkragen der Sparren, in andern ohne solchen, auf massivem
Gesims ansetzend gezeichnet. Welche Dachform in jedem Einzelfalle zu
wählen sei, unterliegt näherer Erwägung je nach den örtlichen Verhältnissen, wobei nur zu beachten bleibt, daß der Dachüberhang nicht etwa
den Fenstern — besonders denjenigen des Schulzimmers — das Licht
entzieht.

Wie hoch der Fußboden des Erdgeschosses über dem Erdboden sich erhebt, muß vorzugsweise mit Rücksicht auf die Grundwasser-
und Entwässerungsverhältnisse der Baustelle bestimmt werden, da die
Kellerräume stets wasserfrei sein müssen. Eine Erhebung von mindestens
0,50 Meter ist unter allen Umständen zu empfehlen. Liegt das höchste
Grundwasser so nahe an Tag, daß die Anlage wasserfreier Keller unter
dem Hause eine zu bedeutende Erhebung des Erdgeschosses bedingen
würde, so müssen Kellerräume entweder im Wirtschaftsgebäude, oder in
einem besonderen Kellerbau angelegt werden.

Meter breit, also mit einem Flächenraum von 48 qm angenommen wurde. Diese Abmessungen genügen jedoch nur unter Voraussetzungen, welche jetzt nicht mehr als zulässig erachtet werden. Reichen sie aber allenfalls für Schulklassen gröfster Abmessung noch knapp aus, so erweisen sie sich als völlig ungenügend bei solchen Zimmern, welche für eine kleinere Schülerzahl bestimmt sind und um so mehr, je kleiner diese Zahl ist. Dies erklärt sich leicht aus dem Umstand, dafs die neben den Schüler-Sitzen und -Tischen unerläfslichen Freiräume — Gänge zu den Plätzen, Vorplatz an der Thür, dem Ofen, dem Lehrersitz pp. — nicht im gleichen Verhältnis mit der Schülerzahl wachsen und abnehmen, vielmehr einen gröfseren Bruchteil der Zimmerfläche beanspruchen bei einem kleineren als bei einem gröfseren Schulzimmer.

Man sieht sich daher zu einer andren Form der Raum-Ermittlung genötigt, bei welcher von einer ordnungsmäfsigen Aufstellung und Gröfse der Schulbänke, sowie einer genügenden Bemessung der Freiräume pp. ausgegangen werden mufs. In einer einklassigen Volksschule sind Kinder vom 6. bis 14. Lebensjahre unterzubringen. Um den verschiedenen Entwicklungsstufen der Körpergröfse wenigstens einigermafsen zu entsprechen, müssen daher Bänke und Tische von verschiedenen Abmessungen aufgestellt werden. Gewöhnlich nimmt man drei verschiedene Abstufungen der Sitzgröfse an, welche einen Flächenraum von je 48 auf 68, bezw. 50 auf 70 und 52 auf 72 Centimeter beanspruchen. (Dafs aufserdem auch die Höhe der Sitze und Tische den Altersstufen entsprechend bemessen werden mufs, kann hier nur beiläufig angedeutet werden.) Die Freiräume sind so zu bemessen, dafs von der dem Lehrersitz zunächst stehenden Schülerbank bis zur Wand mindestens 1,70 Meter freier Abstand verbleibt, während an der Fensterwand entlang ein Gang von mindestens 0,40, in der Mitte zwischen zwei Bankreihen ein solcher von 0,50 und an der Ofenwand von 0,60 bis 0,80 Meter offen zu halten ist. Zwischen der Rückwand und dem hintersten Schülersitz bleiben wenigstens 0,30 Meter frei. Trifft man nun unter Beachtung dieser Mafse die Raumeinteilung des Schulzimmers, so ergiebt sich bei ganz grossen Klassen ein Satz von etwa 0,64 Quadratmetern für jedes Kind, der sich mit der Abnahme der Klassengröfse bis zu 0,74 Quadratmeter steigert.

Bemerkt sei, dafs hierbei wenigstens vier- und fünfsitzige Bänke angenommen sind, seltener dreisitzige. Das allerdings bei weitem vollkommnere System durchweg zweisitziger Bänke, welches jedem Schüler gestattet, beim Aufstehen in den freien Zwischengang hinauszutreten, dem Lehrer aber, zu jedem einzelnen Schüler unmittelbar zu gelangen, erfordert bei weitem mehr Raum — etwa 1,00 bis 1,20 Quadratmeter für jeden Schüler — und wird daher bei ländlichen Schulen wohl nur in selteneren Fällen Anwendung finden können.

b) Höhe des Schulzimmers. Für die dem Klassenzimmer zu gebende lichte Höhe kommen verschiedene Rücksichten in Betracht. Zunächst kann man von der Bestimmung eines als notwendig zu erachtenden Rauminhalts ausgehen, welcher jedem im Zimmer Anwesenden eine bestimmte Luftmenge zumißt. Schon aus dieser Erwägung würde sich für kleinere Schulzimmer eine etwas geringere Höhe als zulässig ergeben wie für größere, da erstere einen im Verhältnis zur Besucherzahl größeren Flächenraum erhalten als letztere. Aber auch aus einem andren Grunde kommt dem größeren Raume bei sonst gleichen Voraussetzungen eine größere Höhe zu. Um nämlich die Länge des Schulzimmers nicht in unzweckmäßiger Weise zu steigern, wird man auch die Tiefe desselben mit der Raumgröße wachsen lassen. Da nun die Beleuchtung des Zimmers bis zu dem von der Fensterwand entferntesten Sitzplatz, wenn irgend möglich, durch unmittelbar einfallendes Himmelslicht erfolgen soll, so bedarf der Raum, um das Licht vom Fenster aus unter gleichem Winkel nach der Tiefe eintreten zu lassen, bei größerer Tiefe (Breite) auch einer größeren Höhe.

Für die Beschränkung der Raumhöhe auf ein als noch zulässig erachtetes Mindestmaß sprechen vor allem Ersparungsrücksichten, da sowohl die Baukosten als auch die Schwierigkeit und die Kosten der Heizung des Raumes mit der Höhe desselben wachsen. Man hat daher in früherer Zeit nicht selten die Zimmerhöhe in einer die Luft- und Lichtverhältnisse auf das schlimmste gefährdenden Weise beschränkt und Abmessungen für dieselbe gewählt, die jetzt in vielen Landesteilen sogar für Wohnräume, in welchen sich doch immer nur eine vergleichsweise geringe Zahl von Personen dauernd aufhält, als zu klein erachtet und baupolizeilich untersagt sind. Die auf diese Weise in vielen Landesteilen altherkömmliche Gewöhnung an niedere Bäume in Zusammenhang mit den Schwierigkeiten, welche meistens bei Beschaffung der Mittel für Schulbauten den Gemeinden enstehen, lassen auch heute noch jede zulässige Beschränkung der Raumhöhe in den meisten Fällen als geboten erscheinen. Doch ist das Maß von 3,20 Meter schon seit längerer Zeit als das geringste angenommen worden, welches noch für die Lichthöhe eines ländlichen Schulzimmers zugelassen wird. Bei Annahme der oben entwickelten Flächeneinheitsmaße ergeben sich dann auf den Kopf mindestens 2 bis 2,37 Kubikmeter Luftraum — freilich geringe Maße, welche nur in Anbetracht der kürzeren Unterrichtsdauer einer Dorfschule überhaupt als zulässig erscheinen. Geht man nun von diesem noch zulässigen Höhen-Kleinstmaß aus und wendet es auf ein Schulzimmer kleinster Abmessungen an, in welchem jeder Schüler einen Flächenraum von 0,74 Quadratmeter beansprucht, also einen Luftraum von 2,37 Kubikmeter erhält, so müßte ein Schulzimmer größter Abmessungen, wenn es den gleichen Luftraum auf den Kopf bieten soll, schon eine

Lichthöhe von 3,70 Meter erhalten, während es bei Anwendung der kleinsten zulässigen Lichthöhe von 3,20 Meter nur 2 Kubikmeter Luftraum für jeden Schüler gewährt.

Dieses Verhältnis der Höhensteigerung bei wachsender Bodenfläche sollte daher, wo es irgend angeht, thatsächlich Anwendung finden, besonders da es auch der zweiten Bedingung einer ausgiebigen Beleuchtung nach der Tiefe wenigstens annähernd entspricht. Dafs die Forderung eines Luftraums von 2 bis 2¹/₂, selbst 2¹/₂ Kubikmeter auf den Kopf eine sehr mäfsige ist, geht übrigens u. a. daraus hervor, dafs in mehreren deutschen Staaten erheblich höhere Sätze — 3, 3¹/₂ und sogar 4 Kubikmeter — vorgeschrieben, und dafs für die Klassenzimmer unsrer höheren Schulen Abmessungen üblich sind, welche ebenfalls bei normaler Besetzung 4 Kubikmeter, mitunter auch etwas mehr Luftraum auf den Kopf gewähren. Freilich unterliegen solche Räume meistens einer bei weitem stärkeren Ausnutzung als die Klassen einer Dorfschule.

c) **Anordnung der Fenster des Schulzimmers.** Für die ausgiebige Beleuchtung des Schulzimmers, welche von ebenso grofser Bedeutung ist, wie die genügende Gröfse, gilt als Regel, dafs die lichtgebende Fensterfläche mindestens ¹/₅ der Bodenfläche des Raumes messen soll.

Natürlich kommt es aufserdem noch auf eine zweckmäfsige Anordnung der Fenster und ihre Verteilung im Raume an. Damit das Licht in möglichst günstigem (d. h. steilem) Winkel auch nach den entfernteren Plätzen einfallen kann, müssen die Fenster so hoch als irgend möglich angelegt werden, so dafs ihr Sturz dicht an die Zimmerdecke reicht, was bei passender Konstruktion der letzteren sehr wohl angeht. Die Brüstungshöhe ist dagegen zweckmäfsig etwas gröfser, als in Wohnräumen meist üblich, etwa auf 1 Meter anzunehmen, da das unter Augenhöhe einfallende Licht blendend wirkt. Es wird deshalb auch nicht selten empfohlen, die unterste Fensterscheibe — etwa durch Anstreichen mit Ölfarbe — abzublenden. Hierdurch soll zugleich den Schülern die Möglichkeit benommen werden, ihre Aufmerksamkeit vom Unterricht ab und nach aufsen zu richten.

Als bekannt darf angenommen werden, dafs den Schülern das Licht nur von links, nie von rechts oder gar von vorne zufallen darf. Rückenlicht wäre zwar in diesem Sinne nicht nachteilig, doch empfiehlt es sich, Fenster in der Rückwand zu vermeiden, weil ihr Licht dem Lehrer lästig wird, der vorzugsweise in der Richtung nach dieser Wand hin schauen mufs, um seine Klasse zu überblicken. Die demgemäfs nur auf der linksseitigen Langwand anzuordnenden Fenster werden am besten in gleichen nicht zu grofsen Abständen verteilt, damit der Raum in allen Teilen möglichst gleichmäfsig beleuchtet ist.

Tiefklassen sind einer guten Beleuchtung nur bei mehr als gewöhnlicher Lichthöhe und verhältnismäßig größerer Fensterfläche fähig. Ihre Anordnung empfiehlt sich daher im allgemeinen für Dorfschulen nicht. Da das wirksamste Licht aus den oberen Teilen des Fensters kommt, so ist es wichtig, den Sturz desselben gradlinig oder nur flachgebogen zu gestalten, dagegen Rundbogen und andere der Lichtgabe ungünstige Abschlußformen bei Schulfenstern zu vermeiden.

d) Anlage der Thür. Die Thür des Schulzimmers liegt am zweckmäßigsten so, daß der Eintretende im Gesicht und nicht im Rücken der auf ihren Sitzen befindlichen Schüler erscheint, weil nur so vermieden wird, daß die Kinder, sich nach demselben umwendend, die Ruhe und Ordnung in der Klasse stören Auch ist es für den Lehrer oder den Schulaufsichtsbeamten wertvoll, gleich beim Eintreten die Klasse überblicken zu können. Daß die Thür des Klassenzimmers — ebenso wie alle sonstigen dem Schulverkehr dienenden Thüren — nach außen aufschlagen müssen, geht schon aus den bekannten Vorschriften über Vermeidung von Feuersgefahr (vom J. 1884) hervor, welche überhaupt bei Schulbauten durchweg Anwendung finden sollen.

e) Heizung und Lüftung. Der Ofen erhält am zweckmäßigsten seine Stelle in der Mitte der den Fenstern gegenüberliegenden Langwand. Für die östlichen Landesteile ist der hier allgemein übliche Kachelofen mit unterbrochener Feuerung — im Gegensatz zu den im Westen herkömmlichen, meistens eisernen Öfen mit dauernder·Feuerung (Windöfen, Füllöfen pp.) — wohl die nächstliegende·Anordnung. Doch bedarf das Schulzimmer bei diesem den Luftwechsel so gut wie gar nicht befördernden Heizkörper noch besonderer, wenn auch sehr einfacher Vorkehrungen, welche eine stetige Erneuerung der Zimmerluft, namentlich in der kalten Jahreszeit bewirken, wenn die einfachste Art der Lufterneuerung, das Öffnen eines Fensters oder einer Fensterklappe pp. wenigstens während des Unterrichts ausgeschlossen ist.

Am einfachsten und doch hinreichend wirksam ist die Anordnung eines Lüftungsrohrs, welches nahe neben dem Schornsteinrohr im Mauerwerk ausgespart und von diesem angewärmt, die verbrauchte Luft über Dach ableitet. Ein auf die Rohrmündung aufgesetzter Saugkopf wird die Wirkung des Rohrs verstärken, ebenso die Einlage einer Eisenplatte in die Mauergänge zwischen Schornstein- und Abluftrohr. Verschließbare Öffnungen nächst dem Fußboden und der Decke geben Gelegenheit, je nach Bedarf die Abluft unten oder oben abzusaugen. In der Regel wird während der Heizperiode der untere Schieber geöffnet sein, während der obere wesentlich den Zweck hat, bei zu hoch gesteigerter Temperatur die wärmsten Luftschichten, welche sich an der Decke sammeln, unmittelbar entweichen zu lassen.

Um die als Ersatz für die Abluft von außen kommende frische Luft nicht ganz so kalt, wie sie im Freien ist, eintreten zu lassen, hat man

auch eine einfache Vorwärmung derselben angeordnet, indem man durch
den Ofen ein oben offenes Rohr führt, dessen unteres Ende mit der freien
Luft in Verbindung steht. Die im Rohr befindliche Luft steigt, durch
den Ofen angewärmt, aufwärts und tritt durch die obere Rohrmündung
ins Zimmer aus, die Außenluft vom Freien her nachsaugend. Es ist
jedoch dringend zu empfehlen, den Teil dieser Rohrleitung, welcher die
Luft von außen dem Vorwärmerohr im Ofen zuführt, so kurz wie möglich
und zugleich so zu gestalten, daß es stets ohne besondere Schwierigkeit
von dem in demselben sich niederschlagenden Staub befreit und überhaupt
reingehalten werden kann, damit nur unverdorbene Luft dem Zimmer
zugeführt wird. Auch das im Ofen liegende Wärmerohr muß sich leicht
reinigen lassen. Wie diese Anordnung in jedem Einzelfall zu treffen ist,
muß nach örtlichen Verhältnissen bestimmt werden.

f) Anordnung der Decke. Die Decke des Schulzimmers wird
am zweckmäßigsten so angeordnet, daß nicht die Balken, sondern Unterzüge auf der Fenster- und der Ofenwand lagern, während die Balken mit
diesen Wänden gleichlaufend gestreckt sind. Hierdurch wird erreicht,
daß die Fensterstürze fast unmittelbar an die Balkenlage reichen können
und so dem Zimmer den möglichst günstigen Lichteinfall sichern. Da
die Unterzüge natürlich auf die Zwischenpfeiler der Fensterwand treffen,
so können sie so angeordnet werden, daß ihre Oberkante annähernd mit
dem Fenstersturz in gleicher Höhe liegt. Die Zweckmäßigkeit einer
solchen Anordnung im Interesse der Beleuchtung ist schon oben erörtert
worden.

g) Umfassungswände. Als empfehlenswert ist zu bezeichnen,
daß in Schulzimmern alle vorspringenden Mauerecken so viel als möglich
vermieden werden, um jede Gelegenheit zum Abstoßen des Putzes thunlichst zu vermeiden. Daher ist es zweckmäßig, die Fensterbrüstungen
nicht, wie sonst üblich, einzunischen, sondern mit der Innenwand bündig
auszuführen.

h) Fußboden. Ist das Schulzimmer nicht unterkellert, so darf
der Holzfußboden nicht unmittelbar auf den Untergrund oder die Füll-
erde gelegt, sondern muß über einem Hohlraum gestreckt werden, durch
welchen die Zimmerluft streicht. Außenluft in diesen Hohlraum einzuleiten empfiehlt sich nicht, wenigstens nicht in der kalten Jahreszeit, da
dies den Boden „fußkalt" machen würde. Die technischen Anordnungen,
durch welche eine die Erhaltung des Holzwerks sichernde, stetige, wenn
auch nur mäßige Luftbewegung unter dem Fußboden bewirkt wird,
können als bekannt vorausgesetzt werden. Die hier empfohlene Maß-
nahme gilt übrigens auch für nicht unterkellerte Wohn- und Schlafzimmer
der Lehrerwohnung.

2. Die Verkehrsräume. Der Flur, welcher dem Schülerverkehr
dient, kann zweckmäßig auch als gewöhnlicher Zugang zur Lehrerwohnung

benutzt werden. Doch ist daneben ein dem Wirtschaftsverkehr des Lehrers dienender Neben- oder Hinterflur, der meistens wohl nach dem Hofe führen wird, als erforderlich zu erachten, damit in besonderen Fällen, z. B. bei Krankheiten in der Familie des Lehrers, der Schulverkehr von dem Hausverkehr der Lehrerwohnung völlig gesondert werden kann. Die Breite des Hauptflurs richtet sich natürlich nach der Größe des in ihm sich abspielenden Schülerverkehrs, sollte jedoch nie geringer als 2,50 Meter angenommen werden.

Liegt ein Schulzimmer nicht im Erdgeschoß, sondern im ersten Stock, so muß die zu ihm führende Treppe den bekannten Vorschriften zur Abwendung von Feuersgefahr vom 27. Oktober 1884 durchweg entsprechen. Namentlich sind Keilstufen unbedingt zu vermeiden und die Steigungsverhältnisse so bequem als möglich unter Rücksichtnahme auf die Körpergröße der sie vorzugsweise benutzenden Kinder anzuordnen.

Die vor der Hausthür notwendigen Freistufen sind besonders bequem anzuordnen und dürfen nicht unmittelbar vor der Thür beginnen; sie müssen vielmehr auf einen freien und genügend breiten Vorplatz vor der Thür münden. Bei Bemessung der Breite dieses Vorplatzes ist auch darauf zu achten, daß die Hausthürflügel vorschriftsmäßig nach außen aufschlagen sollen. Diese Freitreppen sind, besonders bei etwas größerer Stufenzahl, stets mit seitlichen Wangen und Schutzgeländern zu versehen, so daß sie nicht von drei Seiten her ansteigen. Übrigens ist die Höhe nach Möglichkeit zu beschränken und, wenn die Ortsverhältnisse zu einer mehr als gewöhnlichen Erhöhung des Erdgeschosses über den umgebenden Boden zwingen, auf die Anordnung von sanft ansteigenden Rampen, welche die Zahl der Freistufen vermindern, thunlichst Bedacht zu nehmen.

3. Die Lehrerwohnung. Wie schon im Eingang bemerkt wurde, liegen die Lehrerwohnungen gewöhnlich mit den Schulräumen unter einem Dach. Als Raumbedarf für eine Familienwohnung gelten: zwei Stuben, etwa zu 20 und 25 qm, ein bis zwei Kammern, zu 12 bis 15 qm, eine Küche, etwa zu 15 qm Fläche, sowie die nötigen Keller- und Bodenräume. Eine der Kammern kann auch im Dachraum untergebracht werden. Ob besondere Wasch- und Back-Gelegenheit angezeigt erscheint, hängt von Ortsverhältnissen ab.

Ein unverheirateter (Hilfs-) Lehrer erhält eine Stube nebst Schlafkammer. Die lichte Höhe der Zimmer einer Lehrerwohnung ist mit etwa 3 Meter ausreichend bemessen, darf aber selbst bei Dachkammern, soweit sie zum dauernden Aufenthalt von Menschen (z. B. als Schlafkammern) dienen sollen, nicht kleiner als 2,50 Meter sein. Liegt eine solche Dachkammer in der Schräge des Daches, so muß ihre durchschnittliche Höhe mindestens 2,50 Meter betragen.

III. Die Nebenanlagen.

1. Die Abtritte. Der Umfang einer Schulabtrittsanlage bestimmt

sich nach der Zahl der Schüler dergestalt, daſs für je 40 K n a b e n und für je 25 M ä d c h e n ein S i t z anzunehmen ist, auſserdem für jede Familienwohnung ein besonderer abgeschlossener Sitz. Für die Knaben treten noch Pissoirstände hinzu, welche am besten in einem mit Schutzdach und Schirmwänden versehenen, sonst aber offen und luftig zu haltenden Anbau untergebracht werden. Auf schickliche Trennung der Zugänge für die den verschiedenen Geschlechtern bestimmten Anlagen ist Bedacht zu nehmen. Jeder Sitz ist in einer besonderen, durch dichte Brettwände von der benachbarten abgetrennten Zelle anzuordnen.

Für möglichst wasserdichte Anlage der Grube ist zu sorgen. Auch nach oben hin ist dieselbe dicht und sicher abzuschlieſsen und durch Röhren, welche über Dach führen, zu lüften. Damit die Grubengase leichter durch diese Röhren ins Freie als durch die Sitzöffnungen in die Abtrittszelle ausströmen, ist von der letzteren aus ein Trichter mit Fallrohr so anzuordnen, daſs die untere Mündung des letzteren tiefer in den Grubenraum hinabreicht, als die untere Öffnung der Dunströhren, welche daher am höchsten Punkte der Grubenabdeckung anzubringen ist. Daſs auch sonst noch für gute Lüftung des Abtrittsraumes zu sorgen sei, versteht sich wohl von selbst.

Die Abtrittsanlage kann entweder als kleiner Freibau für sich angelegt, oder mit dem Stallgebäude vereinigt werden. In letzterem Falle ist aber für guten Abschluſs gegen die Stallräume zu sorgen.

2. Die W i r t s c h a f t s a n l a g e n. Ob besondere Wirtschaftsgebäude überhaupt erforderlich sind, richtet sich nach den örtlichen Verhältnissen, namentlich aber danach, ob und in welchem Umfang die Lehrerstelle mit Landwirtschaftsbetrieb verbunden ist. In den meisten Fällen wird ein kleines Gebäude, welches Stallung und Vorratsgelasse für Futter, Stroh, Brennstoffe etc. umfaſst, genügen. Hinsichtlich der Anordnung und Gröſse der einzelnen Abteilungen gelten die allgemeinen für ländliche Wirtschaftsgebäude bestehenden Regeln, so daſs hier besondere Angaben überflüssig erscheinen. Daſs nirgendwo über das nachgewiesene Raumbedürfnis hinausgegangen werden darf, liegt auf der Hand.

3. Der B r u n n e n. Da im Flachlande Laufbrunnen meistens nicht möglich sind, so erübrigt nur die Anlage eines Tiefbrunnens, der jedoch auf keinem Schulgehöft fehlen sollte, sofern der Untergrund desselben brauchbares Wasser liefert. Auf die Vorsorge für die Reinhaltung desselben ist schon im Eingang hingewiesen worden. Offene Schöpf- oder Ziehbrunnen sind — schon der mit ihnen verbundenen Gefahr des Hineinfallens wegen — nicht zu empfehlen, weshalb stets auf die Anlage eines a b g e s c h l o s s e n e n Kesselbrunnens mit Pumpe Bedacht zu nehmen ist. Wo es die Bodenverhältnisse gestatten, ist auch die Anlage eines sog. Abessinierbrunnens nicht ausgeschlossen.

Das ganze Schulgehöft ist in fester aber einfacher Weise, unter Berücksichtigung der Ortsverhältnisse, einzufriedigen. Ein Lattenzaun wird meistens genügen. Auch können innere Abteilungen in Betracht kommen, so daſs z. B Garten, Wirtschaftshof und Spielplatz für die Schuljugend in angemessener Weise von einander gesondert werden.

Dispensation vom Zeichenunterrichte an den höheren Lehranstalten bei Augenleiden. Der Minister der geistlichen etc. Angelegenheiten, Herr von GOSSLER, hat an die Königlichen Provinzial-Schulkollegien folgende Verfügung erlassen:

Berlin, den 22. Juni 1888.

Bei einem nicht völlig unregelmäſsigen oder gestörten Zustande der Augen kann eine nachteilige Wirkung des Zeichenunterrichtes, wie er in den höheren Lehranstalten zu erteilen ist, überhaupt nicht in Frage kommen. Es ist daher auch eine Entbindung von diesem Unterrichte und vom Schreibunterrichte ebensowenig wie von andern obligatorischen Lehrfächern vorgesehen.

Tritt gleichwohl, wie es nach dem Berichte des Königlichen Provinzial-Schulkollegiums vom 30. Mai d. J. in N. vorgekommen, der Fall ein, daſs der Erlaſs der Zeichenübungen auf Grund ärztlicher Erklärungen für einen Schüler nachgesucht wird, so wird der Anstaltsleiter das betreffende Gesuch nach seiner Begründung sorgfältig zu prüfen, insbesondere an Schulorten, an welchen ein Spezialarzt für Augenkranke ansässig ist, das Zeugnis eines solchen zu verlangen und mit seinem Berichte dem Provinzial-Schulkollegium vorzulegen haben. Das Provinzial-Schulkollegium wird die Ordnung der Schule im Falle der Genehmigung derartiger Gesuche, sei es auf längere, sei es auf kürzere Zeit, dadurch zu schonen wissen, daſs damit niemals dem dispensierten Schüler eine Befreiung von der Schulstunde, in welche das Zeichnen fällt, zugestanden, vielmehr vorbehalten wird, bei rein theoretischen Unterweisungen, wie sie im Zeichnen neben den Übungen von Auge und Hand hergehen, ihn wie alle übrigen Schüler heranzuziehen, sonst aber ihn in einer zweckmäſsigen, vom Ordinarius festzusetzenden und zu kontrollierenden Weise zu beschäftigen.

Der Minister der geistlichen etc. Angelegenheiten.
von GOSSLER.

Verfügung der Königlichen Regierung zu Hildesheim, betreffend die Gesundheit der Schulkinder. Die Königliche Regierung in Hildesheim hat die Lehrer ihres Bezirkes aufgefordert, in ihren Monatskonferenzen die Gesundheit der Schulkinder zum Gegenstande ihrer Beratung zu machen, und zwar in der Richtung, daſs festgestellt werde, was der Lehrer im Unterricht, in der Erziehung, in der weiteren Fürsorge unter Mitwirkung des Schulvorstandes und der Familie für die Gesundheit der

ihm anvertrauten Schulkinder beachten und durchführen kann und soll.
Die Ergebnisse der Beratungen, sowie die gefaſsten Beschlüsse sollen den
Kreisschulinspektoren mitgeteilt werden.

Desinfektionsordnung für die Schulen der Stadt Breslau. Für
die städtischen Schulen Breslaus ist auf Veranlassung des Schularztes,
Herrn Dr. med. STEUER, die folgende Desinfektionsordnung festgestellt
worden: a) Desinfektion im Schulzimmer ist vorzunehmen: 1. wenn in
der betreffenden Klasse einzelne Schüler an Diphtheritis, Blattern, Cholera
oder Flecktyphus erkrankt sind; 2. wenn zahlreiche Erkrankungen unter
den Schülern einer Klasse an Scharlach, Masern, Unterleibstyphus oder
Ruhr vorgekommen sind. — Vor der Desinfektion darf kein Mobiliar-
oder Inventarienstück aus dem betreffenden Schulzimmer entfernt werden.
Die Wände sind mit frischem Brot abzureiben, welches sofort nach der
Verwendung zu verbrennen ist. Der Fuſsboden wird mit 5prozentiger
Karbollösung stark angefeuchtet, besonders werden die Dielenfugen mit
dieser Lösung sorgfältig ausgegossen. Polierte Flächen der Möbel, Bilder-
rahmen etc. werden mit einem trockenen Tuche scharf abgerieben.
Sonstige Möbel, Thüren, Fenster und Fensterrahmen, Holzverkleidungen,
Öfen werden mit 5prozentiger Karbolsäurelösung energisch abgescheuert.
Hierauf werden Dielen und Möbel mit einer Schmierseifelösung (20 g
auf 10 l Wasser) in gleichem Maſse abgescheuert und dann die Dielen-
fugen nochmals mit der genannten Karbolsäurelösung angefeuchtet.
Bücher und Papiere, die sich im Zimmer befinden, sind entweder mit
Karbolwasser zu besprengen oder in ein mit dieser Lösung durchtränktes
Tuch auf mehrere Stunden einzuschlagen. Vorhänge oder sonstige im
Zimmer befindliche Stoffe müssen einer Desinfektionsanstalt überwiesen
werden; dagegen sind wertlose Stoffe, wie Wischtücher und dergleichen
zu verbrennen. Endlich muſs 5 bis 6 Stunden hindurch, womöglich wäh-
rend eines stetig unterhaltenen Ofenfeuers, durch Öffnen der Fenster und
Thören ein kräftiger Luftzug erzeugt werden. — b) Desinfektion im
Klosett. Im Fall von Cholera, Unterleibstyphus und epidemischer Ruhr
(Dysenterie) sind alle Klosetts, welche etwa von den erkrankten Schülern
benutzt sein könnten, durch Übergieſsen mit Karbolsäurelösung und Abreiben mit Schmierseifemischung vollständig zu desinfizieren, und in das
Becken sind 1—2 l der 5prozentigen Karbollösung zu gieſsen.

**Verwendung von fehlerfreiem Papier für die Programme der
höheren Lehranstalten.** Im Hinblicke darauf, daſs hie und da zu den
Programmen der höheren Lehranstalten noch Papier verwendet wird,
welches nicht fehlerfrei ist und leicht verdirbt, hat der Kultusminister
von GOSSLER die Königlichen Provinzial-Schulkollegien angewiesen, bei
der Durchsicht der alljährlich erscheinenden Programme auch diesen Punkt

450

genau zu beachten. Dieses Vorgehen ist auch vom hygienischen Standpunkte ratsam, da fehlerhaftes, nicht genügend weißes Papier das Lesen erschwert und so auf die Augen nachteilig einwirkt.

Perfonalien.

Zur Mitarbeit an unserer Zeitschrift haben sich weiter bereit erklärt die Herren Architekt WARREN R. BRIGGS in Bridgeport, Connecticut, DR. MED. CORONEL, Sekretär des medizinischen Rates von Friesland und Gröningen in Leeuwarden und H. O. REDDERSEN, ord. Lehrer an der Realschule in der Altstadt zu Bremen.

Unsrem geschätzten Mitarbeiter, Herrn Provinzial-Schulrat DR. LARMEYER in Kassel, ist der Charakter als Geheimer Regierungsrat verliehen worden.

Der Geheime Sanitätsrat Dr. MARTIN STEINTHAL feierte am 23. Oktober seinen neunzigsten Geburtstag. Derselbe gab im Jahre 1860 die Anregung zur Gründung eines medizinisch-pädagogischen Vereins in Berlin, welcher unter seiner ununterbrochenen Leitung allen Fragen der Schulhygiene seine Thätigkeit zugewendet und vielfach auch im Verkehr mit den Behörden des Staates und der Stadt die Aufmerksamkeit auf heilsame Einrichtungen und Verbesserungen für Gesundheitspflege gelenkt hat. Die wesentlichen Verhandlungen sind in einer Schrift von TOBLOWSKI unter dem Titel „Schulhygiene aus Anlaß der Hygiene-Ausstellung zu Berlin 1883" auszugsweise mitgeteilt worden.

Unser verehrter Mitarbeiter, Herr DR. PAGLIANI, Professor der Hygiene an der Universität Turin und Direktor des Gesundheitswesens im italienischen Ministerium des Innern, ist zum Direktor der mit dem Institute der experimentellen Hygiene verbundenen Fortbildungsschule für öffentliche Gesundheitspflege berufen worden.

DR. AMALIO JIMENO CABANAS wurde zum Professor der Hygiene in Madrid ernannt.

DR. DA ROCHA FARIA erhielt die Lehrkanzel für Hygiene und Geschichte der Medizin in Rio de Janeiro.

Professor DR. R. v. JAKSCH ist zum Primararzt des Anna-Kinderspitales in Graz gewählt worden.

DR. FERDINAND FRÜHWALD und DR. LUDWIG UNGER haben sich als Privatdozenten der Kinderheilkunde an der medizinischen Fakultät in Wien habilitiert.

Zur Erinnerung an den verstorbenen Vorsitzenden des Bonner Vereins für Körperpflege in Volk und Schule, Geheimrat Professor RÜHLE, werden seine Schüler eine Büste desselben in den Räumen der medizinischen Klinik zu Bonn aufstellen.

In Paris starb der bekannte Chefarzt einer der ältesten Blinden-anstalten Europas, des Hospice national des Quinze-Vingts, Dr. Fieuzal.

Am 23. August verschied in Prag der Assistent der pädiatrischen Poliklinik, Dr. Ferdinand Walter, im Alter von 26 Jahren.

Turnlehrer Gustav Arnold, einer der ersten Schüler Jahns in Frei-burg a. U., ist am 28. Juni d. J. in Naumburg a. S. gestorben.

Litteratur.

Besprechungen.

Dr. E. Gleitsmann, Königl. Kreisphysikus in Belzig. **Die ländlichen Volks-schulen des Kreises Zauch-Belzig in gesundheitlicher Beziehung.** Eine statistische Studie. Berlin, 1888. C. H. Müller (23 S. 4°).

Vorliegende fleifsige Arbeit ist veranlafst durch eine Verfügung der Königl. Regierung zu Potsdam, welche die Untersuchung der Schulen des Bezirkes in hygienischer Beziehung empfiehlt. Um nun die aus Dienstreisen des Medizinalbeamten dem Kreise erwachsenden Kosten zu vermeiden, hat Verfasser Fragebogen an die Lehrer der Landschulen seines Bezirkes verteilen lassen, welche von den einzelnen Lehrern unter Kontrolle der Schulinspektoren ausgefüllt worden sind. Das so gewonnene Material über die hygienischen Zustände der ländlichen Schulen des Kreises bildet den Gegenstand der statistischen Studie des Verfassers. Als Notbehelf ist dieser Weg gesundheitlicher Untersuchung der Schulen freilich nur anzusehen, weil gerade auf diesem Gebiete auch die genaueste Fassung der Fragen subjektiven Auffassungen bei der Beantwortung der-selben Raum gewährt. So wenig wie dem heilenden Arzt die sorgfältigste Beschreibung der Krankheitserscheinungen die eigene Untersuchung des Kranken zu ersetzen vermag, ebenso wenig darf der Hygieniker der eigenen Anschauung entraten. Der Verfasser teilt diese Auffassung, da er am Schlusse des Buches in These 19 die amtliche Besichtigung sämt-licher Schulen des Kreises durch den Physikus wünscht.

Aus dem mit zahlreichen Tabellen ausgestatteten Inhalt sei Fol-gendes hervorgehoben: Der erste Abschnitt, welcher über Einwohnerzahl der Schulgemeinden und Zahl der Schüler in den einzelnen Klassen handelt, weist nach, dafs 9 % der Klassen mehr als die zulässige Schüler-zahl besitzen, und dafs ausnahmsweise in 9 Klassen die Schülerzahl sogar über 100 steigt (während doch 80 hier die höchste zulässige Grenze bilden sollten. Ref.).

Es folgt ein Abschnitt über Lage der Schulgebäude, aus welchem hervorzugehen scheint, dafs Verfasser die südliche Himmelslage der Baulichkeiten bevorzugt. Die hygienischen Wünsche, welche die gesundheitlichen Vorzüge sonniger Lage der Schulstuben betonen, begegnen hier anderweitigen Bedehken, insofern die direkte Sonnenbestrahlung gelegentlich auf den Unterricht störend wirken kann. Überdies dürften gerade für die Wahl der Lage des Schulgebäudes örtliche Verhältnisse zuweilen unbedingt bestimmend sein. Besonders interessant sind weitere Abschnitte über Konstruktion der Schulgebäude, sowie über Lage, Größe und Einrichtung der Schulstuben. 22,5 % aller Schulzimmer sind mehr als 9 Meter lang, eines sogar 13,5 Meter! Tabellen geben das Verhältnis der Länge der Klassen zur Breite und ebenso die Größe der Bodenfläche und des Luftraums für den einzelnen Schüler an. Es folgen Abschnitte über Lage, Zahl, Form und Größe der Fenster, über Beschaffenheit der Fußböden, über Wände (auch die Decken nach Farbe und Stoff und besonders ihre Anordnung mit Bezug auf die Balkenlagerung hätten, weil für die Beleuchtung wichtig, hier zweckmäßig Erwähnung gefunden. Ref.), Heizvorrichtungen (über den Platz der Öfen in den Schulstuben fehlen Angaben. Ref.), Lüftungseinrichtungen, Bau der Schulbänke, welche hier, wie aller Orten, sich als besonders verbesserungsbedürftig erwiesen haben, über Spiel- und Turnplätze, Wasserversorgung und endlich über die Abtritte. Letzterer Abschnitt enthält die befremdende Thatsache, daß 9 Schulen des Kreises Zauch-Belzig, wovon 4 mit 61—80 Kindern, überhaupt keinen Abtritt besitzen, so daß die Schüler im günstigsten Falle auf Benutzung des Düngerhaufens angewiesen sind, und daß bei 4 % der Schulen gemeinschaftliche Abtritte für beide Geschlechter vorhanden sind. Zum Schluße gibt Verfasser in 19 Aufstellungen die wichtigsten Forderungen der Schulgesundheitspflege an. Mit Recht verlangt er in These 2 und 3, daß Schulgebäude, deren Schulstuben nur 2,80 m und darunter hoch sind, umgebaut, solche Schulhäuser aber, deren Klassen weniger als 2,60 m hoch sind, durch neue ersetzt werden (in These 2 ist statt 1,75 Quadratmeter „Kubikmeter" zu, lesen). Die in These 6 geforderte Erhöhung der linksseitigen Fenster bei unzureichender Beleuchtung begegnet erfahrungsgemäß in allen denjenigen Schulstuben Hindernissen, in denen die Balken auf der Fensterwand ruhen, anstatt mit dieser Wand parallel zu laufen. Thesis 16 endlich gestattet bei Umänderung mangelhafter Schultische den nach Ansicht der großen Mehrheit der Ärzte durchaus zu meidenden positiven Abstand zwischen Tisch und Bank. Bei dem vom Herrn Verfasser vorgeschlagenen festen positiven Abstand von 4 und 5 cm können die Kinder in dem Subsell nicht oder doch schwer stehen, bei größerer positiver Distanz aber beim Schreiben nicht richtig sitzen; deshalb lassen wir überall, auch in den Landschulen, die noch brauchbaren Schultische mit positiver Distanz durch Anfügen entsprechend breiter Bretter an den inneren Tischrand mittels Scharnieren in solche mit beweglicher Nulldistanz und bei den kleinsten Kindern mit 2—3 cm Minusdistanz (bei herabgelegter Klappe) umändern. Auch dürfte der vom Verfasser vorgeschlagene Ersatz der Lehne durch eine auf die Vorderseite des Schultisches geschraubte Leiste den gesundheitlichen Zwecken darum nicht genügen, weil die Lehrer öfters aus Rücksichten der Beaufsichtigung der Schüler die Schultische auseinander rücken lassen und dann die Kinder der Rückenstütze ganz entbehren würden. Überdies ist kein Grund ersichtlich, weshalb man diese Leiste nicht ebenso gut an jeder Bank durch einige senkrechte Ständer befestigen soll; die Kosten sind in beiden Fällen dieselben.

Diese kleinen Ausstellungen vermindern jedoch den Wert der sehr verdienstlichen Schrift in keiner Weise. Dieselbe verdient vielmehr neben der örtlichen eine weitergehende, allgemeinere Beachtung, insofern die hier aufgedeckten Mängel zur Zeit noch in vielen, ja den meisten Schulen des flachen Landes, wie der städtischen Gemeinwesen in bald gröfserem, bald geringerem Umfang angetroffen werden. Die Schulgesundheitspflege gehört zu den Gebieten, auf welchen nie genug gearbeitet, geschrieben und gesprochen werden kann, damit trotz des leidigen Kostenpunktes endlich das Notwendige und Ausführbare erreicht werde.

Kreisphysikus Dr. med. M. REIMANN in Neumünster.

Kjøbenhavns Kommuneskoler 1882—1887. Ved Foranstaltning af Kjøbenhavns Magistrat. [Kopenhagens Kommunalschulen 1882 bis 1887. Auf Veranstaltung des Kopenhagener Magistrats]. Kopenhagen, 1887. J. H. SCHULTZ. (12 S. Text u. 72 S. Pläne. 4°).

Dieses Werk enthält Pläne, Schnitt und Façaden nebst detaillierten Aufklärungen über die 6 neuesten öffentlichen Schulgebäude Kopenhagens und giebt in Verbindung mit der früher erschienenen Schrift: Kjøbenhavns Kommuneskoler 1846—1881 ausführliche und interessante Beiträge zur Beleuchtung der Rolle, welche die Gesundheitspflege in stets höherem Grade bei Aufführung dieser im ganzen 21 Gebäude gespielt hat. Beachtet man bei den einzelnen Bauprojekten das Jahr, in welchem sie ausgeführt wurden, so sieht man, dafs erst nach 1878 die hygienischen Fortschritte allseitig benutzt worden sind. Erst nach diesem Zeitpunkte beginnt man Rücksicht, und zwar in gesteigertem Mafse bei jedem neuen Schulgebäude, auf die Erfahrungen, welche andre Kulturländer in Bezug auf die beste Einrichtung solcher Gebäude gemacht haben, zu nehmen. Indem man in dieser Weise sich nicht auf selbständige, häufig kostbare Experimente einliefs, hat die Kopenhagener Kommune den Vorteil gehabt, das Lehrgeld zu ersparen, das manche andre Grofsstadt hat zahlen müssen, und ist dennoch nach und nach so weit gekommen, dafs die in den letzten Jahren aufgeführten Gebäude, namentlich die in dem vorliegenden Werke beschriebenen, in allem Wesentlichen den Forderungen der Gesundheitspflege genügen.

Bei dem Studium dieses Werkes wird man sehen, dafs mit Ausnahme der Schule in der Oehlenschlägerstraße, wo alle Klassen um ein zentral belegenes, durch die ganze Höhe des Hauses sich erstreckendes Vestibül mit umlaufenden Korridoren gruppiert sind, alle übrigen Schulen in der Hauptsache nach demselben Plane mit 18, respektive 20 Klassenzimmern aufgeführt sind. Der Grundriß ist in der Regel ein längliches Parallelogramm, mit Zimmern an beiden Langseiten, und zwar befinden sich teils 6, teils 8 Klassen in jeder Etage. Das Gebäude ist vermittelst einer Querwand in zwei symmetrische Hälften für Knaben und Mädchen geteilt und besitzt zwei Treppen, eine an jedem Endflügel. Diese Treppen sind sehr hell und geräumig, ungefähr 1,6 Meter breit zwischen den Wangen; die Stufen an einigen Stellen von gehauenen Steinen, an andern von Tannenholz (pitch pine), die Geländer überall so konstruiert, daß die Kinder nicht daran herunterrutschen können, und auf allen Ruhestellen findet man Waschkummen und Trinkschalen. Die Klassen sind um die Treppen herum angeordnet, so daß Korridore überflüssig sind; in den neusten Schulen ist in Verbindung mit jeder Klasse ein helles und gut ventiliertes Garderobenzimmer mit circa 7 Quadratmeter Bodenfläche angebracht. Jedes Klassenzimmer wird im Durchschnitt von ungefähr 35 Kindern benutzt, hat 43 bis 45 Quadratmeter Bodenfläche und circa 3,75 Meter Etagenhöhe. Es besitzt sehr große Fenster in der einen Längswand, deren Einteilung in einer der neuen Schulen nicht absolut vorteilhaft ist. Während nämlich die meisten Klassenzimmer sehr breite Fenster haben, in einer Schule sogar so breit, daß das Fenster die ganze Vorderwand der Klasse einnimmt, hat man in neuester Zeit wieder angefangen, eine größere Anzahl schmaler Fenster mit mehreren Pfeilern anzulegen. Durch diese Einrichtung wird das Licht in der Klasse nicht so ruhig und gleichmäßig und demnach nicht so wohlthuend für die Augen der Kinder. In allen Schulzimmern findet man Subsellien mit Null-Distanz. Die Klassen werden in den neusten Schulen durch Central-Warmluft-Apparate geheizt, in einer durch Dampfleitungen (BECHEM und POSTS System) und im Sommer mit Hilfe besonderer Gasmotoren ventiliert.

Bei der künstlichen Beleuchtung finden große ARGANDsche Gaslampen Verwendung, 2 in jeder Klasse, deren Verbrennungsprodukte durch besondere Schornsteine fortgeleitet werden.

Vom pädagogischen Gesichtspunkte aus kann es vielleicht empfohlen werden, ist jedoch in hygienischer Beziehung durchaus verwerflich, daß die Wohnungen der Schulleiter und Schulleiterinnen in dem Hauptgebäude selbst angelegt werden, sei es nun parterre oder in der obersten Etage.

In allen Kellern der in jüngster Zeit erbauten Schulen befinden sich große Lokale für den Handfertigkeits-Unterricht und in den Freischulen außerdem Räumlichkeiten für die Speisung der Kinder während der Wintermonate und für die hierzu nötige Zubereitung des Essens.

Hier werden wahrscheinlich auch die projektierten Badezimmer mit temperierten Sturzbädern angelegt werden, da man stark darauf bedacht ist, jedem Kinde die Wohlthat eines Bades zu verschaffen. Da die Kellerräume in dieser Weise sehr vorteilhaft benutzt werden können, so ist es zu bedauern, daſs einzelne der zur Anwendung gekommenen Heizapparate derart konstruiert sind, daſs sie einen bedeutenden Raum in den Kellern einnehmen, obgleich es bei passender Konstruktion möglich ist, wie z. B. in dem abgebildeten Gebäude in der Öhlenschlägerstraſse, in hohem Grade den Platz, den der Apparat erfordert, zu beschränken.

Die Turnhalle ist überall in einem besonders erwärmten und ventilierten Gebäude mit ungefähr 150—160 Quadratmeter Bodenfläche und 5—5¹/₂ Meter Höhe angelegt. Die Spielplätze sind sämtlich sehr geräumig, teilweise mit schattigen Bäumen bepflanzt und mit einer Planke umzäunt, auf welcher ein Halbdach ruht. Unter diesem Dache befinden sich Sitzplätze, wo die Kinder bei ungünstiger Witterung spielen. Als einen groſsen Vorzug der Spielplätze der Kopenhagener Schulen sehe ich deren Bepflasterung mit Teerbeton an, einem Materiale, das durch seine zähe und doch zugleich weiche Konsistenz, seine Haltbarkeit und seine Wohlfeilheit sich ganz besonders zu diesem Zwecke eignet, besser als Makadamisierung, ja selbst als gewöhnliche Asphaltpflasterung, die leicht glatt und hart wird.

In allen Kopenhagener Kommunalschulen sind die Abtritte freiliegende Gebäude, nach dem hier gebräuchlichen primitiven Tonnensystem eingerichtet, im übrigen sehr reinlich und hell und mit Thüren und Fenstern versehen, die eine wirksame Beaufsichtigung gestatten. Ihre Anlage ist derart, daſs auch die Kinder, die während des Unterrichts sich hier befinden, stets der Kontrolle des Lehrers unterworfen sind.

Die vorliegenden geometrischen Façadenzeichnungen geben keine genügende Vorstellung von dem Äuſsern der Gebäude, photographische Kopien würden dazu geeigneter sein. Fast alle Schulhäuser sind von roten Ziegelsteinen mit glacierten Ornamenten in ruhigen, groſsen Formen aufgeführt und gut als Schulgebäude charakterisiert, indem der Architekt sowohl die langweilige Trivialität, als auch die pompösen Palaisformen vermieden hat.

Das vorliegende Werk verdient die Aufmerksamkeit der Fachmänner und gereicht der Kopenhagener Kommune zur Ehre, indem es Zeugnis von einem steten hygienischen Fortschritte und dem ernsten Bestreben ablegt, unter steter Berücksichtigung der Ausgaben der Kommune die sanitären Verhältnisse der öffentlichen Schulen auf gleiche Höhe mit den besten der übrigen Kulturländer zu bringen.

Architekt Fr. L. Levy in Kopenhagen.

456

I. WASSERFUHR, Dr. med. **Die ärztliche Überwachung der Schulen.**
— II. SCHOLZ, Dr. med. **Über die ärztliche Beaufsichtigung der
Schule.** I. Band, 1. Heft der „Sammlung pädagogischer Vorträge",
herausgegeben von WILHELM MEYER-MARKAU. Bielefeld und Leipzig.
1888. VELHAGEN & KLASING. (20 S. 8°.)

WASSERFUHRS Aufsatz ist ein Wieder-Abdruck des vom Autor für
den VI. internationalen Kongreſs für Hygiene und Demographie, Wien
1887 gelieferten Berichtes.[1]

SCHOLZ gibt die konventionelle Einleitung über gesundheitliche Gefahren des Schullebens nebst einigen Worten über bestehende schulärztliche Einrichtungen und schlieſst mit seiner Ansicht über hygienische
Beaufsichtigung der Schulen und 3 Thesen. — Der Satz, „daſs unsere
modernen Schulbauten ... in hygienischer Beziehung nichts zu wünschen
übrig lassen", ist eine Meinung des Herrn Autors, welche durch Untersuchungen neuer Schulbauten leider nicht hinlänglich bestätigt wird
(s. AXEL KEYS groſses Werk, Kap. IX). — Das Raisonnement des Herrn
Autors gipfelt in folgenden aufmerksam zu lesenden, leider nicht gesperrt
gedruckten Sätzen: „Gelegentliche und nicht zu seltene[2] ärztliche Revisionen müssen ja natürlich stattfinden. Dieselben sind aber ganz gut von
den schon bestehenden staatlichen und kommunalen Organen (in Preuſsen
den Kreisphysikern oder Stadtphysikern, in Bremen dem Gesundheitsrat)
zu besorgen. Einen besonderen Arzt ständig damit zu beauftragen, in
der Weise etwa, daſs er monatlich oder gar zweimal wöchentlich die
Schulräume betritt, halte ich für überflüssig" (S. 17). „Als technischer
Beirat sollte allerdings allen Schulaufsichtsbehörden (z. B. in Preuſsen
den Provinzialschulkollegien, in Bremen dem Scholarchat) ein Arzt zu-
geordnet sein" (S. 18). — Die Thesen lauten: 1. Eine hygienische
Beaufsichtigung der Schule ist notwendig. 2. Zur hygienischen Beaufsichtigung der Schule sind besondere Schulärzte nicht erforderlich. 3. Eine methodische Ausbildung
der Lehrer in der Gesundheitspflege ist notwendig.

Die 3. These ist gewiſs sehr nützlich; bei genügender hygienischer
Vorbildung der Lehrerschaft würde der Widerstand gegen den „Schularzt",
der leider den deutschen Lehrern sehr unsympathisch geworden ist, weil
sie sich, da man immer von der „inspection médicale" spricht, unter ihm
einen sie selbst kontrollierenden „Inspektor" vorzustellen pflegen, von
selbst fallen und damit würde auch der „besondere Schularzt" des Herrn
Autors annehmbar. Referent hofft die Zeit zu finden, sich über die Ziele
der ärztlichen Mitarbeit an Schulen einmal ausführlicher auszusprechen

Professor Dr. L. BURGERSTEIN in Wien.

---

[1] S. diese Zeitschr., I. Jahrg. 1888, S. 36—37. Ref.
[2] Das heiſst? Ref.

Verlag von **Leopold Voss** in Hamburg (und Leipzig).
Druck der Verlagsanstalt u. Druckerei Actien-Gesellschaft (vorm. J.F. Richter), Hamburg.

Zeitschrift für Schulgesundheitspflege.

I. Jahrgang.   **1888.**   **No. 12.**

Original-Abhandlungen.

Tageslichtmessungen in Berliner Schulen.
Von
C. Huth,
Lehrer an der 52. Gemeindeschule in Berlin.

Es ist eine allbekannte Thatsache, daſs wir das Auge einer Schrift um so mehr nähern müssen, je weniger diese beleuchtet ist. Der lesende und schreibende Schüler wird daher bei mangelhafter Beleuchtung seines Platzes erstens eine seiner Gesundheit nicht zuträgliche Haltung des Körpers einnehmen und zweitens die Akkommodation seines Auges über das gewöhnliche Maſs hinaus anstrengen müssen. Dadurch wird einerseits der Schiefwuchs der Kinder begünstigt und anderseits der Entstehung und Zunahme der Kurzsichtigkeit Vorschub geleistet. Ein gutes Licht in den Schulen ist daher von gröſster Wichtigkeit. Von allen Gebieten, welche die Schulgesundheitspflege betreffen, ist das angedeutete auch am meisten und am gründlichsten bearbeitet worden, besonders, wie bekannt, vom Professor H. Cohn in Breslau. Schon seit vielen Jahren ist das Bedürfnis vorhanden gewesen, die Helligkeit der einzelnen Schulzimmer und Plätze genau festzustellen, um sie miteinander vergleichen zu können. Die Mittel und Wege aber, durch welche dies erreicht wurde, waren sehr unsicher und unvollkommen und daher die Resultate nicht zuverlässig. Erst in neuerer Zeit ist es möglich geworden, mittelst des sinnreichen Photometers von Leonhard Weber in Breslau die Helligkeit jedes Platzes, ähnlich wie die Wärme jedes Raumes, ziffermäſsig festzustellen. Die ausgedehntesten Versuche mit diesem Apparat sind vom Professor Cohn gemacht

und veröffentlicht worden. Nun ist es vielleicht nicht unin-
teressant, auch die Helligkeitsverhältnisse Berliner Schulen
kennen zu lernen. Auf Anregung der städtischen Verwaltung habe ich daher solche Untersuchungen in einigen der
dortigen Gemeindeschulen vorgenommen, welche nachstehende
Resultate geliefert haben.

Die Zahlen geben an, wie stark eine auf dem Schultisch
liegende mattweiße Tafel beleuchtet ist, d. h. sie bezeichnen
die Zahl der Normalkerzen, welche man in 1 m Entfernung
senkrecht zur Tafel aufstellen müßte, damit dieselbe ebenso
stark beleuchtet würde, wie dies augenblicklich von dem diffusen
Tageslichte geschieht. Da sich das bläuliche Tageslicht nicht direkt
mit dem rötlichen Licht der Normalkerze vergleichen läßt, so
muß man durch eine rote Glasscheibe die Untersuchungen
vornehmen. Hierdurch gelangt man aber zu Zahlen, die noch
mit einem Faktor, der etwa 3 beträgt, zu multiplizieren sind,
wenn sie das physiologische Äquivalent in Normalkerzen aus-
drücken sollen. Dieser Faktor ist leider noch nicht ganz sicher
bestimmt worden. Da derselbe aber für alle Grade der Helligkeit des Tageslichtes gleich ist, so ist es kein Fehler, nur die
durch die rote Glasplatte gefundenen Werte miteinander zu
vergleichen, wie es hier geschieht. (S. Tabelle S. 459.)

Schon ein flüchtiger Blick auf diese Zahlen lehrt, daß das
Licht vom Fenster aus sehr schnell abnimmt. Besonders ist
dies in den Zimmern der Fall, die im Erdgeschoß liegen und
in deren nächster Umgebung hohe Gebäude vorhanden sind.
Das Licht sinkt in diesem Falle bei trübem Wetter in einer
Entfernung von 6—7 m unter 1 Kerze.[1] Die hier untersuchten
Schulen liegen ziemlich frei, und trotzdem beträgt das Licht
des dunkelsten Platzes in dem parterre gelegenen Zimmer
der 23., respektive 130. Gemeindeschule im Durchschnitt nur den
30. Teil der Lichtmenge, welche noch am Fenster vorhanden ist.

---

[1] Betrachten wir die Helligkeit eines Schulzimmers mit bloßem
Auge, so erscheint uns eine solche Abnahme des Lichtes unglaublich.
Subjektiv können wir also den Helligkeitsgrad auch nicht annähernd
richtig beurteilen. Ziehen wir in Erwägung, daß sich die Pupille im

Schule	Monat der Untersuchung	Lage der Klasse	Entfernung vom Fenster	Stunde der Untersuchung	Zahl der Kerzen trübe bis weiss bewölkt	heiter	Stunde der Untersuchung	Zahl der Kerzen trübe bis weiss bewölkt	heiter
23. Gemeindeschule	Mai.	Parterre; 3 Fenster nach SW.	1 m	7—8	354—420	196—481	11—12	376—1276	499—887
			5 "	"	25—46	27—40	"	31—157	82—105
			7 "	"	5—16	15—17	"	5—26	32—40
		1 Treppe hoch; 3 Fenster nach NO.	1 "	"	465—817	626	"	429—985	162—283
			3 "	"	144—276	239—320	"	164—407	101—210
			4 "	"	71—148	98—155	"	98—186	65—118
		2 Treppen hoch; 3 Fenster nach SW.	1 "	"	276—555	478	"	427—1346	712—964
			3 "	"	150—152	202	"	288—488	217—340
			4 "	"	84—97	83	"	124—311	136—210
130. Gemeindeschule	Mai.	Parterre; 3 zusammenhängende Fenster nach NO.	1 "	"	255—506	517	"	862—919	449
			4 "	"	31—89	106	"	118—144	98
			5½ "	"	9—23	61	"	28—29	49
		1 Treppe hoch; 3 zusammenhängende Fenster nach SW.	1 "	"	275—555	359	"	960—1002	1443
			4 "	"	84—208	126	"	325—374	340
			6 "	"	32—80	78	"	135—160	189
		3 Treppen hoch; 3 zusammenhängende Fenster nach SW.	1 "	"	545—555	340	"	705—1066	1550
			4 "	"	123—144	139	"	315—359	400
			6 "	"	64—78	97	"	133—150	198
67. Gemeindeschule	Juni.	Parterre; 2 Fenster nach W.	1 "	"	407—784	176	"	360—898	498
			4 "	"	66—127	70	"	56—191	128
			6 "	"	31—59	43	"	85—128	77
		2 Treppen hoch; 2 Fenster nach W.	1 "	"	489—566	207	"	441—1160	636
			4½ "	"	80—140	88	"	38—167	113
			6½ "	"	38—60	41	"	15—67	74
		3 Treppen hoch; 4 schmale Fenster nach W.	1 "	"	302—365	119	"	181—434	442
			4 "	"	116—190	98	"	38—201	215
			6 "	"	51—126	63	"	20—157	151

Der Hauptgrund dieser Abnahme liegt darin, dafs die
Plätze, welche vom Fenster sehr weit entfernt sind, wenig oder
gar kein Himmelslicht erhalten, so dafs sie nur von dem durch
die Häuser und Wände reflektierten Lichte beleuchtet werden.

Schon hieraus geht mit Sicherheit hervor, dafs die Klassen
welche in einem mit Gebäuden umgebenen Schulhause parterre
liegen, ein mangelhaftes, die sogenannten Tiefklassen aber ein
ganz ungenügendes Licht haben müssen. Daher sollten Räume
dieser Art nicht als Klassenzimmer Verwendung finden.

In den höheren Etagen findet eine so bedeutende Abnahme
des Lichtes nicht statt, weil dort das Himmelslicht nicht mehr
ganz durch die davorstehenden Häuser verdeckt werden kann,

Die gleichmäfsigste Verteilung des Lichtes ist in der 67.
Gemeindeschule vorhanden. Dort beträgt dasselbe 3 Treppen
hoch in 6 m Entfernung vom Fenster im grofsen und
ganzen noch den dritten Teil der Lichtmenge, die an diesem
gefunden wurde. Diese Erscheinung rührt von der Konstruktion der Fenster her. Die ersten Plätze werden nämlich
nur von einem Fenster beleuchtet, weil die andern ziemlich
schmalen Fenster durch die dazwischen liegenden Pfeiler vollständig verdeckt sind. Dagegen erhalten die letzten Plätze
von 4 Fenstern Licht. Es ist also möglich, Fenster, respektive Einrichtungen zu schaffen, die eine ziemlich gleichmäfsige
Lichtverteilung in den Zimmern bewirken. Freilich kann das
Licht auf den dunkelsten Plätzen dadurch nicht vermehrt,
aber die Helligkeit am Fenster bedeutend geschwächt werden,
ohne den letzten Plätzen dadurch Abbruch zu thun. Dies
wäre insofern von Vorteil, als ein zu grelles Licht auf uns
ebenso unbehaglich und schädlich wirkt, wie ein zu schwaches.

Dunklen, ohne dafs wir es wollen und merken, bedeutend erweitert, so
erklärt sich diese Erscheinung sehr leicht. Die Erweiterung der Pupille
gestattet nämlich einer bedeutend gröfseren Menge Licht den Eintritt
in unser Auge, wodurch der Reiz der Netzhaut verstärkt wird und bei
schwächerer Beleuchtung eine verhältnismäfsig geringe Abnahme erleidet.

Weitere Ausführungen und Versuche über diese Thatsache behalte ich
mir vor, weil dieselben hier zu sehr von unsrem Thema ablenken würden.

Ferner mufs es auffallen, dafs bei bedecktem Himmel, ja selbst bei sogenanntem trüben Wetter, die Helligkeit eine gröfsere ist, als bei heiterem, wolkenlosem. Diese Erscheinung erklärt sich aber sehr einfach durch die reflektierende Kraft (Albedo) des Himmelsstückes, welches den Platz beleuchtet. Nach ZÖLLNER beträgt die Albedo des Schnees 0,78, die der schwarzgrauen Ackererde 0,079. Auch die Albedo des Himmels mufs in diesen Grenzen schwanken, da derselbe blendend weifs bis schwarzgrau sein kann. Bedenkt man noch dazu, dafs die Lichtquelle, die Sonne, bald mehr, bald weniger verdeckt ist, so liegt auf der Hand, dafs das diffuse Tageslicht schnellen und sehr bedeutenden Schwankungen ausgesetzt sein mufs. Wenn trotzdem ein Helligkeitswechsel bei heiterem Himmel für die beiden letzten Schulen nicht angegeben ist, so rührt dies daher, dafs in denselben nur einmal bei möglichst heiterem Wetter gemessen wurde.

Dafs die Zimmer, welche nach NO liegen, morgens heller sind, als die nach SW, während es des Mittags umgekehrt ist, dafs ferner Südzimmer mehr Licht haben als Nordzimmer, bedarf kaum der Erwähnung.

Von besonderer Wichtigkeit ist noch die Frage: Wie viel Licht ist auch für den dunkelsten Platz bei trübem Wetter erforderlich?

In der hiesigen Handwerkerschule, in welcher der Beleuchtungswert zuerst 18—19 Normalkerzen betrug, wurden stets Klagen über zu schlechtes Licht geführt. Dieselben verstummten erst, als die Lichtstärke bis über 20 Normalkerzen erhöht wurde. In allen Klassen, in denen das Licht unter 25—30 Normalkerzen sinkt (dies entspricht nach dem oben Bemerkten einem Werte von 10 Normalkerzen, wenn man mit dem WEBERschen Photometer mifst), wird ebenfalls über zu mangelhafte Beleuchtung geklagt. Schon hiernach müfste man 25—30 Normalkerzen als das Minimum der zum Lesen und Schreiben erforderlichen Helligkeit ansehen.

Zu dem gleichen Resultate kam auch Professor COHN durch seine eingehenden Untersuchungen. Er stellte nämlich fest, daſs Kinder mit vorzüglicher Sehschärfe nur noch bei einer Helligkeit von 10 Normalkerzen, mit dem WEBERschen Photometer gemessen, in Wirklichkeit also bei 30 Normalkerzen, ohne besondere Anstrengung der Augen in der richtigen Entfernung zu lesen im stande sind. Daher ist eine Lichtstärke von 30 Normalkerzen als das Minimum für den dunkelsten Platz zu betrachten.

Die oben mitgeteilten Tabellen beweisen also, daſs die in Bezug auf Klassenhelligkeit untersuchten Schulen mit Ausnahme weniger Plätze der 23. Gemeindeschule den' heutigen Anforderungen der Hygiene genügen. Wie weit dies auch bei andern Schulen Berlins der Fall ist, werden weitere Untersuchungen lehren müssen.

Militärische Gymnastik in den Mittelschulen.

Von

OTTO SIGL,

Hauptmann a. D. in München.

Alle maſsgebenden Faktoren stimmen darin überein, daſs den gesundheitlichen Nachteilen der Studien in den Entwicklungsjahren — neben sonstiger hygienischer Fürsorge — auch durch umfassendere körperliche Ausbildung begegnet werden müsse. Die meisten Stimmen erheben sich für häufigeres Turnen, Freiübungen, Turnspiele u. dgl. Hier knüpft unser Vorschlag an. Die überaus günstigen Wirkungen des Turnens auf die gesamte Entwicklung des Körpers sind unbestritten. In der Regel werden jedoch für Turnen nur ein paar Stunden wöchentlich angesetzt und noch dazu an gröſseren Studienanstalten mitunter zwei Klassen zugleich vorgenommen. Bei erheblicher Anzahl der Schüler findet aber in Rücksicht auf gewissenhafte Überwachung immer nur ein Teil derselben an den Gerüsten Beschäftigung. Es leuchtet ein, daſs Turnen allein in so beschränktem Maſse dem mehr oder minder häufig vorkommenden Schulübel nicht steuern kann.

Unter letzterem — soweit es für unsere Zwecke in Betracht kommt — verstehen wir die verkrümmte oder schiefe Haltung, welche die Entfaltung der innern Organe hindert, ferner Nervosität, in gewissem Sinne auch nachgebende Lässigkeit in Gang und Geberden, wie im gesamten Thun.

Als wirksames Heilmittel für solche in ihren Folgen tief bedauerlichen Erscheinungen stellen sich nach unserer Überzeugung militärische, gründlich durchgeführte Übungen dar.

Im gegenwärtigen Fall kann nur von dem elementaren Exerzieren ohne Gewehr und von den Freiübungen die Rede sein. Jedermann hat Gelegenheit, den günstigen Einfluſs auf physisches Befinden und Haltung zu beobachten, welchen schon die ersten militärischen Wochen auf den einjährig Freiwilligen ausüben. Wir verweisen ferner auf die deutschen Kadetten-Korps. Dieselben liefern den vollgültigen Beweis, daſs bei rationellem Wechsel zwischen geistiger und körperlicher Schulung, sowie bei genügender Erholung den Zöglingen das kostbarste Gut, die Gesundheit, gewahrt werden kann. Auch in den Grenzen des an den übrigen Studienanstalten Möglichen würden nach Einführung der militärischen Übungen unzweifelhaft erfreuliche Resultate zu Tage treten. Es sei hier gleich festgestellt, daſs die Exerzitien zunächst nicht der Vorbildung für die Wehrpflicht, sondern in erster Linie hygienischen Absichten dienen sollen. Richtige Stellung, Wendungen, Marschieren u. s. w. im Rahmen der Anforderungen an eine Rekrutensektion, sowie Frei- und Laufübungen genügen hierzu.

Nicht genug ist aber zu betonen, daſs dieses Wenige nach den Vorschriften der Armee streng korrekt, doch ohne Überanstrengung gefordert werde.

Lohnender Erfolg wäre der militärischen Gymnastik gesichert, wenn sie, wenigstens in der günstigen Jahreszeit, täglich oder doch an den turnfreien Tagen von allen Schülern geübt würde, wobei jede Klasse eine Übungsabteilung zu bilden hätte. Die tägliche Übung müſste zum mindesten eine volle halbe Stunde währen. Ein Mehr wäre zwar für das körperliche Gedeihen höchst wünschenswert, aber in Rücksicht auf zu grofse Ermüdung, welche die Aufmerksamkeit während der Lehrstunden beeinträchtigt, nicht allzeit durchführbar. Dagegen könnten jene Klassen, welche an einem freien Nachmittag oder am Schlufs des nachmittägigen Unterrichts die Tour zur militärischen Gymnastik trifft, unbeschadet eine ganze Stunde hierfür verwenden.

Wenn es irgend die Witterung erlaubt, sollten die Exerzitien im Freien stattfinden, und es müfsten dieselben wegen der unumgänglichen lauten Kommandos aufserhalb der übrigen Unterrichtsstunden fallen. Um Eintönigkeit zu vermeiden und den Eifer reger zu erhalten, könnten die zwei oder drei letzten Klassen vereinigt im Trupp (Zug) ohne Gewehr exerzieren. Sehr zu empfehlen wären noch für alle Schüler die sogenannten Raillier- übungen, weil sie Findigkeit und Gewandtheit fördern. Unter Raillieren versteht man Herstellung der Ordnung einer aufge- lösten Truppe auf kürzestem Wege oder Übergang aus einer Formation in die andre. Durch die Übertragung der Frei- und Laufübungen an die militärische Gymnastik würde sich schliefslich noch der Vorteil ergeben, dafs mehr Zeit für das Gerüstturnen gewonnen würde.

Wir sehen voraus, dafs unsere Vorschläge manchen Ein- würfen begegnen werden, die sich besonders auf die Fragen 1) der Zeit, 2) des Raumes und 3) der Lehrkräfte stützen. Da wir keine gymnastischen Luftschlösser bauen, sondern nur Mögliches anstreben wollen, so versuchen wir etwaigen Ein- wänden zuvorzukommen und anzudeuten, inwieweit denselben Rechnung zu tragen wäre.

Was die erste Frage anbelangt, wünschten wir vor allem, dafs innerhalb des Studienplanes Raum für die von uns an- geregten Übungen geschaffen würde. Selbst wenn dies nicht erreichbar, muten wir dennoch den Schülern das für ihr leib- liches Wohl nicht zu grofse Opfer zu, aufser den wissenschaft- lichen Lektionen etliche halbe Stunden, mitunter auch eine ganze, der militärischen Gymnastik zu widmen. Es könnte den Anschein haben, als ob unser Vorschlag der mehrfach be- stehenden Überbürdung noch eine weitere hinzufüge, während wir im Gegenteil der Schädigung durch das viele Schul- und Zuhausesitzen in etwas abhelfen wollen.

Für die Exerzitien würde die Zeit vor und nach dem vormittägigen, sowie nach dem nachmittägigen Unterricht, desgleichen — wenn es nicht anders möglich — die gröfstenteils freien Mittwoch- und Sonnabendnachmittage zur Verfügung stehen. Am Schlufs des vormittägigen Unterrichts könnten, der so nötigen Mittagspause wegen, die Übungen selbstverständlich nur dann stattfinden, wenn derselbe schon um elf Uhr oder früher abschliefst. Der in Rücksicht auf Zeiteinteilung, verfügbare Räume und Lehrkräfte nicht immer zu umgehende Ausweg, auch die Nachmittage des Mittwoch und Sonnabend beizuziehen, wird uns den Vorwurf eintragen: „Wann sollen denn unsere Knaben sich erholen, wann spazieren gehen, wenn ihnen die paar freien Nachmittage auch noch geschmälert sind?"

Darauf dürfen wir getrost antworten: „Die in strammen Exerzitien und Freiübungen verbrachte ganze oder auch nur halbe Stunde wird Euern Kindern zuträglicher sein, als ein Schlenderspaziergang von doppelter Dauer." Zu ergiebigen Spaziergängen erübrigt den Schülern der höheren Klassen, wenn sie ihre Hausaufgaben gewissenhaft erledigen, ohnedem wenig Zeit. Eben darum erscheint das militärische Exerzitium noch am meisten geeignet, der Qualität nach das zu ersetzen, was leider der körperlichen Bewegung an Zeit-Quantum versagt ist. Im übrigen läfst sich die Einteilung gewifs derart treffen, dafs einer der beiden Nachmittage völlig freibleibt.

Die zweite Frage, die des Raumes, wird, da zunächst nur die wärmere Jahreszeit in Betracht gezogen ist, an den Studienanstalten, bei welchen sich Höfe befinden, leicht zu erledigen sein. In letzteren könnten mehrere Klassen neben einander üben. An den Anstalten, bei denen Höfe nicht vorhanden, würde die Frage schwieriger sein, aber hoffentlich trotzdem durch Entgegenkommen der betreffenden Behörden in befriedigender Weise gelöst werden können. Bei ungünstiger Witterung wären Turnsäle oder sonstige gröfsere Lokale, sowie Korridors in Benutzung zu nehmen. So wünschenswert es erschiene, die Exerzitien auch während der Wintermonate vorzunehmen, möchten wir dies im Hinblick auf das zarte Alter der Übenden doch nur insoweit befürworten, als heizbare gröfsere Räume zur Verfügung ständen.

Den meisten Bedenken mag der dritte Punkt, das Lehrpersonal betreffend, begegnen, um so mehr, als unbedingt die leidige Finanzfrage ins Spiel kommt. Versuchen wir auch hier das Erreichbare anzuregen. An manchen Studienanstalten finden sich unter den Lehrern Reserve- oder Landwehroffiziere, welche imstande wären, die genannten Übungen zu leiten. Da aber solche Lehrer nicht immer in hinreichender Anzahl zur Verfügung stehen, so würden sich wohl jüngere Offiziere aufser Dienst, deren Gesundheit es gestattet, zu dieser Thätigkeit bereit erklären. Wenn der Bedarf an militärischen Instruktoren auch auf diese Weise sich nicht decken liefse, könnten gediente, selbstverständlich hierfür sorgfältig ausgewählte Unteroffiziere in Aussicht genommen werden. Um nicht zu viel Lehrpersonal nötig zu haben, lasse man unter einem Lehrer zwei Klassen in der Art neben einander üben, dafs immer die eine ruht, während die andere in Aktion tritt. Auf diese Art würde an isolierten Lateinschulen ein Lehrer für militärische Gymnastik genügen, an kleineren Gymnasien wären zwei und an solchen von besonderer Frequenz drei erforderlich. In jedem Fall würden sich die Kosten nicht so hoch belaufen, dafs sie dem unzweifelhaften Nutzen der Exerzitien gegenüber in Betracht kämen. Unsere Zeit mit ihren steigenden Ansprüchen an jede Berufsthätigkeit erheischt nicht nur unterrichtete, sondern auch gesunde Männer. Jede für die Gesundheit der studierenden Jugend verwendete Summe erscheint als reichlich lohnendes, zum Wohl von Generationen angelegtes Kapital.

Selbst dann, wenn die für militärische Gymnastik nötigen Mittel oder die hierzu geforderte Zeit nur in beschränktem Mafse zugestanden würden, liefse sich noch Erspriefsliches leisten. Für diesen Notfall jedoch möchten wir lieber auf ein paar Übungstage verzichten, als etwa zwei oder gar mehrere

Klassen in einer Übungsabteilung vereinigt wissen. Vor allem bleibt festzuhalten, daß die militärischen Exerzitien nur dann den beabsichtigten Erfolg zu äußern vermögen, wenn sie mit Anspannung der Kräfte und mit strengster Genauigkeit von jedem Einzelnen ausgeführt werden. Eine sorgfältige Überwachung in diesem Sinne ist aber nur bei mäßiger Schülerzahl möglich.

Wenn an stark besuchten Mittelschulen das Lehrpersonal für militärische Übungen zu sehr belastet wäre, würde es sich noch als Auskunft empfehlen, dieselben erst auf einer oberen Stufe, z. B. an den bayerischen Gymnasien bei der vierten Lateinklasse beginnen zu lassen. Es ist dies die Periode, in welcher zufolge angestrengteren Studiums und lebhafteren Wachstums der Knaben besonders leicht Schulkrankheiten entstehen, und von diesem Zeitpunkt an tritt deshalb die Notwendigkeit einer die Gesundheit kräftigenden Gegenwirkung unabweisbar zu Tage. Wir geben uns jedoch der Hoffnung hin, daß unsere Vorschläge, wenn sie fruchtbaren Boden finden, nicht nur auf der Grundlage von Notbehelfen, sondern in vollem Umfange ins Leben treten.

Als Anhang der bisherigen Ausführungen möchten wir noch darauf hinweisen, daß neben den hygienischen Vorteilen der Exerzitien ungesucht noch ein weiterer sich ergibt: Es ist dies die nicht zu unterschätzende körperliche Vorbildung des Jünglings für die Wehrpflicht. Gerade die Übungen, welche wir an den Mittelschulen nicht ohne Grund so genau nach militärischem Reglement ausgeführt wünschen, sind diejenigen, welche dem jungen Soldaten die größten Schwierigkeiten bereiten. Sie bilden gleichsam das Abc des Rekruten, nach dessen Überwindung er erst Herr seiner Gliedmaßen und zu weiteren Leistungen befähigt wird.

Wie sehr würde es dem einjährig Freiwilligen oder anderweitig zur Wehrpflicht Berufenen zu gute kommen, wenn er dieses Abc, welches er etwa im zwanzigsten Jahre mühsam sich aneignen muß, mit Leichtigkeit in den Knaben- und ersten Jünglingsjahren erlernt und fortgeübt hätte!

In logischer Folgerung würde sich aus dem eben Gesagten die Notwendigkeit ergeben, die militärischen Übungen auch auf die obersten Klassen der Volksschulen u. s. w. auszudehnen. Ein weiteres Eingehen auf diese ernster Beachtung werte Frage würde jedoch außer dem Rahmen gegenwärtiger Vorschläge liegen. Diese gipfeln — nochmals sei es betont — in erster Linie in dem Wunsche, den bedauerlichen Schulkrankheiten vieler studierender Knaben nach Möglichkeit vorzubeugen.

Sorgen wir, soweit es an uns liegt, dafür, daß unsre Söhne nicht schon als Invaliden in den schweren Kampf ums Dasein treten!

Schulhygienisches von der nordischen Ausstellung in Kopenhagen.

Von

AXEL HERTEL,
kommunaler Kreisarzt in Kopenhagen.

Die vor kurzem geschlossene Ausstellung in Kopenhagen war hauptsächlich eine kunstindustrielle und landwirtschaftliche. Doch fand sich auch eine recht bedeutende hygienische, sowie eine Schul-Ausstellung, welche letztere teils auf den Gallerien im Hauptgebäude, teils in dem hygienischen Gebäude aufgestellt war; namentlich hatte man hier in dem einen Seitenschiffe das meiste gesammelt, was Bedeutung für die Schulgesundheitspflege besitzt.

Ohne viel wirklich Neues zu bieten, hatte diese Abteilung doch ein ganz eigentümliches und charakteristisches Gepräge, wodurch sie sich deutlich von früheren Ausstellungen dieser Art unterschied. Dieser eigentümliche Charakter rührte von den vielen schönen, aus allen drei nordischen Ländern eingesandten „Sløjdarbeiten", den Erzeugnissen des erziehlichen Handfertigkeitsunterrichtes, her. Man erkennt deutlich, eine wie große Bedeutung dieser jüngste Zweig des modernen Unterrichts schon hier im Norden gewonnen hat und mit wie großem Interesse man für diese Sache thätig ist. Wo man hinsah, beobachtete man ausgestellte Werkzeuge, Modelle und Schüler-arbeiten von den einfachsten Gegenständen bis zu den schönsten und aufs feinste ausgeschnittenen Hausgeräten, Kasten, Schlitten, kleinen Möbeln u. s. w. Alles war systematisch geordnet und teils für Kinder von 10—11 Jahren, teils für junge Leute und Erwachsene berechnet, so daß man den Gang des Unterrichtes deutlich übersehen konnte. Sämtliche Arbeiten, die als eigent-liche Schularbeiten hervortraten, waren Holzarbeiten, und dies Material scheint jetzt hauptsächlich beim Handfertigkeitsunter-richte benutzt zu werden.

Die bedeutendsten Sammlungen waren die von dem be-kannten Slöjdlehrerseminar zu Nääs in Schweden, das eine so hervorragende Bedeutung für die rationelle Ausbildung dieser speziellen Seite der Erziehung gewonnen hat, sowie von „Dansk Slöjdforening" (Dänischer Slöjdverein), der sich ebenfalls die Ausbildung tüchtiger Lehrer als eine Hauptaufgabe gestellt hat. Von diesen beiden rührten auch ganze Sammlungen von Arbeitszeichnungen, Modellen, sowie von Werkzeugen, Geräten u. dergl. her. Die dänischen Werkzeuge, z. B. der Hobel, sind in ihrer Form und Größe von den gewöhnlich gebrauchten ziemlich abweichend und speziell für die Kinderhand konstruiert.

Der Vorsteher des dänischen Slöjdlehrerseminars, Herr AXEL MIKKELSEN, stellte eine Reihe von Zeichnungen aus, die die Körperstellungen veranschaulichen, welche die Kinder bei den verschiedenen Arbeiten einnehmen müssen, wenn diese nicht eine schädliche Wirkung auf die körperliche Entwicklung ausüben sollen. Daß dieser Punkt in der That der Beachtung wert ist, zeigte er uns durch eine andre Reihe von Zeichnun-gen der gewöhnlich vorkommenden fehlerhaften Körperhaltun-gen, die man jeden Tag sehen kann, wenn die Kinder jede beliebige Körperstellung einnehmen dürfen, ohne korrigiert zu werden. Es ist eine wirklich verdienstvolle Arbeit, die Herr MIKKELSEN ausgeführt hat, als ein erster Versuch, den unglück-lichen Folgen entgegenzutreten, welche fehlerhafte Körperstellungen während der Arbeit bei jungen Leuten herbeiführen, und von denen viele Handwerker ihr ganzes Leben hindurch die Spuren an sich tragen.[1]

Weitere schöne Sammlungen von Sløjdarbeiten waren von Herrn Rektor Palmgreen-Stockholm, wo Knaben und Mädchen zusammen arbeiten, von Herrn Gustav Flinta (Schweden), Herrn Meldgaard (Askov-Volkshochschule Dänemark) und anderen ausgestellt.

Auch die Idiotenanstalten, sowie die Taubstummen- und Blindeninstitute hatten sehr beachtenswerte und lehrreiche Arbeiten eingesandt. Man sah hier, welche hervorragende Bedeutung solche wohlgeordneten Handarbeiten für diese unglücklichen Individuen haben können. Besonders hervorzuheben ist an dieser Stelle auch ein auf den ersten Blick ganz unansehnliches Instrument, ein Schreibapparat für Blinde von Herrn C. E. L. Güldberg in Kopenhagen, welcher auf das vollkommenste die schwierige Aufgabe gelöst hat, daß ganz Blinde eine leicht lesbare Schrift schreiben können.

An verschiedenen Stellen waren Zeichnungen von Schulgebäuden, sowohl öffentlichen wie privaten, an den Wänden befestigt. So hatte der Magistrat Kopenhagens eine treffliche Sammlung von Plänen aller in den letzten Jahren neu erbauten Schulen, sowie ein kleines Modell eines Schulzimmers ausgestellt. Gute Zeichnungen lagen auch aus Norwegen und Schweden vor; bei denselben waren alle neueren Forderungen der Schulhygiene erfüllt und selbst Schulbäder fehlten nicht.

Natürlich fanden sich auch die gewöhnlichen Sammlungen von Wandtafeln, Schulbänken und Schultischen in allen Formen, aus Holz und Eisen und in verschiedenen, sowohl richtigen wie unrichtigen Konstruktionen. Von diesen verdient nur eine Schulbank eine nähere Erwähnung. Es ist ein zweisitziges Subsellium von Hoftischler O. B. Hansen in Ko-

---

[1] Die verschiedenen Zeichnungen sind bei Herrn „Sløjdskoleforstander Aksel Mikkelsen, Vernedamsvei, Kopenhagen" zu haben.

Die Red.

penhagen (Patent; Preis 21—25 Mark), das in vier Größen
sehr leicht einzustellen ist. Der Tisch ist ganz aus Holz mit
verschiebbarer Tischplatte verfertigt. Die Bank gleitet mit
einem eisernen Zapfen in einem eisernen Beschlage mit vier
Einschnitten[1]. Durch einfaches Heben und Senken, ohne
Schrauben kann dieselbe in vier verschiedenen Höhen eingestellt werden, und zu gleicher Zeit wird auch die Tiefe des
Sitzes, sowie die Höhe der Kreuzlehne, welche quer verläuft
reguliert. Das Fußbrett ist ebenfalls verstellbar. Die Bank
läßt sich in einem Augenblicke von einem oder zwei Kindern
mit der größten Leichtigkeit verändern, viel bequemer, als ich
es bis jetzt gesehen habe.

Das Kultusministerium hatte ein Musterschulzimmer
für eine Volksschule auf dem Lande ausgestellt. Dieses
Schulzimmer war als ein besonderer Pavillon im Ausstellungs-
Parke aufgebaut. Die innere Ausstattung erfüllte alle wesentlichen pädagogischen und hygienischen Anforderungen.

Der Vorraum enthielt außer Waschvorrichtungen, Wand-
haken für die Überkleider u. s. w. auch niedrige Schränke
für Wechselschuhe der Kinder. Diese sind, wie die ausgestellten Proben zeigten, aus Tuch oder einem ähnlichen Stoffe
hergestellt, außerordentlich einfach und billig und können von
jeder alten Frau im Dorfe angefertigt werden. Die Schüler
sitzen dann nicht mit ihren nassen schmutzigen Stiefeln oder
Schuhen in der Schulstube, was von großer Bedeutung für
das Reinhalten derselben, wie für die Gesundheit der Kinder ist.

Das Schulzimmer, 22 Fuß lang, 20 Fuß tief und 11 Fuß
hoch, war nur für 30 Kinder berechnet, weil diese Anzahl
in Dänemark als für einen Lehrer passend betrachtet wird.
In unsern Schulen auf dem Lande findet sich als Regel nur
ein Schulzimmer, das den einen Tag von den älteren, den andren Tag von den jüngeren Kindern besucht wird, und zwar
von Knaben und Mädchen zusammen. Es ist also eine Not-

---

[1] Uns stiegen Zweifel an der Haltbarkeit dieses Mechanismus auf,
da wir denselben mehrfach funktionsunfähig sahen.   Die Red.

wendigkeit für diese Schulen, eine leicht verstellbare Schulbank zu haben; dieser Forderung entspricht die früher erwähnte Bank von C. B. HANSEN, und daher wurde auch diese Form zur Benutzung im Schulzimmer gewählt. Bevor die Kinder die Schule verlassen, stellen sie die Bank für den folgenden Tag ein.

Wie bemerkt, haben Knaben und Mädchen in unsren Volksschulen auf dem Lande seit vielen Jahren gemeinsamen Unterricht. Früher war dies auch in den kleinen Städten meistens der Fall. Über die Zweckmäfsigkeit dieser Einrichtung hat man bekanntlich vielfach gestritten. Ich glaube, dafs man bei uns weder die grofsen Vorteile, noch die grofsen Gefahren derselben, die von vielen Seiten so stark hervorgehoben werden, gesehen hat, wenigstens nicht auf dem Lande. Wo der Unterricht in den späteren Jahren für beide Geschlechter getrennt gegeben wird, ist man im allgemeinen damit zufrieden gewesen.

Von dem übrigen Inventar im Schulzimmer hebe ich noch die schwarze Wandtafel hervor. Auf einer horizontalen Axe drehbar, war sie auf ein Rollstativ gestellt, so dafs sie leicht von einer Stelle zur andren gerückt werden konnte. Über der Tafel befand sich ein Vorsprung, an dem 6 geographische Karten in der Weise angebracht waren, dafs sie über einen federnden Stock aufgerollt werden konnten, ohne die Tafel zu verdecken.

Die Rollvorhänge der Fenster waren von einer sehr praktischen Konstruktion. Auch diese werden über einen Federstock aufgewickelt, zugleich sind sie aber mit einem ganz einfachen Schnurapparate (C. J. GEISMAR & Co., Patent, Kopenhagen) so aufgehängt, dafs man, wenn man sie herabzieht, nach Belieben das ganze Fenster oder nur den oberen oder nur den unteren Teil desselben verhängen kann. Im Winter, wo die Sonne niedrig am Himmel steht, ist es nur notwendig, den unteren Teil zu decken, und das Licht passiert dann ganz ungehindert durch den oberen Teil des Fensters, ohne die Kinder zu stören — gewifs ein grofser Vorteil für die Augen.

In dem Schranke fand sich aufser den gewöhnlichen
Lese- und Schreibbüchern, Schiefertafeln u. s. w. auch eine
kleine Sammlung physikalischer Apparate, für die Volksschule
geordnet, sowie eine Handbibliothek für den Lehrer. Auch
Apparate für weibliche Handarbeit nach der SCHALLENFELDT-
schen Methode hatten hier Platz gefunden.

Ein Ventilationsofen (A. B. RUK, Patent, Kopenhagen) mit den dazu gehörigen Luftkanälen, war gleichfalls
ausgestellt, um die Lage und die Gröfse von diesen zu zeigen.

Endlich war eine kurze erklärende Beschreibung des
Schulzimmers und seines Inhaltes vorgelegt und konnte
von den Besuchenden mitgenommen werden.

Von dem Kultusministerium rührte noch das Modell
eines Turnsaales (1 : 15 natürlicher Gröfse) her. Dieses
hat grade jetzt insofern ein besonderes Interesse, als es in
genauer Übereinstimmung mit den von einer Spezialkommission
in diesem Jahre dem Ministerium eingesandten Vorschlägen
für Änderungen in dem dänischen Schulturnen steht. Die
neuen Vorschläge können im allgemeinen als eine Kombination
der in Dänemark, sowie teilweise auch in Deutschland üblichen
Übungen mit dem schwedischen Turnsystem charakterisiert
werden. In Übereinstimmung hiermit ist auch der Turnsaal
mit Geräten versehen. Wir finden hier sowohl das Reck, den
Barren, die gewöhnlichen Voltigierapparate u. s. w., wie den
schwedischen Rippstuhl, den Querbaum, die schwedische Leiter
und andere in Schweden benutzte Geräte. Die Kommission
hat so ein rationelles System aufzustellen versucht, das sich
auf eine wirklich pädagogische und physiologische Grundlage
stützt, indem es die Wirkungen berücksichtigt, welche die verschiedenen Übungen auf den Körper ausüben.

Von privaten Ausstellern fanden wir verschiedene Sammlungen von Turngeräten, sowie Waffen zum Fechten,
welche für den Gebrauch in Schulen und Turnvereinen bestimmt sind.

Einige sehr schön ausgeführte anatomische Wachs-
figuren waren vom Bildhauer DANIEL ausgestellt. Leider

sind sie ziemlich kostspielig, könnten aber dennoch in Lehrer-seminaren oder in andern höheren Lehranstalten Verwendung finden.

Graphische Tafeln hatten verschiedene vorgelegt. So fanden wir ein sehr lehrreiches Diagramm über die Ausbreitung verschiedener epidemischer Krankheiten in den einzelnen Stadtteilen Kopenhagens von Stadtphysikus Dr. med. TRYDE, einige große Tafeln, die Gesundheitsverhältnisse in den Schulen Dänemarks veranschaulichend, vom Referenten, sowie eine graphische Darstellung der Akkommodation von 318 Schülern des Lyceums II in Hannover von Sanitätsrat Dr. DÜRR in Hannover.

Heiz- und Ventilationsapparate für Schulen, sowie Badeeinrichtungen (unter andrem auch das Modell eines LASSARschen Volksbades) traf man in großer Anzahl in der hygienischen Abteilung an. Das nähere Eingehen hierauf würde uns aber auf das vielumfassende Gebiet der allgemeinen Hygiene führen. Freilich waren auch hier verschiedene Zweige vorzüglich vertreten, und man bekam viel Interessantes und Beachtenswertes zu sehen.

Zum Schlusse möchten wir noch hervorheben, was man allgemein von den Besuchern rühmen hörte, daß die ganze Ausstellung vortrefflich geordnet war, so daß man, was zusammengehörte, auch mit Leichtigkeit finden konnte.

Aus Verfammlungen und Vereinen.

VIII. deutscher Kongrefs für erziehliche Knaben-Handarbeit in München
am 21., 22., 23. September 1888.

Von

R. WERNER,
Lehrer in München.

(Fortsetzung und Schlufs.)

Öffentlicher Kongrefstag.

Sonntag, den 23. September, vormittags 11 Uhr wurden die Verhandlungen wieder aufgenommen. Vorsitzender LAMMERS eröffnet im Namen des Vereins den VIII. Kongrefs für erziehliche Knabenhandarbeit und teilt mit, dafs die Ausstellung im nördlichen Schrannenpavillon auf Wunsch auch Montag den 24. noch geöffnet sein werde. — In anbetracht dessen, dafs die Versammlung eine öffentliche ist, erlaubt sich der Vorsitzende die Herren Stadtschulrat ROHMEDER, Professor FALCH und Lehrer ALBIN STURM, Dirigent des Münchener Lehrergesangvereins, einzuladen, am Vorstandstische Platz zu nehmen. Hierauf gibt er das Antworttelegramm des Fürsten BISMARCK bekannt. Dasselbe lautet: „An den Vorstand des Vereins für Knabenhandarbeit in München. Verbindlichsten Dank für freundliche Begrüfsung. v. BISMARCK."

Von Hamburg (Hohenfelde) langte folgende Depesche an: „Soeben Eröffnungsfeier der Schülerwerkstätte des neuen Hohenfelder Bürgervereins. Fröhliches Gedeihen Ihnen und uns. Dr. H. ERDMANN."

Hierauf begrüfst Herr Regierungs- und Schulrat BRANDI-Osnabrück als Kommissarius des Ministers v. GOSSLER die Versammlung in dessen Namen und Auftrag und spricht die sichere Überzeugung aus, dafs eine weitere Förderung der Bestrebungen des Vereins durch Herrn Minister v. GOSSLER in Aussicht stehe. — Nach Mitteilung . weiterer Begrüfsungen vom Grofsherzoglich sächsischen Staatsministerium, vom Bezirkspräsidenten von Strafsburg u. a. mehr tritt der Vorsitzende, Herr LAMMERS, in die Tagesordnung ein durch

„Bericht über die Thätigkeit des Vereins im verflossenen Jahre."

Diesem ist zu entnehmen, dafs der Verein auf schöne Erfolge zurückblicken kann, indem sich eine gröfsere Thätigkeit in bezug auf Propaganda und Errichtung neuer Schülerwerkstätten entfaltet hat. Behörden und Kommunen sind bemüht, die Bestrebungen des Vereins moralisch und pekuniär immer mehr zu unterstützen. Im Laufe der letzten Jahre

sind eine Menge von Arbeitsschulen ins Leben getreten oder doch vor-
bereitet worden. Die Thätigkeit der Lehrerbildungsanstalt in Leipzig
ist in kräftigem Aufschwung begriffen; die Monatskurse erfreuen sich
einer gesteigerten Frequenz, die Teilnehmerzahl ist auf 65, darunter
4 Engländerinnen, gestiegen. Viele Behörden haben Lehrer zu ihrer
Ausbildung an die Anstalt gesendet und nicht unbeträchtliche Unter-
stützungen dazu gegeben. Nach dem gegenwärtigen Stande kann man
eine ruhige stetige Weiterentwicklung erwarten.

Da sich an die Berichterstattung keine Debatte schließt, wird zum
zweiten Gegenstand der Tagesordnung geschritten, und ergreift Herr
Oberlehrer Dr. GÖTZE-Leipzig das Wort zu dem Thema:

„Der Arbeitsunterricht im Dienste der allgemeinen
Erziehung."

„Könnte man nur den Deutschen weniger Philosophie und mehr
Thatkraft, weniger Theorie und mehr Praxis beibringen ... Was sie am
meisten bedürfen, haben sie in der Erziehung eingebüßt; es fehlt ihnen
die nötige geistige wie körperliche Energie, die bei einem tüchtigen
Auftreten im praktischen Verkehr ganz unerläßlich ist," so äußert sich
klar erkennend der umfassendste, tiefste deutsche Geist, so schrieb
GÖTHE. Die Bestrebungen für die Erziehung der männlichen Jugend
zur praktischen Arbeit sind auf dem geraden Wege, jenen von GÖTHE
scharfbezeichneten Mangel zu decken. — Redner hebt Gesichtspunkte
hervor, welche erkennen lassen, daß der Arbeitsunterricht im Dienste
der allgemeinen Erziehung stehe und befähigt sei, zur Erreichung ihrer
Ziele beizutragen. Er schließt vom Arbeitsunterrichte aus: 1. alle bloß
mechanischen Arbeiten (Korbflechten etc.), weil sie, da sie selbst von
Blinden gemacht werden, unmöglich das Auge bilden können und weil
sie den Geist einschläfern; 2. alle Arbeiten für Gelderwerb und 3. solche,
welche auf eine direkte Vorbildung zum Handwerk hinzielen. Es gilt
die Kräfte des Kindes zu üben und zu entwickeln, nicht das Arbeits-
produkt, sondern die Arbeit und das, was dabei gelernt wird, das Beobachten und Erfahren, ist die Hauptsache. Der so geleitete Arbeitsunterricht dient der allgemeinen Erziehung, indem er 1. die Muskelthätigkeit fördert, das physische Wohlbefinden unmittelbar beeinflußt
und so der einseitigen Geistesbildung der Schüler ein Gegengewicht
bietet. 2. Er schult eines unserer wichtigsten Werkzeuge, unsere Hand,
welche in ihrer Ausbildung heutzutage so sehr vernachlässigt wird. Der
Schüler zieht keine Linien im Hefte, sie sind schon vorhanden; er schlägt
sich kein Buch mehr ein, die Umschläge werden fertig geliefert, selbst
das Löschblatt im Heft ist schon zurecht geschnitten. Es ist, als ob
der Knabe keine Hände mehr hätte (sehr richtig). Durch Schreiben und
Zeichnen wird die Hand nicht genügend gebildet, weil diese Thätigkeiten
zu einseitig sind. Unsere Handwerker wissen relativ sehr viel, können

aber relativ sehr wenig, sie sprechen (wenn nötig) gut, arbeiten aber schlecht.[1] 3. Der Arbeitsunterricht dient der allgemeinen Erziehung in bezug auf geistige Entwicklung, insofern er dem Kinde Anschauungen zuführt, es beobachten lehrt und Gelegenheit zu eigenen Erfahrungen gibt. Er ergänzt den Anschauungsunterricht, der ohne Arbeitsunterricht seine Schuldigkeit nicht ganz zu thun im stande ist. Der Arbeitsunterricht ist der intensivste Anschauungsunterricht. Er bildet ein heilsames Gegengewicht gegen das Abwenden vom Beobachten, welches namentlich der Sprachunterricht durch seine Gewöhnung an mehr inneres Denken, an Abstrahieren hervorruft. Er beseitigt manche unklare Vorstellung, welche vom theoretischen Unterricht geblieben ist, namentlich dann, wenn solche praktische Arbeiten hergestellt werden, welche mit dem Schulunterrichte in Beziehung stehen, indem sie die im Unterricht entwickelten Begriffe praktisch zu gestalten nötigen. 4. Der Arbeitsunterricht ist ein Mittel, manche bisher im Schüler schlummernde, unerkannte Anlage zu entdecken. 5. Neben der Förderung der Intelligenz steht als Gewinn des Arbeitsunterrichts die Bildung des Sinnes für Formenschönheit, die Entwicklung des Geschmackes. 6. Der Arbeitsunterricht dient der allgemeinen Erziehung in ganz hervorragender Weise durch die Bildung des Willens, indem er den Knaben nötigt, die physischen Schwierigkeiten zu überwinden und dadurch dessen ganze Willenskraft herausfordert. Hier arbeitet der Schüler einmal aus sich selbst heraus, und dabei ist jede Stufe, die zum Ziele führt, selbst wieder ein Ziel für sich. Mit dem Können wächst die Freude am Schaffen, damit aber entwickelt sich die Thatkraft, und das ist sicherlich als charakterbildendes Moment sehr in Anschlag zu bringen. Ein fester Wille kann sich nur durch das Handeln bilden, nie durch Worte aufgeredet werden. Dr. GÖTZE schließt seinen interessanten Vortrag mit der Überzeugung, daß der Arbeitsunterricht allein schon wegen der Dienste, die er der allgemeinen Erziehung durch seinen Einfluß auf die Willensbildung leistet, gefordert und gefördert werden muß. Auch in der Erziehung soll es heißen: „Gesegnet sei die frische That!" — Seine warme Darstellung faßt Redner in folgende 5 Thesen zusammen: 1. Der Arbeitsunterricht hat keine erwerblichen Zwecke, sondern er hilft das Kind durch die praktische Arbeit harmonisch zu erziehen. 2. Er dient der körperlichen Entwicklung des Kindes, lehrt es seine Hände geschickt zu gebrauchen und übt seine Sinne. 3. Er hilft das geistige Leben des Kindes entwickeln, indem er ihm Anschauungen zuführt, es beobachten lehrt und Gelegenheit zu eigenen Erfahrungen vermittelt. 4. Er dient sodann der Bildung des

---

[1] Das dürfte in dieser Allgemeinheit doch nicht zutreffen. Welchen Aufschwung hat nicht das deutsche Kunstgewerbe in den letzten Jahrzehnten genommen!   Die Red.

Sinnes für Formenschönheit und fördert den Geschmack. 5. Durch die Nötigung aber, physische Schwierigkeiten zu überwinden, übt er Einfluß auf Bildung eines festen, energischen Willens. (Lebhafter Beifall.)

Schulrat Rohmeder giebt bekannt, daß zum Zwecke der Beitritts- erklärung zum deutschen Verein für erziehliche Knabenhandarbeit Listen zirkulieren und ersucht um ausgiebigen Gebrauch hiervon. Weiter zeigt er an, daß auf vielseitigen Wunsch am Abende eine gesellige Zusammen- kunft im Saale des Kunstgewerbehauses stattfinde, wozu er die Anwesen- den freundlichst einladet.

Der Vorstand des Vereins macht den Vorschlag, die Debatte über die Referate erst nach Beendigung der sämtlichen Vorträge eintreten zu lassen.

Kunath-Dresden erkennt die wohlwollende Absicht des Vorstandes an, weist aber darauf hin, daß gestern infolge dieses Verfahrens eine Debatte ganz unterblieben sei. Er meint, die Versammlung dürfe sich eine Debatte nicht entgehen lassen.

Dr. Rohmeder läßt darüber abstimmen, wann die Debatte beliebt werde, und entscheidet sich die Majorität für die Debatte nach Schluß der Referate.

Kunath-Dresden stimmt mit der Ansicht des Herrn Dr. Götze, der Handfertigkeitsunterricht sei keine Vorschule für das Handwerk, überein, er möchte aber das Mißverständnis beseitigen, als ob bei Aufstellung eines Lehrplanes der Gang nach den in Frage kommenden Werkzeugen zu ordnen wäre. Solche Auffassung erkläre sich aus dem Umstande, daß der Arbeitsunterricht außer seinem Hauptzwecke noch eine Reihe schätz- barer Nebenzwecke verfolge. Zu diesen gehöre auch die Einführung in Kenntnis und Gebrauch der Werkzeuge. Diesen Nebenzweck zur Haupt- sache zu machen, wäre aber ebenso falsch, als wenn man dem Lehrplan für Schreiben die verschiedenen Stahlfedersorten zu Grunde legen wollte. Jeder Verein, jede Schülerwerkstatt, jeder Handfertigkeitslehrer möge an die Arbeit treten, sich einen Lehrplan zu machen, dabei aber stets als höchsten und obersten Gesichtspunkt das Hauptziel, die harmonische Ausbildung des Zöglings, im Auge behalten.

Lehrer Illing-München, Vorsteher des Münchener Kindergarten- seminars, stimmt den Ausführungen des Dr. Götze vollkommen bei und spricht als Sachverständiger, der der Knabenhandarbeit schon seit 8 Jahren näher getreten sei und die Fröbelschen Beschäftigungen seit 20 Jahren in seiner Anstalt sich entwickeln sehe, den Wunsch aus, der Handfertigkeitsunterricht möge nicht nur neben der Schule bestehen, sondern dem Schulorganismus eingefügt werden. Er habe keinen Zweifel, daß der Schlußstein, der dem modernen Schulgebäude noch eingefügt werden müsse, der Unterricht in Knabenhandarbeit sei.

Anschließend an die Ausführungen des Herrn Schuldirektor Kunath sucht Herr von Schenckendorff das augenscheinliche Mifsverständnis aufzuklären, als ob er das System Mikkelsens, von dem er gestern gesagt habe, es eigne sich vorzüglich zur Einführung in die Schülerwerkstätte, auch unbedingt für unsere deutschen Verhältnisse empfehlen wolle. Es sei von ihm nur darauf hingewiesen worden, dafs wir hier einem System gegenüberstehen, wie es ihm in einer gleichen Durchführung und Vollkommenheit bei uns in Deutschland nicht bekannt sei. Er habe der Sache nicht weiter vorgegriffen, sondern zu Beginn der heutigen Sitzung die Herren, welche in der Praxis stehen, für heute Abend 7 Uhr zu einer Besprechung dieser Angelegenheit eingeladen.

Abgeordneter Kalb-Gera weist auf die Bedeutung des Arbeitsunterrichts in häuslicher Beziehung hin und führt aus, dafs die Eltern es häufig fälschlich nur für ein Spielen ansähen, wenn sich die Kinder zu Hause mit Laubsägen, Holzschnitzen etc. beschäftigen. Er wolle, dafs das Kind daheim anders thätig sei als in der Schule, und halte es für viel zweckmäfsiger, wenn sich das Mädchen zu Hause mit Lederschnitzerei etc. unterhalte, als wenn es mit Romanlesen Körper und Geist untergrabe.

Katechet Werner-München schliefst sich gleichfalls den Ausführungen Dr. Götzes an, möchte aber die Anregung geben, darüber nachzudenken, inwiefern der Arbeitsunterricht die christliche Erziehung fördere. Er glaube, dadurch, dafs wir die Arbeit in christlichem Sinne auffassen, dafs wir uns bei der Arbeit den Heiland selbst vorstellen, wie er an der Hobelbank arbeitet, sei es allein möglich, dafs wir die 90 % Kinder die sich mit ihrer Hände Arbeit einmal ernähren müssen, die Arbeit schätzen lehren. Er als Priester, Katechet und Vorstand des Lehrlingshortes müsse den Standpunkt einnehmen, dafs im christlichen Sinne und Geiste gearbeitet werde, um wirklich zu guten Resultaten zu kommen.

Auf diese Darlegungen entgegnet von Schenckendorff, dafs nach seiner Überzeugung sich nur der auf dem Boden der Religion recht bewegen könne, der die Arbeit nicht scheut. Ora et labora sage ein altes Sprichwort und diese beiden, richtig zusammengestellt, hätten hier ihre volle Bedeutung. Wir seien bestimmt, das labora zu pflegen, daneben komme auch das ora. In diesem Sinne werde für die christliche Erziehung durch den Arbeitsunterricht gewirkt. (Grofser Beifall.)

Da sich niemand mehr zum Worte meldet, wird zum dritten Gegenstand der Tagesordnung geschritten:

„Der Arbeitsunterricht als Vorschule für die gewerbliche und kunstgewerbliche Ausbildung."

Herr Gaunow, Direktor des Kunstgewerbemuseums in Berlin, wies in diesem Referate zunächst darauf hin, dafs die Bestrebungen des Vereins nicht eine direkte Fortsetzung der von Clauson Kaas eingeführten Handfertigkeiten und Hausfleifsarbeiten seien, sondern durch Betonung der erziehlichen Richtung dieselben in den Dienst der Schulreform stellen wollten. Redner führt aus, daß heute das Kind genügend weder sehen noch hören lerne und daß es seine Sinne nicht gehörig zu gebrauchen wisse. Zweck des Arbeitsunterrichts sei deshalb die Ausbildung der Sinnesthätigkeit, insbesondere des Gesichts- und Tastsinnes. Nicht Vorbereitung für ein bestimmtes Handwerk, sondern Bildung des Auges und der Hand sei Zweck dieses Unterrichts. Freilich müsse daneben die Ausbildung der Denkthätigkeit einhergehen, damit der Schüler befähigt werde, den Anforderungen der Jetztzeit in höherem Maße gerecht zu werden, als dies bisher der Fall sei. Nur auf diesem Wege werde es möglich, für unser Gewerbe und Kunstgewerbe diejenige Vorbildung zu erreichen, welche bei den vorgeschrittenen Ansprüchen der Gegenwart unentbehrlich erscheine, um die Konkurrenz mit dem fortschreitenden Auslande bestehen zu können. Für die Richtigkeit dieser Auffassung spreche das Wort Kaiser FRIEDRICH III. vom 12. März an BISMARCK: „Wenn auch höhere Bildung in immer weitere Kreise des Volkes zu führen sei, so ist doch zu vermeiden, daß durch einseitige Erstrebung vermehrten Wissens die erziehliche Aufgabe unberücksichtigt bleibt." Redner schließt mit der Versicherung, daß der Verein für erziehliche Knabenhandarbeit dieser Aufgabe gerecht zu werden vor allem bestrebt sein werde.

Der Vorsitzende verliest nun ein Telegramm des Vorstandes des Schweizer Vereins für Arbeitsunterricht: „Gruß den Freunden werkthätigen Unterrichts von schweizerischen Gesinnungsgenossen. Mögen treffliche Reden auch vom Münchener Kongresse zu uns herübertönen, wo sie wie immer mächtiges Echo finden werden. Ein Hoch dem unermüdlichen Vorkämpfer unserer Idee, Herrn VON SCHENCKENDORFF! — RUDIN." (Beifall.)

Zum GRUNOWschen Referate wünscht niemand das Wort, weshalb Herr VON SCHENCKENDORFF zum letzten, unstreitig interessantesten Vortrage übergeht:

„Über Arbeitsschulbewegung vom Standpunkte der Nationalökonomie."

Redner führt aus: In dem letzten halben Jahrhundert haben sich erhebliche Umwandlungen im Leben der Völker vollzogen, ihre Kultur hat sich auf eine neue Entwickelungsstufe gehoben. Alle Kultur vollzieht sich durch menschliche Arbeit wirtschaftlicher, gesellschaftlicher und bildender Art. Die allgemeine Erziehung muß der nachfolgenden Generation die Grundzüge und Elemente des auf diesen Arbeitsgebieten erworbenen Wissens und Könnens zuführen, wenn dieselben sich fortentwickeln sollen. Für die wirtschaftliche Arbeit giebt die öffentliche Erziehung die allgemeine Vorbildung durch Schaffung der Intelligenz; sie hat jedoch noch keine Einrichtung, durch welche das Interesse für gewerbliche Berufsarten geweckt oder die Kraft zur wirtschaftlichen

Arbeitstüchtigkeit entwickelt werde. Und doch sind in der wirtschaftlichen Arbeit mehr als neun zehntel unseres Volkes thätig. Die Wissenschaften sind erheblich fortgeschritten, insbesondere haben sich die Naturwissenschaften in ungeahntem Umfange entfaltet. Mit Hilfe der Technik sind sie mehr und mehr in den Dienst der Menschheit getreten. Diese Fortschritte bilden sicherlich völlig neue Bedingungen für das volkswirtschaftliche Leben. Soll die nachfolgende Generation vorgebildet werden, so bedarf es in erster Linie der allgemeinen Bildung, des Interesses für die wirtschaftlichen Berufsarten und der allgemeinen Achtung vor der produktiven Arbeit überhaupt. Hierzu gehört vor allem, daſs das deutsche Schulwesen einen andren Aufschwung nehme. Das Kind hat die Hand nur zum Schreiben und zu etwas Zeichnen gebrauchen gelernt, nicht aber zum Anfassen, zum produktiven Schaffen. Das Auge hat wohl auf Buchstaben sehen gelernt, aber der Blick ist nicht geöffnet für die Welt der Erscheinungen. Der Knabe kommt mit einer gewissen Scheu vor der Arbeit aus der Schule, und das Hindrängen zu den Wissenschaften gibt der Gefahr eines geistigen Proletariats Raum. Die wirtschaftliche Arbeit sieht man als etwas Untergeordnetes an, und doch ist der Einzelne oft genötigt, seinen Lebensunterhalt durch dieselbe zu suchen. So entsteht der Streit zwischen Neigung und Lebenszwang und unterstützt und fördert die sozialen Unruhen. Wenn solche, die vorwiegend geistig beschäftigt sind, Achtung vor der produktiven Arbeit haben sollen, müssen sie dieselbe verstehen, müssen sie sich daran selbst versucht haben. Deshalb sollte die Arbeitsschule auch in höhere Lehranstalten eingeführt werden, um einen Ausgleich der Stände herbeizuführen. So macht sich für die heutige Erziehung schon aus diesen allgemeinen Gründen die Arbeitsschule neben der Lernschule notwendig. Aber wir bedürfen derselben auch, um den Menschen direkt für wirtschaftliche Arbeit zu erziehen Die Elemente der wirtschaftlichen Arbeit sind Handgeschicklichkeit, Ausdauer in körperlicher Thätigkeit, geschultes Auge, praktischer Sinn und Erfindungsgabe, genaues Arbeiten, Bildung des Schönheitssinnes und Erweckung der Lust zur gestaltenden Thätigkeit. —

Die Idee der Knabenhandarbeit ist nicht mehr neu. Schon im vorigen Jahrhundert hat sie sich geltend gemacht, wie aus einer Kabinetsordre des Herzogs FRIEDRICH FRANZ von Mecklenburg vom 12. August 1792, sowie aus einer Verordnung des Hochstifts zu Würzburg vom 26. Mai 1798 (welche Redner beide verliest) zu ersehen ist. Wir müssen zum fakultativen Arbeitsunterrichte in der Lernschule gelangen, wozu die Verhältnisse heute günstiger sind als früher. Unser Nationalreichtum hängt im wesentlichen davon ab, wie die Arbeitstüchtigkeit im Volke entwickelt ist. Deutschland, das jetzt schon mit groſsem Erfolg auf dem Weltmarkte in Konkurrenz getreten ist, das zunehmenden Unternehmungsgeist in Handel und Industrie beweist, bedarf gerade heute dieser Einrichtung zur wirtschaftlichen Erziehung. So werden wir mit unsern Bestrebungen die Kultur unsrer Zeit fördern helfen. (Lebhafter Beifall.)

Der Vorsitzende schliefst, da niemand sich zum Worte gemeldet und hiermit die Tagesordnung erschöpft ist, die Versammlung mit dem Danke an alle diejenigen, welche aufserhalb des engeren Kreises des Vereins mit diesem den Wert des Arbeitsunterrichts zu prüfen bemüht waren, und spricht die Zuversicht aus, dafs die Ideen, welche in den Verhandlungen verarbeitet wurden, in Deutschland, speziell in Süddeutschland Verbreitung finden möchten.

(Schlufs 2 Uhr 30 Minuten.)

Da die Verhandlungen des Vereinstages öffentliche waren, hatte Herr von Schenckendorff die Vereinsmitglieder noch zu einer vertraulichen Besprechung interner Angelegenheiten für abends 7 Uhr im Saale des Kunstgewerbehauses eingeladen. Herr von Schenckendorff, welcher den Vorsitz dieser Versammlung führte, empfahl zunächst die Bildung von Kommissionen, welche an verschiedenen Orten die Ausarbeitung von Lehrplänen in die Hand nehmen möchten. Nach einer längeren Debatte, welche der Vorschlag hervorrief und an welcher die Herren Kalb-Gera, Dr. Götze-Leipzig Schuldirektor Kunath-Dresden, Direktor Gais-München, Lehrer Groppler-Berlin und von Schenckendorff-Görlitz teilnahmen, wählte die Versammlung zunächst zur Festtellung von Grundsätzen, die bei Ausarbeitung eines Lehrplanes mafsgebend sein sollten, eine Kommission, bestehend aus den Herren Lehrer Kalb-Gera, Lehrer Groppler-Berlin, Lehrer Neumann Görlitz, Schuldirektor Kunath-Dresden und Lehrer Kerschensteiner-München. Zugleich wurde beschlossen, es möge an alle deutschen Knabenhandarbeitsschulen ein Fragebogen geschickt werden behufs Beantwortung nachstehender Fragen:

1) Mit welchem Schuljahr soll der Arbeitsunterricht beginnen?
2) Welche Arbeitsgebiete sind in den Lehrplan aufzunehmen?
3) Soll der Schüler die Arbeiten von Grund aus herstellen oder ist fremde Hülfe zulässig?
4) Mit welchen Arbeiten soll der eintretende Schüler beginnen?
5) Worin ist die Aufgabe des Arbeitsunterrichtes zu suchen?
6) Welche Stellung soll der Arbeitsunterricht der Schule gegenüber einnehmen? (fakultativ, obligatorisch oder unabhängig von der Schule?)
7) Welche Stellung soll der Arbeitsunterricht dem Handwerke gegenüber einnehmen?
8) Von wem soll der Arbeitsunterricht erteilt werden? (Lehrer oder Handwerker?)
9) Was für Gegenstände sollen gemacht werden? (ob Dinge für die Schule, das Haus oder Spielsachen?)
10) Darf der Handwerker die Schularbeit vollenden?

11) Welche Werkzeuge sind für die Kinderhand die geeignetsten?

12) Nach welchen Gesichtspunkten ist der Lehrplan aufzustellen? (nach Werkzeug, Material, Zielen etc.?)

13) Soll der Arbeitsunterricht Massen-, Gruppen- oder Einzelunterricht sein?

14) Soll jeder einzelnen Anwendung die Übung vorausgehen?

15) Sollen die Schüler nach Modellen oder Zeichnungen arbeiten?

16) Soll der Zeichenunterricht mit dem Arbeitsunterricht verbunden werden? (wenn ja, wie?)

17) Ist den Kindern das Komponieren gestattet oder nicht?

18) Soll der Lehrgang für den Unterricht der Lehrer mit dem Lehrgang für Schüler übereinstimmen?

Die Schlußverhandlung endete abends um ¹/₂10 Uhr. Daran reihte sich eine gesellige Unterhaltung, bei der den Hauptteil des Programms der Münchener Lehrergesangverein übernommen hatte. Der Abend nahm einen glänzenden Verlauf, und sind wir der Überzeugung, daß er allen Teilnehmern in angenehmer Erinnerung bleiben wird.

Mit dem Kongresse war eine Ausstellung in den schönen, hellen Räumen des Schrannenpavillons verbunden.

Schülerarbeiten hatten ausgestellt: Berlin W. — Berlin Groppler — Berlin N. W. — Bremen St. Petri-Waisenhaus — Dresden — Görlitz — Hamburg — Leipzig — München — Ohrdruf — Straßburg — Stuttgart — Weimar — Zwickau.

Lehrerarbeiten lagen vor aus: Berlin — Dresden — Görlitz — Karlsruhe — Köln — Leipzig — München — Kronstadt in Siebenbürgen — Straßburg.

Lehrgänge hatten eingesandt: die Seminare in Basel — Kopenhagen — Leipzig;

einen Lehrplan: St Petersburg;

Werkzeuge und Einrichtungen von Schülerwerkstätten: Werkzeughandlung Robert Sedlmayr-München;

Hobelbankmodelle: Zwickau — Straßburg;

Drucksachen: Hofbuchhandlung Hofmann-Gera.

Die 11. Jahresversammlung des Nordalbingischen Turnlehrervereins.
Von
G. Tönsfeldt,
Rektor der II. Mittelschule in Altona.

Die diesjährige Versammlung des Nordalbingischen Turnlehrervereins fand am 29. September in Altona statt. Sie begann um 9¹/₂ Uhr vormittags in hergebrachter Weise mit einem öffentlichen Schauturnen, welches mit einer dreiviertelstündigen Pause bis nach 1 Uhr andauerte. Fast alle Schulgattungen der Stadt waren vertreten: Freischule, Bürgerschule, Knabenmittelschule, Realgymnasium, Mädchenmittelschule und höhere Töchterschule, und alle Altersstufen von 7¹/₂ bis zu 19 Jahren. Ein zahlreiches Publikum hatte sich eingefunden, darunter erfreulicherweise recht viele Eltern der turnenden Kinder, welche sonst selten Gelegenheit haben, den Betrieb des Turnens in den Schulen aus eigener Anschauung kennen zu lernen. Sie werden sicher den Eindruck erhalten haben, daß diese Übungen nicht nur einen gesundheitlichen, sondern auch einen hohen erziehlichen Wert haben. Von besonderem Interesse war es vielen, zu sehen, wie mit den sieben- bis achtjährigen Schülern auf dem Turnplatz das Spiel betrieben wird, und wie präcis und kräftig schon diese Kleinen eine Anzahl einfacher Bewegungen auf Befehl ausführen können. Das Mädchenturnen fesselte die Aufmerksamkeit der Zuschauer in hohem Grade, und diejenigen, welche es bisher nicht kannten, werden es sicher als eine Schule der Sicherheit und Anmut der Bewegung schätzen gelernt haben. In der nachfolgenden Besprechung, welche im geschlossenen Kreise der Vereinsmitglieder stattfand, fanden die Vorführungen eine durchweg anerkennende Beurteilung.

Am Nachmittage wurde eine öffentliche Versammlung gehalten, in der vor einer ansehnlichen Zuhörerschaft zunächst Herr Gymnasiallehrer WICKENHAGEN-Rendsburg einen Vortrag über die Spiele der alten Griechen[1] hielt. Da eine erschöpfende Behandlung des Themas in der zur Verfügung stehenden Zeit natürlich nicht möglich war, so beschränkte sich der Vortragende darauf, vornehmlich die Stellung zu kennzeichnen, welche das Spiel in dem gesamten Erziehungsplan der Hellenen einnahm. Seine Schlußbehauptung, daß ein Aufschwung der Gymnastik bei uns nur durch eine Neubelebung des griechischen Spiels herbeigeführt werden könnte, fand Widerspruch. — Einen zweiten Vortrag hielt Herr HOFFMANN-Hamburg über die Stellung des Turnens und des Turnlehrers im Schulorganismus. Aus demselben dürften zwei Forderungen, welche der Redner stellte, hier Erwähnung finden: 1) daß eine Befreiung vom Turnunterricht oder von einem Teile desselben nur eintreten solle auf Grund eines vom Schularzte auszustellenden Zeugnisses und 2) daß die Schule das Recht und die Pflicht haben müsse, über die Kleidung der Schüler soweit Vorschriften zu machen, daß alle diejenigen Teile derselben entfernt würden, welche beim Turnen hinderlich oder gefährlich werden könnten. Gegen die erste Forderung wurde in der Debatte eingewendet, daß die jetzige Einrichtung, Bescheinigung durch den Hausarzt, hinreichenden Schutz gegen Mißbrauch biete. — Der Vorsitzende forderte auch mehr Zeit für den Turnunterricht, der durch

---

[1] Der Vortrag wird in dieser Zeitschrift abgedruckt werden. Die Red.

Spiel und Fufswanderungen zu ergänzen sei, als die bisher üblichen 2
wöchentlichen Stunden, wenn nicht innerhalb der jetzigen Schulzeit, so
aufserhalb derselben. Bei der Erörterung dieses Punktes wurde betont,
dafs es unrichtig sei, den Turnunterricht, wie es häufig geschehe, einfach
mit den sogenannten technischen Fächern des Lehrplanes (Schreiben,
Singen) auf eine Linie zu stellen. Man müsse ihn vielmehr als den einzigen Aufwand, den die Schule für die körperliche Ausbildung mache,
dem gesamten Aufwand für die geistige Ausbildung gegenüberstellen.

Die Wahl des Orts für die nächstjährige Versammlung wurde dem
Vorstand überlassen.

Aus der Versammlung des Vereins der Ärzte des Regierungsbezirks Koblenz.

In der am 2. Juni d. J. abgehaltenen Versammlung des Vereins der
Ärzte des Regierungsbezirks Koblenz berichtete der Vorsitzende Dr.
KIRCHGÄSSER über die Thätigkeit des in der Generalversammlung vom
15. Oktober 1887 gewählten Ausschusses, welcher über den seitens der
Schulaufsichtsbehörde erhobenen Anspruch, dafs gewisse ärztliche Zeugnisse
über Schulversäumnisse von Schulkindern durch beamtete Ärzte auszustellen seien, beraten und etwa dagegen zu thuende Schritte vorschlagen
sollte. Danach hat der Ausschufs beschlossen, der Versammlung die Absendung eines Schreibens an die königl. Regierung zu empfehlen, welches
nach dem „Korr.-Bl. d. ärztl. Vereine in Rheinland u. Westfal." folgendermafsen lautet:

Koblenz, den 12. Juli 1888.
Nachdem der Verein der Ärzte des Regierungsbezirks Koblenz, durch
einige unliebsame Vorkommnisse veranlafst, die unter dem 20. Januar
1887 erlassene Verfügung der königl. Regierung, betreffend ärztliche
Atteste zur Begründung von Schulversäumnis, zum Gegenstand einer
eingehenden Erörterung gemacht, beschlofs er in einer Sitzung vom
2. Juni dieses Jahres der königl. Regierung seine Bedenken gegen
genannte Verfügung zu geneigter Prüfung ehrerbietigst zu unterbreiten.
In Ausführung dieses Beschlusses beehrt sich der Vorstand des Vereins
Wohlderselben nachstehendes Denkschreiben ganz ergebenst zu übermitteln.

In der von der königl. Regierung an den Kreisphysikus gerichteten
und den Schulinspektoren zur Kenntnisnahme mitgeteilten Verfügung
heifst es wörtlich: „Wir können es indessen nicht für erforderlich erachten, dafs in solchen Fällen, wo nach den persönlichen Wahrnehmungen und nach dem gewissenhaften Ermessen beteiligter Lehrer resp.

Lehrerinnen und Schulaufsichtsorgane es zweifelhaft erscheint, ob dem
seitens eines praktischen Arztes ausgestellten Atteste für die längere Beurlaubung eines schulpflichtigen Kindes eine maßgebende Bedeutung beizumessen ist, seitens der betreffenden Schulaufsichtsbehörde dem beamteten Arzte jedesmal eine schriftliche Requisition zur Ausstellung eines
anderweiten Attestes über die Schulfähigkeit des betreffenden Kindes zugehen soll. Wir betrachten es vielmehr, wie es bisher in derartigen
Fällen üblich war, in der Regel für ausreichend, wenn den Eltern oder
Angehörigen der hier in Rede stehenden Kinder auf Anordnung des mit
der Prüfung der wöchentlichen Versäumnislisten betrauten Lokalschul-
inspektors oder Bürgermeisters durch die betreffenden Lehrpersonen an-
heimgestellt wird, ihrerseits das Zeugnis eines beamteten Arztes zu einem
weiteren Urlaub beizubringen, widrigenfalls fernere Schulversäumnis der
betreffenden Kinder nicht mehr als entschuldigt gelten könnte."

In welchem Sinne die angeführte Verfügung von den Schulinspektoren und dem Lehrpersonal ausgelegt wird, dürfte aus folgenden Thatsachen hervorgehen:

Im vorigen Jahre machte der Schulinspektor in Weißenthurm gelegentlich den versammelten Kindern die Mitteilung, daß künftighin bei
einer durch Krankheit bedingten Schulversäumnis das Zeugnis des behandelnden Arztes nicht mehr genüge, sondern statt dessen das Zeugnis
eines beamteten Arztes beizubringen sei. — Von der Lehrerin Sommer
zu Moselweiß wurde im Jahre 1887 ein von dem verstorbenen Medizinal-
assessor Sanitätsrat Dr. LENZ ausgestelltes Zeugnis mit dem Bemerken
zurückgewiesen, daß das betreffende Kind nur an Bleichsucht und
Schwäche leide und deshalb recht gut auf einige Stunden am Unterricht
teilnehmen könne. Thatsächlich war jedoch das Kind an beginnender
Tuberkulose erkrankt und nur aus Rücksicht für die Eltern des Kindes
hatte Dr. LENZ diese genauere Krankheitsbezeichnung in dem Atteste
unterlassen.

In ähnlicher Weise sind Zeugnisse von Sanitätsrat Dr. MAURER in
Koblenz, Dr. KESSLER in Rhens und Dr. MEYER und Dr. SALOMON in
Koblenz zurückgewiesen worden.

Es läßt sich hiernach begreifen, daß die in Rede stehende Verfügung und namentlich die Art, wie dieselbe zur Ausführung gebracht
wurde, in ärztlichen Kreisen eine tiefe Verstimmung hervorrief. War
doch aus derselben deutlich genug herauszulesen, daß man dem für längere Beurlaubung eines schulpflichtigen Kindes seitens eines praktischen
Arztes ausgestellten Atteste die nötige Zuverlässigkeit nicht zuerkannte.

Vor allem aber mußten sich die praktischen Ärzte tief verletzt
fühlen, daß man Personen, denen man in medizinischen Dingen ein sachver-
ständiges Urteil nicht zuerkennen kann, die Entscheidung darüber, ob
ein ärztliches Attest begründet sei oder nicht, überließ.

Daß die von der königlichen Regierung angeordnete Maßregel eine indirekte Schädigung der materiellen Interessen des praktischen Arztes herbeiführen kann, wollen wir nur nebenbei erwähnen. Erfährt das Publikum, daß die Behörden, wenn auch nur nach einer Seite hin, die Tüchtigkeit und Zuverlässigkeit des praktischen Arztes anzweifeln, so kann es leicht geschehen, daß der Arzt an Vertrauen verliert, und das bedeutet für ihn Schmälerung seiner Existenzmittel. Aber auch dem Publikum gegenüber erscheint das Vorgehen der königlichen Regierung insofern hart, als die Eltern eines zum Schulbesuch unfähigen Kindes sich das Zeugnis des beamteten Arztes aus eigenen Mitteln beschaffen sollen. Die Kosten, die die Erlangung eines solchen Attestes verursacht, können sich nämlich eventuell, namentlich dann, wenn der Kreisphysikus in weiter Entfernung von dem zu untersuchenden Schulkinde wohnt, sehr hoch belaufen. Sie übersteigen oft erheblich die Höhe der Strafsumme, welche den Eltern wegen Schulversäumnis ihres Kindes gerichtlich auferlegt werden kann. Auch mag nicht unerwähnt bleiben, daß, soweit uns bekannt ist, das Gericht sich selbst in der Revisionsinstanz mit dem Zeugnisse des behandelnden Arztes, gleichviel, ob derselbe beamtet oder nicht beamtet war, begnügt hat.

Wenn wir uns schließlich noch fragen, ob zur Erreichung eines regelmäßigen Schulbesuches die von der königlichen Regierung angeordnete Maßregel unbedingt erforderlich ist, so müssen wir das entschieden verneinen. Es liegt kein Grund vor, bei dem beamteten Arzte eine größere wissenschaftliche Tüchtigkeit und eine größere Gewissenhaftigkeit in der Ausübung seines Berufes vorauszusetzen, als bei den nicht beamteten Ärzten, denn letztere sind zur Ausstellung eines motivierten Attestes zur Begründung einer längeren Beurlaubung eines erkrankten Schulkindes ganz gewiß ebenso befähigt, wie auch die beamteten Ärzte. Ja es liegt in der Natur der Sache, daß der behandelnde Arzt vielleicht eher, in manchen Fällen sogar nur allein in der Lage ist, ein erschöpfendes Attest über den vorliegenden Fall ausstellen zu können. Sollte die in Rede stehende Verfügung der königlichen Regierung auf die Beobachtung zurückzuführen sein, daß bisweilen den seitens der praktischen Ärzte ausgestellten Attesten die wünschenswerte Ausführlichkeit und genaue Begründung fehlt, so dürfte es sich empfehlen, den praktischen Ärzten eine bestimmte Form für die Ausstellung derartiger Zeugnisse vorzuschreiben. Einer solchen Vorschrift würden sich alle praktischen Ärzte gewiß gerne unterwerfen. Wenn bei genauer Befolgung dieser Vorschrift dennoch begründete Zweifel über die Richtigkeit des Zeugnisses erhoben werden können, dann wäre nach unsrer Ansicht das motivierte Gutachten des betreffenden Arztes der königlichen Regierung zu weiterer Veranlassung zu überreichen.

Unsere ergebene Bitte geht sonach dahin, die königliche Regierung

wolle die gedachte Verfügung in dem von uns angedeuteten Sinne umändern. Wir glauben uns hierzu um so mehr berechtigt, als die Verfügung keineswegs den Intentionen entspricht, welche Se. Exzellenz der
Kultusminister Herr von GOSSLER bei Schaffung der Ärztekammer zu erkennen gegeben hat. In Übereinstimmung mit den lange geäußerten
Wünschen der Ärzte ist der Herr Minister bestrebt, das Ansehen des
ärztlichen Standes zu heben und die reichen Kenntnisse und Erfahrungen
der nicht beamteten Ärzte auf hygienischem Gebiete mehr und mehr für
das Allgemeinwohl zu verwerten.

Der Vorstand
des Vereins der Ärzte des Regierungsbezirks Koblenz.

Die Absendung des verlesenen Schreibens wurde darauf von der
Versammlung einstimmig beschlossen.

Kleinere Mitteilungen.

Eisbahnen auf Münchener Schulhöfen. In Nr. 5, S. 155 dieser
Zeitschrift ist bereits darauf hingewiesen worden, daß auf den Schulhöfen
Münchens Eisbahnen eingerichtet wurden. Die rührige Verwaltung die-
ser Stadt hat schon 1886 versuchsweise auf den Höfen mehrerer Schulen
derartige Bahnen zur unentgeltlichen Benutzung während der schulfreien
Zeit für die Schüler angelegt und aus der städtischen Wasserleitung mit
Wasser versorgt. In jeder Schule fanden sich einige jugendfreundliche
Lehrer, welche die Überwachung freiwillig auf sich nahmen. Daß die
Einrichtung den Eltern und besonders den Kindern zur Freude gereichte,
braucht nicht erst gesagt, ebensowenig ihr hygienischer Wert besonders betont
zu werden. Die Sache wurde so gehalten, daß die Benutzung fakultativ
war und die Schule eine Verantwortung für etwaige Unfälle nicht übernahm. Zu Beginn des Jahres 1887 wurden auf Grund eingehender
Prüfung der gemachten Wahrnehmungen alle geeigneten Schulhöfe zum
Eislauf eingerichtet, wobei an dem vorher angedeuteten Grundgedanken
festgehalten wurde, nämlich: fakultative Benutzung unter Zustimmung
der Eltern, vorläufig keine schulmäßige Organisation, freiwillige Aufsicht durch Lehrer, Wasser aus den städtischen Hydranten unter Intervention des Stadtbauamtes, Ablehnung der Verantwortlichkeit seitens der
Schule und Gemeinde, Unentgeltlichkeit des Schlittschuhlaufens. Anstände haben sich bisher in keiner Weise ergeben.

Es wäre sehr wünschenswert, daß eine Darstellung der gesammelten Erfahrungen (u. a. Art und Kosten der Anlage und Erhaltung, Frequenz, Unfälle) von kundiger Seite an passender Stelle, etwa in dieser

Zeitschrift, veröffentlicht würde[1]; ein solcher Bericht würde gewifs zur Nachahmung der fortschrittlichen Einrichtung Münchens anregen, beziehungsweise ähnliche Versuche erleichtern.

L. Burgerstein.

Über das Stottern der Schulkinder macht Kreisphysikus Dr. Schilling aus Wartenberg in der „Ztschr. f. Medizbeamte" Mitteilung.

Nur schwer kann sich heute der Arzt der immer mehr zu Tage tretenden Notwendigkeit, das Stottern als eine Krankheit beachten und heilen zu lernen, verschliefsen, da das Übel weiter verbreitet ist, als man gewöhnlich glaubt, und dem Schulkinde in seiner Entwicklung ebenso wie dem Erwachsenen im Leben hinderlich wird. Ebensowenig darf sich aber auch der Medizinalbeamte dieser Kategorie von Patienten fremd gegenüberstellen. Denn wenn auch der Schule nicht direkt ursächliche Schädlichkeiten, wie bei der Myopie, Skoliose u. s. w. beizumessen sind, so verlangen doch der Schutz der Schulkinder vor der geistigen Ansteckung und die geringen Fortschritte der Betreffenden beim Schulunterrichte eine thatkräftige Fürsorge ebensogut, wie sie der Sprachlose, der Taubstumme oder Geisteskranke mit Recht beanspruchen kann.

Da wir über die geographische Verbreitung und die Häufigkeit des Stotterns in Deutschland gegenwärtig nur zum geringsten Teile unterrichtet sind, so kann diese Frage einer wesentlichen Klärung durch die Medizinalbeamten näher gebracht werden.

Coën sagt in seiner Pathologie und Therapie der Sprechanomalien: Was die Häufigkeit des Stotterns in europäischen Ländern anbelangt, so ist es ganz besonders in Deutschland, Rufsland, Grofsbritannien, Frankreich, Österreich-Ungarn, Holland, Schweden und der Schweiz vertreten, während es in Rumänien, Belgien, Italien, Spanien und Portugal nur sporadisch auftritt. Im allgemeinen läfst sich die Behauptung aufstellen, dafs in Gebirgsregionen, auf dem Lande oder in Gegenden, welche dem Weltverkehre entrückt oder von ihm gänzlich ausgeschlossen sind, wo also die Leute mehr unter sich oder einsam leben, das Stottern häufiger als in volkreichen Städten und in den grofsen Civilisationscentren vorkommt, wenn auch nicht geleugnet werden kann, dafs das Stottern auch in diesen Mittelpunkten noch oft genug beobachtet wird.

Die Punkte, welche besonders in Betracht kommen, sind:

1. Prozentsatz
2. Stand der Eltern

---

[1] Wir werden in der nächsten Nummer einen ausführlichen Aufsatz: „Über die Anlage von Eisbahnen" aus der Feder unsres geschätzten Mitarbeiters, Herrn Turninspektor Hermann in Braunschweig, bringen.

Die Red.

3. Alter
4. Geschlecht
5. Ursache (ob angeboren, oder erworben)
6. Art des Stotterns (Lispeln, Schnarren, Dahlen, Stammeln, Näseln, Poltern, Gaxen u. s. w.
7. Geistige Fähigkeit
8. Simulation?

Eine bezügliche Nachfrage im Kreise Wartenberg hat ergeben, daſs von 6622 Kindern 38, also ungefähr 1:170 mit diesem Sprechfehler behaftet sind.

Dem Alter nach verteilen sich die Stotterer so:

Zahl der Jahre: 6 7 8 9 10 11 12 13 14
Zahl der Stotterer: — 5 7 5   4   5   6   5   1.

Das achte und zwölfte Jahr zeigt zwei Steigerungen, als ob die ersten Anforderungen in der Schule und später der Eintritt in das Leben, der bei der Landbevölkerung meist in das 12. bis 14. Lebensjahr fällt, von Einfluſs wären. Doch ist es nicht angezeigt, aus diesen geringen Zahlen weitere Schlüsse zu ziehen.

Ursache war in 9 Fällen Erbfehler, in einer Familie stottert der Vater und 4 Kinder, in 5 Fällen wurde ein Schlag oder Stofs auf den Rücken und Kopf, bisweilen auch Schreck angeschuldigt; oft konnte keine Ursache angegeben werden.

Auffallend ist, daſs von 38 Kindern nur ein Mädchen stottert.

Die polnischen Dörfer, welche an die Provinz Posen grenzen, weisen die gröſste Zahl auf; es ist dies um so erklärlicher, als der Pole viele Buchstaben beim Sprechen nicht ausspricht, gewissermaſsen verschluckt und meist nur eine Silbe scharf betont, im Gegensatz zu den Chinesen, welche ein Wort vielfach betonen, um demselben eine bestimmte Bedeutung zu geben, dafür aber auch keine Stotterer kennen.

Haushaltungsschulen für Mädchen, in denen auch Hygiene und Krankenpflege gelehrt wird, bestehen nach „Monika" an folgenden Orten: I. in Preuſsen zu St. Vith, Kreis Malmedy, Friedrichsburg bei Münster i. W. und Sigmaringen. II. in Bayern zu Wörishofen bei Memmingen, Augsburg, Nördlingen, Rothenbuch und Tückelhausen in Unterfranken, Roggenburg in Schwaben, Lülsfeld bei Würzburg, Amberg und Deggendorf. III. in Württemberg zu Erbach (Oberamt Ehingen), Untermarchthal (Donaukreis), Aulendorf und Schwäbisch-Gmünd. IV. in Baden zu Gengenbach und Mannheim. V. in Hessen zu St. Annaberg bei Bingen und Darmstadt. VI. in der Schweiz zu Cham (Kanton Zug) und Wiesholz (Kanton Schaffhausen). Damit sind aber nur die katholischen Haushaltungsschulen aufgeführt, während auch in evangelischen Gegenden solche sich finden.

Seltene Widerstandsfähigkeit eines Kindes. Ein fünfjähriger Knabe, so berichtet Dr. Thomson im „Brit. med. Journ.", hatte sich verirrt und wurde am fünften Tage in einem Weizenfelde gefunden. Derselbe war in einem halb bewußtlosen Zustande und erkannte erst nach mehreren Stunden die Seinigen. Bei geeigneter Pflege erholte sich das Kind, und das fünftägige Fasten und die Unbilden der Witterung ließen keinen Schaden zurück, obgleich die einzige Nahrung einige unreife Weizenkörner gewesen waren. Jedenfalls ist die Erhaltung des Lebens unter diesen Umständen eine um so bemerkenswertere Erscheinung, als der Knabe sich zugleich in fortwährender Angst und Erregung befunden hatte.

Zunahme der Kinderarbeit in den sächsischen Fabriken. Nach dem „Knabb." beträgt die Zahl der in der sächsischen Industrie beschäftigten Kinder im Alter von 12 bis 14 Jahren 10 652 und hat sich gegen das Vorjahr um etwa 1000 vermehrt; die Zahl der jugendlichen Arbeiter im Alter von 14 bis 16 Jahren beträgt sogar 24 111 und ist im letzten Jahre um 4200 gestiegen. Dagegen hat die Zahl der erwachsenen Arbeiter um 8 Prozent abgenommen, und hieraus ergibt sich, daß die Industriellen im Königreich Sachsen, um Lohn zu sparen, jugendliche Arbeiter und Kinder an die Stelle von erwachsenen Arbeitern setzen. Die Einschränkung der Kinderarbeit ist auch im hygienischen Interesse der Jugend dringend zu wünschen.

Augenleiden durch zu enge Halskragen. Da Schüler und Schülerinnen öfter zu enge Halskragen tragen, so dürfte es von Interesse sein, zu hören, daß dadurch nicht selten Augenkrankheiten entstehen. Der bekannte Direktor der Universitäts-Augenklinik in Breslau, Professor Dr. Förster, hat nicht weniger als 300 solcher Fälle beobachtet. Es handelte sich stets um ein chronisches Leiden, das durch Störung des Blutumlaufes veranlaßt war.

Das Sterbealter und die Todesursachen der Lehrer in Ungarn. Die von dem bekannten Direktor Josef Körösi herausgegebenen Publikationen des statistischen Bureaus der Hauptstadt Budapest enthalten interessante Mitteilungen über das durchschnittliche Sterbealter für fünfunddreißig verschiedene Berufsklassen. Danach erreichen die Rentiers das höchste Durchschnittsalter mit 66,28 Jahren, die Kellner, sowie die Buchdrucker und Setzer das geringste mit 35,77, respektive 34,07 Jahren. Die Professoren und Lehrer sind verhältnismäßig günstig gestellt, indem ihr Durchschnittsalter, aus 267 Todesfällen berechnet, 49,16 Jahre beträgt. Was die Todesursachen anbetrifft, so starben von 122 Professoren und Lehrern 47 an Krankheiten der Atmungsorgane, 39 an solchen des Nervensystems, je 9 an Leiden der Kreislauf- und

Verdauungsorgane, je 4 an solchen der Bewegungs-, sowie der Harn-
und Geschlechtsorgane, 1 an einer konstitutionellen und 9 an sonstigen
Krankheiten. Als spezielle Todesursachen von Lehrern werden hervorgehoben 33 Fälle von Tuberkulose, 13 von Schlaganfällen, 10 von Lungenentzündungen, 9 von Marasmus senilis, 6 von Klappenfehlern des
Herzens, je 3 von Hirnhautentzündung und Diarrhoe, 1 von Brightscher
Nierenkrankheit. Demnach bewirken Krankheiten der Atmungsorgane,
namentlich Schwindsucht, die meisten Sterbefälle der Lehrer in Ungarn.

Alkoholismus bei einem vierzehnjährigen Knaben. Im Verein St. Petersburger Ärzte berichtete Dr. PETERSEN über folgenden Fall.
Der vierzehn Jahre alte Sohn eines Schlächters wurde besinnungslos und
nach Spirituosen riechend in das städtische Alexanderhospital gebracht.
Nach Aussage der Eltern hatte derselbe schon mit dem neunten Jahre
eine Vorliebe für Liqueure gezeigt, mit dem elften Schnaps zu trinken
angefangen und war seit zwei Jahren so vollständig zum Säufer geworden,
daß er sogar seine Kleider vertrunken hatte. Der Knabe kam im
Hospital nicht wieder zur Besinnung, sondern starb im Delirium. Bei
der Sektion fand sich das ausgeprägte Bild chronischer Alkoholvergiftung:
die Hirnhäute waren verdickt, die Leber fettig degeneriert, der Magen
erweitert, seine Schleimhaut grau und voll frischer Extravasate, das Herz
erschlafft. Ähnliche Fälle von Alkoholismus sind öfter bei Kindern, ja
sogar bei Säuglingen beobachtet worden, denen die Eltern Schnaps zu
reichen pflegten, um sie zum Schlafen zu bringen.

Die Häufigkeit der Rhachitis. In dem „Arch. f. Kinderhlkde."
IX, 4—5 veröffentlicht N. A. QUIVLING „Studien über Rhachitis." Danach kamen in der Kinderpoliklinik zu Christiania auf 7369 kranke
Kinder jeden Alters 1000 rhachitische oder 13,5 Prozent. Berücksichtigte man dagegen ausschließlich die Kinder in den drei ersten Lebensjahren, so stellte sich das Verhältnis auf 971 : 4868 d. i. 19,94 Prozent.
Des weiteren berichtet QUIVLING über die Häufigkeit der verschiedenen
rhachitischen Knochensymptome in den einzelnen Altersklassen, über
die Bedeutung der Luft und der Jahreszeit für die Frequenz der
Krankheit, über den Einfluß der Ernährung auf die Entstehung derselben, sowie über das Vorkommen der Rhachitis bei den verschiedenen
Geschlechtern.

Zwangsimpfung jüdischer Kinder in Manchester. Bei der in
Manchester seit Beginn dieses Jahres herrschenden Pockenepidemie sind
die Juden vollständig verschont geblieben. Nach „The Lancet" beruht
dies darauf, daß die jüdischen Kinder gründlich geimpft und die erwachsenen Juden größtenteils wieder geimpft sind, infolge der strikten
Maßregel von Seiten der israelitischen Behörde, daß keine Familie, bei

der ein ungeimpftes Kind sich befindet, je irgend welche Unterstützung erhält.

Das Seehospiz zu Norderney wird wie im vorigen, so auch in diesem Winter für leidende Kinder geöffnet sein. Während des Sommers war der Besuch so stark, daß trotz der vorhandenen 270 Plätze im Juli und August viele Kinder abgewiesen werden mußten.

MAIGNENs Patent-Schnell-Filter. Da für die mit Wasserleitung versehenen Schulen oft Filter erforderlich sind, so weisen wir auf die Patent-Filter des Engländers P. MAIGNEN hin, deren Einrichtung aus der nebenstehenden Zeichnung ersichtlich ist. Das zu filtrierende Wasser wird in den Hohlraum *A* eingegossen und passiert zunächst einen groben Sieb *B*. Hierauf tritt es durch eine Schicht grobkörniger Knochenkohle *C*, weiter durch fein pulverisierte Knochenkohle *D*, welche sich in den Maschen von Asbestzeug *E* befindet, und endlich durch das um einen Trichter gewickelte Asbestzeug *E* selbst. Es findet also eine dreifache Filtration statt, bevor das Wasser gereinigt in dem Sammelraum *R* anlangt. Die Wirksamkeit des Filters ergiebt sich am besten daraus, daß Wasser, welches Dr. ULEX untersuchte, vor dem Filtrieren 20 mgr hypermangansaures Kali, entsprechend 100 mgr organischer Substanz, nach dem Filtrieren 0,1 mgr hypermangansaures Kali, entsprechend 0,5 mgr organischer Substanz verbrauchte.

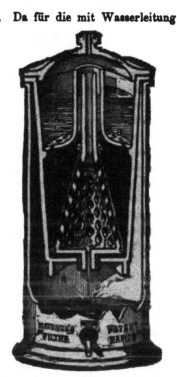

Versuch mit weißen Schreibtafeln für Schulkinder. Der große Prozentsatz von Kurzsichtigen in den Schulen ist wiederholt von Augenärzten, z. B. von Professor COHN in Breslau und dem inzwischen verstorbenen Professor HORNER in Zürich, abgesehen von andern Ursachen, auf den Gebrauch der schwarzen Schiefertafeln zurückgeführt worden. Der Bonner Verein für Körperpflege in Volk und Schule hat deshalb 50 Tafeln aus weißem „Kunststein", einer Art Cement, von den Fabrikanten Thieben & Seifert zu Frankenstein in Schlesien kommen und an zwei Bonner Schulklassen zum Gebrauche verteilen lassen. Zugleich ist Herr Dr. SÄMISCH, Professor der Augenheilkunde in Bonn, um ein Gutachteu über diese Erfindung angegangen worden. Auf diese Weise hofft man ein gründliches Urteil über die weißen Kunsttafeln, insbesondere ihre praktische Brauchbarkeit zu gewinnen. Bisher stand nur fest, daß schwarze Schrift auf einer weißen Tafel in weiterer Entfernung als gleich große weiße Schrift auf einer schwarzen Schiefertafel gelesen werden kann.

Tagesgeschichtliches.

Gutachten des Medizinal-Kollegiums der Provinz Pommern über die Anstellung von Schulärzten. Infolge eines von uns bereits erwähnten Erlasses des Kultusministers VON GOSSLER hat sich das Medizinal-Kollegium der Provinz Pommern in einer Sitzung, an welcher die Herren Dr. med. STEFFEN und Dr. med. SAUERHERING als Vertreter der Pommerschen Ärztekammer teilnahmen, mit der Frage der ärztlichen Schulaufsicht beschäftigt. Nach der „Deutsch. med. Wochschr." hat das genannte Kollegium in dieser Sitzung die Anstellung von Schulärzten für notwendig erklärt und von den die Gesundheit beeinflussenden Faktoren in der Schule diejenigen bezeichnet, bei welchen die Beaufsichtigung der Ärzte unbedingt erforderlich ist, andererseits aber auch diejenigen, bei welchen sie entbehrt und den Lehrern übertragen werden kann. Zugleich ist von dem Medizinal-Kollegium ein Organisationsplan für die ärztliche Schulaufsicht entworfen und die Ansicht ausgesprochen worden, daß dieselbe an beamtete Ärzte auf Kosten des Staates übertragen werden müsse.

Ärztekongreß in Finnland. Vom 19. bis 23. September tagte in Helsingfors der finnische Ärztekongreß, der sich vielfach mit hygienischen Fragen beschäftigte. Unter anderm wurde auf Antrag des Vorsitzenden Dr. PALMBERG nicht nur die Gründung eines Lehrstuhles für Hygiene an der medizinischen Fakultät zu Helsingfors, sondern auch die Einführung hygienischen Unterrichtes in die Lehrerbildungsanstalten und Elementarschulen empfohlen.

Gegen die Schulbataillone in Frankreich wendet sich das „Journal des Debats". Dasselbe schreibt: „Es scheint, als ob die Einrichtung der Schulbataillone nicht die Resultate ergeben hat, welche ihre Urheber erwarteten. Die Herren LAVY und DE BOUTEILLER, die man gewiß nicht der Abneigung gegen die Schulbataillone beschuldigen kann, erkannten in ihren vom Gemeinderat in seiner letzten Session genehmigten Berichten, daß die Versuche einer militärischen Unterweisung der Kinder von zehn bis zwölf Jahren nicht geglückt sind. Man hat, äußert Herr LAVY absichtlich oder vielmehr unbewuſst, einem übertriebenen patriotischen Gefühle gehorchend, mit kleinen Soldaten gespielt. Man hat unsern Jungen die Uniform gegeben, welche sie im ersten Augenblick mit Freuden aufgenommen haben. Man hat Revuen veranstaltet, bei welchen der Nationalstolz alles schön sah. Und doch war für den kaltblütigen und aufmerksamen Beobachter aus der fast stetigen Unregelmäſsigkeit des Defilees der Volksschüler leicht zu schlieſsen, daſs man Übungen machen lieſs, die ihrem Alter nicht angemessen sind. Wir sind aber so gewöhnt, unsern Geschmack und unsere Einfälle höher zu stellen, als das Interesse unserer Kinder. — Die Uniform wird heute von den Schülern vernachlässigt, und in gewissen Vierteln lehnen die Familien sie ab, selbst wenn man sie unentgeltlich anbietet". Demgemäſs beantragte der Berichterstatter, die Kredite für die Schulbataillone herabzusetzen und an Stelle dieser scheinbaren militärischen Übungen das Turnen zu setzen, bei welchem die jungen Pariser genug Beweise ihrer Geschicklichkeit und Kraft geben könnten. Der Gemeinderat schloſs sich diesem Gedankengange an, hatte aber nicht den Mut, die Einrichtung ganz zu unterdrücken. Er behielt vielmehr die Schulbataillone für die Kinder der höheren Primärschulen bei.

Das Slomansche Sanatorium Friedeburg. In No. 6 dieser Zeitschrift teilten wir mit, daſs der Hamburger Schiffsreeder, Herr Rob. M. Sloman, 150 armen Schulkindern in 3 Gruppen zu je 50 einen sechswöchentlichen Landaufenthalt auf einem seiner Güter in Holstein gewähren werde. Vor kurzem sind nun die Kinder der letzten Abteilung im besten Wohlsein von Schloſs Friedeburg zurückgekehrt, und der edle Wohlthäter benutzt diese Gelegenheit, um über die erzielten Erfolge in den „Hbg. Nachr." Bericht zu erstatten. „Damit," so schreibt er, „wäre das Vergnügen für die Jugend und ich kann es wohl sagen auch für mich für dieses Jahr zu Ende. Der Verlauf war in allen drei Perioden höchst befriedigend; so viel mir bekannt, haben die Kinder den Aufenthalt in der schönen Gegend, die gesunde Kost und vor allem die liebevolle Pflege der Hausmutter und ihrer Gehülfinnen im vollsten Maſse genossen. — Was die erzielten Resultate anbelangt, so haben die Kinder durchschnittlich circa 5 ℔ zugenommen; die geringste Zunahme war 2¹/₂ ℔, die gröſste 17 ℔, nämlich von 108 ℔ auf 125 ℔ — fast unglaublich in 6 Wochen! Dann kommt ein Kind mit 13 ℔, ein anderes mit 12 ℔ und so abwärts bis auf 2¹/₂ ℔. Die kleinen Zwillinge B. wogen bei der Aufnahme zusammen nur 59¹/₂ ℔, sie waren besonders zart und schwächlich und haben es dennoch auf eine Zunahme von 5 ℔ gebracht. Es sind während der drei Perioden im ganzen 162 Kinder aufgenommen mit 7130 Verpflegungstagen. Der dritten Abteilung hatte ich einige Tage über die festgesetzten 6 Wochen zugegeben, um das eingetretene

schöne Herbstwetter etwas länger geniefsen zu können. Der Konsum
war ein sehr erfreulicher, allein an frischer, ungerahmter Milch betrug
er zum Beispiel 11150 Liter. — Soweit kann ich die Erfolge mit der
gröfsten Befriedigung beurteilen. Ob die gesundheitlichen Erfolge —
und auf diese kommt es ja hauptsächlich an — ebenso befriedigende
sind, oder ob sie durch irgend bessere oder zweckmäfsigere Einrichtungen
hätten mehr befördert werden können, darüber habe ich nicht ein
gleiches Urteil, und ich werde alle dahin zielenden Ratschläge und
Winke, namentlich von medizinischer Seite, mit der gröfsten Dankbar-
keit in ernste Erwägung für das nächste Jahr ziehen. Dabei bitte
ich aber zu berücksichtigen, dafs ich eine Krankenstation nicht beabsichtigt habe, sondern nur Stärkung und Erholung für schwächliche und
skrofulöse Kinder. Inzwischen ist meine Freude über meinen ersten
Versuch gröfser als ich je erwarten durfte.“

Handfertigkeitsunterricht in der Schweiz. In der Schweiz wird
gegenwärtig dem Handfertigkeitsunterrichte an Volksschulen besondere
Aufmerksamkeit gewidmet. Wie in Deutschland und anderswo, so
werden auch hier eigene Kurse für Lehrer veranstaltet. Der diesjährige
ist in Freiburg gehalten worden, und zwar waren dabei 8 Lehrer und
63 Zöglinge, letztere zumeist Volksschullehrer, beteiligt. Unter den Zöglingen befanden sich nach der „Kath. Schulztg.“ auch vier aus Italien
und einer, Schulinspektor Jonesco, aus Rumänien. Die Unterrichtsfächer waren: Kartonage, Arbeiten an der Hobelbank, Drahtarbeiten,
Modellieren und Holzschneiden.

Über die Rückgratsverkrümmungen der Mädchen hielt unser
Mitarbeiter, der Dozent der Chirurgie an der Wiener Hochschule Dr.
A. Lorenz, im Vereine zur Verbreitung naturwissenschaftlicher Kenntnisse einen Vortrag. Er führte aus, dafs Skoliosen bei den Mädchen
der besser situierten Klassen deshalb so häufig vorkommen, weil die
Mütter fast allgemein von der Manie befallen sind, ihren Töchtern eine
möglichst umfassende, äufserlich glänzende Bildung zu geben. Durch
diese „Hochdruck-Erziehung“ in Haus und Pension werde die körperliche
Verkümmerung und insbesondere der Schiefwuchs verursacht. Nicht
allein von der Überbürdung der Knaben sollte man sprechen, sondern
besonders von jener der jungen Mädchen in den höheren Gesellschafts-
klassen; diese armen reichen Mädchen würden grade in der kritischen
Zeit der Entwicklung zur Jungfrau oft so sehr überanstrengt, dafs ihre
Gesundheit untergraben, ihre Wohlgestalt beeinträchtigt und sie so zu
späteren hohen und schwierigen Berufe als Familienmütter untauglich würden. Die jetzt übliche Viellernerei der jungen
bedürfe einer entschiedenen Reform mit Rücksicht auf die Eigen-

art der weiblichen Psyche und die eigentliche Bestimmung des Weibes, dereinst Gattin, Mutter und Hausfrau zu werden.

Bäder für Schulkinder in Paris. Wie die „Schweiz. Blätt. f. Gesdhtspfl." berichten, hat neuerdings die Stadt Paris einen Vertrag mit einem Unternehmer abgeschlossen, wonach derselbe drei grofse Badeanstalten errichten mufs. Während die eine derselben für das elegante Publikum bestimmt ist, soll die zweite als Volksbad, die dritte als Bad für Soldaten und Schulkinder dienen. Eine jede Badeanstalt enthält ein gedektes Bassin von 35 m Länge, 12 bis 14 m Breite und 2 m Tiefe, das mit reinem Wasser gespeist wird. Dies Wasser fliefst fortwährend zu, wogegen das weniger reine am Grunde abläuft. Im Winter wird es erwärmt, indem dem Unternehmer die Erlaubnis erteilt ist, die Kondensationswässer dreier grosser städtischer Werke zu diesem Zwecke zu benutzen. Das Schulbad ist an vier Tagen der Woche für die Schulkinder, an den übrigen drei Tagen für die Garnison geöffnet. Wir dürfen jedenfalls annehmen, dafs auch für eine gründliche Reinigung der Bassins in bestimmten Intervallen gesorgt ist, da sich trotz des fortwährenden Zu- und Abflusses in kurzer Zeit viel Schmutz in denselben absetzt.

Der Berliner Verein für häusliche Gesundheitspflege hat auch in dem verflossenen Geschäftsjahre wieder eine reiche Thätigkeit entwickelt. In die Ferienkolonien wurden 365 Kinder entsandt. Die Zahl derjenigen, welche den Halbkolonien zugewiesen wurden, stieg von 600 auf 890. Im ganzen hat das Komitee für 1670 Kinder Sorge tragen können. Die Haussammlung zum besten der Ferienkolonien ergab 33215 Mark; aufserdem wurden noch 18537 Mark für denselben Zweck eingeliefert. Der Milchpflege ist von den Bezirkskomitees eine gesteigerte Aufmerksamkeit zugewendet worden. Auch wurden die aus den Ferienkolonien heimgekehrten Kinder in gesundheitlicher Beziehung besonders in Obacht genommen.

Ein neues Primärschulgesetz für den Kanton Bern ist in Aussicht genommen. Die Kreissynode Nidau fafste deshalb in ihrer Sitzung vom 18. August den Beschlufs, in dieses Gesetz möge die Bestimmung aufgenommen werden, dafs die Schulpflicht erst mit dem zurückgelegten siebenten Lebensjahre beginne und acht Jahre daure.

Knabenhort in Offenbach a. M. Vom „Verein für Jugendhorte" ist ein Knabenhort in Offenbach a. M. ins Leben gerufen und vor einiger Zeit eröffnet worden. Aus der grofsen Zahl der zur Aufnahme angemeldeten Knaben hat der Vorstand vorläufig 48 der bedürftigsten und würdigsten ausgewählt. Der erforderliche Raum ist von der Gemeinde im

Gebäude der alten Realschule zur Verfügung gestellt worden. Dort wird auch der Handfertigkeits-Unterricht gehalten werden, für welchen Herr Direktor SCHURIG seine Mithülfe zugesagt hat.

Typhusepidemie an der école normale zu Cluny. An der Normalschule zu Cluny ist eine Typhusepidemie ausgebrochen, welche sowohl Schüler als Dienstpersonal befallen hat. Von 184 Pensionären und 8 Tagesschülern erkrankten 80, vom Dienstpersonal 21 Personen; 12 Fälle verliefen tödlich. Die Untersuchung ergab, dafs nur solche Individuen ergriffen wurden, welche von dem Trinkwasser der Anstalt getrunken hatten. Da der betreffende Brunnen durch Auswurfstoffe verunreinigt war, so ist in ihm wohl die Ursache der Krankheit zu suchen. Eine bakteriologische Prüfung des Wassers ergab denn auch das Vorhandensein des EBERTHschen Bacillus.

Desinfektion von Personen, welche infektiöse Kinder in die Kinderspitäler bringen. Der Wiener Magistrat und die k. k. Polizeidirektion haben der k. k. niederösterreichischen Statthalterei Vorschläge betreffend die Desinfektion von Personen und Gegenständen gemacht, welche beim Transporte ansteckender Kranker mit diesen in Berührung gekommen sind. Da den Vorschlägen hier und da die erforderliche Übereinstimmung fehlt, so hat die k. k. Statthalterei angeordnet, dafs sich die genannten Behörden einigen und gemeinschaftlich einen neuen Vorschlag einreichen. Es soll dabei namentlich auch auf die Desinfektion solcher Personen Rücksicht genommen werden, welche an ansteckenden Krankheiten leidende Kinder in die Kinderspitäler bringen. Darüber besteht bei den Sachverständigen voller Einklang, dafs von einer erfolgreichen Desinfizierung nur dann die Rede sein kann, wenn dieselbe sofort in den betreffenden Spitälern selbst ausgeführt wird.

Preisausschreiben der Gesellschaft der Freunde des vaterländischen Schul- und Erziehungswesens in Hamburg. Die genannte Gesellschaft hat auf Anlafs der im nächsten Jahre stattfindenden Hamburger Gewerbe- und Industrie-Ausstellung zwei Preise ausgeschrieben, den einen von 200 ℳ. für den zweckmässigsten Schrank zur Aufbewahrung physikalischer Instrumente für die Schule, den anderen von 100 ℳ. für die geeignetste Vorkehrung, Landkarten in Schulzimmern aufzuhängen und aufzubewahren.

Amtliche Verfügungen.

Verordnung des k. k. Landesschulrats für Böhmen zur Verhinderung der Verbreitung ansteckender Krankheiten durch die

Schule. Der k. k. Landesschulrat für Böhmen hat zur Hintanhaltung der Verbreitung ansteckender Krankheiten unter dem 9. April 1888, Z. 9481, nachstehende Verordnung erlassen:

§ 1. Der Leiter einer Schule ist verpflichtet, den Gesundheitszustand der Schuljugend an der seiner Leitung anvertrauten Schule mit gröfster Sorgfalt zu überwachen.

§ 2. Jeder Schüler, welcher an einer ansteckenden Krankheit (Krätze, ansteckende Augenentzündung, Blattern, Scharlach, Masern, Keuchhusten, Diphtheritis, Parotitis oder Dysenterie) leidet, ist von dem Schulbesuche insolange fern zu halten, bis durch ein ärztliches Certifikat nachgewiesen wird, dafs der Wiederbesuch der Schule für die andern Schüler keinen Nachteil bringt.

§ 3. Ebenso dürfen in demselben Hauswesen (das ist Familie, Wohnung) lebende Lehrpersonen, wie auch Schüler, welche mit einer an Blattern oder Masern, Scharlach, Diphtheritis und Typhus erkrankten Person gemeinschaftlich wohnen, oder sonst in einer die Fortpflanzung des Kontagiums ermöglichenden Berührung stehen oder in der letzten Zeit gestanden haben, die Schule insolange nicht betreten, bis von ärztlicher Seite das Nichtvorhandensein einer Ansteckungsgefahr für die Schuljugend bestätigt wird.

§ 4. Dem Leiter der allgemeinen Volksschule oder der Bürgerschule obliegt es, jede zu seiner Kenntnis gelangende Erkrankung eines Schülers oder einer Schülerin an einer der im § 2 bezeichneten Krankheiten sofort dem Gemeindevorstande unter Inanspruchnahme der gemeindeärztlichen Intervention anzuzeigen und hiervon dem Ortsschulrate die Meldung zu erstatten, welcher sich mit dem Gemeindevorstande wegen Durchführung der erforderlichen sanitären Mafsnahmen in das Einvernehmen zu setzen und an die Bezirksschulbehörde Bericht zu erstatten hat.

Ist das erkrankte Kind nicht in der Gemeinde des Schulortes wohnhaft, so ist auch der Vorsteher der Aufenthaltsgemeinde des Kindes zu verständigen.

Die Leiter der Mittelschulen und der Bildungsanstalten für Lehrer und Lehrerinnen haben jeden derartigen Krankheitsfall eines Schülers oder Zöglings dem Bürgermeisteramte zur weiteren entsprechenden Verfügung bekannt zu geben.

§ 5. Der Leiter der Schule hat sorgfältig darauf zu achten, ob nach vorgekommener Erkrankung eines Schillers an einer der im § 2 genannten Krankheiten nicht etwa gegen Ablauf der sogenannten Inkubations-Periode, d. h. jenes Zeitraumes, welcher von der Aufnahme des Krankheitsstoffes bis zum Ausbruche der Krankheit verstreicht (bei Masern 12 Tage, bei Scharlach und Diphtheritis 8 Tage, bei Blattern 14 Tage) die unmittelbaren Schulnachbarn des Ersterkrankten in gleicher

Weise erkranken. Ist dies der Fall oder mehren sich überhaupt die Erkrankungsfälle infektiöser Natur unter der Schuljugend, so daß die teilweise oder gänzliche Schließung der Schule in Frage kommen könnte, so hat der Schulleiter unter Anzeige an den Ortsschulrat ungesäumt die Vermittlung des Gemeindevorstandes in Anspruch zu nehmen, damit die unmittelbare Intervention der politischen Behörde angerufen werde, welche im Einvernehmen mit dem Bezirksschulrate die weiteren sanitätspolizeilichen Maßnahmen anzuordnen hat.

In analoger Weise haben die Direktionen der unter der unmittelbaren Aufsicht des Landesschulrats stehenden Lehranstalten vorzugehen.

§ 6. Der Leiter einer Schule ist ferner verpflichtet, sein Augenmerk darauf zu richten, ob nicht unter den Bewohnern des Schulhauses selbst ansteckende Krankheiten der obbezeichneten Art vorkommen. Insbesondere sind im Schulhause wohnende Bedienstete strenge zu halten, jeden bei ihren Hausgenossen vorkommenden Fall einer derartigen Erkrankung sofort dem Schulleiter anzuzeigen.

In jedem solchen Falle hat der Schulleiter sofort in der im § 4 vorgezeichneten Weise vorzugehen, die schleunige Intervention des Gemeinde-Arztes zu requirieren und bis zu seinem Eintreffen die vollständige Isolierung des Erkrankten und seiner infektionsverdächtigen Umgebung zu bewirken.

In jedem solchen Falle ist die baldige entsprechende Unterbringung der Infektionskranken, sowie der Infektionsverdächtigen außer dem Schulhause und die Unschädlichmachung aller möglicherweise infizierten Objekte anzustreben.

Insolange die Beseitigung einer durch das Auftreten einer Infektionskrankheit unter den Bewohnern des Schulhauses hervorgerufenen Ansteckungsgefahr nicht gesichert ist, ist der Schulbesuch einzustellen.

Falls die Entfernung des betreffenden Kranken aus dem Schulhause nach dem Ausspruche des Arztes unzulässig ist und die vollständige Isolierung der Schulbesucher von dem Krankheitsherde auch auf eine andere Art nicht durchgeführt werden kann, ist die Schule unter gleichzeitiger Berichterstattung an die Bezirks-Schulbehörde, beziehungsweise an den Landesschulrat behufs nachträglicher Genehmigung sogleich zu sperren.

Die Schule ist sodann nach der nach den Anträgen des obersten Sanitätsrats verfaßten und den politischen Landesbehörden mit dem Erlasse des k. k. Ministeriums des Innern vom 16. August 1887, Z. 20692 (ex 1886), bekannt gegebenen Anleitung zum Desinfektionsverfahren ordentlich zu desinfizieren und erst mit Zustimmung der Sanitätsbehörde wieder zu eröffnen.

Die Desinfektionsmittel sind vor Verwechslung oder Mißbrauch zu verwahren und Kindern unzugänglich zu machen.

§ 7. Die Wiedereröffnung einer wegen bestehender Infektionsgefahr gesperrten Schule darf nur mit Zustimmung der politischen Behörde im Einvernehmen mit der betreffenden Schulbehörde nach vollständig durchgeführter Beseitigung jeder Infektionsgefahr durch das behördlich angeordnete Verfahren als: Desinfektion, Reinigung, Lüftung u. s. w. erfolgen.

§ 8. Den Schülern ist das Betreten solcher Wohnungen, in welchen infektiöse Krankheiten herrschen, strengstens zu verbieten.

§ 9. Die korporative Begleitung von Leichenbegängnissen an infektiösen Krankheiten Verstorbener durch die Schuljugend ist nicht zu gestatten.

§ 10. Die Absätze 2, 3, 8 und 9 dieser Verordnung sind jährlich beim Beginne des Schuljahres und beim Auftreten einer epidemischen Krankheit in allen Schulklassen zu publizieren.

§ 11. Vorstehende Verordnung findet auch auf Privat-Anstalten, Kleinkinder-Bewahranstalten und Kindergärten sinngemäße Anwendung.

Verfügung des Grofsherzoglich hessischen Ministeriums des Innern und der Justiz, Abteilung für Schulangelegenheiten, betreffend die Pflege und Erhaltung der Gesundheit in den Schulen mit besonderer Rücksicht auf die Beschaffenheit der Schreibmaterialien. Von dem Grofsherzoglich hessischen Ministerium des Innern und der Justiz geht uns die folgende an die Grofsherzoglichen Direktionen der Gymnasien, Realgymnasien, Realschulen und höheren Mädchenschulen gerichtete und im Amtsblatt veröffentlichte Verfügung zu:

Zu Nr. M. J. 580.   Darmstadt, am 6. Januar 1888.

Die Erfahrung hat gelehrt, dafs die in den Schulen gebrauchten Schreibmaterialien vielfach den Anforderungen nicht entsprechen, welche die Rücksicht auf die Schonung und Erhaltung der Sehkraft zu stellen gebietet. Wir sehen uns daher, in Übereinstimmung mit der Ministerialabteilung für öffentliche Gesundheitspflege, veranlafst, in nachfolgendem allgemeine Bestimmungen zu treffen, welche in Beziehung auf die in den Schulen zu gebrauchenden Schreibmaterialien zu beachten sind.

1. Es empfiehlt sich, in den Schulen nur solches Papier zuzulassen, welches nicht glänzend und nicht rein weifs ist, vielmehr einen in das Graue oder Gelbe spielenden Farbenton zeigt.

2. Die Länge der Zeilen soll in der Regel nicht über 0,15 m gehen.

3. Mit Rücksicht auf die gewöhnliche Breite der Tischplatte empfiehlt es sich, den Schreibheften eine Höhe von nicht über 0,20 m zu geben.

4. Soweit nicht ganz davon abgesehen werden kann, die Führung der Hand durch vorgezogene Linien zu unterstützen, sind einfache Linien den Doppellinien vorzuziehen, weil letztere das Auge in höherem Grade anstrengen. Doppellinien, so weit sie überhaupt nicht zu entbehren sind, sollen nicht mehr als 0,005 m und nicht weniger als 0,003 m Entfernung voneinander haben. Schwarze Linien stellen die Lage

der Grenzpunkte am deutlichsten dar und sind daher mehr zu empfehlen, als blaue Linien, welche namentlich bei künstlicher Beleuchtung leicht undeutlich sind. Linienblätter, welche dem zu beschreibenden Papier untergelegt werden, scheinen nur undeutlich durch und sind daher weniger zweckmäfsig, als auf das Papier gezogene Linien. Schräge Linien, welche für die schräge Lage der Grundstriche der Buchstaben die Richtung angeben, sind entweder ganz zu vermeiden, oder doch auf 4 bis 5 in der Zeile zu beschränken. Die schräge Stellung der Buchstaben ergibt sich nach physiologischen Gesetzen von selbst, wenn bei richtiger Leibeshaltung das Schreibheft oder die Schreibtafel so gelegt ist, dafs deren unterer Band mit der Vorderkante der Subsellientafel einen Winkel von 30 bis 35° bildet. Es ist aber für die Erhaltung der Sehkraft von der gröfsten Wichtigkeit, dafs beim Schreiben eine solche Heftlage immer eingehalten werde und dafs hierbei der Schreibende beide Arme zugleich und gleichmäfsig auf die Tischplatte stütze.

Ganz zu verwerfen, weil den Augen sehr nachteilig, sind die bei den Rechenaufgaben häufig angewendeten quadrierten Liniennetze.

5. Den schwarzen Tafeln, insbesondere den Schiefertafeln, sind Schreibtafeln von hellerer Farbe vorzuziehen. Die Nachteile der schwarzen Schiefertafeln bestehen in der Härte des Materials, das eine später bei dem Schreiben mit der Feder zu überwindende Schwere der Hand bewirkt, in dem mangelhaften Ansprechen des Griffels einerseits, anderseits in dem Zurückbleiben der früher gemachten Striche, in dem Glanz und der Farbe und infolge davon in der namentlich bei künstlicher Beleuchtung hervortretenden, auf die Sehkraft höchst nachteilig wirkenden Undeutlichkeit der Schrift.

Es dürfte sich daher empfehlen, den Gebrauch der schwarzen Schiefertafel soweit als möglich zu beschränken.

v. Knorr.

de Beauclair.

Das dazu gehörige Begleitschreiben lautet:

Zu Nr. M. J. 580.   Darmstadt, am 6. Januar 1888.

Das Grofsherzogliche Ministerium des Innern und der Justiz, Abteilung für Schulangelegenheiten an die Grofsherzoglichen Kreisschulkommissionen.

Indem wir Ihnen anliegendes Amtsblatt zur Kenntnisnahme und thunlichsten Berücksichtigung in Bezug auf die Ihnen unterstellten Schulen mitteilen, empfehlen wir Ihnen weiter, darauf hinzuwirken, dafs die darin gegebenen Bestimmungen auch in den Privatlehranstalten beachtet werden.

v. Knorr.

de Beauclair.

Endlich bezieht sich auf denselben Gegenstand auch das nachstehende Schreiben:

Zu Nr. M. J. 2899.   Darmstadt, am 6. Februar 1888.

Das Grofsherzogliche Ministerium des Innern und der Justiz, Abteilung für Schulangelegenheiten an die Grofsherzoglichen Direktionen der Gymnasien, Realgymnasien, Realschulen und höheren Mädchenschulen.

Nachträglich zu unsrem Ausschreiben vom 6. v. Mts. zu Nr. M. J. 580 — Amtsblatt Nr. 1 — teilen wir Ihnen mit, dafs durch die Bestimmung unter 4 nicht ein sofortiges Verbot der Schreibhefte mit blauen Linien ausgesprochen, sondern nur deren allmählicher Ersatz durch solche mit schwarzen Linien empfohlen werden sollte, bis der noch im Besitze der Papierhändler befindliche Vorrat zum grofsen Teile aufgebraucht ist.

Es sind daher erst von Beginn des nächsten Kalenderjahres 1889 an die Schreibhefte mit schwarzen Linien allgemein einzuführen und bis dahin auch solche mit blauen Linien zum Gebrauche zuzulassen, wonach Sie die Lehrer Ihrer Anstalt bedeuten .wollen.

v. KNORR.

ACHENBACH.

Kenntnis der efsbaren Pilze seitens der Volksschüler. Da die efsbaren Pilze einen nicht zu unterschätzenden Nährwert besitzen, so ist es sehr verdienstlich, dafs die Kgl. Regierung zu Düsseldorf die Kenntnis derselben seitens der Volksschüler verlangt. Dieselbe hat nämlich in einer Verfügung an alle Kreisschulinspektoren und Landräte darauf hingewiesen, dafs in den Volksschulen im naturkundlichen Unterricht die efsbaren Pilze vielfach nicht Berücksichtigung finden, obgleich nach § 34 der „Allgemeinen Bestimmungen" vom 15. Oktober 1872 in diesem Unterricht diejenigen einheimischen Gegenstände in den Vordergrund treten sollen, welche durch den Dienst, welchen sie dem Menschen leisten, besonderes Interesse erregen. Zugleich weist die Kgl. Regierung die genannten Behörden an, dafür Sorge zu tragen, dafs bei der Stoffauswahl für den naturgeschichtlichen Unterricht der Oberstufe die efsbaren Pilze nicht übergangen werden. Es wird genügen, wenn zwei Sorten derselben, ein Blätter- und ein Röhrenpilz, zur eingehenden Behandlung gelangen und die übrigen nur in Kürze vorgeführt werden. Als selbstverständlich erscheint, dafs bei Auswahl der zu betrachtenden Pilzarten diejenigen in erster Linie berücksichtigt werden, welche in der Nähe des Schulortes vorkommen.

Der Erlafs des Kultusministers VON GOSSLER, betreffend Pläne von Schulhäusern und Schulzimmern wurde schon in No. 8, S. 263 unserer Zeitschrift kurz erwähnt. Der „Hbg. Korr." schreibt darüber des nähern: Um die Sammlung des im Anschlufs an die Hygiene-Ausstellung im Jahre 1883 zu Berlin gegründeten Hygiene-Museums zu vervollständigen und dadurch das Studium der Schulhygiene zu fördern, hat Kultusminister von GOSSLER einen Erlaß an sämtliche Regierungen und an die Ministerialbaukommission gerichtet, in welchem diese Behörden aufgefordert werden, Entwürfe von Schulbauten nebst den zugehörigen Beschreibungen, Kostenberechnungen und ähnlichen Schriftstücken an das Unterrichtsministerium einzusenden. Es soll auf diese Arte eine möglichst vollständige Darstellung der üblichen Anlagen von Volksschulen, namentlich auf dem Lande, wenigstens in Zeichnungen geschaffen werden und in dem Museum zur Ausstellung gelangen. Hierbei sind aber keineswegs lediglich sogenannte Musterentwürfe zu berücksichtigen, welche das in neuerer Zeit auf diesem Gebiete Angestrebte veranschaulichen, sondern auch ältere Anlagen, die jetzt durch vollkommenere verdrängt sind. Die Sammlung soll ein möglichst treues Bild von der Entwicklung geben, welche der Schulbau in Preußen im Laufe der Zeit durchgemacht hat. Eine solche Sammlung dürfte für die hygienische Vervollkommnung der Schulbauten eine hohe praktische Bedeutung haben. Werden doch nur deswegen so viele Schulbauten unzweckmäßig eingerichtet, weil die bewährten Anlagen nicht allgemein bekannt sind.

Personalien.

Ihre Mitarbeit an unsrer Zeitschrift haben ferner zugesagt die Herren Dr. med. ERNST ALBINI, Augenarzt in Brescia, Dr. med. TH. ALTSCHUL, prakt. Arzt in Prag, Dr. med. W. LUBELSKI, Chefarzt des französischen Generalkonsulates in Warschau, Dr. med. RAFAEL RODRÍGUEZ MÉNDEZ, Professor der Hygiene und Direktor der „Gazeta Médica Catalana" in Barcelona, und Dr. phil. W. J. VIGELIUS, Lehrer am städtischen Gymnasium im Haag.

Herrn Professor K. B. LEHMANN in Würzburg wurde infolge der Ablehnung seiner Berufung nach Giessen ein hygienisches Institut zur Verfügung gestellt. Dasselbe umfaßt fünf Räume im medizinischen Kollegienhaus und ist mit dem Beginne des Wintersemesters eröffnet worden.

Dr. A. H. LEUF wurde von den Kuratoren der Pennsylvania-Universität an Stelle von Dr. J. W. WHITE zum Direktor der physischen Erziehung ernannt.

Der Privatdozent für Hygiene, Dr. L. BEUMER in Greifswald, hat eine Anstellung als außerordentlicher Professor daselbst erhalten.

Der kgl. sächsische Assistenzarzt I. Klasse, Dr. TRENKLER, ist zur Dienstleistung im kaiserlichen Gesundheitsamte nach Berlin kommandiert worden.

Herr Geheimrat von Pettenkofer feierte am 3. Dezember d. J. seinen siebenzigsten Geburtstag.

Der Nestor der deutschen Ärzte, Herr Geheimrat Dr. Steinthal in Berlin, der, wie wir in unsrer letzten Nummer berichteten, vor kurzem seinen neunzigsten Geburtstag beging, hat in der letzten, am 25. Oktober abgehaltenen Sitzung der Berliner medizinisch-pädagogischen Gesellschaft wegen seines hohen Alters den Vorsitz niedergelegt. Letzterer ist nunmehr auf den stellvertretenden Vorsitzenden, unsern geschätzten Mitarbeiter, Herrn Direktor des königl. Wilhelmsgymnasiums Dr. Kübler, übergegangen. Wir wünschen der Gesellschaft auch unter dem neuen Präsidium das beste Gedeihen.

Der Verein für öffentliche Gesundheitspflege in Hamburg hat die Herren Geheimrat von Pettenkofer in München, Professor Dr. med. Curschmann in Leipzig und Schiffsreeder Sloman in Hamburg zu Ehrenmitgliedern ernannt.

Kaiser Wilhelm hat am 3. Oktober unsern verehrten Mitarbeiter, Herrn Professor von Schrötter in Wien, der seiner Zeit zur Konsultation bei Kaiser Friedrich nach San Remo berufen worden war, in längerer Audienz empfangen.

Auf seinem Gute Welchau bei Carlsbad verschied der a. o. Professor der Kinderheilkunde, Dr. J. Freiherr von Löschner, früher in Prag.

Am 19. Oktober starb in Greifswald der kgl. Kreisphysikus a. D. und a. o. Professor an der dortigen Universität, Geheimer Medizinalrat Dr. Wilhelm Räckermann, im Alter von 72 Jahren. Seine Lehrthätigkeit bezog sich speziell auf öffentliche Gesundheitspflege und gerichtliche Medizin.

Litteratur.

Besprechungen.

Der Schulgarten. Pläne mit erläuterndem Text. Preisgekrönte Arbeiten, herausgegeben vom schweizerischen landwirtschaftlichen Verein. Zürich, 1888. Hofer & Burger. (134 S. 8°).

Wenn es als eine sehr wichtige Aufgabe der Schule gilt, daß die Jugend nicht bloß in den Besitz von theoretischen Kenntnissen gesetzt, sondern auch zu jenen Fertigkeiten geleitet werde, welche für das praktische Leben notwendig und nützlich sind, so kann nicht der geringste Zweifel darüber obwalten, daß der Schulgarten auf dem Gebiete der Erziehung und des Unterrichtes zu einer weittragenden Rolle berufen ist.

Wie nämlich durch den Schulgarten die Liebe zur Natur, die Veredlung der Gemüter und die Hebung des Ordnungssinnes bei der heranwachsenden Jugend in hervorragender Weise gefördert wird, so übt derselbe auch insofern einen wohlthätigen Einfluß auf die Kinder aus, als dieselben dort solche Beschäftigungen kennen lernen, welche die künftigen Bürger recht eigentlich in das praktische Leben einführen. Rechnet man zu diesen Vorzügen noch den durchaus nicht zu unterschätzenden Einfluß, den der Schulgarten auf die Gesundheit der Kinder ausübt, so darf man kühn behaupten, daß derselbe eines jener Mittel sei, welche unsre Jugendbildung auf eine den Bedürfnissen des Lebens mehr entsprechende Bahn leiten.

Wie viele andre Faktoren der Erziehung, so fand auch der Schulgarten erst in neuerer Zeit die gebührende Würdigung. Besonders Schweden ist es, wo wir diesbezüglich dem größten Fortschritte begegnen. Es sollen daselbst mehr als 2000 Schulgärten bestehen! Aber auch in andern Ländern beschäftigt man sich mehr und mehr mit der Frage der Errichtung solcher Gärten.

Das lobenswerte Vorgehen Schwedens bestrebt sich gegenwärtig hauptsächlich die Schweiz nachzuahmen, wo der in Zürich befindliche „landwirtschaftliche Verein", um die Verwirklichung der so praktischen und nützlichen Idee der Errichtung von Schulgärten zu befördern, auf Anregung VOGLERS im Jahre 1885 die Summe von 3500 Mk. für diesbezügliche Preisarbeiten aussetzte. Die erfolgte Ausschreibung der Preise war vom schönsten Erfolge gekrönt. Es liefen 14 Arbeiten ein, und zwar von so ausgezeichneten Männern, daß das Prüfungskomitee nicht weniger als 8 Arbeiten prämiieren konnte.

In dem vorliegenden Werke haben wir einen Teil dieser gekrönten Preisschriften, namentlich die Arbeiten von J. MORGENTHALER und F. BECKER; ferner zwei Pläne von W. STEYER. Diesen folgt ein Plan, den K. GERBER, R. SEILER, FR. WENDLI und J. MEYER entworfen haben, während den Schluß des Werkes die Arbeit von J. M. DEUTSCH bildet. MORGENTHALER und DEUTSCH lieferten längere Abhandlungen über den Schulgarten, wogegen die übrigen Verfasser sich auf die Pläne und deren nähere Erklärung beschränkten.

Nach einer trefflichen Einleitung über die Bedeutung des Schulgartens für die theoretische Belehrung und praktische Ausbildung der Jugend läßt MORGENTHALER eine gedrängte, aber trotzdem ausreichende Beschreibung folgen über die Auswahl des Terrains und dessen erste Bearbeitung, über das Frühbeet, die Blumenkultur, Zierbäume und Ziersträucher, ferner über die verschiedenen medizinischen und Giftpflanzen, Obstbäume, Reben und Waldpflanzen, welche in einem Schulgarten Platz finden können. Nachdem er noch einiges über die Kosten und Erträgnisse des Gartens mitgeteilt hat, führt er die Werkzeuge zur Bearbeitung desselben vor und macht uns mit der einschlägigen hortologischen Litteratur bekannt.

Die Ausführungen sind durchaus kurz gehalten, anziehend, lebhaft geschrieben, mit treffenden konkreten Beispielen gewürzt und — was die Hauptsache sein dürfte — aus der Erfahrung geschöpft, derart, daß die gegebenen Winke nur den guten Willen des Lehrers erfordern, um praktisch verwertet werden zu können. Dieselben Vorzüge kennzeichnen auch jene Artikel, welche der in Rede stehenden Abhandlung beigefügt sind: über den „Vogelschutz" von Käser und Hanhart, über die „Anlage eines Bienenstandes" von Kramer, sowie über „die Waldpflanzen und die Korbweide" von Rychner.

Deutsch schildert in seinem Aufsatze zuerst die Geschichte der Schulgartenfrage; dann entwickelt er sehr praktisch die Aufgabe, welcher der Schulgarten auf dem Gebiete der Erziehung gerecht werden soll, und endlich bespricht er die „Praktische Ein- und Durchführung des Schulgartens."

Diese Abhandlung ist bedeutend kürzer als die vorher besprochene. An und für sich dürfte dieselbe auch kaum genügen, um den Lehrer bei Anlage eines Schulgartens vollkommen zu orientieren, aber im Anschluß an die Arbeit von Morgenthaler besitzt dieselbe dennoch einen nicht geringen Wert, hauptsächlich deshalb, weil sie in verschiedenen Beziehungen zur Ergänzung dieser Arbeit dient. Während nämlich Morgenthaler eine ausgezeichnete Unterweisung bietet, erregen die warmen Worte von Deutsch das Interesse und die Begeisterung für diesen wichtigen Gegenstand.

Was die dem Werke beigeschlossenen vier Pläne anbelangt, so scheint uns der Plan I von Becker mit vollem Rechte an erster Stelle zu stehen. Derselbe ist vornehm, man könnte sagen elegant, hat fast den Anschein von einem Park, scheint aber trotzdem leicht durchführbar zu sein. Der Plan II von Steyer weist auch eine geschmackvolle Einteilung auf, berücksichtigt ebenfalls alle Anforderungen, die an einen Schulgarten gestellt werden sollten, dürfte aber in der Ausführung mehr Schwierigkeiten bieten, als der erstere. Der Plan III ist entschieden einfach und den bescheidensten Verhältnissen angemessen. Sehr hübsch ist auch der Plan Nr. 5, der aber überwiegend auf die Baumkultur Rücksicht nimmt.

Das Werk im allgemeinen dürfte dieser guten Sache treffliche Dienste leisten, und der Verein, unter dessen Ägide es erschien, verdient den größten Dank für die Veröffentlichung.

Wir wünschen deshalb auch, daß das Buch möglichst weite Verbreitung finde und bewirke, daß der Schulgarten „der — wie Deutsch am Schlusse seiner Abhandlung sagt — ganz vorzugsweise berufen ist" das Volk in intellektueller, moralischer und ökonomischer Hinsicht zu heben", sich überall der größten Eroberungen erfreue.

Professor Dr. J. Walter in Gran.

HÜRLIMANN, prakt. Arzt in Unterägeri. **Über Gesundheitspflege und Revision des schweizerischen Volksschulwesens.** Vortrag, gehalten in der Versammlung des schweizerischen ärztlichen Zentralvereines in Olten am 29. Oktober 1887. Separatabdruck aus dem „Korrespondenzblatt für schweiz. Ärzte", Jahrg. XVIII. Bern, 1888. (gr. 8°).

Es zieht sich als roter Faden durch den ganzen Vortrag des vorgenannten Kollegen der berechtigte Wunsch, daß der Schulhygiene in der Schweiz weit mehr Sorgfalt als bisher gewidmet werden möge. Der Vortragende hebt vor allem nachdrücklich hervor, daß nur körperlich gesunde Kinder auch geistig fortschreiten können und kommt hierdurch folgerichtig auf die Notwendigkeit der ärztlichen Mitarbeit an der Schule zu sprechen. Ich stehe ganz auf seiner Seite, wenn er sagt, „es zeuge von mangelhafter Einsicht, wenn man die wichtigsten pädagogischen Fragen ohne Mitwirkung der öffentlichen Gesundheitspflege zu lösen gedenkt und den ärztlichen Beistand bei Gründung einer Unterrichtshygiene als nicht nötig erachtet." —

Über die Mitwirkung der schweizer Techniker bei Schulbauten wird nicht sehr günstig geurteilt: sie sollen nur auf dem Gebiete der Ventilation und Heizung Erfreuliches leisten. Dagegen ist aus dem Vortrage nicht zu entnehmen, ob die Lehrerschaft in der Schweiz von der Notwendigkeit des Zusammenwirkens von Pädagogik und Hygiene so erfüllt ist, wie ein großer Teil der österreichischen Lehrer.

Die Berücksichtigung der Schulhygiene seitens der staatlichen Behörden ist infolge der verschiedenen Verfassungen der einzelnen Kantone eine äußerst verschiedene; was sich in Österreich und allen andern civilisierten Staaten mit Zentralregierungen gleichsam in einem Gusse herstellen läßt, zersplittert sich dort in unzählige, einander ganz unähnliche Normen, wodurch natürlich das Endziel gewaltig leiden muß, und der Vortragende demonstriert dies gleich ad oculos durch das Nebeneinandersetzen des guten Volksschulgesetzentwurfes des Kantons St. Gallen und des sehr mittelmäßigen des Kantons Zürich. Im allgemeinen beklagt er, daß auf dem Gebiete der Schulhygiene in der Schweiz seit dem letzten Dezennium eine gewisse Stagnation eingetreten ist.

Schließlich wird in dem Vortrage HÜRLIMANNS noch auf die Notwendigkeit der staatlichen Fürsorge für die sogenannten Kinderschulen (Kindergärten?) und für die Taubstummen-, Blinden- und Idioten-Anstalten hingewiesen und überhaupt ein warmes Interesse an allem bekundet, was die Gesundheit der Jugend in und außer der Schule zu fördern im stande ist.

k. k. Bezirksarzt Dr. med. Ritter von BRECHLER in Leitmeritz.

R. Malling-Hansen, Direktor und Prediger an der königl. Taubstummen-Anstalt in Kopenhagen. **Perioden im Gewicht der Kinder und in der Sonnenwärme. Fragment III. A.** Kopenhagen, 1886. W. Tryde. (268 S. Text 8° u. 1 Taf.) Fragm. III. B. Kopenhagen, 1886. Hoffenberg & Traps. (Atlas in qu. fol. 44 Taf.)

Autor ist durch frühere Arbeiten auf demselben Gebiete rühmlichst bekannt; „Fragment III. A und III. B" enthalten zugleich die wesentlichsten Ergebnisse der in den früheren „Fragmenten" enthaltenen Forschungen.

Von Anfang Mai 1882 bis in den Februar 1886 wurden 130 Zöglinge der Königl. Taubstummen-Anstalt in Kopenhagen täglich gewogen, von Mitte Februar 1884 bis in den Februar 1886 an den meisten Schultagen auch täglich gemessen. Die Ergebnisse sind im vorliegenden Werke hinsichtlich der ca. 70 K n a b e n publiziert, deren Gewichtssumme ebenso als Untersuchungsbasis diente, wie die Summe der gleichfalls mit Beobachtung aller Vorsicht gefundenen Längenmafse.

Die in Rede stehende Studie gehört zu den o r i g i n a l sten, die Referent jemals kennen gelernt hat. Sie w i l l g e l e s e n s e i n: das hier aufgespeicherte Material ist so reichhaltig, so vielseitig durchdacht und fortschreitend, zu so weit greifenden Schlüssen ausgebeutet, dafs es unthunlich ist, im Rahmen eines Referates eine übersichtliche Vorstellung von dem ganzen Inhalte zu geben. Die Arbeit, welche mit so viel Scharfsinn dem Entwickelungsgange der Jugend oder richtiger im letzten Grunde den Schwankungen der Intensitätsgröfse des Lebens und deren Ursachen nachspürt, verdient von einer ganzen Reihe von Interessenten (u. a. Meteorologen) studiert zu werden. Es ist s e h r zu wünschen, dafs an geeigneten Stellen, wie Waisenhäusern, überhaupt Internaten, wo sich wegen der Gleichartigkeit der Lebensbedingungen solche Untersuchungen am exaktesten durchführen lassen, und zwar an den verschiedensten Punkten der Erdoberfläche verwandte Arbeiten ausgeführt und speziell die Versuchsreihen des Autors, d i e z u s o m e r k w ü r d i g e n E r g e b - n i s s e n g e f ü h r t h a b e n, wiederholt werden. Die manuelle Arbeit kann nach passender Einführung von jeder des Lesens und Schreibens kundigen, einigermafsen intelligenten Person ausgeführt werden. Die einmalige Wägung aller Individuen dauerte etwa 1 Minute, die einmalige Messung etwa 5 Minuten. Die zwar mühevolle, aber interessante Arbeit der geistigen Durchdringung, Kombination und Diskussion der Ziffern dürfte anregendster Art sein. Hinsichtlich der Geldmittel ist allerdings die Anschaffung passender Apparate und Entlohnung der bedeutenden äufserlichen Arbeit, wie sie besonders durch gewisse Rechenoperationen bedingt zu sein scheint, eine nicht zu leugnende Schwierigkeit. Nicht zum ersten Male aber hat Referent Gelegenheit, mit grofser Achtung sowohl des Umstandes zu gedenken, wie bedeutende wissen-

schaftliche Leistungen uns die im politischen Getriebe so, bescheidenen
nordischen Staaten bieten, als auch der andren, nicht minder rühmens-
werten Erscheinung, wie liberal derartige Unternehmungen in diesen sonst sehr sparsamen Staaten von Behörden und Gemeinden
gefördert werden. —

Die thatsächlichen Ergebnisse des Werkes dürften am besten angedeutet sein, wenn einige der schon vom Autor durch den Druck
hervorgehobenen Resultate hier mitgeteilt werden. Verfasser macht
selbst die Reservation bezüglich der Dauer der Beobachtungszeit und
scheidet selbst das wirkliche Ergebnis von der Hypothese.

„Das Körpergewicht eines 9- bis 15-jährigen Knaben unterliegt alljährlich 3 Perioden, einer Maximal-, einer mittleren und einer Minimalperiode. Die Minimalperiode fängt im August an und schließt in der
Mitte des Dezember, dauert also 4½ Monate. Die Mittelperiode erstreckt sich von Mitte Dezember bis Ende April, 4½ Monate. Die Minimalperiode dauert von Ende April bis Ende Juli, also 3 Monate. Während der Maximalperiode ist die tägliche Gewichtsentwickelung dreimal
so groß als in der Mittelperiode. Fast die ganze in der Mittelperiode
gewonnene Gewichtzunahme geht während der Minimalperiode verloren"
(S. 29—30.)

„Das Höhenwachstum eines 9- bis 15jährigen Knaben unterliegt
alljährlich drei Hauptperioden, einer Minimal-, einer mittleren und einer
Maximalperiode. Die Minimalperiode beginnt im August und dauert bis
gegen Ende November, ca. 3½ Monate. Die mittlere Periode reicht vom
Schluß des November bis gegen Ende März, dauert also ca. 4 Monate.
Die Maximalperiode reicht vom Ausgang des März bis in die Mitte des
August und umfaßt ca. 4½ Monate. Der tägliche Höhenzuwachs ist in
der Mittelperiode 2mal so groß und in der Maximalperiode 2½mal so
groß als in der Minimalperiode." (S. 38—39.)

„Die Amplitude der Gewichtsperioden ist bedeutend größer als die
der Höhenperioden. Die Gewichtsperioden schwanken zwischen + 1,47
und — 0,64 kg; die Höhenperioden zwischen 1,3 cm und 0,5 cm"
(S. 42.)

„In der Maximalperiode des Längenzuwachses hat die Dickezunahme
ihr Minimum, und umgekehrt hat die Dickezunahme ihr Maximum in
der Minimalzeit des Längezuwachses". (S. 46.)

„Die Gewichtzunahme der Knaben schwankt übereinstimmend mit
der Wärme". (S. 77.)

„Eine Vergleichung der Wärmekurven einer Reihe von über die
Erdoberfläche zerstreuten Punkten untereinander und mit den
Messungen der untersuchten Kinder kommt Autor allmählich
zu denen hier auch wieder nur einige herausgegriffen wer-

„Dafs aber die Wärme in Indien mit der Wärme in Kopenhagen und in den nördlichen und südlichen Teilen von Südamerika ähnlich schwankt, das ist doch wohl eine ebenso auffallende Erscheinung in der Meteorologie, wie es im Bereiche der Biologie befremdlich erscheinen mafs, dafs die Gewichtszunahme der Kinder mit der Lufttemperatur aller dieser Orte übereinstimmend schwankt". (S. 132.)

„Weil sich in der atmosphärischen Wärme in Europa, in Indien, in Afrika, in Süd- und Nordamerika, und zwar an jedem Ort, von wo Temperaturaufzeichnungen zu Gebote standen, ganz gleichartige Perioden (dieselben, wie in der Gewichtszunahme der Kinder), nämlich 24—26-tägige und 72—78-tägige Perioden, vorgefunden haben, so müssen diese Perioden und diese Schwankungen eine gemeinschaftliche Grundlage für alle Wärmeveränderungen (und zugleich für alle Veränderungen in der Gewichtsentwicklung der Kinder) über den ganzen Erdball abgeben, sowie es auch jetzt wohl anzunehmen ist, dafs diese Grundlage ihren Ursprung in der Sonnenwärme selbst hat, welche letztere also in denselben Perioden, wie die in der Gewichtszunahme der Kinder und zugleich in der atmosphärischen Wärme der Erde vorgefundenen, variiert haben mufs." (S. 135.)

„Alle organischen Funktionen über den ganzen Erdball hin befinden sich in ununterbrochenen und übereinstimmenden Intensitäts-Schwankungen. Die Impulse zu diesen gemeinsamen Schwankungen gehen von der Sonne aus, gelangen zur Erde in oder mit den Wärmestrahlen, variieren mit diesen, lokalisieren sich aber nicht, sondern verbreiten sich im Nu über die ganze Erde und haben die gleichen Schwankungen an den Polen und am Äquator, auf der Tag- und auf der Nachtseite der Erdkugel". (S. 317).

Referent hat hier, wie gesagt, einige der Schlufssätze herausgegriffen; er lehnt es ab, damit den Inhalt des Werkes gegeben zu haben oder denselben überhaupt in einem Referate geben zu können. Für die Schulhygiene oder die Erziehungshygiene im allgemeinen eröffnet die Arbeit und speziell noch die beherzigenswerte Betrachtung, welche der Autor über die Messungen, Wägungen u. s. w. anstellt, merkwürdige Gesichtspunkte. MALLING-HANSEN setzt, und seine bisherigen Leistungen zeigen bewundernswürdige Energie und Ausdauer, seine Studien in erweitertem Umfange (Harnuntersuchung, Kraftmessung, Ferienwirkung) fort. Der Publikation derselben dürfen wir mit gerechtfertigter Spannung entgegensehen

Professor Dr. L. BURGERSTEIN in Wien.

Dr. J. ROSENTHAL, o. ö. Professor der Physiologie und Gesundheitspflege an der Universität Erlangen. **Vorlesungen über die öffentliche und private Gesundheitspflege.** Erlangen, 1887. ED. BESOLD. (599 S. 8°).

Das vorliegende Werk ist mit grofser Klarheit in Form von Vorlesungen geschrieben, von denen die achtundvierzigste die Schulhygiene behandelt.

Der Verfasser bespricht zunächst die Überbürdungsfrage. Er nimmt an, dafs hie und da Überanstrengung von Schülern vorkommt, bemerkt aber mit Recht, dafs daran nicht immer die Schule schuld sei. Oft genug werden höhere Lehranstalten von Kindern besucht, welche nicht hinreichende Befähigung für dieselben besitzen, und auch sonst fehlt das Haus nicht selten, indem es zuviel Privatunterricht, namentlich in der Musik erteilen läfst. Am ehesten haben nach dem Verfasser junge Mädchen der höheren Stände unter Überbürdung zu leiden, eine Ansicht, der wir nur beipflichten können. Nach unsern Erfahrungen kommt bei diesen besonders häufig die Examens-Überbürdung vor, da ein Nichtbestehen der Prüfung von Mädchen viel mehr als von Knaben gefürchtet wird. Wenn der Autor meint, dafs in Volksschulen von geistiger Überanstrengung weniger die Rede sein kann, so ist doch zu bedenken, dafs das Gehirn schlecht genährter und ⌊blutarmer Volksschüler auch weniger leistungsfähig ist und dafs selbst geringe Anforderungen hier bisweilen schädlich wirken können.

Weiter handelt der Verfasser von den Erholungspausen zwischen den einzelnen Lehrstunden. Er will, dafs bei den jüngeren Kindern wenigstens alle Stunde, bei den älteren mindestens nach je zwei Stunden der Unterricht etwa eine Viertelstunde lang unterbrochen und diese Zeit für Spielen auf dem Spielplatz oder bei ungünstiger Witterung in der Turnhalle verwendet werde. Während dessen sollen die Schulzimmer gelüftet werden. Die Turnstunden möchte er am liebsten an das Ende des Unterrichts oder auf die freien Nachmittage verlegt wissen, da der Übergang vom Turnen zu wissenschaftlichen Übungen wenig Erfolg verspreche. Wir fügen dem hinzu, dafs die Schüler nach anstrengendem Gerätturnen auch ihre Hand nicht völlig beherrschen und daher gleich darauf nicht gut zu schreiben im stande sind. Anderseits aber haben Turnstunden, welche zwischen die wissenschaftlichen Unterricht fallen, den nicht zu unterschätzenden Vorteil, dafs sie dem Geiste eine gewisse Abspannung und Erholung gewähren.

Die Zahl der Schüler soll nach dem Autor nicht über fünfzig in einer Klasse betragen. Er setzt jedoch hinzu, dafs, wenn man hierauf bestehen wollte, zahlreiche Schulen, insbesondere auf dem Lande geschlossen werden müfsten. Die Hygiene hat eben immer auch mit der pekuniären Leistungsfähigkeit der Gemeinden zu rechnen. Je gröfser aber die Zahl der Schüler, desto besser müsse die Ventilation sein. In dieser Beziehung werden Mantelöfen, welche zwischen Mantel und Ofen Luft ansaugen, empfohlen. Auch sollen geeignete Räume zum Ablegen der Überkleider ausserhalb der Klassenzimmer vorhanden sein, damit die Luft nicht durch die Ausdünstung nasser Kleider verdorben werde. Wichtiger noch ist die richtige Konstruktion der Subsellien. Der Verfasser bespricht hier die Höhe und Breite der Bank, das Verhältnis der Sitzhöhe zur Tischhöhe, die Form der Rückenlehne, die sogenannte positive und negative Distanz. Letztere wird nach ihm am besten dadurch erzielt, daſs man nicht den Tisch, sondern den Sitz beweglich herstellt. Besonders beachtenswert erscheint ihm das LICKROTHsche Subsellium für Schule und Haus, das deshalb auch näher beschrieben wird. Für jede Klasse empfiehlt er drei verschiedene Gröſsen von Bänken, deren Durchschnittsmaſse er nach den in deutschen Schulen gemachten Erfahrungen angibt. Auf diese Bänke sollen die Kinder in der Weise verteilt werden, daſs die kleinsten auf den vorderen niedrigern Bänken, die gröſsten auf den hintersten höchsten Bänken sitzen. Wenn er an der der Brust des Schülers zugekehrten Kante der geneigten Tischplatte übrigens eine kleine Leiste anbringen will, um das Herabgleiten der Bücher und Hefte zu verhindern, so ist dagegen einzuwenden, daſs diese Leiste durch den Druck, den sie beim Schreiben ausübt, hinderlich wird.

Der Platz, den die Subsellien einnehmen, ist für die Gröſse der Schulzimmer maſsgebend. Der Autor verlangt, daſs die letzteren nicht länger als 10 m und nicht tiefer als 8 m seien. Bei gröſserer Länge reicht die Stimme des Lehrers für die hintersten Schüler nicht aus und diese können das an der Wandtafel Geschriebene nicht mehr erkennen; bei gröſserer Tiefe macht die Beleuchtung der vom Fenster am entferntesten liegenden Plätze Schwierigkeit. Sind mehrere solche Schulzimmer in einem Gebäude vereinigt, so sollen dieselben sich alle an einer Seite desselben befinden und an ihnen entlang ein genügend breiter Korridor mit Fenstern nach der anderen Seite verlaufen. Es hat dies den Vorteil, daſs durch Öffnen der Thüren und Fenster ein sehr kräftiger Luftzug erzeugt werden kann.

Was den Bauplatz anbetrifft, so ist die Nachbarschaft andrer Gebäude zu meiden und eine möglichst freie Lage anzustreben. Der Untergrund soll trocken sein und das Erdgeschoſs nicht unmittelbar auf dem Erdboden aufliegen, sondern unterkellert werden. Diese Kellerräumlichkeiten können bei gröſseren Schulgebäuden für Zentralheizungen und, wie wir hinzusetzen, für Badezimmer, Küchen zur Verpflegung armer Schulkinder und Werkstätten für den sich immer weiter ausbreitenden Handfertigkeitsunterricht Verwendung finden. Die Treppen müssen hell, genügend breit, gerade ansteigend und nicht gewunden, überhaupt ungefährlich sein. In Rücksicht auf die Feuergefahr verdienen steinerne Treppen den Vorzug vor hölzernen.

Zum Schlusse bespricht der Verfasser die Schulkrankheiten, zu denen er auſser Rückgratsverkrümmungen und Kurzsichtigkeit noch Kopfweh, Nasenbluten, Zirkulationsstörungen, Anämie und Chlorose, Verdauungsstörungen zählt. Als die Ursache des Kopfwehs und blutens sieht er die schlechte Luft, die oft viel zu hohe Temperat die zu große und zu einseitige geistige Anstrengung an. Zirkul störungen in den Brust- und Bauchorganen werden durch un mäßiges und zu langes Sitzen erzeugt. Die Anämie und Chloros bei jungen Mädchen mit der Pubertätsentwicklung zusammen un außerdem durch die verdorbene Schulluft und den Mangel an Bev gefördert. Letzterer soll auch den Anlaß zu Hämorrhoidalbesch und damit zusammenhängenden hartnäckigen Verstopfungen geben. haupt sieht der Verfasser die körperliche Entwicklung der Jugend, n lich in den höheren Schulen sehr ungünstig an, wie denn nach il mehr als fünfzig Prozent der Einjährig-Freiwilligen als dienstunt erweisen. Zur Bekämpfung dieser Übelstände empfiehlt er hygi Verbesserung der Schullokale, fleißiges Turnen und Spazierer öftere Klassenausflüge und längeren Aufenthalt im Gebirge oder See während der Ferien.

Wie man sieht, werden nur die wichtigsten und bekann Punkte der Schulhygiene in dem vorliegenden Werke besprochen. dings beruft sich der Verfasser auf Horaz, welcher fordert, daf zwar immer wisse, was zu sagen ist, doch vieles, was sich auch

„noch sagen ließe, jetzt zurückbehalte
und für den Platz, wo mans bedarf, verspare.“

Doch erscheint uns der Herr Autor in dieser Beziehung weit gegangen zu sein. Umfaßt doch das ganze Kapitel der gesundheitspflege in dem 600 Seiten langen Buche nicht mehr Seiten. Freilich sind manche hierher gehörige Fragen wie die L und Heizung der Schulzimmer, die Beleuchtung derselben mit lichem und künstlichem Lichte in andern Vorlesungen behandel namentlich die siebenundvierzigste enthält sehr vieles, was sich auf hygiene bezieht. Denn hier ist von der Frage, ob deutsche ode nische Schrift, von der Lage des Heftes beim Schreiben, von d forderungen, die an Papier und Tinte, an Schreib- und Schulwan zu stellen sind, vor allem aber von der Kurzsichtigkeit die Rede, durch die Schule erzeugt oder doch wenigstens begünstigt wird. seits aber findet sich nichts von den schönen Schuluntersuchungen ül kindliche Gehörorgan, welche Reichard, Weit, Samuel Sexton, I Bezold, Gellé und Schmiegelow angestellt haben und ebens etwas von dem schädigenden Einfluß, welchen nach Evans und a die Überbürdung auf die Zähne der Schüler ausübt. Auch der H des Unterrichts, der ärztlichen Schulaufsicht, der neueren Untersuol über den allgemeinen Gesundheitszustand der Schüler, der Verbi ansteckender Krankheiten durch die Schule, der Ferienkolonien u hospize für skrofulöse und rhachitische Kinder, der Schul- und Kindergärten wird nirgends gedacht. Vielleicht hätte sich für manches hiervon Platz finden lassen, wenn allgemein Bekanntes, wie z. B. Bunsens Photometer, mit dem doch jeder Medizin Studierende aus der Vorlesung über Physik vertraut ist, nicht noch besonders beschrieben worden wäre.

Als kleine Irrtümer heben wir hervor, dafs den Lehrern nicht bis in die kleinsten Einzelheiten hinein vorgeschrieben ist, was und wie sie unterrichten sollen. Das gilt höchstens von den unteren Stufen des Elementarunterrichts, während für die Lehrer höherer Schulen nur der Umfang des zu behandelnden Stoffes im allgemeinen, nicht aber die Art und Weise der Behandlung festgesetzt ist. Auch der Behauptung, dafs die Verkrümmung der Wirbelsäule bei Schulkindern immer nach rechts auftrete, vermögen wir nicht beizupflichten. Wir konnten bei den Gelehrtenschülern des Johanneums in Hamburg 6 Fälle von ausgesprochener Skoliose konstatieren und unter diesen war 5mal die Konvexität der Wirbelsäule nach rechts, 1mal dagegen nach links hin gerichtet. Ebenso ist bei Guillaume und Schildbach nur von dem überwiegenden, nicht von dem ausschliefslichen Vorkommen der rechtsseitigen Ausbiegung die Rede. Endlich dürfte auch die Angabe, dafs von denjenigen, welche auf Gymnasien die Berechtigung zum einjährigen Militärdienst erwerben, sich später mehr als fünfzig Prozent als dienstuntauglich erweisen, zum mindesten zweifelhaft sein. Das Zentralblatt für die gesammte Unterrichtsverwaltung in Preufsen teilt nämlich als Ergebnis der Erhebungen über die Einjährig-Freiwilligen während der Jahre 1877 bis 1881 mit, von denselben seien als tauglich eingestellt 45 Prozent, als untauglich ausgemustert 22 Prozent, als bedingt tauglich oder zeitig untauglich der Ersatz-Reserve zugewiesen annähernd 33 Prozent. Das Gutachten der Wissenschaftlichen Deputation für das Medizinalwesen in Preufsen vom 19. Dezember 1883 aber lautet: „Jedenfalls vermögen wir aus dem vorliegenden Stoffe nicht zu ersehen, dafs die Abiturienten und die mit dem Berechtigungszeugnisse für den einjährigen Militärdienst von höheren Schulen abgehenden jungen Männer eine bedenklich hohe Zahl von Schwächlingen einschliefsen. Im Gegenteil, das Ergebnis der erwähnten Feststellungen erinnert stark an dasjenige, was die uns vorgelegte Denkschrift aus dem Immediatberichte vom 28. November 1837 citierte, dafs bezüglich der Tauglichkeit für den Militärdienst die aus den Gymnasien hervorgehenden Jünglinge und die Studierenden ungleich günstiger stehen als die Handels- und Kaufbeflissenen."

Kotelmann.

Besnier, Ernest, Membre de l'Académie de Médecine de l'Hôpital St. Louis etc. Sur la Pelade. Travail lu à l'Académie de Médecine dans sa séance du 31. Juillet 1888. Paris, 1888. G. Masson.

516

Diese Arbeit behandelt ein Leiden, das in den Schulen Frankreichs häufig vorkommt. Die sehr eingehenden Untersuchungen über die Natur der Krankheit müssen wir hier übergehen, dagegen ist von großer Bedeutung, daß BESNIER an der Hand von zahlreichen Beobachtungen, eigenen und fremden, namentlich der Ärzte des bekannten Hôpital St. Louis, feststellt, daß die gewöhnliche Form der Pelade, wie sie u. a. auch in den Primärschulen gefunden wird, sich von einem kranken auf ein gesundes Individuum übertragen kann, also ansteckend ist. Wie bei andern Krankheiten ist natürlich die Empfänglichkeit der einzelnen Personen verschieden; und wenn die Pelade bei manchen nur in leichter Form auftritt, so haben andere dafür unter desto schwereren Unbequemlichkeiten zu leiden. Als prophylaktische Mittel werden vorgeschlagen: kein mit Pelade Behafteter hat den Anspruch auf Zulassung zur Schule, zur Vermeidung von direkter Ansteckung hat der Kranke den Kopf bedeckt zu halten oder wenigstens den kranken Teil desselben; die Haare sind kurz zu scheren; die kranken Stellen müssen jeden Morgen, abgesehen von den speziellen therapeutischen Maßnahmen, kräftig mit warmem Wasser und Seife abgewaschen werden; hiermit ist auch nach der Heilung möglichst fortzufahren. Gemeinschaftlicher Gebrauch von Kopfbedeckungen oder Kopfkissen ist streng zu untersagen, ebenso ist das Aneinanderlehnen der Köpfe zu verbieten. Die Gegenstände, welche mit den kranken Teilen in Berührung waren, sollen desinfiziert, bezw. verbrannt werden, da ein Geheilter z. B. durch seinen eigenen Hut von neuem angesteckt werden kann.

Unter gewissen Vorsichtsmaßregeln dürfen kranke Schüler in die Primärschulen zugelassen werden, wenn sie nämlich getrennt von den übrigen Schülern gehalten werden können und in genügender Weise die erkrankten Teile des Kopfes oder diesen ganz bedecken. Ebenso gestattet BESNIER Zulassung durch die Institutsärzte in die höheren Schulen unter ähnlichen Kautelen bei leichteren Fällen. Wesentlich ist aber immer, daß die ärztliche Behandlung auch im Hause strikt befolgt wird.

MAASS.

Bibliographie:

BABCOCK, W. H. *Games of Washington children.* Am. Anthrop. Washington, 1888, I, 243—284.

BACH, TH. *Wanderungen, Turnfahrten und Schülerreisen.* Leipzig, 1888, Ed. Strauch.

BERANECK, H. *Neuere Lüftungs- und Heizungs-Anlagen in den Schulen der Stadt Wien.* Wochschr. d. österr. Archit. u. Ing.-Ver., 1888, XXX, 273 f.

CAZALS, A. L. *Le jardin botanique de l'école primaire rurale.* Nancy, 1886.

COHN, H. *Quelques notices sur l'hygiène oculaire dans les écoles de Constantinople.* Gaz. des hôp. de l'empire ottoman. Constantinople. 1887—88, I, No. 19, 5—7.

COSSIO, M. B. *Contra la introduccion de los ejercicios y batallones escolares en la escuela.* Gegen die Einführung des Exercierens und der Schüler-Butaillone in die Schule . Bolet. de la instit. lib de enseñanza. Madrid, 1888. CCLXXII, 135—147.

CUBE, A. *Contribution à la photométrie scolaire.* Paris. 1887. J. B. Baillière et fils, 3 pl. 8'.

FAZIO, E. *Danni dell' eccessivo lavoro intellettuale e la sedentarietà nella scuola.* Gior. internaz. d. sc. med., Napoli, 1888. n. s., X, 203—217.

Ferienreisen. der Lehrer auf. Kath. Schulztg., 1888. XXXVI, 282.

FLEISCHMANN, C. *Anleitung zu Turnfahrten,* Leipzig, 1888. Ed. Strauch.

GARDNER SMITH, J. *The importance of careful physical examinations in the gymnasium.* The New York med. Journ . 1888, Sept. 8, 257—261.

Gesundheitspflege, die, in den Schulen Konstantinopels. Rede eines Kreisschulinspektors bei der Einweihung eines neuen Schulhauses. Mag. f. Pädag., 1888. XIX.

Gesundheitspflege, die, in der Schule. Nat.-Ztg., 1888. No. 453.

GIBNEY, V. P. *The treatment of lateral curvature by posture and exercise.* New York med. Journ., 15 Septb. 1888, 288—291.

GINER, F. *Notas pedagógicas, Los problemas de la educacion física* Pädagogische Bemerkungen, Die Probleme der physischen Erziehung. Bolet. de la instit. lib. de enseñanza, Madrid, 1888, CCLXXIII, 157—158.

GREENLEY, T. B. *Hygiene of infancy and childhood.* Am Pract. & News Louisville, 1888, n. s., V, 385—392.

HAUSHOFER, M. *Über Handfertigkeit.* Gewerbeschau. 1888. IX, 102—103

HOFFA, A. *Die neueren Forschungen über Pathologie und Therapie der Skoliose.* Schmidt's Jahrb. d. ges. Med., CCXVII, 193.

KEHL, W. *Kleine Schwimmschule,* Zürich. 1888. Orell. Füßli & Co.

KOLLOCK, C. W. *The eyes at the age of puberty* Gaillard's M. J. New York, 1888, XIV, 525—529.

LADEBECK, H. *Schwimmschule. Lehrbuch der Schwimmkunst für Anfänger und Geübte.* Ausführliche Anleitung zum Selbstlernen derselben Leipzig, 1888, H. Bruckner, 31 Abb.

LAYET, A. *Les maladies des artistes et des gens d'étude.* Rev. san. No. 84—86.

Luft- und Niederdruck-Dampfheizung des neuen physiologischen Institutes der Universität Marburg. Zentrbl. d. Bauverwltg, 1887, CCCCXXX; Gsdhts.-Ingen , 1888, XVIII, 612—613.

MARX, F. *Die Entwickelung des Schulturnens im Großherzogtum Hessen.* Bensheim, 1888, J. Ehrhard & Co

518

Mehr Naturwissenschaft und auch Gesundheitslehre in den Schulen!
Schweiz. Blätt. f. Gsdhtspflg., 1888, XIX, 267.

MOTTA, M. *Über die Behandlung der Kyphose und Skoliose.* Centrbl.
f. orthopäd. Chir. u. Mech.. 1888, IX, 81—84.

NAUCKE, A. *Die Turnverhältnisse (in den Schulen) Berlins.* Dtsch. Turn-
Ztg., 1888, XXXIX, 681—685.

*Niederlande. Gesetzentwurf gegen Überarbeitung und Verwahrlosung jugend-
licher Personen.* Arch. f. soziale Gesetzgeb. u. Statist, Tübingen, 1888,
I, 155.

PERIER, E. *La seconde enfance, guide hygiénique des mères et des per-
sonnes appelées à diriger l'éducation de la jeunesse*, Paris, 1888, J. B.
Bailhère et fils. 12°.

PINKHAM, J. G. *The ventilation of schoolrooms heated by stoves.* Rep.
Bd. Health Mass., 1886—87, Boston, 1888. XIX, 323—361.

RIANT, A. *Hygiène des orateurs, avocats, magistrats, hommes politiques
prédicateurs, professeurs, artistes et de tous ceux, qui sont appelés à
parler en public,* Paris, 1888, J. B. Baillière et fils. 12°.

ROLLET, J. *Epidémie de fièvre typhoïde à l'école normale et au collège de
Cluny,* Lyon 1888, Plan. 8°.

ROUX. *Notice sur les corsets orthopédiques de Sayre.* Rev. méd. de la
Suisse romande, 1887, IX.

SCHENKER, G. *Schulgesundheitliche Wünsche bei Revision von Schulgesetzen.*
Schwz. Blätt. f. Gsdhtspflg., 1888, XX, 277—278.

Schulgärten, über botanische. Kath. Schulztg. 1888, XIV—XV.

SCHWEINITZ, DE. *An examination of the eyes of fifty cases of chorea of
childhood.* New York med. Journ., 1888, XLVII, 25. Sem. méd.,
1888, XXX.

STOEBER, A. *De la myopie scolaire.* Rev. méd. de l'est, Nancy, 1888,
XX, 205; 244; 358.

STRAUMANN, H. *Über ophthalmoskopischen Befund und Hereditätsverhältnisse bei der Myopie.* Inaug.-Diss., Basel, 1888. 8°.

SZILI, A. *A rövidlátóság kérdéséhez (Über Kurzsichtigkeit).* Gyógyászat.
Budapest. 1888, XXVIII. 255. 267.

Teaching physiology in the public schools. By a teacher. Pop. Sc. Month.
New York, 1888, XXXIII, 509—520.

WALLOTH. *Über Centralheizungsanlagen in Schulgebäuden des Bezirks
Ober-Elsaß.* Arch. f. öff. Gsndhtspflg., Straßburg, 1888, XII, 141—172.

Bei der Redaktion eingegangene Schriften:

AMSINCK, I., HERTEL, A., KROMAN, K. *Indberetning fra Gymnastikkommis-
sionen af 5te April 1887.* Bericht der Turnkommisson vom 5. April
1887), Kopenhagen, 1888.

BACHMANN, M. *Körperpflege und das Turnen mit dem Gummistrang.* Zürich, 1888.

CHAUVEL, J. *De la myopie, ses rapports avec l'astigmatisme, étude statistique et clinique.* Arch. d'ophtalm., 1888, VIII, 193 ff.

COHEN, O. *Über die Gestalt der Orbita bei Kurzsichtigkeit.* Arch. f. Augenhlkde, 1888, XIX, 1, 41 ff.

DJAKONOW, P. J. [*Statistik der Blindheit in Rußland und einige ätiologische Momente derselben*]. Inaug.-Dissert., Moskau, 1888.

FROMM, B. *Zimmer-Gymnastik. Anleitung zur Ausübung aktiver, passiver und Widerstands-Bewegungen ohne Geräte nebst Anweisung zur Verhütung von Rückgratsverkrümmungen.* Mit 72 Fig., Berlin, 1888, A. Hirschwald. gr. 8°.

Guerra y Gifre, Lecciones de economía y de higiéne doméstica para las madres de familia y cuantas personas se hallen al frente del gobierno de una casa, escritas en diálogo para que puedan servir de texto en las escuelas de niñas [Lektionen der Hauswirtschaft und Gesundheitspflege für die Familienmütter und alle Diejenigen, welche an der Spitze eines Hauswesens stehen, in Gesprächsform geschrieben, um als Text in Mädchenschulen dienen zu können], Barcelona, 1883 Jaime Jepus. 12°.

HUPERZ, TH. *Die Lungen-Gymnastik. Eine Anleitung zur diätetischen Pflege und gymnastischen Ausbildung der Atmungs-Organe.* 3. Aufl., Berlin-Neuwied, 1888, Heuser. 8°.

Knabenhort, München und Leipzig, 1888, G. Franz (J. Roth). gr. 8°, No. 1 ff.

Le Blond, N. A. La gymnastique et les exercises physiques. Introduction par H. Bouvier. *Marche, course, danse, natation, escrime, equitations chasse, massage, exercises gymnastiques, applications au développement des forces, à la conservation de la santé et au traitement des maladies,* Paris, 1888, J. B. Baillière et fils. 12°.

MONLAU, P. F. *Nociones de higiene doméstica y gobierno de la casa para uso de las escuelas de primera enscnanza de niyas y colegios de senoritas.* [Begriffe der häuslichen Gesundheitspflege und der Haushaltung zum Gebrauch in Primärmädchenschulen und in höheren Töchterschulen], Madrid, 1885, Successores de Rivadeneyra. 12°.

MONREAL, DONA L. C. *Cartilla de Higiene y economia domestica para uso de las escuelas de ninas.* [Fibel der Hygiene unel Hauswirtschaft zum Gebrauch in Mädchenschulen], Madrid, 1884, Gr. Juste. 12°.

NETOLICZKA, EUG. *Auge und Brille. Vom physikalischen und hygienischen Standpunkt für weitere Kreise dargestellt,* Wien, 1888, Pichler. 8°.

REIMANN, M. *Die körperliche Erziehung und die Gesundheitspflege in der Schule.* Nebst einem Anhang über das Erkennen ansteckender Krank-

heiten, zur Verhütung deren Verbreitung durch die Schule zum
praktischen Gebrauch für Schulbehörden, Lehrer und Ärzte, Kiel,
1885, LIPSIUS & TISCHER. 8°.

Ratschläge für Eltern über das Verhalten bei ansteckenden Krankheiten,
Kiel und Leipzig. 1888, LIPSIUS & TISCHER. 8°

SCHOLZ, FR. *Die Diätetik des Geistes*, Leipzig, 1887, E. H. Mayer. 8°.

SCHUSCHNY, H. *Néhány szó a középiskolai orvosi és egészségtan-tanári
intézményről* [Einige Worte über die Institution der Schulärzte und
Hygiene-Professoren für Mittelschulen]. Sepabd. a. d. Jahresber. f.
1887/88 d. Staatsoberrealsch. im V. Bezk. zu Budapest, Budapest.
1888. 8°.

SENTIÑON, G. *El colera y su tratamiento.* [Die Cholera und ihre Be-
handlung], Barcelona, 1883, Imprenta Barcelonesa. 8°.

La viruela y su tratamiento curativo, preservativo y exterminativo. [Die
Pocken und ihre Behandlung: Heilung, Schutz und Tilgung], Barcelona, 1884, Imprenta Barcelonesa. 8°.

STILLING, J. *Schädelbau und Kurzsichtigkeit.* Eine anthropologische
Untersuchung, Wiesbaden, 1888, J. F. BERGMANN. 8°.

SUÑÓS, A. *Lecciones de higiene y economia domestica seguidas de unos
breves consejos á las madres de familia sobre la educacion de la in-
fancia.* Pera uso de las maestras de instruccion primaria [Lektionen
der Hygiene und Hauswirtschaft nebst einigen kurzen Ratschlägen
für die Familienmütter über die Erziehung der Kinder. Zum Gebrauch
für Primarlehrerinnen], Tarragona, 1876, ED. GUAL. 12°.

TAUFFER, J. *Orvosi jelentés a Temesvári m. kir. áll. földikiskola egész-
ségügyi viszonyairól az 1887—88* [Bericht über die hygienischen Verhältnisse der Temesvarer Kön. ungarischen Staatsoberrealschule im
Schuljahr 1887—88], Temesvar. 1888, H. Uhrmann. 8°.

TISSIÉ, P. *L'hygiène du vélocipédiste.* Avec 40 Fig., Paris, 1888, Doin.

Verein für Kinderhorte in Frankfurt a. M. Bericht für 1887, Frankfurt a. M., 1888. 8°.

VERNEUIL, H. *La mémoire au point de vue physiologique, psychologique
et anatomique*, Paris, 1888, Doin 8°.

*Ville de Bruxelles. Service d'hygiène. Préservation des maladies infec-
tieuses ou épidémiques.* Mesures d'hygiène privée recommandées au
public, Bruxelles, 1884, VE JULIEN BAERTSOEN. 12°.

Volkswohl. Organ des Zentralvereins für das Wohl der arbeitenden
Klassen, Dresden, 1888, H. MINDEN. Jahrg. XII, No. 1 ff.

WALTER, J. *A népiskola és az egészségügy* [Die Volkschule und die
Gesundheitspflege], Gran, 1885, G. Buzárovits. 8°.

Verlag von Leopold Voss in Hamburg (und Leipzig).
Druck der Verlagsanstalt u. Druckerei Actien-Gesellschaft (vorm. J.F.Richter), Hamburg.

Sach-Register.

532

Namenregister.

Lightning Source UK Ltd.
Milton Keynes UK
UKHW020602120219
337137UK00005B/800/P